»Sie lebten in einer von ihnen erschaffenen, unabhängigen Welt, in die wir eintreten dürfen«, schrieb Virginia Woolf über die Geschwister Brontë, die im Pfarrhaus von Haworth aufwuchsen – heute das Ziel zahlreicher Literaturtouristen. Der Vater Patrick Brontë, der sich vom irischen Tagelöhnersohn zum Cambridge-Absolventen hochgearbeitet hatte, vermittelte seinen Kindern die Liebe zur Politik, Kunst und Literatur. Branwell, sein hochbegabter Sohn, füllte in seinem Jugendwerk ›Scribblemania‹ Hunderte von Manuskriptseiten, und zusammen mit den Schwestern Charlotte, Emily und Anne entstanden die Geschichten von ›Angria & Gondal‹, mit denen sie sich eine eigene literarische Fabelwelt schufen. Branwell versucht sich später als Porträtmaler; den Schwestern bleibt nur die Möglichkeit, als Gouvernanten ihren Lebensunterhalt zu bestreiten. Aber alle drei bleiben dem Schreiben treu und haben 1845 einen Roman vollendet: ›Sturmhöhe‹ von Emily, ›Agnes Grey‹ von Anne und ›Jane Eyre‹ von Charlotte Brontë werden publiziert und sind in gewisser Weise Skandalerfolge, da die von den Schwestern geschaffenen Frauenfiguren dem von Männern bestimmten viktorianischen Bild so gar nicht entsprachen. Das gemeinsame Pseudonym der Autorinnen – man hielt sie für drei Brüder – führte zudem zu wilden Spekulationen. Elsemarie Maletzke zeichnet ein einfühlsames Porträt der drei »taubengrauen Schwestern« (Arno Schmidt), dargestellt vor dem Hintergrund der stürmischen wirtschaftlichen, politischen und kulturellen Entwicklung des viktorianischen England.

Elsemarie Maletzke, geboren 1947, lebt als Autorin in Frankfurt; Herausgeberin von ›Angria & Gondal‹, den Jugendschriften der Geschwister Brontë, ›Über die Liebe‹ von Charlotte Brontë, Mitherausgeberin von ›Die Schwestern Brontë‹; außerdem Autorin von Reisebüchern und Satiren.

Elsemarie Maletzke

DAS LEBEN DER BRONTËS

Eine Biographie

Fischer Taschenbuch Verlag

Limitierte Sonderausgabe
Veröffentlicht im Fischer Taschenbuch Verlag GmbH,
Frankfurt am Main, Januar 1997

Lizenzausgabe mit freundlicher Genehmigung der
Frankfurter Verlagsanstalt GmbH, Frankfurt am Main
© 1988 Frankfurter Verlagsanstalt GmbH, Frankfurt am Main
Umschlaggestaltung: Groothuis + Malsy, Bremen
Umschlagabbildung: Patrick Branwell Brontë,
By courtesy of the National Portrait Gallery, London
Druck und Bindung: Clausen & Bosse, Leck
Printed in Germany
ISBN 3-596-13556-7

Gedruckt auf chlor- und säurefreiem Papier

Inhaltsverzeichnis

Vorbemerkung   9

I
Der Reverend Brontë · Haworth · Die Methodisten · Die industrielle Revolution und die Weber · Woodhouse Grove · Maria
Branwell · Das Pfarrhaus auf dem Friedhof · Wasser und Ab-
wasser 13

II
Elizabeth Branwell · Maria Brontë · Witwer mit sechs Kindern ·
Mary Burder 39

III
Cowan Bridge · Söhne und Töchter · Ein Moorbeben · Der Tod der
großen Schwestern 53

IV
Gedankenspiele · Die Jungen Männer · Tabby kommt · Die Insel-
bewohner 71

V
Von Büchern und Kindern · Roe Head · Mary und Ellen · Ein neues
Gedankenspiel: Gondal · Etwas über Politik 93

VI
Außenwelt und Unterwelt · Ellen in Haworth · Der Haushalt eines
Gentleman · Branwell zwischen Wiggins und Percy · Familientren-
nung 111

VII

Branwell, der Maler · Exil in Roe Head · Gratwanderung mit Abstürzen · Fiasko in London · Ein Literat rät, ein anderer schweigt · Poesie am Küchentisch · Anne und Charlotte finden einen Gott 131

VIII

Königin Victoria besteigt den Thron · Emilys Traumgesichte · Die Schutzgeister bleiben in Verbindung · Tabby auf dem Eis · Kein Zimmer für sich allein · Law Hill 157

IX

Die Kunst des Liebens · Kein Talent zur Gouvernante · Bruder Hastings · Ein Studio in Bradford · »Das Geheimnis der Glückseligkeit« · Willi Weightman · Reise ans Meer · Schwarmgeister und Kanzel-Polterer 175

X

Emily und Keeper · Romantik und Erotik · Abschied von Angria · Ein braver junger Mann · Mai in Ambleside · Branwell bei der Eisenbahn · Anne in Thorp Green · Junge Damen der Gesellschaft · Charlotte in Upperwood House · Schule für drei · Ein starker Wunsch nach Flügeln · Geburtstagsbriefe · Nach Brüssel 201

XI

Das Pensionat Heger · Emilys Eigenheiten · William Weightman stirbt · Elizabeth Branwells Tod · Über das Entstehen von Legenden · Hauslehrer bei den Robinsons · Eine Herzensentscheidung . 225

XII

Charlottes zweites Jahr in Brüssel · »Der schwarze Schwan« · Eine Beichte · Branwell und Mrs. Robinson · Das Etablissement wird aufgegeben 245

XIII

Branwell entdeckt · Briefe an Monsieur Heger · Die Literatur als
Trösterin · Krank an der Liebe · Vier-Jahres-Chroniken · Fleißig
und unverzagt · Ein hoffnungsloses Wesen 265

XIV

Die Gedichte · Currer, Ellis und·Acton Bell · Mr. Nicholls · Die Kuraten · *Jane Eyre* · *Wuthering Heights* · *Agnes Grey* · Der Geist des Stolzes · Entfremdung 289

XV

The Tenant of Wildfell Hall · Termin in London · Branwell stirbt ·
Emily stirbt · Anne stirbt 317

XVI

Shirley · Freundschaften in der literarischen Welt · George Smith ·
William M. Thackeray · Harriet Martineau · Elizabeth Gaskell ·
George Henry Lewes · Die Emanzipation · Londoner Freuden und
Peinlichkeiten 341

XVII

Villette · Eine Werbung · Neue Manuskripte · Ratgeberinnen · Charlotte B. Nicholls · Der Tod · Die Nachwelt 369

Nachwort 395

Literaturverzeichnis 399

Nachweise 404

Personenverzeichnis 405

»The Gun Group.« Zeichnung von Branwell Brontë.
Von links: Anne, Charlotte, Branwell, Emily.

Vorbemerkung

Das 19. Jahrhundert war reich an literarischen Früchten: *The Cambridge Bibliography of English Literature* nennt rund vierzig Autorinnen, die allein in den dreißiger und vierziger Jahren an die 300 Romane in England publizierten. Wenig ist von dieser Aktivität auf die Nachwelt gekommen. Die Werke der Schwestern Brontë aber – Charlottes *Jane Eyre*, Emilys *Sturmhöhe* und Annes *Agnes Grey* – um nur die ersten zu nennen – gehören heute zur Standardlektüre, die jedes englische Schulkind gelesen hat.

Ihren dauernden Ruhm begründen jedoch nicht nur ihre Bücher. Das Leben der Brontës selbst, so sonderbar und so schmerzlich, erscheint wie ein Stück Dichtung. Auf engstem Raum – im Familienzirkel und in sozialer Isolation, in einem Pfarrhaus im hintersten Yorkshire – wachsen vier verwandte, in ihren Ausformungen jedoch ganz unterschiedliche Talente heran. Selbst der Vater ist ein frustrierter Poet. Es sind vier Geschwister, die, obwohl eingebunden in die viktorianischen Konventionen, aus ihrer Zeit herausragen und den Leser bis auf den heutigen Tag zum Identifizieren mit der einen oder dem anderen einladen. Da ist Anne, sanft und unerschrocken, Emily, das Naturkind, empfindsam und erbarmungslos, ihr Bruder Branwell, der gefallene Star, der die Last der Erwartungen nicht tragen kann, und Charlotte, die unter ihrer Contenance ein stürmisches Herz verbirgt.

»Wenn die Männer uns so sähen, wie wir wirklich sind, wären sie wohl ziemlich erstaunt«, schreibt Charlotte in ihrem Roman *Shirley*. Die Rede ist von der Natur der Frauen, ihrer

Leidenschaft und Ungeduld, die nicht in die Sitte des 19. Jahrhunderts passen. Das von Männern bestimmte viktorianische Frauenbild kannte nur den Engel oder den Satansbraten. Die Schwestern Brontë aber machten ihre Leser mit Figuren bekannt, die diese in ihrer Differenziertheit in Erstaunen setzten. Ihre Werke waren Skandalerfolge. Das gemeinsame Pseudonym der Autorinnen – man hielt sie für drei Brüder – führte zu wilden Spekulationen. Doch wer und »wie wir wirklich sind« blieb lange eines der bestgehüteten Geheimnisse der englischen Literaturgeschichte. Charlotte, Emily und Anne Brontë wollten als Literaturschaffende und nicht als schreibende Damen anerkannt werden. Darüber hinaus waren sie ungewöhnlich spröde und heimliche Geschöpfe. Es stellt einen Teil der Brontë'schen Faszination dar, daß diese drei Jungfrauen, die mit der übrigen Welt den sparsamsten Kontakt pflegten, über sexuelles Begehren, Sadismus, Wahnsinn, Ehebruch, Inzest und Alkoholismus schrieben. Sie taten es einesteils im Überborden einer fiebrigen Phantasie, andererseits aus dem tiefen Verständnis der menschlichen Natur. Auch Branwell gab Einblick in die Verwüstungen, die der Zusammenprall von Traum und Realität nach sich ziehen kann.

Keine von ihnen wollte bewußt die Leser schockieren. In naiver Kühnheit schuf Charlotte Frauenfiguren, die laut ihr Recht auf ein selbstbestimmtes Leben einklagten. Emily folgte ihrem eigenen Gesetz, ihrem »Gott der Gesichte«, und legte ohenhin wenig Wert auf die Zustimmung der Welt. »Die Wahrheit« wollte Anne schreiben, gegen Dummheit und Brutalität. In einer Zeit, in der Ehefrauen das uneingeschränkte Eigentum ihrer Männer darstellten, wagt ihre Heldin Helen, *The Tenant of Wildfell Hall*, dem Gatten die Schlafzimmertür vor der Nase zuzuschlagen, ein Knall, der durch das ganze viktorianische England hallte, wie Mae

Sinclair später schrieb. Annes Zeitgenosse, der Kinderbuchautor Charles Kingsley, fand das Buch denn auch »entschieden ungeeignet als Lektüre für junge Mädchen.«

Heute scheinen wir die Brontës besser zu verstehen, als es ihre Leser vor fast 150 Jahren konnten. Charlottes Briefe an den geliebten »maître« in Brüssel, die den ganzen Jammer einer verletzten Seele enthüllen, wurden 1913 in der *Times* publiziert. Die Bedeutung der Jugendschriften, diese schier unübersichtliche Tagtraumwerkstatt der vier Geschwister, in der zwei Großreiche der Phantasie – Angria & Gondal – entstanden, wurde erst in den zwanziger Jahren dieses Jahrhunderts offenbar. Und der Recherchen und Neuentdeckungen ist kein Ende. Noch in diesem Jahrzehnt fand die Brontë-Forscherin Christine Alexander in den Universitätsbibliotheken von Harvard und Princeton und in der British Library unbekannte Prosa- und Gedicht-Manuskripte von Charlotte, die bei Versteigerungen des Nachlasses vor siebzig Jahren in alle Winde gewirbelt worden waren. Das Jugendwerk Branwells, der in seiner »Scribblemania« aberhunderte von Manuskriptseiten bedeckte, ist noch nicht einmal vollständig entziffert. Das Kapitel »wie wir wirklich sind« wird auch noch kommende Generationen von Brontë-Lesern beschäftigen.

I Der Reverend Brontë · Haworth · Die Metho-
disten · Die industrielle Revolution und die
Weber · Woodhouse Grove · Maria Branwell ·
Das Pfarrhaus auf dem Friedhof · Wasser und
Abwasser

By folly taught, by nature led,
In sensual delicacy bred,
In soft luxurious ease:
A feeble mind and body meet,
And pride and ignorance complete
Our total uselessness.

John Wesley
Ah, dire effect of female pride!

An einem Apriltag des Jahres 1820 zieht der neue Pfarrer in
Haworth ein. Sieben Karren mit seiner Habe und seiner Familie schwanken die Hauptstraße hinauf, die so steil ist, daß
die Zugpferde Mühe haben, auf dem buckeligen Pflaster
Tritt zu fassen. Graue, einstöckige Weberhäuschen säumen
nahtlos die steinerne Gasse, deren Bürgersteig in langen
Treppenstufen hügelan klettert. Links liegt das Black Bull
Hotel, die Post, dann gabelt sich der Weg. Church Lane führt
weiter hinauf an der Kirche vorbei und am Friedhof entlang.
Dort, an seinem oberen Rand auf der Grenze zwischen Dorf
und Heide, bewohnter und unbewohnter Welt, früh-indu-
striellen Schwaden und freier Natur, steht das Pfarrhaus,
1778 erbaut, also schlicht »georgian«, einstöckig mit großen
Fenstern und einem Schornstein an jeder Giebelwand. Das
Dach ist mit schweren Steinplatten gegen den Sturm gedeckt, der nach einem langen Anlauf über die Hügel hier
am höchst gelegenen Punkt des Dorfes auf sein erstes Hindernis trifft. Die Heide – im Spätsommer während der kurzen Blüte ein rollendes Meer violetter Wellen – ist im April
nicht mehr als das Versprechen überwältigenden Trübsinns;
endlose kahle Kuppen, über die die Bärte der Regenwolken
streifen, fahles Kraut und Schafe in nasser Wolle.

Die Bewohner der West-Ridings, dieser gemütlichen Ecke
von Yorkshire, sind für ihre leidenschaftlichen Gemüter und
ihre finsteren Manieren bekannt, aber mit dem neuen Reverend haben sie einen gefunden, der es mit ihnen an Feuer
und Sturheit durchaus aufnehmen kann. Patrick Brontë,
zur Zeit seines Einzugs dreiundvierzig Jahre alt, hoch gewachsen mit rötlichem Haar, einer scharfen Nase und einem
sinnlichen Mund, hätte, wenn er nicht Pfarrer geworden
wäre, auch einen guten Soldaten abgegeben. Ein großer Pa-
triot und wilder Tory war er ohnehin. Als Student in Cambridge hatte er mit einer Bürgerwehr exerziert, die sich im

Invasions-Falle napoleonischen Truppen entgegenwerfen wollte – übrigens Seite an Seite mit dem späteren Lord Palmerston, was er, ein großer Freund von Anekdoten, nie zu erwähnen versäumte. Er liebte Feuerwaffen und erfand noch als älterer Herr neuartige Geschosse, deren Verwendung er dem Herzog von Wellington anbot. Seine Gnaden ließen ihn jedoch ohne Antwort.

Patrick war das Muster eines Autodidakten und Aufsteigers und dazu eine zwiespältige Natur: Ein liebender Mann – der seiner Frau in acht Jahren sechs Schwangerschaften bescherte; ein verständiger Vater – dessen zwei älteste Kinder sterbend aus dem Internat heimgeschickt wurden; ein großzügiger Seelsorger – der den Bewerber um seine sechsunddreißigjährige Tochter mit unchristlichem Sarkasmus aus dem Dorf graulte. In Kummer und Krankheit wurde aus dem leichtherzigen jungen Pfarrer ein Eremit im eigenen Haus, ein sich aufrechthaltender Greis mit weißem Stoppelhaar und einer gewickelten Seidenkrawatte, die immer umfangreicher, selten aber gewechselt wurde, und die ihn, fast bis zur Nasenspitze reichend, vor allerhand Übeln schützte. Denn der Reverend Brontë – ewig kränkelnd und unzerstörbar – überlebte seine gesamte Familie.

Geboren wurde er am St.-Patricks-Tag, dem 17. März 1777, in Drumballyroney in der Grafschaft Down im Norden Irlands als ältestes von zehn Kindern des protestantischen Bauern Hugh Brunty und der Katholikin Eleonor McClory, die bei der Heirat zum Glauben ihres Mannes übergetreten war. Vom Vater heißt es, daß er ein großer Geschichtenerzähler gewesen sein soll – was die meisten Iren von sich glauben –, aber Patrick wird der erste in der Familie gewesen sein, der seinen Namen schreiben lernte. Er ging bei einem Grobschmied, später bei einem Weber in die Lehre, aber Begabung, Ehrgeiz und Fleiß brachten ihn schon als Sechzehn-

jährigen auf den Posten eines Dorfschullehrers. Dort fiel er
dem Methodisten-Pfarrer Thomas Tighe auf, der ihn zum
Hauslehrer seiner Kinder machte und den armen Bauernsohn mit fünfundzwanzig Jahren auf das St. John's College
in Cambridge schickte. Die kleine irische Methodisten-Ge-
meinde, der Tighe vorstand, muß in dem ebenso feurigen
wie fleißigen jungen Mann einen fähigen Rekruten Gottes
gesehen haben, der die Botschaft ihres Anführers John Wesley durch die Institutionen der englischen Hochkirche tragen würde: Nicht nur wenige sind auserwählt, sondern alle
Menschen können errettet werden. »Ich habe große Hochachtung vor den Wesleyanern«, versicherte noch der einund-
achtzigjährige Patrick einem jungen Methodisten-Pfarrer,
als er sich längst von deren Erweckungs-Praktiken entfernt
hatte. Als Kind hatte er Wesley predigen hören, der regelmäßig durch Irland zog. Die Methodisten hatten seine Jugend
geprägt. Zeit seines Lebens bediente er sich ihrer pompösen
Höflichkeitsfloskeln, und um Gottes Rat war er in keinem
Gespräch verlegen.

Auf einer Methodisten-Akademie hatte er seine Frau kennengelernt. Höhepunkt seiner Karriere war der Einzug in
eine Pfarre, die achtzig Jahre zuvor von einem Freund und
Gefolgsmann Wesleys beherrscht worden war, dem ebenso
heiligen wie fürchterlichen Pastor William Grimshaw, dessen
Wirken den Leuten von Haworth noch in bester Erinnerung
war: Zu offenbar waren die Wunder, die seine Gebete bewirkt hatten, und zu eigenwillig die Wege, mit denen er seine
Herde zum Gottesdienst versammelt hatte. Der Menschen-
schlag, mit dem Grimshaw es in den West-Ridings zu tun
hatte, lebte dort seit Generationen nach seinem eigenen
Kodex, der weder mit der Bibel noch mit dem bürgerlichen
Gesetzbuch in Einklang stand. Streit und Rache zwischen
den Familien auf den abgelegenen Heidehöfen wurden vom

Vater auf den Sohn vererbt. Sollte Emily Brontë je nach einem Vorbild für eine so bedenkenlose Figur wie Heathcliff in der *Sturmhöhe* gesucht haben – die Umgebung von Haworth war reich an Inspiration.

Das sonntägliche Vergnügen dieser Gesellschaft, mit Steinen Fußball zu spielen, gehörte noch zu der sportlicheren Art von Sünden. Es gab auch Hahnenkämpfe, Hundehatz auf Bullen und Pferderennen, die regelmäßig von Rauf- und Trunkenbolden frequentiert wurden und Anlaß für Händel und Ausschweifungen boten. Charlotte Brontës Biographin, Elizabeth Gaskell, die Frau eines Kirchenmannes, beschrieb indigniert das Genre zu Grimshaws Zeiten: »Kaum eine Hochzeit wurde ohne das grobe Amüsement von Wettläufen gefeiert, bei denen die halbnackten Läufer einen Skandal für anständige Besucher von außerhalb darstellten.« Der Pastor, von einem reineren Geist erfüllt als seine Schafe, in Sprache und Gebaren aber ebenso unflätig wie sie, betete so heiß gegen die unchristlichen Spiele an, daß die Pferderennen eines Tages von einer wahren Sintflut hinweggeschwemmt wurden und nie mehr stattfanden. An Sonntagen ließ er seinen Chor den 119. Psalm anstimmen (»Wohl denen, deren Weg ohne Tadel ist, die leben nach der Weisung des Herrn. Wohl denen, die seine Vorschriften befolgen und ihn suchen von ganzem Herzen...«), stieg von der Kanzel, eilte in den benachbarten Black Bull und trieb die beim Frühschoppen Versammelten mit der Reitpeitsche in die Kirche. Wohl denen, die ein Sprung aus der Hintertür seinem Einfluß entzog.

Grimshaw starb 1763 an der Pest, weil er seine Gemeinde und die Waisenkinder, die er in seinem Pfarrhaus in Sowden, unweit von Haworth, beheimatete, nicht verlassen wollte. Sein Sarg trug das Pauluswort, das den Brontë-Kindern auch später von der Teekanne ihrer Tante Branwell

entgegenlachte: »Denn für mich ist Christus das Leben und
Sterben Gewinn.«

Diesem furchtlosen Mann war es gelungen, in Yorkshire
den Boden für eine Erweckungsbewegung zu bereiten, die
sich bis zum Ende des 18. Jahrhunderts über ganz England
ausbreiten sollte. Der Methodismus, der als Erneuerungsbe-
wegung innerhalb der Hochkirche begonnen hatte – und
mit ihm zahllose andere Sekten –, wandelte in weniger als
fünfzig Jahren den Geist einer Nation. Regency-England
ließ ab von seinem vulgären, sinnesfrohen Treiben und un-
terwarf sich einem protestantischen Gott, dem es kaum
recht zu machen war, und der die unteren Klassen durch die
Verkünder seiner Lehre noch härter bedrückte, als dies ihre
weltlichen Herren bereits taten.

Aber auch die oberen Schichten konnten sich der gesellschaftlichen Macht der Kirche nicht entziehen. Freidenker
bewegten sich hart an der Grenze zur Skandalfigur und hatten sich, ganz gleich, was sie zu Hause an ihrem Teetisch ver-
breiteten, den Konventionen zu beugen. Als Charlotte
Brontë 1851 zum erstenmal mit den atheistischen Ansichten
ihrer Freundin Harriet Martineau, einer Sozialreformerin,
zusammenprallte, mußte sie ihre ganze Toleranz aufbieten,
um ihr »instinktives Grauen« niederzukämpfen und diese
»Sünde« unabhängig von der Sünderin zu begutachten. In
Haworth brach eine Massenhysterie aus, als Wesley in Grimshaws Kirche predigte. St. Michael's and all Angels konnte
nicht einmal die Kommunikanten fassen, geschweige denn
die Menge der Zuhörer. Von seinen flammenden Worten getroffen, sollen einige tot zu Boden gefallen sein, was keine
größeren Störungen verursachte, denn es war wiederum
Grimshaw, der dem Prediger zurief, er möge sich nicht aufhalten lassen, die Betroffenen führen sowieso geradewegs
zur Hölle.

Wesley war ein Seelenverzücker, ein Guru des 18. Jahrhunderts. Er predigte ein Evangelium der Hoffnung von der grenzenlosen Liebe Gottes, aber die Errettung des einzelnen setzte ein fleißiges Leben voll guter Taten voraus. Wie dies einzurichten sei, das konnte nur ein wohlmeinender Teufel in Menschengestalt ersinnen. Der Reverend Brontë wollte bei allem Respekt Wesleys Lehre zum Heile seiner Kinder jedoch nicht in letzter Konsequenz folgen. »Brich den Willen des Kindes, wenn du es nicht der Verdammnis preisgeben willst«, hatte der heilige Mann gefordert. »Wenn ein Kind ein Jahr alt ist, lehre es, die Rute zu fürchten und leise zu weinen.« In einem trotzigen Kindergesicht blicke Satan selbst aus den Augen. Schläge, die die rechte Demut lehrten, Hungerstrafen, das Abtöten der »Augenlust« an bunten Knöpfen, roten Schuhen, Halskrausen und eitlem Spielzeug, die Vernichtung von Eigensinn und Stolz und das Niederringen eines sündigen Appetits auf Kuchen und Rosinen dienten also nur dem Heil der jungen Seelen. Selbstverständlich bereiteten diese »Korrekturen« den Erziehern mehr Pein als den Erzogenen, deshalb waren diese auch angehalten, sich der Rute niemals zu widersetzen und Geduld und Dankbarkeit zu zeigen. Mary Fletcher, eine Jüngerin Wesleys und besonders begnadete Pädagogin, schrieb dazu: »Ich erinnere mich nicht an ein einziges Kind, das, wenn wir eine Korrektur durch die Rute angeordnet hatten... sich nicht schweigend wie ein Lamm niederlegte und danach zu uns kam und uns küßte.«

Solchermaßen war das pädagogische Klima zu der Zeit, als die kleinen Brontës zur Schule geschickt wurden. Ihr Vater war dagegen, bei aller patriarchalischen Würde, ein verständnisvoller, nicht selten pfiffiger Erzieher. Die Aneignung von Wissen geschah bei ihm auf dem »erquicklichen Pfad«. Patrick förderte ihre Neugier und gab ihnen zu lesen, was sie wünschten. In seiner Studierstube standen neben den Predigten Wesleys solch skandalöse Autoren wie Byron, Shakespeare und Swift. Weder wird er die bunten Hausschuhe seiner Kinder verbrannt noch das Seidenkleid seiner Frau in heiliger Wut zerschnipselt haben, wie die hartnäckige Legende behauptet. Von Elizabeth Gaskell, die diese Marotten unrecherchiert der Nachwelt überlieferte, sagte der alte Herr: »Sie ist Romanschriftstellerin, wir wollen ihr ein wenig Ausschmückung zugestehen.« Seiner jüngsten Tochter schenkte er eine Puppe im Tanzkostüm, sein siebenjähriger Sohn besaß ein ganzes Figurenorchester türkischer Musiker. Patricks Hang zu spartanischer Ausstattung und sein Verbot an die Töchter, gebauschte Röcke zu tragen, entsprang der durchaus berechtigten Furcht vor ihrer Kurzsichtigkeit und den offenen Kaminfeuern im Haus.

In seiner Studienzeit in Cambridge hatte Patrick den verehrungswürdigen Henry Martyn kennengelernt, der Heimat und Liebste verließ, um in Indien als Missionar zu wirken. Wie St. John Rivers in Charlottes Roman *Jane Eyre* stellte er Berufung und Pflicht über besseres Wissen und starb in dem unzuträglichen Klima. Patrick bewunderte diesen eisernen Mann, seine Ambitionen aber beschränkten sich auf England.

Auf der Universität wurde aus dem mit hartem, nordirischem Akzent sprechenden Brunty ein Brontë, zunächst noch mit einem accent aigu, später, als er begann Bücher zu veröffentlichen, mit dem auffälligen Trema. Mit diesem Namenswechsel schloß sich der junge Mann aus Zufall oder Neigung dem englischen Seehelden Horatio Nelson an, der 1799 nach der Schlacht von Abukir zum Herzog von Bronté erhoben worden war. Ob es sich um einen Hörfehler des eintragenden Verwaltungsbeamten handelte oder um eine inszenierte kleine Wendung zum Höheren – es war eine Korrektur, die den Bauernsohn aus dem wenig reputierlichen Land der Kartoffelesser, der sich ohne systematische Vorbildung und ohne vorzeigbare Herkunft zu sehr viel jüngeren Lordssöhnen auf die Hörsaalbank setzen mußte, den Klassenunterschied weniger herb fühlen ließ.

Patrick arbeitete hart und lebte genügsam. Erhalten von einem Stipendium und den Zuwendungen seiner heimatlichen Methodisten-Freunde, verdiente er ein paar Pfund als Repetitor hinzu und schickte als braver irischer Junge seiner Mutter noch 20 Pfund im Jahr nach Hause. Nach vier Jahren war es ausgestanden, und Patrick trat im Oktober 1806, versehen mit dem Grad des Bachelors of Arts und den Weihen der Kirche seine erste Stelle als Hilfspfarrer in Wethersfield in Essex an. Dort kam er bald einer jungen Dame namens Mary Burder näher. Wenig ist zu dieser Beziehung überliefert. Sei es, daß Marys Vormund den gutaussehenden, eloquenten und sicher sehr reizenden Iren, der sich gleichwohl über seine Familie in Schweigen hüllte, als eine zu windige Verbindung betrachtete, sei es, daß Patrick selbst, der die Regungen eines Dichters in sich spürte, der zu Höherem berufen ist, nach der ersten kopflosen Verliebtheit sich eines anderen besann – nach einem mehrwöchigen Aufenthalt im Haus ihres Onkels nach Wethersfield zurückgekehrt, fand Mary den jungen Kuraten nicht mehr vor. Er hatte einen neuen Posten in Wellington in Shropshire angenommen.

Es ist ein müßiges Gedankenspiel, welche Art von kleinen Brontës dieser Verbindung entsprungen wären, oder wie sie unter der Obhut einer offenbar robusteren Dame, als es ihre Mutter war, gefahren wären. Fünfzehn Jahre nach ihrer Trennung suchte Patrick die alten Fäden wieder anzuknüpfen und machte Mary , ohne sie wiedergesehen zu haben, einen brieflichen Heiratsantrag. Das Geschoß, das Miss Burder zurückschickte, läßt den Schluß zu, daß die Kränkung, die Patrick der Achtzehnjährigen zugefügt hatte, nicht verheilt war, und läßt uns ahnen, daß die Kinder mit Tante Branwell im Haus als Erziehungsberechtigte das bessere Los gezogen hatten.

1809 zog Patrick weiter nach Norden, nach Dewsbury in Yorkshire. Es waren unruhige Zeiten. Die industrielle Revolution, gegen Ende des 18. Jahrhunderts noch als das goldene Zeitalter des unaufhaltsamen Fortschritts begrüßt, das Arbeit für alle und Wohlstand für viele versprach, begann ihre Krallen zu zeigen. Yorkshire und das benachbarte Lancashire waren traditionelle Gegenden der wollverarbeitenden Heimindustrie. In der zweiten Hälfte des 18. Jahrhunderts nahm diese Industrie durch die Erfindung mechanischer Spinnmaschinen und Webstühle einen unerhörten Aufschwung. In den Flußtälern entstanden Fabrikgebäude – Mühlen –, in denen Maschinen durch Wasserkraft schneller und von weniger Händen als zuvor bewegt wurden. Zugleich wurde Baumwolle in gigantischen Steigerungsraten aus den englischen Kolonien importiert. 1760 waren es 2,4 Millionen Pfund, dreißig Jahre später das Zehnfache und 1837 rund 366 Millionen Pfund. Heimarbeiter zogen aus den ländlichen Gebieten in die aufstrebenden Städte. In Birmingham, Liverpool, Manchester, Bradford und Leeds wuchsen Siedlungen wie Pilze aus dem Boden, die in den dreißiger und vierziger Jahren des 19. Jahrhunderts zu Brutstätten des Elends werden sollten. Der deutsche Schriftsteller Georg Weerth schrieb 1846 über seine Ankunft in Bradford: »Je weiter wir kommen, desto dichter scharen sich die Häuser an den Seiten der Straßen, desto schwärzer und unheimlicher dringt uns der Dampf der Kamine entgegen… Bisweilen unterscheiden wir schon größere Häusermassen von den zersplitterten und versengten Tannenwipfeln, welche am Horizont wehen… Ringsum scheinen alle Täler und Schluchten in vollen Flammen zu stehen; wir hören es zischen und kochen und rasseln, wenn wir an den Fenstern der Fabriken vorüberrauschen; die Sonne verfinstert sich wie beim Hereinbrechen eines dichten Höhrauchs; es wird plötzlich Abend am hellen Tage.«

In den Slums drängten sich Arbeiter aus allen Ecken Englands zusammen, die keine Tradition und keine soziale Kontrolle mehr zu Nachbarn machte. Man lebte wüst nebeneinander her zwischen Raub und Totschlag, Suff und Prostitution. Der Arbeitstag der ländlichen Heimweber mit Pausen und Schwätzchen wurde rigoros in ein 16-Stunden-Muster gepreßt. Unterwerfung und Disziplin hießen die neuen Tugenden. Fabrikanten herrschten wie Gottvater persönlich. Der Industrielle Titus Salt aus Bradford ließ für seine Leute eine ganze Musterstadt bauen mit Grundschule und Kapelle, Konzertsaal und Kantine – ohne Kneipe und ohne Pfandleihe. Er wünschte glückliche und zufriedene Arbeiter; er wünschte sie fleißig und nüchtern. Aber nicht nur das Gesicht der Städte wandelte sich. Auf dem Land wurde die Arbeit für die Handweber knapp. 1811 begannen sie in Yorkshire zu rebellieren und die Maschinen zu stürmen, die sie um ihren Verdienst gebracht hatten. Die Ludditer überfielen Transporte mit den neuen Webstühlen, zerschlugen das Gerät und zündeten Fabriken an. 1812 wurde der Besitzer einer Fabrik in Huddersfield auf dem Heimweg vom Markt von vier Männern ermordet. Einer der Täter gestand, um seinen Hals zu retten, die drei anderen wurden gehängt. Soldaten schlugen die Aufstände blutig nieder. Nach Dewsbury wurde eine Abteilung Kavallerie verlegt.

Patrick Brontë, zu dieser Zeit Vikar in Hartshead cum Clifton in der Nähe von Dewsbury, fand sich inmitten des Tumults – auf seiten der Ordnung, versteht sich –, er muß es

genossen haben. Hier war nun wieder Gelegenheit, mit Feu-
erwaffen zu hantieren und gegen aufrührerische Elemente
zu marschieren. Die Kirche bezog offen Position gegen die
Weber, und Patrick fand es nur vernünftig, nachdem 150
Ludditer zur Demolierung von Rawfolds Mill an seinem
Fenster vorbeigezogen waren, sich zu rüsten. Er kaufte zwei
Feuersteinschloß-Pistolen. Elizabeth Gaskell, die 1853 das
Pfarrhaus in Haworth besuchte, äußerte sich besorgt über
die Gepflogenheiten des Reverend, die er seit Ludditer-Zei-
ten nicht mehr abgelegt hatte. »Miss Brontë kann sich nicht
erinnern, daß ihr Vater sich morgens ankleidete, ohne eine
geladene Pistole in seine Tasche zu stecken, genauso selbstverständlich wie er seine Taschenuhr anlegte. Da saß also
diese kleine tödliche Waffe mit uns am Frühstückstisch und
kniete mit uns zum Abendgebet nieder – nicht zu reden von
dem geladenen Gewehr, das über unseren Köpfen hing, bereit, schon bei Andeutung einer Gefahr loszuknallen.«

Drei weitere wichtige Ereignisse fielen in die Zeit, als Patrick Vikar in Hartshead war: Er wurde voll bestallter Pfarrer, er veröffentlichte sein erstes Buch, und er lernte seine
Frau Maria Branwell kennen.

Zunächst zu seinen literarischen Ambitionen. Seit Patrick
sich selbst Lesen und Schreiben beigebracht und mit sechzehn Jahren sein erstes Schulamt bekleidet hatte, erfüllten
ihn ein Streben nach Bildung und der Wunsch, auch andere
von den Früchten seines Lernens profitieren zu lassen. Der
Weg zum Wissen solle mit Munterkeit verfolgt werden,
schrieb er später, eine Gangart, die den meisten viktorianischen Pädagogen fremd war.

Die Freude an der Aneignung neuer Kenntnisse war ein
wichtiges Erbe, das Patrick seinen Kindern mitgab. Charlotte konnte Ignoranz und Faulheit ihr Leben lang nicht verstehen. Branwell liebte es als Knabe, in Latein und Grie-

chisch zu glänzen. Der in die Kunst des Lesens eingeführte Hareton fordert in der *Sturmhöhe* von Cathy: »Nun küß mich, weil ich es mir so gut gemerkt habe.«

Als Pfarrer richtete Patrick drei Sonntagsschulen ein. Auch darin stand er ganz im Geist der Methodisten, die mächtig am sozialen Gewissen der Nation rüttelten. Er war in der Tat ein Pionier auf dem Gebiet der Erwachsenenbildung. Seine Absichten waren die besten, seine Lehrmittel allerdings fürchterlich: gereimte Traktate, die unter schwerem Versgeklapper die Botschaft vom schafsmäßigen Sichfügen in den Lauf der Welt predigten, den Gottes Wille nun einmal zum Nachteil der niederen Stände gefügt hatte. Sie gänzlich zu verhöhnen, hieße jedoch, ihren Zweck zu verkennen. Patricks erstes, 1811 veröffentlichtes Buch trug den Titel *Cottage Poems*, und für die Häusler, die ärmsten und ungebildetsten unter den Arbeitern, waren diese Gedichte geschrieben und übersichtlich gedruckt. Die Zueignung des Autors ging an: »Ihr alle, die ihr hart die Erde pflügt / oder täglich und fleißig am Webstuhl euch regt / und demütig durch die Stürme des Lebens geht / für kargen Lohn / merkt auf und sammelt reich' Gewinn / zu trösten eure Sorgen.« 1813 folgte *The Rural Minstrel (Der ländliche Spielmann)*, 1815 *The Cottage in the Wood or The Art of Becoming Rich and Happy (Das Häuslein im Walde oder Die Kunst reich und glücklich zu werden)*, und 1818 *The Maid of Killarney or Albion and Flora: A Modern Tale (Die Maid von Killarney oder Albion und Flora: Ein modernes Märchen)*. Dies alles ist heute nicht mehr genießbar, aber selbst als Poet war Patrick für Überraschungen gut. An eine abwesende Hausherrin richtete der Vikar den Appell ihres »braven, treuen und ergebenen Hundes, Robin Tweed, in meiner Hütte beim Pfarrhaus in Dewsbury am 11. Juni 1811«. Dieses kleine Kabinettstückchen erklärt vielleicht, warum Patrick ein beliebter Lehrer war und warum das

Pfarrhaus in Haworth später so vielerlei Tiere beherbergte:
Katzen und Hunde von sehr unterschiedlichem Temperament, mit denen seine Kinder ihr Frühstück teilen durften,
Kanarienvögel, ein zahmer Falke, Gänse, Tauben und Jasper, den Fasan.

> Oh, Herrin lieb',
> Lies, was Dir schrieb
> Dein braver Robin Tweed.
> Stets treu und gut,
> Voll Schneid und Mut
> Er seinen Dienst versieht.
> Zwar ohne Rasse
> In meiner Klasse
> Bin ein Prolet ich nur –
> Kein Spaniel drollig,
> Kein Pudel wollig,
> Zu zieren Hof und Tor.
> Jedoch, Du kennst mich,
> Hab ich nicht endlich
> Ein hübsch geflecktes Fell?
> Bewach' das Haus,
> Würg' Ratt und Maus,
> Begrüß Dich mit Gebell?
> So oft ich sitz'
> Das Ohr zur Spitz
> Und Wedelschwanz zur Stelle,
> Und rufe: Wau,
> Lieb' Herrin, schau,
> Willkommen ich Dir belle!
> – Rums ander Tür!
> Ich fahr herfür

Mit Sprüngen voller Freude,
Als auf dem Rücken
Mich mit Entzücken
Klein-Esther streng verbleute.

Mein treues Herz
verwand den Schmerz
Und mildert das Desaster.
Du sagst nur: Tweed!
Und kraulst mich lieb
– Die Wunde hat ein Pflaster.

Ach, in der Nacht
Hier schlaflos wacht
Das Herz voll Sehnsuchtstoben
Und schnieft und schnaubt,
Bis daß es graut
Dein Hund in Deinen Roben.

Des Abends spät
Ganz nah am Herd
Sah ich die Kleider trocknen.
Dort legt' ich mich
Und seufzt' für Dich
Die Nase in den Socken.

Jedoch umsunst,
Denn Deine Gunst
Nahm ein betrüblich Wenden:
Du hast vergessen
Mit meinem Fressen
Klein-Esther herzusenden.

Schwer ist mein Los,
Unheilbar groß
Indessen meine Liebe –
Nur Menschen wanken,
Hunde verdanken

Die Treue edlem Triebe.
Herrin, leb wohl,
Die Glocke hohl
Wird bald Dich informieren:
Der Tweed ist tot
Und seine Not
Kann nie mehr ihn genieren.

1812 trat Patrick eine Stelle an, die seinem Leben eine entscheidende Wende geben sollte. Sein Freund und Kollege
aus Wellington, der Reverend William Morgan, ein stämmi-
ger, freundlicher Waliser, vermittelte ihn als Prüfer in Latein
und Bibelkunde an die neu gegründete Akademie Woodhouse Grove, vier Meilen von Bradford entfernt. Es war eine
Schule für die Söhne von Methodisten-Pfarrern, und als solche muß in dem ehemaligen Herrenhaus eine Atmosphäre
geherrscht haben, die irgendwo zwischen Ashram und
Zuchthaus angesiedelt war. Die Methodisten hatten zu dieser
Zeit bereits den Bruch mit der Amtskirche vollzogen. Ihr
heiligstes Bestreben war nun, Prediger-Nachwuchs aus den
eigenen Reihen heranzuziehen, und Woodhouse Grove war
der Nährboden, auf dem er reifen sollte. Die Knaben traten mit acht Jahren in die Schule ein, und ihr Tag des Herrn
sah folgendermaßen aus: »Wir stehens morgens zwischen
sechs und halb sieben Uhr auf, mit Waschen etc.; um sieben
Uhr ist allgemeines Gebet bis acht, dann private Gebete und
Lesung; von acht bis neun Familien-Gebet und Frühstück;
von neun bis halb elf Lesung, von halb elf bis zwölf Predigt;
von zwölf bis halb zwei Freizeit und Mittagessen. Von halb
zwei bis zwei wird das Kapitel gelesen, aus dem der Tages-
spruch stammt, und jeder Junge muß einen Vers auswendig
lernen. Von zwei bis halb fünf Predigt und Lesung; von

halb fünf bis sechs allgemeines Gebet; von sechs bis acht Abendessen, Familiengebet und Bettzeit.«

Das Schuljahr war elf Monate lang, Sport und Spiel gab es nicht, denn nach Wesleyanischer Doktrin galt: Ein Junge, der als Junge spielt, spielt auch als Mann. Und die Jungs von Woodhouse Grove waren eben zu Höherem ausersehen. Der Höllenschlund stand selbst für kleine Vergehen offen. Zwei ihrer drei Mahlzeiten bestanden aus Milch und Brot. Nur Prügel gab es in großherzigen Portionen. Gute Führung wurde hingegen mit einer Extrastunde Beten vor dem Schlafengehen belohnt. Kein Wunder, daß diejenigen Kinder, die nicht zerbrachen, sich in eine hysterische Religiosität hineinsteigerten. Der Schuldirektor John Fennell schreibt, daß nach einer seiner Predigten viele der Jungen »tief bewegt waren, und überall gab es Seufzer und Tränen«.

Diesen Reverend Fennell und seine Tochter Jane, die mit William Morgan verlobt war, besuchte im Sommer 1812 eine Verwandte aus Cornwall: Maria Branwell, mit neunundzwanzig Jahren kein ganz junges Mädchen mehr, zierlich, elegant, kultiviert, vernünftig und von religiösem Ernst erfüllt. Sie war eines der fünf überlebenden Kinder der Anne Branwell, die ihrem Mann Thomas elf Söhne und Töchter geboren hatte. Ihr Vater war ein geachteter, methodistischer Kaufmann in Penzance an der Südküste Englands, ihr Bruder dort Bürgermeister. Ein literarisches Talent war in der Familie niemals vorgekommen.

Maria Branwell war seit Jahren »ganz und gar meine eigene Herrin, keiner Kontrolle unterworfen – so weit, daß meine Schwestern, die viele Jahre älter sind als ich, ja selbst meine liebe Mutter, meinen Rat in jeder wichtigen Angelegenheit suchten und so gut wie nie die Angemessenheit meiner Ansichten und Taten bezweifelten«. Und doch, so schreibt sie an den »lieben Mr. B.«, dessen Bekanntschaft sie bei Onkel Fennell und Cousine Jane gemacht hatte, »habe ich dies oft als Nachteil empfunden, und obwohl ich Gott danke, daß es mich nie in Irrungen geführt hat, habe ich doch bei Anlässen von Unsicherheit und Zweifel den Mangel an einem Führer und Lehrer tief empfunden«.

Dieser Führer und Lehrer steht nun in Gestalt des Latein- und Bibel-Meisters von Woodhouse Grove zur Verfügung; ein großer, erfreulich anzusehender Mann in seinen besten Jahren, gewandt, ja, feurig in seiner Rede, gleichwohl ein wenig schrullig, was die Zuverlässigkeit betrifft. Da wird ein angekündigter Brief nicht abgeschickt; »der liebste Freund« vergißt, eine Botschaft an den Doktor auszurichten; da steht plötzlich Besuch im Haus, den Mr. B. vergessen hatte anzumelden. Maria Branwell, obwohl bereit, sich seinem Rat und seiner Führung vollständig anzuvertrauen, macht in solchen Fällen keinen Hehl aus ihrem Ärger. »Ich weiß nicht, ob Du es wagst, dein Gesicht hier zu zeigen, nach all dem Durcheinander, das Du angerichtet hast ... ich fange an zu glauben, daß dies Anzeichen von Wahnsinn birgt. Ich will mein Urteil gleichwohl so lange vertagen, bis ich höre, was Du zu Deiner Entschuldigung vorzubringen hast.«

Aber auch wenn sie ihn mit »mein lieber frecher Pat« anspricht, ihn mit seiner blühenden Phantasie neckt und seiner Zerstreutheit Schranken weist, überwiegt in den neun überlieferten Briefen aus ihrer kurzen Brautzeit ein Ton ernster Liebe und tiefen Vertrauens – in Patrick und den Allmächtigen. Und zuzeiten, wenn das große weiße Haus um sie von Gebeten summt, fliegt sie wohl auch ein wenig Zweifel über das kommende Eheglück an.

»Bete viel für mich«, schreibt sie ihm, »daß ich Dir ein Segen und keine Last sein werde. Laß nicht zu, daß ich Deine Studien störe oder Dich in Zeiten in Anspruch nehme, die höheren Zwecken gewidmet sind.« Sie zeigt ihm den Aufsatz, den sie für eine fromme Wochenzeitschrift geschrieben hat, *Die Vorteile der Armut in religiösen Angelegenheiten,* der Patrick bestätigt, daß sie seine gute Meinung über schlichte Lebensführung und erhebende Gedanken teilt.

Im November, inmitten der Hochzeitsvorbereitungen, passiert ein Mißgeschick. »Ich nehme an, Du hast nie geglaubt, daß Du durch mich sehr viel reicher würdest«, hebt sie an, »aber nun bedauere ich, Dir mitteilen zu müssen, daß ich noch viel ärmer bin, als ich dachte. Ich hatte Dir erzählt, daß ich nach meinen Sachen, Kleidern und Büchern geschickt hatte. Am Samstag abend, während Du über ein ausgedachtes Schiffsunglück schriebst, erreichten mich die Auswirkungen eines tatsächlichen, denn ich erhielt einen Brief meiner Schwester mit Nachrichten über den Verbleib des Schiffs, mit dem sie meine Reisekiste geschickt hatte. Es strandete an der Küste von Devonshire, mit dem Ergebnis, daß die Kiste von der wütenden See in Stücke geschlagen wurde und der mächtige Sog meine wenigen Besitztümer bis auf einige Ausnahmen in die Tiefe riß.«

Was gerettet und in Woodhouse Grove zugestellt wurde, ist nicht bekannt. Jahre später aber schreibt Charlotte von salzwasserverkrusteten Ausgaben eines *Ladies Magazine,* die sie verschlang, »wenn ich eigentlich meine Aufgaben machen sollte«, und die »eines schwarzen Tages« von Papa verbrannt wurden, weil sie »dumme Liebesgeschichten« enthielten. Möglicherweise handelte es sich dabei um weltliche Relikte aus dem Nachlaß ihrer Mutter.

Diese macht sich jedoch im November 1812 weniger Gedanken um ihr verlorenes Gepäck – »wenn es denn nicht das Vorspiel zu Schlimmerem sein sollte« – als um ihren großen Lebensplan. Patrick verspricht sie: »Mit Fleiß will ich danach streben, ein solches Maß an Tugend und Einsicht zu erlangen, daß ich fähig sein werde, Deinen höchsten Erwartungen zu entsprechen und Dir Gattin und Gehilfin zu werden. Ich bin fest davon überzeugt, daß der Allmächtige uns füreinander bestimmt hat; es ist an uns, durch aufrichtige, unablässige Gebete und unermüdlichen Eifer danach zu trachten, Seinem Willen Genüge zu tun. Ich will und kann an Deiner Liebe nicht zweifeln und versichere hier freimütig, daß ich Dich mehr liebe als alles andere auf der Welt.«

Maria Brontë, die noch acht Jahre zu leben hatte, und sich in dieser Zeit kaum aus dem Kindbett erhoben haben kann, ehe sie schon wieder schwanger wurde, war ihrem Gatten gewiß keine Last; zart, freundlich, geduldig und ihm ergeben. Vielmehr sieht es so aus, als habe Patrick die Last der Familie allein ihren Schultern überlassen.

Die Frauen im frühen 19. Jahrhundert sahen eine besonders finstere Phase der Unterdrückung in ihrer Geschichte. Zwar hatte Mary Wollstonecraft zwanzig Jahre vorher bereits ihre *Verteidigung der Rechte der Frauen* veröffentlicht, in der sie nicht nur gleiche Bildung für Mädchen und Knaben forderte, sondern auch, daß Frauen die Freunde ihrer Männer statt deren Abhängige sein sollten, aber diese Gedanken wurden erst in den vierziger Jahren wieder laut, und Charlotte Brontë war eine ihrer mutigen Verfechterinnen. Patrick Brontë jedoch trug nichts, nicht einmal Enthaltsamkeit zur Erleichterung seiner Frau bei.

Das nicht mehr ganz junge Paar heiratet am 29. Dezember 1812. Es ist eine Doppelhochzeit, zusammen mit Cousine Jane Fennell und William Morgan. Da Marias Eltern bereits tot sind und die Fahrt nach Cornwall lang und beschwerlich ist, verzichtet man auf die Hochzeitsreise und bezieht umgehend ein Haus in Hightown bei Hartshead, »Clough Hall«. Ein Jahr später wird ihre Tochter Maria geboren und achtzehn Monate darauf Elizabeth. Das Haus und die pekuniären Umstände sind für eine kleine Familie recht komfortabel. Patrick bezieht 202 Pfund im Jahr, Maria eine kleine Rente aus dem Nachlaß ihrer Eltern in Höhe von 50 Pfund per annum. Das Pfund betrug damals 20 Schilling; ein Laib Brot kostete einen Schilling, ein Pfund Tee acht Schilling. Ein Handwerker verdiente um die 18 Schilling in der 64-Stunden-Woche. 1849 betrug das Jahresgehalt von Martha Brown, dem Hausmädchen der Brontës, 4 Pfund 6 Schilling. Die königliche Apanage für die junge Victoria belief sich im gleichen Zeitraum auf 385000 Pfund. Soviel zu Soll und Haben. Als seine Töchter heranwachsen, wird der Reverend Brontë feststellen, daß er ihnen von seinem 200-Pfund-Gehalt keine erstklassige Erziehung bieten kann. Er ist auf ein wohltätiges Institut angewiesen. Die Folgen sind katastrophal.

Von Hightown zieht die Familie bald weiter nördlich nach Thornton, und dort, in dem kleinen Backsteinhaus gleich an der Straße, werden in rascher Folge Charlotte (21. April 1816), Patrick Branwell (26. Juni 1817), Emily Jane (30. Juli 1818) und Anne (17. Januar 1820) geboren.

Patrick muß die Jahre in Thornton genossen haben. Er war dort Mittelpunkt eines kleinen respektablen Zirkels, der seinen sittlichen Ernst ebenso wie seinen persönlichen Charme zu schätzen wußte. In den Familien Firth und Outhwaite findet er die Paten für seine Kinder, die, als Anne geboren wird, die fünf kleinen Vorgänger zum Tee einladen.

Das neue Baby ist gerade einige Wochen alt, als der Reverend aufs neue seinen Haushalt zusammenpackt und nach Haworth, acht Meilen weiter nördlich zieht − ein kleines Dorf mit einem großen geistlichen Ruf, für Mr. Brontë aber die Endstation seiner beruflichen Karriere und seines privaten Glücks.

Sein neues Haus am Dorfrand ist, verglichen mit der Wohnung in Thornton, geräumig, für eine achtköpfige Familie

samt Köchin und Dienstmädchen jedoch immer noch reichlich beengt. Tritt man durch die Eingangstür in der Mitte,
liegt links der größte Raum, der als Wohn- und Speisezim-
mer dient, vielleicht fünf Schritte in der Länge und drei in
der Breite. Auf der anderen Seite des Flurs befinden sich das
Arbeitszimmer des Vaters – zugleich der Salon –, im hinteren Teil die Küche und ein Vorratsraum, der nur vom Hof
aus zugänglich ist. Im ersten Stock liegen drei Schlafzimmer,
die Kammer der Köchin, ebenfalls nur von außen durch
eine Treppe zu erreichen, und dazwischen, gleich gegenüber dem Treppenabsatz ein kleiner Raum ohne Kamin
oder Ofen, das »Arbeitszimmer« der Kinder. Zum Brunnen
geht es durch den Hinterhof, wo auch die Waschküche und
das Klohäuschen – ein Zweisitzer – stehen, eine Nachbarschaft, die, wie der Friedhof, der das Gebäude auf drei Seiten umgibt, nicht zur Gesundheit der Bewohner beigetragen haben dürfte.

Haworth mit seinen 5000 Einwohnern, den qualmenden
Fabriken im Tal des Worth und seiner allen Wettern preisge-
gebenen Lage war um die Mitte des 19. Jahrhunderts ein be-
sonders unangenehmer Ort mit katastrophalen sanitären
Verhältnissen und einer Kindersterblichkeit, die der der
Londoner Slums gleichkam. 41,4 Prozent aller Neugebore-
nen erreichten nicht einmal das sechste Lebensjahr, und das
Durchschnittsalter seiner Bürger lag bei sechsundzwanzig
Jahren. Auf dem Friedhof bezeugt ein Stein, daß die kleinen
Kinder oft in schneller Folge und namenlos begraben wurden: »In Erinnerung an James William, Sohn von Joseph
und Elizabeth Heaton aus Haworth, der am 1. Februar 1871
in seinem ersten Jahr starb – ebenso drei Söhne im Säuglingsalter – ebenso James Whitham, ihr Sohn, der am 19. Juli
1878 in seinem zweiten Jahr starb – ebenso Elizabeth, ihre
Tochter, die am 19. Juni 1885 sechs Wochen alt starb – ebenso

ein Sohn im Säuglingsalter…« In den engen verschachtelten
Häuschen der Weber schwelten Tag und Nacht die Holzkoh-
leöfen, um die richtige Temperatur für die Weiterverarbei-
tung der Wolle zu halten. Am oberen Ende der steilen
Straße, dort wo heute eine Teestube, der Brontë-Buchladen
und der »Old White Lion« die kopfsteingepflasterte Kreu-
zung umstehen, befand sich vor 150 Jahren der Dorfplatz
mit einer Bedürfnisanstalt, aus der ein offener Kanal den
Berg hinunterführte. Ihre Grube lag auf Straßenniveau,
und durch die unzureichende Klappe sickerten stinkende
Rinnsale über das Pflaster. »Zwei Yards von dieser Jauche-
grube entfernt befindet sich der Brunnen für die umliegen-
den Häuser«, bemerkte Inspektor Babbage, der 1850 im
Auftrag der Regierung die sanitären Umstände in Haworth
untersuchte und sie – bemerkenswert für das wenig zimper-
liche 19. Jahrhundert – höchst bedenklich fand.

Die Wasserversorgung war zu allen Jahreszeiten unzurei-
chend und brach in den Sommermonaten oft vollständig zusammen. Es gab keine Kanalisation, sondern nur Misthaufen und offene Abwassergräben für Spülwasser und Jauche
aus Kellern und Höfen, in denen viele Familien ein Schwein
hielten (und dort auch schlachteten). Elizabeth Branwell, die
später dem Pfarrhaushalt vorstand, wird gute Gründe
gehabt haben, nicht nur im Haus der kalten Fliesen wegen,
sondern auch im Ort Holzpantinen über den Schuhen zu
tragen. Es ist, gemessen an den Umständen, eigentlich ein
Wunder, daß sechs kleine Brontës ihre frühe Kindheit über-
lebten.

Um den Vorgarten – nur durch ein Mäuerchen mit einer
Pforte von ihm getrennt – erstreckt sich der Friedhof. Ein
Grasplatz zum Wäschetrocknen, ein Goldregen am Haus,
ein Fliederbusch, ein Holunder und ein paar Johannisbeer-
stauden entlang des halbrunden Kieswegs stellen die ganze

Anlage dar. Zartere Pflänzchen würden sich gegen den kalten Wind kaum behaupten. Dicht an dicht stehen und liegen die Grabmäler in ihrer Nachbarschaft, »so daß das üppige Unkraut und das harte Gras kaum Platz fanden, zwischen den Steinen aufzuschießen«, schreibt Charlotte später. Noch heute kann man auf diesem merkwürdigen Pflaster über den ganzen Friedhof gehen. 40000 Menschen sollen hier beerdigt sein. In der Kirche des Heiligen Michael und aller Engel sitzen die Damen mit dem Taschentuch vorm Gesicht beim Gottesdienst. Der Gestank, der aus den Grüften steigt, ist unerträglich. Aber trotz der Eingaben des Reverend wird der Friedhof bis in die fünfziger Jahre nicht geschlossen. Erst sein Nachfolger läßt die alte Kirche 1879 bis auf den kurzen, breiten Turm abreißen und den Fußboden überpflastern.

Hinter dem Haus, nach Westen zu, breitet sich das Moor aus. Wir wissen nicht, ob Patrick und Maria Brontë im April 1820 den Blick aus ihrem Wohnzimmerfenster genossen haben. Nicht allzu verwegen wird die Annahme sein, daß der Wind prickelnde Regenschauer gegen die Scheiben warf. Schwarz glänzen die Mauern, die sich wie Rippen zwischen den Weiden über die Berge spannen. Schwarz ist die Erde unter den Pfützen im Moor, und schwarz sind die Gesichter der Schafe. Stumpfbraun dehnen sich die Hügelketten, auf denen nichts als Heidekraut wächst. Es wird noch bis zum Sommer dauern, ehe das zarte Grün der Heidelbeerbüsche dieses nasse Schwarz bedeckt, ehe junge Farnrüssel aus der welken braunen Decke der toten Pflanzen sprießen und ein Sonnenfleck über die Hügel fliegt.

Wir wissen auch nicht, ob Maria Brontë in ihrem neuen Haus glücklich war, oder ob sie Heimweh nach dem warmen, hellen Penzance fühlte, wo um diese Zeit schon die Weißdornbäume und der Rhododendron blühen. Überliefert ist nur, daß sie das Hausmädchen anwies, den Kamin so zu putzen, wie man es in Cornwall tat.

Heute fällt es schwer, sich in den Räumen des Pfarrhaus-Museums das kahle, kalte Heim der Brontës vorzustellen. Die Räume sind nun klimatisiert und mit Vorhängen, Teppichen und Tapeten ausgestattet, wie Charlotte sie aussuchte, nachdem der Erfolg ihr die Entfaltung eines bescheidenen Luxus gestattete. Sie ließ das Haus innen auch ein wenig umbauen und verkleinerte dabei noch einmal das Kinderzimmer (so daß es unwahrscheinlich ist, daß die Graffiti dort von den kleinen Brontës stammen). Der Abriß der Hofgebäude und einige Anbauten haben das Pfarrhaus, das ursprünglich auf drei Seiten vom Friedhof umgeben war, zusätzlich verändert. Die Ahornbäume, in deren Kronen der Wind braust und die Krähen schreien, wurden erst nach Patricks Tod gepflanzt. Vom Wohnzimmerfenster aus gab es nichts als Grabsteine und die alte Kirche zu sehen.

Und noch etwas verstellt der Phantasie den Weg zurück. Damals muß es sehr viel stiller gewesen sein, als es heute die 220000 Literaturtouristen jährlich zulassen. Gewiß war es kälter, und wie es wohl gerochen hat? Vielleicht nach dem Kampfer in den Kleidern; vielleicht nach Lavendel in Schalen? Sicher nach dem Torfrauch, der wie eine herbe Aura im Haus liegt. In der Küche wird Brot gebacken, Fleisch gepökelt und Bier gebraut, Süßes und Saures eingelegt. Im Keller steht das Faß mit dem Petroleum für die Lampen. Wie roch die Seife, mit der die Steine gescheuert wurden, wie das Möbelwachs? Was waren das für Morgentoiletten mit Krug und Schüssel? Wie roch Vaters Medizin und wie rochen sie selbst in ihren schweren Röcken?

Elizabeth Gaskell schrieb, nie habe sie so ein ausgezeichnet sauberes Plätzchen gesehen. » Die Türstufen sind fleckenlos; die kleinen altmodischen Fensterscheiben glänzen wie Spie-

gel.« – Das war über dreißig Jahre später, als von den sechs
kleinen Kindern, die im Haus wie Mäuse herumhuschen,
nur noch eine Tochter am Leben ist.

II Elizabeth Branwell · Maria Brontë · Witwer mit sechs Kindern · Mary Burder

Was wird der Mann in den 40 Jahren,
die er noch – ›unerforschlicher Ratschluß Gottes!‹
wird er geflucht haben – leben mußte:
Alle; Frau & sämtliche Kinder überleben mußte! –
seinen unzerstörbaren Knochenbau
nicht verwünscht haben!

Arno Schmidt
Angria & Gondal – Der Traum
der taubengrauen Schwestern

Die Bürger von Haworth sind von einem anderen Schlag als
die Nachbarn der Brontës in Thornton – in Geist und Sozia-
bilität mehr als eine Acht-Meilen-Reise entfernt. Als Maria
Brontë im Januar 1821 nach langer Hinfälligkeit plötzlich
»gefährlich krank« wird, »kalt und still« in ihrem Bett liegt,
als sei sie bereits dem Tode nahe, und alle Kinder sich innerhalb von zwei Tagen mit Scharlach anstecken, fühlt sich der
Reverend Brontë »wie ein Fremder in einem fremden
Land«. Zwei junge Dienstmädchen hat die Familie aus
Thornton mitgebracht, die Schwestern Sarah und Nancy
Garrs, von denen Nancy bereits mit dreizehn Jahren einge-
stellt worden war. Sie sind dem Chaos und dem verzweifelten Hausherrn nicht gewachsen. Im Dorf hat der Reverend
keine Freunde, die er um Hilfe bitten könnte. Treu und
pünktlich in der Erfüllung seiner geistlichen Pflichten,
wahrt er zu seiner Gemeinde dennoch Distanz; respektiert
den Eigensinn der Leute, die sich Visiten ohne Einladung
und unaufgefordert erteilten Rat in ihren Stuben verbeten
hätten. »Was für eine Sorte Pastor haben Sie denn?« fragte
Elizabeth Gaskell einen Mann aus dem Kirchspiel. »Einen
selten guten«, erwiderte der, »er kümmert sich um seine eigenen Angelegenheiten und läßt uns mit den unsrigen zufrieden.« Pfarrer Brontë kommt, wenn er gerufen wird, ansonsten richtet er seine Schritte lieber hinaus aufs Moor.
Nun sieht er sich als Pfleger einer kranken Frau, der kein
Arzt mehr helfen kann und Vorstand einer Kinderschar, mit
der er nichts anzufangen weiß. Seine Hilferufe werden in
Penzance vernommen. Elizabeth Branwell, eine um sieben
Jahre ältere Schwester seiner Frau, die der Familie bereits in
Thornton über ein Jahr Gesellschaft geleistet hatte, reist an
und übernimmt die Zügel. »Tante Branwell« widerfährt in
vielen Brontë-Biographien herbe Kritik; und nichts ist leich-
ter, als diese Person zu rügen: Eine alte Jungfer Mitte Vier-

zig, erfolglos auf der Suche nach einem Ehemann, mit allerlei Ticks und einer rigiden Frömmigkeit behaftet, Trägerin zu großer Hauben und falscher Locken; von den Garrs-Schwestern wegen ihrer Strenge gefürchtet und wegen ihrer Knickerigkeit verachtet, vom Schwager zunächst »als großer Trost und eine Hilfe« empfunden, von den Kindern respektiert, aber nicht geliebt. »Sie tadelte uns, weil wir ›Spucke‹ gesagt hatten«, erinnerte sich Charlottes Freundin Mary Taylor. Und an Gaskell schrieb sie empört: »Sie ließ ihre Nichten nähen, mit oder ohne Sinn und Zweck, und hielt sie so weit wie möglich von jeder geistigen Tätigkeit ab.« Aber Elizabeth Branwell war sicher ein komplexerer Charakter, als sich aus der Überlieferung vom Hausdrachen schließen ließe. Freilich liegt der Verdacht nahe, daß sie Annes sensible Natur mit ihrer methodistischen Schreckens-Religion vergiftete, was die junge Frau, die unter Asthma litt und gelegentlich stotterte, später so verzweifelt nach einem gnädigen Gott suchen ließ, der für ihre läßlichen Sünden nicht unentwegt Rache auf ihr Haupt lud. Ihr erstes Sticktuch trägt ein Zitat aus Sprüche Kapitel 3, das das kleine Mädchen wahrscheinlich nicht selbst ausgesucht hat. »Mein Kind, verachte nicht die Zucht des Herrn, widerstrebe nicht, wenn er dich zurechtweist! Wen der Herr liebt, den züchtigt er, wie ein Vater seinen Sohn, den er gern hat.«

Freilich wird es den Nichten kaum zuträglich gewesen sein, in Tantes ungelüftetem Zimmer stundenlang die Nadel durch den Stramin zu führen. Und schließlich wird ihr angelastet, sie habe sich der Verantwortung entzogen und Maria, Elizabeth, Charlotte und Emily in das fatale Institut für Klerikerstöchter Cowan Bridge abgeschoben.

Charlotte soll Elizabeth Gaskell anvertraut haben, das Weib Reed in *Jane Eyre* trage Züge ihrer Tante Branwell. Aber Charlotte neigte dazu, ihre eigene Biographie zu dramatisieren. Die Version ihres Lebens, wie sie sie Gaskell bei ihrem ersten Treffen gab, und die jene, zu einer Kurz-Tragödie kondensiert, hingerissen einer Freundin überlieferte, gibt Zeugnis von dieser Stärke Charlottes. Sie wußte, was ein guter Plot war.

Um Elizabeth Branwell Gerechtigkeit widerfahren zu lassen, muß man sich ihre Situation vergegenwärtigen: Eine alleinstehende Frau mit einem großen Freundeskreis und einer soliden gesellschaftlichen Stellung verläßt ihre angenehme Umgebung, weil Neigung und Pflicht ihr gebieten, der sterbenden Schwester beizustehen. Als Maria begraben ist, harrt sie aus, hoffend, daß der vierundvierzigjährige Witwer nach angemessener Frist sich wiederverheiraten werde und sie das ungastliche, unkultivierte, stinkende Haworth hinter sich lassen kann. Aber Patrick – ein Mann ohne Vermögen und mit sechs Kindern, die er euphemistisch seine kleine, süße Familie nennt – findet keine Frau, und irgendwann wird es Elizabeth Branwell gedämmert sein, daß sie wohl für den Rest ihres Lebens dieses kombinierte Wohn-Schlafzimmer im ersten Stock mit den Fenstern zum Friedhof zu ihrem Zuhause machen muß.

Zu stolz, um sich für ihre Dienste »erhalten« zu lassen, lebt sie von ihrem eigenen kleinen Vermögen und versucht mit wechselndem Erfolg, den aus dem Ruder gelaufenen Haushalt zu organisieren. Dabei macht sie sich nicht durchweg beliebt. Den Garrs-Schwestern, über deren unökonomisches Wirtschaften im Dorf geklatscht wird, zapft sie das Glas Bier, das ihnen täglich zusteht, selbst im Keller ab. Den größeren Mädchen teilt sie Aufgaben in Haus und Küche zu. Bald können die Leute von Haworth die Uhr nach den Vorgängen im Pfarrhaus stellen.

Doch es gibt auch Besucher, die die Tante als ungewöhnliche und nicht uncharmante Person kennenlernen. Charlot-

tes Freundin Ellen Nussey beschreibt sie in ihren Erinnerungen: »Miss Branwell war eine sehr kleine altmodische Dame.
Sie trug Hauben, die so groß waren, daß ein halbes Dutzend
Hüte nach der jetzigen Mode darin Platz gefunden hätte,
und viele falsche Locken von hellem Kastanienbraun ringel-
ten sich auf ihrer Stirn. Sie trug immer Seidenkleider. Sie
verabscheute das Klima im hohen Norden und die Steinfuß-
böden im Pfarrhaus. Es belustigte uns, wenn sie in Holzschu-
hen umherklapperte, wann immer sie in die Küche gehen
oder im Haus nach dem Rechten sehen mußte. Sie sprach
viel über ihre Jugend, die Freuden ihrer Heimatstadt Penzance in Cornwall usw. Mit Bedauern erinnerte sie sich an
die verflossenen Tage und gab uns zu verstehen, daß sie so etwas wie eine Schönheit in ihren Kreisen gewesen war. Sie
schnupfte aus einer hübschen goldenen Tabatiere, die sie gelegentlich mit einem kleinen Lachen anbot, als habe sie ihre
Freude an dem leichten Schock und dem Erstaunen, das
diese Geste bei ihrem Gegenüber auslöste. Im Sommer ver-
brachte sie einen Teil des Nachmittags damit, Mr. Brontë vor-
zulesen. An den Winternachmittagen muß sie es genossen
haben, denn sie und Mr. Brontë mußten oft ihre Diskussion
über das Gelesene abbrechen, wenn wir uns alle zum Tee trafen. Sie war sehr lebhaft und aufgeweckt und vertrat ihre
Meinung gegenüber Mr. Brontë ohne Furcht.«

Elizabeth Branwell hielt auf Distanz zu Schwager und Kindern. Weder drängte sie sich als Mutterersatz auf noch als
Zensorin ihrer Spiele. Solange die Mädchen ihre Näharbeiten machten, ihre Gebete sprachen, den Teppich bürsteten
und die Möbel polierten, ließ sie sie gewähren. Ans Herz gewachsen waren ihr nur Branwell – und Anne, die sie im Gegensatz zu den eigenwilligen Älteren, die sich ihr entzogen,
glaubte formen zu können. Dennoch: Nicht viele Kinder im
19. Jahrhundert genossen so viel geistige Freiheit wie die

kleinen Brontës. Sie lasen nicht nur die Bibel, sondern auch
die Zeitung, Shakespeare und Sophokles, Swift und Scott,
Milton und Byron, Ossian, Cowper, die *Märchen aus 1001
Nacht* und Bewicks *Naturgeschichte der Britischen Vögel*. Wie
hätten sie sich entwickelt, wenn ihre Mutter länger gelebt
hätte? Den jüngeren fehlte jede Erinnerung an sie. Charlotte, damals vier oder fünf Jahre alt, konnte sich ihr Bild zu-
rückrufen, wie sie abends mit ihrem kleinen Sohn im Wohnzimmer spielte. Hätte eine umsorgtere Kindheit die Traum-
welten der Brontës, in denen die Keime ihres literarischen
Genies schlummerten und die aus Trauer und Mangel geboren waren, nicht reifen lassen? Gebührte Tante Branwell in
ihrer Zurückhaltung Dank? Mutmaßungen dieser Art führen auf reizvolles, gleichwohl schwankendes Terrain. Die Folgen dieses freischwebenden, lieb-losen Daseins lassen sich
lediglich aus den Windungen ihres Lebensweges ahnen. Der
Vater, gewiß nicht ohne Wärme, aber doch entfernt, stellte
ihr Vorbild dar: Groß-Genius Papa. Er, der Bildungshung-
rige, der Autodidakt, der Prediger, wies den Töchtern den
Weg, ohne ihnen ein Ziel versprechen zu können. Was tun
mit dem ganzen Wissen über Bilder und Musik, die Antike
und die englische Historie? Es mußte sich als Wert selbst genügen. Was ihm und ihnen fehlte, war nicht nur die Hoffnung auf ein von ihren geistigen Talenten erfülltes Leben
(denn was konnten sie schon werden außer Unfreiwillige im
Heer englischer Gouvernanten?), sondern auch das emotionale Futter, das ihnen mehr als eine Autonomie des Kopfes
geschenkt hätte. Zeit ihres Lebens waren die Töchter nicht in
der Lage, unkomplizierte Beziehungen zu knüpfen. Sie wi-
chen zurück vor fremder Vertraulichkeit, litten Qualen als
Hauslehrerinnen bei Arbeitgebern, denen sie sich sittlich
und intellektuell haushoch überlegen fühlten, und liefen
doch jeder Kränkung ins offene Messer. Wie auch immer

eine geborgenere Kindheit ihre Gaben geformt hätte – frohere Menschen wären sie sicher geworden.

Es scheint, als sei Maria Brontës Lebenskraft in ihrem achtunddreißigsten Lebensjahr aufgezehrt. In den Monaten vor ihrem Tod am 15. September 1821 will sie die Kinder, die nebenan über ihren Spielsachen wispern, kaum noch sehen. Patrick, der unermüdlich an ihrem Schmerzenslager ausharrt, konsultiert mehrere teure Ärzte, aber keiner kann ihm Hoffnung machen. Was ihn gleichermaßen wie ihre Krankheit bestürzt, ist die Verzweiflung, mit der sie um ihre Kinder weint und mit ihrem Schicksal hadert. »Der Tod verfolgte sie erbarmungslos«, schreibt er im November an den Vikar von Dewsbury. »Ihr Befinden war geschwächt und die Krankheit verzehrte sie täglich mehr. Nach sieben Monaten furchtbarer Schmerzen, wie ich sie noch keinen Menschen habe erleiden sehen, schlief sie in Jesu ein, und ihre Seele flog auf in die himmlische Herrlichkeit. Lange Jahre war sie mit Gott gewandelt, aber der Erzfeind neidete ihr ein heiliges Leben und verwirrte ihren Geist in ihrem letzten Kampf. Dennoch – meist hatte sie Frieden und Freude im Glauben, und sie starb, zwar nicht siegreich, aber doch ruhig und mit heiliger, schlichter Zuversicht, daß Christus ihr Retter und der Himmel ihr ewiges Heim seien.«

Maria Brontë stirbt an Krebs, der auch Tuberkulose gewesen sein kann, betrauert von ihrem Mann, der sich vor das Nichts gestellt fühlt. »Die Flut des Kummers, die einst drohte, mich zu überwältigen, hat, so hoffe ich, ihren höchsten Punkt erreicht, und die langsam zurücklaufenden Wellen geben mir Luft zum Atmen, obwohl es Zeiten gibt, da sie hoch anschwellen und mich für Augenblicke unter sich begraben.« Die Erinnerung an seine liebe Frau werde täglich »von dem unschuldigen und doch qualvollen Geplapper meiner Kinder wachgehalten«. Er muß es als Segen empfun-

den haben, daß Elizabeth Branwell nun der Tischrunde vor-
sitzt und er sich auch zu den Mahlzeiten in sein Arbeitszimmer zurückziehen kann, eine Gewohnheit, die er bis zu seinem Tod beibehält.

So wie die Tante das ordnende Element darstellt, so fühlt
sich das älteste der Kinder, Maria, acht Jahre alt, als Trägerin
der Verantwortung, die Mama ihr hinterlassen hat. Sie ist es,
die ihre Geschwister aufs Moor spazierenführt, eins an der
Hand des anderen. Sie ist es, die vorliest und erzählt und die
ersten kleinen Spiele mit verteilten Rollen inszeniert. Nach
der Überlieferung der Leute von Haworth muß sie eine
Weise, nach Charlottes Erinnerung ein Engel gewesen sein;
klein und zart, klug und unordentlich, ernst und fromm versucht sie, Schwestern und Bruder die Mutter zu ersetzen
und auch dem Vater in allerlei Geschäften zu assistieren. Sie
hilft ihm beim Korrekturlesen der Druckfahnen eines Pre-
digttextes, und er kann »mit ihr über jedes aktuelle Tages-
thema diskutieren, mit ebensoviel Freizügigkeit und Vergnügen wie mit einem erwachsenen Menschen. – Maria schloß
sich mit der Zeitung ins Kinderzimmer ein, und wenn sie
wieder hervorkam, konnte sie über alles reden, was darin
stand. Parlamentsdebatten und was weiß ich noch alles«,
erinnerte sich die Pflegerin von Mrs. Brontë. Diese »gute
alte Frau« ist als Informantin jedoch mit Vorsicht zu zitieren.
Sie war es auch, die Mrs. Gaskell eine Menge Unsinn über
die Gewohnheiten des Reverend erzählte, die dieser später
höflich, ja fast galant, jedoch entschieden zurückwies. Er
habe die Hausschuhe der Kinder verbrannt, den Teppich in
den Kamin gestopft, die Kinder abhärten wollen und ihnen
kein Fleisch, sondern nur Kartoffeln zu essen gegeben? »Ich
bin nicht im geringsten gekränkt, daß Sie meine Fehler schil-
dern – ich habe viele –, und ich bezweifle nicht, daß Sie als
Evastochter desgleichen einige haben«, schreibt er ihr. Er

leugne nicht, daß er ein wenig exzentrisch sei. »Zählte ich zu den ruhigen, gelassenen Menschen in dieser Welt, wäre ich nicht das, was ich jetzt bin und hätte aller Wahrscheinlichkeit nach nicht solche Kinder gehabt wie die meinen… Nur sagen Sie mir nicht nach, daß ich in meiner Wut den Kaminvorleger verbrannt, die Lehnen der Stühle abgesägt und meiner Frau Seidenkleid zerrissen hätte.« Und was die Abhärtung angehe: Er habe stets darauf geachtet, daß die Mädel Flanellunterzeug trugen und ordentlich aßen.

Wenn Mrs. Gaskell eine Schwäche hatte, dann die, der Faszination ihres Stoffes verfallen zu sein. Sie hatte sich ein Bild der Brontës gemacht, in dem die düsteren Aspekte und Charlottes Rolle als untadelige Heldin überwogen. Alles, was ein wenig schräg von der idealen Linie abwich, wurde von ihr nicht nur aus Rücksicht auf noch Lebende eliminiert.

Das Schicksal der Brontës war tragisch. Das Übermaß an Leid, das sie zu schmecken bekamen, aber auch die Versammlung von so vielen brillanten Talenten in einer Familie und das Scheitern der beiden sonderbarsten verführen dazu, ihr Leben als einziges Trauerspiel zu beschreiben. Als Kinder waren sie still, schüchtern, abseits stehend in Unkenntnis populärer Ringel- und Butzemann-Spiele. Aber sie waren mitnichten traurig darüber. Sie liebten einander sehr, die nachdenkliche, sanfte Maria, die praktische, geduldige Elizabeth, Charlotte, winzig und aufgeweckt, Branwell, der kleine Gockel unter den Schwestern, die selbständige Emily und Anne, die fast noch ein Baby war und an deren Wiege Charlotte einen Engel hatte stehen sehen. Der Vater gibt ihnen jeden Tag ein paar Lektionen und läßt ihnen ansonsten jede Freiheit zu lesen, zu spielen, auf dem Moor herumzuschweifen. Möglicherweise hatte der vielseitige Reverend auch Rousseau gelesen, dessen Ideen über die Liebe zur Natur und die Rückkehr zur natürlichen Empfindung damals weit verbreitet waren. Möglicherweise stimmte er dem Philosophen in dem Gedanken zu, daß Kinder, denen man Irrtum und Laster fernhielte, lernen würden, natürlich und richtig zu fühlen und zu denken und von selbst Wissenschaft und Kunst für sich zu entdecken. Der Reverend jedenfalls bemerkte schon früh, daß er ungewöhnliche Nachkommenschaft hatte und stand nicht nach, ein wenig Seelenforschung zu betreiben.

»Als meine Kinder sehr jung waren (soweit ich mich erinnere, war das älteste etwa zehn und das jüngste etwa vier Jahre alt) und mir aufging, daß sie mehr wußten, als mir bekannt war, wollte ich sie dazu bringen, mit weniger Furcht zu sprechen. Ich meinte, daß ich mein Ziel erreichen könnte, wenn ihre Gesichter verhüllt würden; da sich zufällig eine Maske im Hause befand, sagte ich ihnen, sie sollten sich maskieren und ohne Scheu sprechen. Ich begann mit der jüngsten, Anne, und fragte sie, was ein Kind wie sie sich am meisten wünsche, und sie antwortete: Alter und Erfahrung. Ich fragte die nächste, Emily, was ich am besten mit ihrem Bruder Branwell anfangen solle, der zuweilen ein unartiger Junge war. Sie erwiderte: Sprich vernünftig mit ihm, und wenn er sich nicht einsichtig zeigt, hau ihn. Ich fragte Branwell, was die beste Methode sei, den Unterschied zwischen männlichem und weiblichem Denken herauszufinden. Er antwortete: Indem man den körperlichen Unterschied in Betracht zieht. Dann fragte ich Charlotte, welches das beste Buch der Welt sei. Sie antwortete: die Bibel. Und welches das nächstbeste? Sie antwortete: Das Buch der Natur. Ich fragte dann die nächste, welches die beste Bildung für eine Frau sei. Sie antwortete: Eine solche, die sie ihr Haus gut bestellen läßt. Zum Schluß fragte ich die älteste, welches die beste Art sei, die Zeit zu verbringen. Sie antwortete: Indem man sich auf eine glückliche Ewigkeit vorbereitet.«

Die Sorge von Patrick Brontë gilt ein Jahr nach Marias Tod
weniger der Ewigkeit als einem geregelten, vielleicht noch
einmal glücklichen Diesseits. Er sucht eine Heiratskandida-
tin. Seine erste Wahl muß auf Elizabeth Firth aus Thornton
gefallen sein, die Patin von Elizabeth und Anne, deren Tagebuch zur Zeit von Patricks Pfarrstelle dort einen lebhaften
Umgang beider Familien in Form von Besuchen, Ausflügen
und Teenachmittagen verzeichnet. Sie lehnt ihn freundlich
ab, bleibt aber in bestem Einvernehmen mit den Brontës.
Eine zweite junge Dame aus Keighley ist ihm ebenfalls nicht
genügend gewogen, schreibt gar an eine Freundin, im Leben wäre sie nicht so dumm, eine solche Partie zu wählen.
Wer weiß, welche Eitelkeit Patrick zum dritten geritten hat,
daß er sich nun an Mary Burder wendet, die Frau, die er
fünfzehn Jahre zuvor in Wethersfield hatte sitzen lassen.
Nach einigem vorsichtigen Investigieren betreffs ihres Fami-
lienstandes schickt er einen Brief an »Dear Madam«, der so
täppisch, so taktlos ist, daß man sich nur fragen kann, wo der
Reverend seine sieben Groschen zur Zeit der Niederschrift
hatte. »Es bereitet mir ein angenehmes Gefühl im Herzen,
zu hören, daß Sie noch immer ledig sind«, fällt er nach einigen Einleitungsfloskeln mit der Tür ins Haus, »und ich bin
so eigensüchtig, zu wünschen, daß Sie es auch bleiben, selbst
wenn Sie mir nicht erlaubten, Sie wiederzusehen. Sie waren
die erste, um deren Hand ich anhielt, und zweifellos war
auch ich der erste, dem Sie Ihre Hand versprachen. Wie
groß Ihre Abneigung gegen mich nun auch sein mag, bin ich
doch sicher, daß Sie mich einst liebten mit aufrichtiger, un-
schuldiger Liebe, und ich bin überzeugt, daß Sie nach allem,
was Sie gesehen und gehört haben, an meiner Liebe für Sie
nicht zweifeln können.«

Er erwähnt den Tod seiner Frau, seine kleine, reizende Familie sowie einflußreiche Freunde und Gottes Güte, die ihm

zu einem dankbaren Posten verholfen hätten. »Ich möchte nur eine Zugabe zur Behaglichkeit meines Lebens, und dann glaube ich, könnte ich nichts weiter auf dieser Seite der Ewigkeit wünschen. Ich möchte eine geliebte Freundin wiedersehen – so freundlich, wie ich sie einst erlebte und ebenso geneigt, mein Glück zu befördern.« Da seine alte Liebe wieder entflammt sei, bittet er Mary und ihre Mutter, als »alter Freund« von ihnen empfangen zu werden.

Miss Burder antwortet umgehend und keineswegs gewillt, das Glück des »Reverend Sir« zu befördern. »Eine kürzliche Durchsicht Ihrer vielen Briefe von 1808 etc. ... brachte mir zahlreiche Umstände ins Gedächtnis... und weckte in meiner Brust zunehmende Dankbarkeit für die weise, die schonende Vorsehung, die damals zu meinem Besten über mich wachte und mich davon abhielt, in jungen Jahren eine unauflösliche Verbindung mit einem Mann einzugehen, der, so glaube ich, nicht frei von Falschheit war. ...Mein gegenwärtiger Stand, über den Sie sich so erfreut äußern, war bisher der Stand meiner eigenen Wahl und für mich die Quelle großen Glücks und großer Behaglichkeit.« Mit Gusto erwähnt sie ihr »hübsches Auskommen«, das sie »unbelästigt von häuslichen Sorgen und Ängsten und ohne irgend jemanden, der mich kontrollierte oder hemmte« auf das angenehmste leben ließe. Sie fühle daher »keine Neigung, durch einen Wechsel meine mannigfaltigen Freuden aufs Spiel zu setzen.«

Auch Mary Burder steht die Güte Gottes zur Verfügung, wenn es gilt, einen Hieb auszuteilen. Der Herr werde schon für Patrick und seine unschuldigen armen Kleinen sorgen. »Es bereitet mir immer Freude zu hören, daß das Werk des Herrn gedeiht.« Darüber hinaus muß sie ihn über den gewünschten Besuch entschieden ablehnend bescheiden.

Der Reverend braucht fünf Monate, ehe er sich für eine Antwort erholt hat. Ihr Brief erschiene ihm wie ein böser

Traum, schreibt er, kann es sich aber nicht verkneifen, das letzte Wort über Miss Burder zu behalten. »Sie mögen denken und schreiben, was Sie wollen, aber ich habe nicht den geringsten Zweifel, daß Sie, wären Sie die meine geworden, glücklicher geworden wären, als Sie es jetzt sind oder als Ledige sein können.«

Damit endet diese für beide Teile wenig ersprießliche Korrespondenz. Miss Burder heiratet einige Monate später einen Pastor – und wird Sorge getragen haben, daß der Reverend davon erfährt. Mr. Brontë schließt die Tür seines Arbeitszimmers hinter sich. Er unternimmt keinen weiteren Versuch, eine Frau zu finden.

III Cowan Bridge · Söhne und Töchter · Ein Moorbeben · Der Tod der großen Schwestern

Als ich von den Mühsalen der kleinen Jane
in der Wohlfahrtsschule las, wurde ich so böse,
daß ich einen Spaziergang machen mußte.
Ich wußte genau, was sie fühlte.
Da ich Mrs. Lippett kannte,
konnte ich mir Mr. Brocklehurst vorstellen.

Jean Webster
Daddy Langbein

Seine Töchter heranwachsen zu sehen, mußte dem Reverend Brontë nicht nur Freude an ihrer altklugen Gesellschaft bereitet haben. Sein Gehalt und sein Hausrecht in
Haworth waren auf Lebenszeit befristet. Ein Erbe stand von
ihm nicht zu erwarten. Wenn er seine fünf Mädchen nicht
gut verheiratete, blieb ihnen nur die Wahl, sich als Gouvernanten in Schulen oder bei Familien zu verdingen. Sie waren
helle und wißbegierig, aber ihre Bildung war wohl eher ein
reizvoller Flickenteppich als ein durchgewebtes Textil. Über
Wellington, Napoleon und Hannibal wußten sie alles, über
englische Grammatik nichts, und ihre Nadelarbeit lief trotz
der Bemühungen von Tante Branwell auf verkrumpelte
Probelappen und schwer zu beanstandende Säume hinaus.
Etwas mehr System schien durchaus wünschenswert – nichts
Extravagantes, nichts für höhere Töchter, die noch ein wenig Glanz für den Heiratsmarkt benötigten, sondern eine
Grundausbildung in Angelegenheiten des Haushalts und
einigen elementaren Fächern.

Maria und Elizabeth werden zunächst nach Crofton
House bei Wakefield geschickt, aber das Institut ist zu teuer.
Gerade da erscheint die Neueröffnung eines Stifts für Kleri-
kertöchter – Cowan Bridge – dem Reverend wie ein Geschenk des Himmels. Vierzehn Pfund pro Jahr beträgt das
Schulgeld; der Rest wird durch Spenden getragen. Auf dem
Lehrplan stehen Geschichte, Geographie, der Gebrauch
des Globus, Grammatik, Schreiben, Arithmetik, alle Arten
von Nadelarbeit und die feineren der Haushaltsführung wie
z. B. Plätten. Französisch, Musik und Zeichnen werden als
weniger wichtig erachtet und kosten je drei Pfund extra.

Der Sekretär der Treuhandstiftung und Schuldirektor
von Cowan Bridge ist der Reverend Carus Wilson, ein honoriger Mann, der sich einen Ruf als Erzieher und Buchautor
erworben hat, an dem 1824 offenbar niemand etwas auszu-

setzen findet. Über seine pädagogischen Ziele hatte er in seinen *Thoughts* geschrieben: »Die Schülerinnen sind, unvermeidlich, sehr einfach und einheitlich gekleidet. Viele von ihnen leiden zweifellos darunter. Sie sind, unglücklicherweise, vielleicht im Übermaß an jene vorherrschende und immer noch wachsende Liebe zum Putz gewöhnt, denn leider sind Pfarrersfamilien, selbst die ärmsten, von dieser Sucht nicht ausgenommen. Für mich war es immer ein Ziel, jedes vordringliche Symptom von Eitelkeit in der Knospe zu ersticken.«

In Cowan Bridge tragen alle Zöglinge zwischen sechs und zwanzig Jahren die gleichen Strohhauben, weiße Schürzen an den Sonntagen im Sommer, einfache baumwollene an den übrigen Tagen; im Winter lila Wollschürzen und lila Tuchmäntel. »Fürwahr eine wunderliche Gesellschaft«, bemerkte Charlotte später zu dem häßlichen Aufzug. Zur Schule mitbringen müssen die Mädchen außer der Bibel und dem Gebetbuch vier Unterhemden, drei Nachthemden, zwei Korsetts (sic), zwei Flanell-Unterröcke, drei weiße Unterröcke, drei graue aus Wolle, vier Paar weiße Baumwollstrümpfe, drei Paar schwarze wollene, einen Baumwoll-Spenzer, vier braune Leinenschürzen und zwei weiße, außerdem Handarbeitsbeutel, Kamm und Bürste und ein Paar Holzschuhe.

Für Maria und Elizabeth bedeutet das noch mehr zerstochene Finger, noch mehr Säume, denn selbstverständlich müssen sie ihre Wäsche selber nähen.

Charlotte hat dieser Schule über zwanzig Jahre später ein unrühmliches Denkmal gesetzt. »Lowood« heißt Cowan Bridge in ihrem Roman *Jane Eyre*, so wie das Gefängnis Napoleons auf St. Helena. Zwar war ihr zu Ohren gekommen, daß die Schule sich in diesem Zeitraum sehr zu ihrem Besseren gewandelt hätte, aber von ihrer Erfahrung ließ sie sich kein Jota absprechen, und ihrem Verleger gegenüber bekräftigte sie, daß besonders die Szenen mit der kleinen Helen Burns, die dort bis aufs Blut schikaniert wird, der Wahrheit entsprächen. Dennoch brach nach Erscheinen von Elizabeth Gaskells *The Life of Charlotte Brontë* ein Sturm der Empörung los. Der Sohn von Carus Wilson lieferte sich, gestützt von zahllosen Dankschreiben ehemaliger Schülerinnen, mit Charlottes Witwer im *Halifax Guardian* ein feuriges Leserbrief-Gefecht. Seine Proteste überzeugten schließlich Gaskells Verleger – der auch Charlottes war –, in einer dritten Auflage der Biographie die Passagen über Cowan Bridge klüglich ein wenig zu relativieren. Die Ausgabe, die heute im Handel ist, enthält Gaskells ursprüngliche Version. Sie wird, bei allem Abwägen der Gegenstimmen, der Wahrheit wohl recht nahe kommen. Zeugin gegen Carus Wilson als Wohltäter der Menschheit ist nämlich nicht nur ein ungewöhnlich kleines, aber sehr aufmerksames achtjähriges Kind, das nichts vergessen hat, sondern auch seine eigene religiös-literarische Produktion, die die aufrichtige Verrücktheit eines Sadisten offenbart, der seine Neigungen kaum verhüllt auslebte.

The Children's Friend heißen seine auflagenstarken Traktate, in denen dieser Freund unartige Kindlein in großer Zahl, mit schöner Regelmäßigkeit und voll offensichtlicher Befriedigung mittels eines plötzlichen Todes zur Hölle schickt. Seine *True Stories* über kleine Buben, die, vor die Frage gestellt, ob sie lieber einen Keks haben oder einen Psalm lernen wollen, begeistert den Psalm wählen (»Engel singen Psalmen, ein Engel möcht ich sein hienieden«), erscheinen uns heute erstunken und absurd, aber der Blick, den z.B. Onkel Fennells Briefe in die Akademie Woodhouse Grove erlauben, und auch die Geschichte des Opferlamms Helen Burns, sprechen von einem religiösen Geist, dessen

Worte uns heute fremd sind, dessen Wahn aber nur in zeitgemäßerer Gestalt unseren Weg kreuzt. Carus Wilson »wollte junge Seelen vor der Hölle retten, indem er ihnen schon auf Erden einen Vorgeschmack davon gab«, schrieb Joan Quarm 1986 in den *Transactions* der Brontë Society. Deshalb also die Traktate mit den sterbenden Knaben, die ihre Mütter damit trösten, im Überlebensfalle wären womögliche Trunkenbolde, Feiertagsentheiliger und Ausgeburten der Hölle aus ihnen geworden. Deshalb die Zucht von Cowan Bridge, das ekelhafte Essen, das gefrorene Waschwasser, die Rute und die geschorenen Haare. Deshalb das Schild »Schlampe« um die Stirn der zerstreuten Helen Burns.

Am 21. Juli 1824 steigt der Reverend Brontë mit Maria, zehn, und Elizabeth, neun Jahre alt, aus der Postkutsche, die auf dem Weg von Keighley nach Leeds auch in dem kleinen Weiler Cowan Bridge hält. Es ist ein idyllisches Tal mit Haselnuß- und Holunderbüschen entlang des kleinen Flusses und einem weiten Blick über satte grüne Wiesen. Ein paar Cottages und eine umgebaute Fabrik für Klöppelspulen stellen die ganze Schule dar. Ihre Leitung hat zunächst Bedenken gegen die Aufnahme der beiden Neuen. Sie sind kaum von Masern und Keuchhusten genesen. Der Reverend scheint sie jedoch für stark genug zu halten, es mit dem Schulbetrieb aufzunehmen. Elizabeth Gaskell ließ sich später von einer ehemaligen Mitschülerin ihre Unterbringung beschreiben: zwei Reihen Betten in einem langen Schlafsaal, eine Waschschüssel für je sechs Schülerinnen. Sie besichtigt auch die Örtlichkeit, lange nachdem die Schule ausgezogen war: ein niedriges Haus mit kleinen Bogenfenstern – der eine Teil noch bewohnt, der andere eine leerstehende Kneipe. Die Toilettenanlage besteht aus einem Steinhäuschen im Hof – für achtzig Zöglinge. »Die Fenster im Haus lassen sich nicht sehr weit und nur schwer öffnen. Die Treppe, die zu den Schlaf-

räumen hinaufführt, ist schmal und gewunden. Es war überhaupt ein übelriechendes und feuchtes Haus. Aber von Hygiene verstand man vor dreißig Jahren eben noch nicht viel.«

Patrick übernachtet dort und ißt mit den Mädchen am selben Tisch. Am nächsten Morgen fährt er hochzufrieden ab
und bringt drei Wochen später Charlotte nach Cowan
Bridge.

Ehe auch Emily dort eingeschrieben wird und wir uns
dem Institut ausführlich widmen, noch ein Blick zurück auf
Haworth. Nachdem die drei ältesten abgereist sind, gibt es
dort mehr Platz und etwas mehr Ruhe. Es scheint, als sei
Branwell zur Schulzeit seiner Schwestern auch für eine
Weile auf die Haworth Grammar School, drei Kilometer außerhalb des Ortes Richtung Oxenhope gegangen – ein Experiment, das aus unbekanntem Grund bald abgebrochen
wird. Dem Reverend Brontë erscheint wohl keine Schule
passend für das aufgeweckte, leicht erregbare Bürschchen,
das seine roten Haare und sein keltisches Temperament ge-
erbt hat. Der Schulweg über die Heide ist im Winter beschwerlich für den nicht sehr robusten kleinen Mann. Es
gibt nur wenige Schüler, und sie kommen nicht gerade aus
bestem Hause. Mit ihnen zu konkurrieren kann der empfindliche, eitle kleine Branwell nur schwer ertragen. Außerdem, und dies steht außer Zweifel, ist der Reverend der ein-
fühlsamere Pädagoge mit den gepflegteren Latein- und
Griechisch-Kenntnissen. Warum also Branwell nicht lieber
zu Hause unterrichten?

Vater und Sohn kommen prächtig miteinander aus. Der
Siebenjährige liebt es, Papa zu zitieren, seine gravitätische
Höflichkeit, seine Metaphern und – »verb sap«* – seine latei-

---

* verbum satis sapienti – dem Weisen genügt ein Wort

nischen Zitate im Gespräch. Auch findet er es einfacher, wie ein Komet in der Gesellschaft der Dorfjugend aufzutauchen, ein wenig anzugeben, ein wenig zu raufen und in der Sicherheit des Pfarrhauses wieder zu verschwinden. Seine Tante kann er um den Finger wickeln. Er ist so sensibel, so fix und so schwer zu strafen.

Vielleicht hat Charlotte an diesen kleinen Jungen gedacht, als sie in ihrem ersten Roman *The Professor* den Knaben Victor Crimsworth beschreibt. Seine Eltern »bemerken etwas in seinem Naturell – eine Art elektrisierende Heftigkeit, die zuweilen gefährliche Funken schlägt«. Der Vater, weit davon entfernt, dies als Temperament durchgehen zu lassen, möchte es, wenn schon nicht herausprügeln, so wenigstens den Jungen durch harte Worte Selbstkontrolle lehren. »Frances nennt dieses gewisse Etwas im Charakter ihres Sohnes nicht beim Namen, aber wenn es sich zeigt im Zähneknirschen, im Glitzern seiner Augen, im wütenden Aufbegehren gegen Enttäuschung, Pech, unvermuteten Kummer oder angebliche Ungerechtigkeit, dann nimmt sie ihn in die Arme und spricht vernünftig mit ihm.« Werden Liebe und Vernunft taugliche Waffen sein, wenn er als Erwachsener seine Wut niederkämpfen muß? fragt sich der Vater. Er fürchtet für Victor, »dieses Blitzen seiner schwarzen Augen… wird ihm eines Tages Püffe statt Schmeichelworte und Tritte statt Küsse einbringen«, und es wird ihn an Körper und Seele verderben.

Charlotte war dreißig Jahre alt, als sie dies schrieb, eine junge Frau, der nicht nur Pflichtgefühl und rigide moralische Standards die Seele ein wenig verrenkt hatten. Der Tadel für zuviel elterliche Nachsicht reicht länger zurück, aber offenbar konnte sie ihn nur durch das Medium Literatur aussprechen. Ihre Opfer für den Sohn der Familie waren verschwendet. Warum ist sie, die kleine Tochter, die genauso

klug, genauso begabt und so viel fügsamer war, nicht ebenso
geliebt worden wie dieser rotblonde Irrwisch, der in der
Schiffschaukel auf dem Jahrmarkt von Keighley mit über-
schnappender Stimme schreit: »Oh, meine Nerven, meine
Nerven, oh, meine Nerven!«

Auch Anne fand – ihren erwachsenen Bruder vor Augen –
im *Tenant of Wildfell Hall* bittere Worte über die ungleiche
moralische und emotionale Ausrüstung, mit der Knaben
und Mädchen ins Leben hinausgeschickt wurden. Der
Mann, so dachte man sich, stehe wie eine Eiche, der der
Sturm der Anfechtung nahezu unbeschadet durch die
Krone fegen könne. Die Frau dagegen gliche in ihrem Wesen
einer exotischen Treibhauspflanze, sich klammernd und an-
schmiegend und offenbar auch ein wenig schmarotzerhaft,
der ein Lufthauch schon die Tugend verwehe. »Sie möchten,
daß wir unsere Söhne ermutigen, sich durch eigene Erfahrung zu beweisen, während unsere Töchter nicht einmal aus
den Erfahrungen anderer Gewinn ziehen sollen«, läßt Anne
ihre Heldin Helen Huntingdon sagen. »Ich würde kein
Mädchen in die Welt hinausschicken, ungeschützt vor ihren
Tücken und in Unkenntnis der Fallstricke, die ihren Weg
säumen werden. Noch würde ich sie beschützen und bewachen, bis sie ihre Selbstachtung und ihr Selbstvertrauen verloren hätte und damit auch die Kraft und den Willen, auf
sich selbst aufzupassen – und was meinen Sohn angeht:
Wenn ich sähe, daß er zu dem heranwüchse, was Sie einen
›Mann von Welt‹ nennen, einen, der ›das Leben gesehen hat‹
und sich in seinen Erfahrungen sonnt … ich wüßte ihn lieber heute tot.«

Am 2. September tritt ein Ereignis ein, das auf alle Betei-
ligten einen nachhaltigen Eindruck ausübt. Der Reverend
Brontë nimmt es sich zum Zeichen und Thema der nächsten
Predigt. Als geschickter Redner, der die Spannung seiner

Hörer zu steigern versteht, beginnt er ganz in der Art des Worts zum Sonntag, um dann den Donner von der anstehenden Rache Gottes an seinen schuldigen Geschöpfen um so herrlicher über die Köpfe rollen zu lassen. »Da der Tag ungewöhnlich schön war, hatte ich meine kleinen Kinder, die nicht ganz wohlauf waren, zusammen mit zwei Dienstmädchen auf den Anger hinter dem Haus geschickt, um frische Luft zu schöpfen«, hebt er moderat genug an. »Und als sie länger ausblieben als erwartet, ging ich in ein Zimmer im Obergeschoß, um nach ihnen auszuschauen. Der Himmel über dem Moor hatte sich bereits verfinstert. Ich hörte das Murmeln fernen Donners und sah schon Blitze aufzucken. Obwohl zehn Minuten vorher sich die Luft kaum gerührt hatte, frischte der Wind nun schnell auf und trug Wolken von Staub und Stoppeln heran. Zugleich kündigten einige große Tropfen einen anrückenden schweren Schauer an. Meine kleine Familie hatte ein schützendes Dach gefunden, aber das wußte ich nicht.«

Es war nicht nur ein heftiges Gewitter, das die Heide verdunkelte; das Datum ging in die Geschichte ein als der Tag, an dem das Moor von Crow Hill aufbrach – ein Erdbeben, das der besorgte Patrick aus dem zitternden Fußboden und den klirrenden Scheiben deduzierte. Offenbar hervorgerufen durch einen Wassereinbruch in eine unterirdische Höhle, klaffte der Hügel über Ponden auf, Felsbrocken polterten zu Tal, und eine Schlammlawine ergoß sich über seine Hänge. Und während der Reverend Physik und Vorsehung pädagogisch wirkungsvoll zu einem Aufruf zur Sühne verband, barg der Schrecken für seine Tochter Emily, die den Berg in Bewegung sah, auch ein tiefes Entzücken. Zeit ihres Lebens liebte sie die stürmischen Elemente mehr als den wolkenlosen Himmel. »Die ganze Welt müßte wach und wild vor Freude sein«, wünscht sich die junge Catherine in der

Sturmhöhe. Emily selbst fühlte sich draußen auf der Heide am wohlsten, wenn der Wind aus ihren Röcken eine Fahne drehte und ihr die Schalzipfel ums Gesicht schlug. In der Freiheit des Alleinseins, des Ausschreitens, des Höhenflugs der Imagination wurzelte ihre Kunst.

Vorerst aber ist sie nur ein kleines Mädchen, dessen Kiste für die Übersiedlung nach Cowan Bridge gepackt wird. Am 25. November trifft sie dort ihre Schwestern wieder, und ob Patrick sie nun selbst begleitet oder eine der Garrs-Schwestern: Noch immer werden keine Klagen laut, sieht keines der Mädchen beunruhigend blaß und spitz aus.

Der Eintrag ins Schulregister lautet für die Sechsjährige: »Liest sehr nett und handarbeitet ein wenig.« Die anderen waren auf strengere Prüferinnen gestoßen. Von Maria heißt es: »Liest zufriedenstellend, schreibt recht gut, buchstabiert ein wenig, handarbeitet schlecht. Sehr geringe Kenntnisse in Geographie und Geschichte. Einige Fortschritte im Französisch lesen, aber keine Grammatik-Kenntnisse.« Elizabeth »liest ein wenig, schreibt recht gut, kann nicht buchstabieren, handarbeitet sehr schlecht. Keine Kenntnisse in Grammatik, Geographie, Geschichte oder anderen Fertigkeiten.« Charlotte schließlich »schreibt mäßig, buchstabiert ein wenig, handarbeitet ordentlich. Keine Kenntnisse in Grammatik, Geographie, Geschichte oder anderen Fertigkeiten. Alles in allem klug für ihr Alter, aber ohne systematische Kenntnisse.«

»Meine Gedanken sind ständig woanders«, bekennt Helen Burns ihrer kleinen Freundin Jane Eyre. Die beiden sind das literarische Abbild von Maria und Charlotte. Gewiß ist es unzulässig, die Parallelen zwischen Roman und Realität zu eng zu ziehen, aber vieles im Austausch ihrer Worte und Gesten scheint unmittelbar aus dem Erfahrungsschatz der kleinen Schwester zu stammen. Helen streichelt sanft Janes Finger, um sie zu wärmen. Stumm wie ein Indianer sitzt sie neben der Verlassenen, schlingt die Arme um die Knie und stützt den Kopf auf. Wie Maria argumentiert sie mit der Jüngeren, wenn diese sich gegen die ungerechte Behandlung durch eine Lehrerin empört. »Wenn ich an deiner Stelle wäre, würde ich sie hassen; ich würde mich ihr widersetzen; wenn sie mich mit dieser Rute schlagen sollte, würde ich sie ihr aus der Hand reißen. Ich würde sie ihr vor der Nase entzweibrechen.« »Wahrscheinlich würdest du nichts dergleichen anstellen«, sagt Helen… »Es wäre deine Pflicht, es zu ertragen, da du es nicht vermeiden kannst. Es ist ein Zeichen von Schwäche und Dummheit, wenn du sagst: Ich kann es nicht ertragen, denn du mußt nun einmal ertragen, was dir dein Schicksal bestimmt hat.«

Charlotte lernt, dieses furchtbare Institut zu ertragen, aber verziehen hat sie ihm nie, »denn ich sah, wie meine Schwestern darin umkamen«. Schuld an ihrem Tod sind das schlechte Essen, die mangelhafte Hygiene, die unzureichende Kleidung, Nässe und Kälte im Haus. »Die Köchin war achtlos, verschwenderisch und schmutzig«, recherchierte Gaskell. Der Frühstücks-Porridge war in der Regel angebrannt, das Fleisch verfault, die Milch sauer, das Fett ranzig. Das Wasser für den Reispudding stammte aus der Regentonne. Jeden Sonntag mußten die Kinder zur drei Kilometer entfernten Kirche marschieren. »Wir hatten keine Stiefel, und der Schnee drang in unsere Schuhe und schmolz. Wir hatten keine Handschuhe, und unsere erstarrten und mit Frostbeulen bedeckten Finger litten dieselben Qualen wie unsere Füße. Ich erinnere mich noch gut an das unerträgliche Jucken am Abend und die Tortur am Morgen, wenn ich meine geschwollenen steifen und wunden Zehen in die Schuhe zwängen mußte… Da es zu weit war, um zu Mittag zurückzugehen, bekamen wir zwischen den Gottesdiensten eine Portion kaltes Fleisch und Brot«, das sie in einem ungeheizten Raum neben der Empore verzehrten.

»Nach dem Nachmittagsgottesdienst kehrten wir auf einer hügeligen Straße heim, wo der bitterkalte Winterwind uns den Schnee ins Gesicht blies und dabei fast die Haut vom Gesicht riß.«

Doch auch in der Schule wartete kein Trost. »Beide Kamine wurden sofort von einer Doppelreihe großer Mädchen umlagert, und dahinter standen die Jüngeren in Gruppen und hielten ihre erfrorenen Arme in die Schürzen gewickelt.«

Carus Wilson, der sich nach Angaben dankbarer Schülerinnen vorbildlich um alles kümmerte, vom Stopfgarn bis zum Butterstrich auf dem Haferbrot, der Steigen voll frischen Obstes anliefern ließ und kranke Kinder an die See schickte, tritt in *Jane Eyre* in Gestalt des Mr. Brocklehurst als Abbild eines bigotten Heuchlers auf, der bei einer seiner Visiten die Haartracht der Schülerinnen beanstandet – »Jedes dieser Mädchen hier hat einen aus Flechten gewundenen Haarkranz, den die Eitelkeit selbst gewoben haben könnte: und diese Haarknoten müssen, wie ich bereits gesagt habe, abgeschnitten werden« –, während Ehefrau und Töchter in seiner Begleitung in Hermelin, Straußenfedern und falschen Locken prunken.

Das stinkende, angebrannte Frühstück, das die Schulleiterin eigenmächtig durch eine Portion Brot und Käse für jede ersetzt hatte, ist ihm Anlaß für weitere Belehrungen. »Sie wissen, welche Erziehung ich für diese Mädchen geplant habe; sie sollen ja nicht zu Luxus und Verwöhntheit, sondern zu Abhärtung, Geduld, Demut und Selbstverleugnung erzogen werden. Wenn nun einmal der Appetit zufällig durch eine kleine Mißlichkeit, wie eine verdorbene Mahlzeit [...] enttäuscht wird, so braucht man deswegen doch nicht gleich den verlorenen Genuß durch etwas Wohlschmeckenderes zu ersetzen und damit gleichsam den Leib verzärteln und die Aufgabe des Stifts außer acht lassen. Eine solche Gelegenheit sollte vielmehr wahrgenommen werden, um die geistige Erbauung unserer Schülerinnen zu fördern, indem man sie ermutigt, in der zeitweiligen Entbehrung Seelenstärke zu beweisen.«

Seelenstärke beweisen – dazu hat vor allem Maria Brontë Gelegenheit, deren frommes Dulden den Haß einer offenbar überforderten Pädagogin auf sich zieht. Als Miss Scatcherd lebt sie in *Jane Eyre* fort. Ihre literarische Person muß so deckungsgleich mit der wirklichen gewesen sein, daß eine ehemalige Schülerin, die Mrs. Gaskell eine Episode erzählte, von ihr als Miss Scatcherd sprach: An einem Morgen sei Maria sehr krank gewesen. Sie hatte ein Zugpflaster auf der Seite getragen, und die wunde Stelle war noch nicht verheilt. Sie stöhnte auf, sie sei so sehr krank, und die anderen Mädchen redeten ihr zu, im Bett zu bleiben; sie wollten der Schulleiterin Bescheid sagen. Aber zunächst mußte der Fall noch Miss Scatcherd dargelegt werden. Zitternd vor Kälte und Schwäche begann das kleine Mädchen sich im Bett anzuziehen, und sie war gerade dabei, ihre schwarzen Wollstrümpfe über die dünnen weißen Beine hochzurollen, als Miss Scatcherd eintrat und ohne ein Wort der Erklärung abzuwarten, Maria am Arm aus dem Bett riß und über den Fußboden stieß. Dabei zeterte sie in einem fort über ihre schlampigen, schmutzigen Angewohnheiten. Als sie gegangen war, bat Maria die aufgebrachten Mädchen, sich zu beruhigen, zog sich langsam an und ging schließlich hinunter – wo sie für ihr Zuspätkommen bestraft wurde.

Welche Krankheit das ist, an der Maria im Winter 1824/25 leidet und wozu ihr das Zugpflaster angelegt wurde, darüber kann man heute nur Vermutungen anstellen. War es der Beginn von Tuberkulose? Unter »Auszehrung« fiel damals eine ganze Reihe von Krankheiten, die man nicht verstand. Das »Fieber«, das die Schule zu Beginn des Jahres heimsucht, ist es nicht.

Es muß dem Reverend Carus Wilson doch einen furchtbaren Schrecken eingejagt haben, als er bei einem Besuch eine halb bewußtlose Klasse vorfand, die er weder durch Drohungen noch durch geistliche Ermunterung wieder auf die Beine bringen konnte. In Cowan Bridge war Typhus ausgebrochen, übertragen durch Kopfläuse, und die halbe Schule verwandelte sich in ein Hospital mit Essig- und Kampfergerüchen. Der Unterricht für die übrigen, die sich nicht angesteckt hatten, fiel aus, sie durften im Garten und am Fluß spielen. Wenn man dem Lauf der Dinge in *Jane Eyre* folgt, muß es für Charlotte fast eine glückliche Zeit gewesen sein, in der Maria ihren Augen und ihrem Sinn entzogen war, denn sie wurde in einem anderen Teil der Schule gepflegt. »Sie hatte nicht Typhus, sondern Schwindsucht; und ich in meiner Unwissenheit bildete mir ein, Schwindsucht müsse eine leichte, milde Krankheit sein, die man mit Zeit und guter Pflege ausheilen würde.«

Im Februar ist es jedoch offenbar, daß Maria nicht wieder gesund werden würde, und man schickt – endlich – nach dem Vater. Welche Verwirrung muß in den Köpfen aller Beteiligten geherrscht haben, daß Patrick angesichts seiner Ältesten nicht auch seine drei anderen Töchter aus diesem Institut entfernt hat! Hat er nur Augen für sie? Ist ihnen der Mund verschlossen? Maria wird am 14. Februar heimgeholt und stirbt drei Monate darauf, am 5. Mai. Von ihren Schwestern in Cowan Bridge sieht sie nur Elizabeth wieder, die zwei Tage vor ihrem Tod von einem Dienstmädchen nach Haworth gebracht wird. Auch Elizabeth stirbt an »Auszehrung«, fünf Wochen nach Maria.

Diese Zweitälteste hat in ihren zehn Lebensjahren kaum Spuren hinterlassen. Offenbar war sie weniger bemerkenswert als ihre große Schwester. Im Schulregister ist sie die einzige Brontë, deren »künftige Bestimmung« nicht mit »Gouvernante« angegeben ist. (Sollte sie trotz ihrer mangelhaften Handarbeitskünste einmal Tante Branwells Rolle übernehmen?) Die Schulleiterin erinnerte sich Mrs. Gaskell gegenüber, sie habe Elizabeth wegen eines »beunruhigenden Unfalls«, bei dem sie eine schwere Kopfverletzung erlitten habe, selbst in ihrem Zimmer gepflegt. »Sie ertrug alle Schmerzen mit außergewöhnlicher Geduld und stieg sehr in meiner Achtung.« Der beiden Jüngeren entsann sie sich nur undeutlich. Ja, Charlotte war »ein aufgewecktes, kluges kleines Mädchen«, die gesprächigste von allen, und da war noch »ein süßes Dingelchen, noch keine fünf Jahre alt, das Hätschelkind der ganzen Schule«. Das war Emily, in der Tat fast sieben Jahre alt, als sie Cowan Bridge verläßt.

Dieser Katastrophen-Sommer 1825 prägt die beiden überlebenden größeren Mädchen nachdrücklich, aber unterschiedlich. Zum zweitenmal hatten sie eine Mama verloren. Charlotte – neun Jahre alt – tut ihr bestes, Maria zu vertreten. Von nun an wird sie immer versuchen, Pflicht vor Neigung zu stellen. Emily, das »Hätschelkind«, dem Sadismus von Cowan Bridge scheinbar folgenlos entronnen, reagiert traumatisch auf ihren nächsten Einschulungsversuch. Und wie Charlotte, wie Branwell hat sie das Gefühl, von ihren Schwestern nicht wirklich verlassen zu sein, ja, diese Erde mit ihnen zu teilen – ein Gedanke, der nicht nur Tröstliches birgt. Noch zwanzig Jahre nach Marias Tod schluchzt der Geist eines kleinen Mädchens vor den Fenstern der *Sturmhöhe*: »Laß mich hinein… seit zwanzig Jahren habe ich kein Zuhause mehr.«

Der Tod war zu allen Zeiten ein schmerzlicher und erschütternder Einschnitt im Leben einer Familie. Die hohe

Kindersterblichkeit zu Beginn des 19. Jahrhunderts führte
vielleicht dazu, daß er, wenn nicht mit gleichgültigeren, so
doch mit vertrauteren Augen betrachtet wurde als heute.
Das vorige Jahrhundert hatte andere Tabus als den Tod – die
Sexualität zum Beispiel. Heute spricht man mit schöner Un-
beschämtheit über Sex und verbannt den Tod aus Gedanken
und Gesprächen; für die Brontës aber gehörten Himmel
und Hölle zum Tischgespräch wie die Milch zum Tee. Die
jungen Mädchen waren wohl bewandert in den Lehren der
zahlreichen Sekten. Charlotte verabscheute die »gräßlichen
calvinistischen Lehrsätze« von der Auserwählung weniger
und der ewigen Verdammnis der restlichen. Ein »Dissident«
war in vielen Familien eine interessante Erscheinung, oft ein
aufregender Gesprächspartner (für den Reverend stellte
sein einziger Schwiegersohn, ein Puseyist, allerdings ein ro-
tes Tuch dar). Atheist zu sein, war jedoch etwa so schockierend, als bekenne man sich heute öffentlich zur Päderastie.

Der Tod liegt den Brontës vor der Haustüre, und jede Woche werden neue Gräber ausgehoben, geleitet Papa ein anderes kleines Kind zur letzten Ruhe. An manchen Tagen
wird die Stille nur vom Läuten der Totenglocke und dem
klingelnden Geräusch des Meißels aus dem Schuppen des
Steinmetz unterbrochen. Als Maria geduldig und vielleicht
sogar glücklich auf ihr Ende wartet, kommen Anne und
Branwell sie besuchen. Beide werden schließlich hochge-
hoben, um ihre toten Schwestern im Sarg zu küssen – ein
Zeremoniell, von dem man sich im 19. Jahrhundert eine
wertvolle sittliche Erfahrung auch für die Jüngsten schon
versprach. Anne ist offenbar noch zu klein, um Schaden da-
vonzutragen. Branwell schreibt später in seinem Gedicht *Caroline*, wie eine kleine Schwester versucht, das tote Kind
durch eine Berührung der Wange wieder zu wecken....

Und er?

Meine Mutter hob mich hoch,
Damit ich in den Sarg schauen konnte.
Bis auf den heutigen Tag verspüre ich
Das atemlose Keuchen und den entsetzlichen Schauder,
Mit dem ich mein totenblasses Gesicht
In ihren tröstenden Armen barg.

Charlotte, für die das Miterleben von Marias und Elizabeths
Verfall den größeren Schrecken barg, phantasiert in *Jane
Eyre* den Tod der Schwestern zu einem tröstlichen, zärtlichen
Ende aus. Jane kriecht zu der sterbenden Helen ins Bett.
»Warum sollen wir uns von Kummer überwältigen lassen,
wenn das Leben rasch vorübergeht und der Tod der wahre
Beginn der Glückseligkeit ist?« hatte sie in ihren gesunden
Tagen zu Jane gesagt. Nun liegen die beiden Mädchen an-
einandergekuschelt, und Helen flüstert: »›Ich bin sehr
glücklich, Jane. Und wenn du hörst, daß ich gestorben bin,
dann mußt du bestimmt nicht traurig sein… Indem ich jung
sterbe, bleibt mir viel Leid erspart. Ich hatte keine Talente
und Fähigkeiten, um in der Welt gut vorwärts zu kommen;
ich hätte doch nur Schwierigkeiten gehabt.‹ … Ich schlang
meine Arme fester um Helen, die mir teurer war als je zuvor;
mir war, als wollte ich sie zurückhalten, sie nicht fortgehen
lassen. Ich vergrub mein Gesicht an ihrem Hals. Jetzt sprach
sie so lieb und zärtlich: ›Ich fühle mich so wohl! Der letzte
Hustenanfall hat mich etwas ermüdet; ich glaube, ich könnte
jetzt schlafen. Aber bleib bei mir, Jane. Ich habe dich so gern
bei mir.‹ ›Ich bleibe bei dir, liebe, liebe Helen; niemand kann
mich von dir trennen.‹ ›Ist es dir warm genug, Liebling?‹
›Ja.‹« In der Nacht stirbt Helen in den Armen der schlafen-
den Jane.

Inzwischen, da Elizabeth todkrank zu Hause liegt, ist auch

der Reverend Brontë zu sich gekommen. Am 1. Juni reist er
nach Cowan Bridge, um Emily und Charlotte zu holen. Für
die nächsten fünf Jahre ist Haworth der sicherste Platz für
sie.

IV

Gedankenspiele · Die Jungen Männer · Tabby kommt · Die Inselbewohner

›Sie kommen‹, sagte Oliver.
›Durch das Haferfeld‹, erklärte Jane.
›Sie sind auf ihrem Weg nach Haworth‹,
fuhr Oliver fort.
… Im Licht der Fahrradlampe tauchten
die Jungen Männer im Gänsemarsch auf.

Pauline Clarke
Die Zwölf vom Dachboden

»Als sie lesen und schreiben gelernt hatten, pflegten Charlotte, ihr Bruder und ihre Schwestern sich Spiele auszudenken, aus denen der Herzog von Wellington, der Held meiner
Tochter Charlotte, in der Regel als Sieger hervorging, wann
immer sich ein Streit um seine Vorzüge und die von Bonaparte, Hannibal und Cäsar erhob«, erinnerte sich der Reverend Brontë als alter Mann. »Wenn die Auseinandersetzung
dann hitzig und stürmisch wurde, mußte ich, da ihre Mutter
damals schon tot war, als Schiedsrichter eingreifen und den
Disput nach bestem Wissen schlichten. In der Handhabung
dieser Angelegenheiten meinte ich oft, Zeichen von erwachendem Talent zu entdecken, wie ich es nie zuvor in Kindern dieses Alters erlebt hatte.«

Der Reverend mag ein kluger Vater gewesen sein. Wenn
er die Tür zu dem kleinen, weißgetünchten »Arbeitszimmer« der Kinder stolz und schmunzelnd hinter sich schloß,
war ihm allerdings entgangen, daß hier nicht ein aufgereg-
ter Bub und drei kleine Mädchen in Schürzen und mit dünnen braunen Haaren eine historische Debatte austrugen,
sondern daß in einer Halle aus Marmor und Saphir, um-
ringt von Feen mit schmetternden Posaunen vier Groß-
Schutzgeister im Rat saßen.

Ich sehe, sehe erscheinen
Den schrecklichen Brannii, den düsteren Riesen,
Wie er mit glühendem Atem die Erde versengt,
Blutdurst in seiner finsteren, rachsüchtigen Seele
Thront er in Wolken, um seinem Donnergrollen zu
                                  lauschen.
Um ihn fliegt die gefürchtete Tallii wie ein grauser Adler
Und weidet ihre blutigen Augen am Schmerz der
                                  Sterblichen.

Emmii und Annii zum Schluß
Künden mit unheilvollem Schrei Krieg, Hungersnot und
Elend.

Was war hier geschehen?

Vier »unheimlich begabte, spitzfindige:spinnfitzige merkwürdigste Kinder« hatten das Reich der Phantasie entdeckt
als die »letzte große Rettung des in extremer Situation be-
findlichen jugendlichen Genius«. (Arno Schmidt)

Nach außen hin gehen die Tage ereignislos vorüber. Dem
Morgengebet in Vaters Arbeitszimmer folgt das Frühstück
nebenan. Offenbar läßt sich auch die Tante inzwischen die
Mahlzeiten auf ihr Zimmer bringen, sonst könnten solche
Sitten, daß die Kinder ihren Porridge mit dem Hund teilen,
nicht einreißen. Der Vormittag vergeht mit Unterricht und
Haushaltspflichten. Nach dem Dinner um zwei Uhr gehen
die Kinder spazieren; dann beginnt die Nähstunde bei Tante
Branwell. Der Rest des Tages steht zu ihrer Verfügung, ehe
sie um sieben zu Bett geschickt werden.

In diesen Nachmittags- und Abendstunden sitzen die Kinder in ihrer »Study«, die zugleich Charlottes und Emilys
Schlafzimmer ist, oder um das Herdfeuer in der Küche, und
erzählen sich hochmerkwürdige Dinge – beginnen eine Tagtraumwelt zu weben, »ein Netz aus sonnigem Schein«, das
sie ihr halbes Leben lang umfangen sollte.

Alles beginnt in einer Juninacht des Jahres 1826, als der
Vater von einer Reise nach Leeds nach Hause kommt und
Branwell ein Geburtstagsgeschenk ans Bett stellt: eine
Schachtel mit zwölf Holzsoldaten. Die Mitbringsel für seine
Töchter – ein kleines Kegelspiel, ein Spielzeugdorf und eine
Puppe im Tanzkostüm – liefert er bei seiner Schwägerin ab,
die sie offenbar für einen festlicheren Anlaß zurücklegt;

denn es sind die Holzsoldaten, die sofort Freunde und Be-
schützer finden. Branwell, noch im Hemd, trägt sie morgens
zur Tür des Mädchenzimmers. »Emily und ich sprangen aus
dem Bett«, schreibt Charlotte, »und ich schnappte mir einen
davon und rief: ›Das ist der Herzog von Wellington! Dieser
soll der Herzog sein!‹ Emily nahm sich ebenfalls einen heraus und sagte, er solle der ihre sein; als Anne herunterkam
[die in Tantes Zimmer schläft] sagte sie, einer sollte ihr gehören. Mein Soldat war der hübscheste von allen und der
größte und Zoll für Zoll vollkommen. Emilys schaute grabes-
düster drein, und wir nannten ihn Gravey. Annes war ein ko-
misches kleines Kerlchen, das ihr ziemlich ähnlich sah, und
wir gaben ihm den Namen Waiting Boy. Branwell suchte sich
den seinen aus und nannte ihn Bonaparte.«

Diese hölzernen Herrschaften werden von den Kindern
bald auf Reisen geschickt. Charlotte: »Im Jahr 1793 stach die
Invincible, bestückt mit vierundsiebzig Kanonen, bei frischem Wind von England in See; ihre Besatzung bestand aus
zwölf Männern, jeder von ihnen gesund, wohl bei Kräften
und in bester Stimmung. …Am 15. März sichteten wir Spa-
nien.« Am 25. März geraten sie in einen Hurrikan, der sie an
eine unbekannte Küste verschlägt. Branwell ergänzt. »Nachdem sie 23 Tage gesegelt waren, schrie Monkey, der im Aus-
guck saß: ›Land in Sicht!‹ Sofort waren alle an Deck und hielten eifrig Ausschau nach dem lang gesuchten, lang ersehn-
ten Ende ihrer Pilgerfahrt… Und nach zwei weiteren Tagen
landeten sie an der Stelle, wo sich heute der Hafen von Glasstown befindet, der herrlichste der Welt, damals eine wüste,
stürmische, schilfbewachsene Bucht.«

Es ist die Westküste von Afrika, und als die zwölf ins
Landesinnere marschieren, finden sie außer der exotischen
Vegetation – Reisfelder, Mandelbäume und Olivenhaine –
auch die schwarzen Aschantis vor, mit denen sie umgehend

in Händel geraten. Wie einst die Spanier in Mittelamerika setzen die Herren in den scharlachroten Jacken und Hosen und der hohen Mütze »mit verschiedenen hieroglyphenartigen Zeichen« auf den Überraschungseffekt ihrer Erscheinung. »Welch seltsames Völkchen«, murmeln die Aschantis und verlieren gleich das erste Scharmützel. Der Sieg und die darauffolgende Gründung einer Stadt gehen jedoch nicht mit rechten irdischen Dingen zu. Geleitet und unterstützt werden die Kolonialisten von vier allmächtigen Großschutzgeistern – den Dschinnen Brannii, Tallii, Emmii und Annii – die regelnd, strafend und erhöhend eingreifen, die gefallenen Helden wiederbeleben – so vollständig, daß sogar die von den Aschantis halb Aufgefressenen wieder mitspielen können – und für sie die marmorne Stadt an der Mündung des Niger erbauen, die sich erhaben in den gläsernen Wassern von Fluß und Meer spiegelt: Glasstown. Ihre herausragenden Gebäude hinter einer mehrere hundert Fuß hohen Stadtmauer sind der gigantische Turm der Nationen – ein vorausempfundenes UN-Gebäude – und Braveys Kneipe, in der 20 000 Gäste Platz finden.

Arthur Wellesley, der als zwölfjähriger Trompeter mit ausgefahren war, segelt mit Hilfe der Schutzgeister nach Europa, besiegt dort den Kaiser Napoleon und kehrt als der Herzog von Wellington mit 30 000 Kriegsveteranen nach Glasstown zurück – alles prachtvolle, unerschrockene Männer, die sich, offenbar ganz ohne Frauen, zu einer herrlichen Rasse fortpflanzen.

Von nun an wird das Spiel immer verzwickter. Eine Administration wird gebraucht, ein Parlament, eine Kultur, ein Pressewesen. Die Kinder verwandeln sich unter wechselnden Pseudonymen selbst in Autoren und Politiker. Charlotte ist Captain Tree oder Charles Wellesley, ein vorlauter Knabe, begleitet von einer Menagerie aus Affe, Kätzchen, Papagei und Nachtigall; manchmal auch sein romantischer Bruder, der Marquis von Douro, oder beide zugleich. Branwell tritt auf als Captain und Sergeant Bud, als Captain Flower, Chateaubriand oder Soult – Reminiszenzen an seine Leidenschaft für Frankreich. Es entstehen Karten und Chroniken, Biographien und Erzählungen, eine Zeitung mit Klatsch und Anzeigen. Es sind Nachrichten aus dem »göttlichen, stillen, unsichtbaren Land der Gedanken«, das ihr Leben von nun an in einen glanzlosen Alltag und in eine Anderswelt gleich unter der Oberfläche teilt, in der sie »mit den Höchsten der Erhabenen« wandeln, und ihre Enttäuschungen, ihre Sinnlichkeit und ihre Rivalitäten drastisch, witzig und gefühlvoll ausleben.

Charlotte stichelt mit vierzehn gegen Young Soult, »den Reimer« (Branwell), einen Vertreter »spontaner Lyrik«, seine bombastischen Knittelverse, seine Eitelkeit (»die Schwingen der Poesie sind stets ausgebreitet«) und seine Überspanntheit (»Schnell, klingelt nach kaltem Wasser, Essig, Hirschhornsalz, Riechsalz und Was-weiß-ich-für-Salz, der Dichter hat einen Anfall von Inspiration! Schnell, wenn euch sein Leben lieb ist!«) Und auch Captain Bud, eine weitere Personifikation Branwells, entgeht ihrer spitzen Feder nicht mit seinem »reizbaren, griesgrämigen und nervösen Wesen… Man sagt, er sei ein Hypochonder, der zuzeiten glaubt, er sei eine Flamme, ein Stein, eine Auster und ein Flußkrebs, ja, daß er sich sogar zuweilen für ein Pflänzchen Glockenheide hält, das der geringste Windstoß fortwehen kann; aber seine Freunde sollen bei solchen Anlässen dafür Sorge tragen, daß ihn niemand zu Gesicht bekommt.«

Branwell selbst ist für Ironie nicht zuständig. Er ist Feldmarschall und Planer, Volkszähler und Architekt. Und er ist über das Schandmaul Charles Wellesley erhaben.

»Es war stets das Schicksal bedeutender Männer jeder Nation und jeden Zeitalters, daß ihre Werke von Dummköpfen und gewissenlosen Lumpen verleumdet werden, die, da sie selbst keinen Charakter haben, der ihnen Stütze sein könnte, und zu faul zum Arbeiten sind, ihre Tage damit zubringen, ihr Gift niederträchtig auf jeden respektablen Autor in ihrer Reichweite zu spucken. Homer hat seinen Zoibus, Virgil seinen Nearius und Captain Tree seinen Wellesley.«

Die verschiedenen Interessen von Schwester und Bruder treten schon zu Beginn des Spiels offen zutage. Branwell teilt weder Charlottes Begeisterung für den Herzog von Wellington, die sie bald auf seinen ältesten Sohn überträgt, noch ihr Entzücken an wunderbaren und geheimnisvollen Vorgängen, denen sie lange Passagen widmet. Charlotte wiederum macht das Toben von Großschutzgeist Brannii gelegentlich ungeduldig, und sein Hang, ganze Ländereien in Schutt und Asche zu legen, gibt ihr Freiraum, die romantische Seite des Tagtraums auszuschmücken. Die beiden treten damit in ein für sie ergötzliches Spiel zwischen Wettbewerb und Ergänzung ein, in dem Charlotte Branwell mit den Jahren überflügeln sollte. Denn während sie lernte, einen Plot zu inszenieren, Charaktere zu entwickeln und ihre Blumigkeit zu zügeln, variierte der Bruder nur immer wieder dieselben Motive. Das erste Büchlein des Neunjährigen heißt *My Battell Book*, und die Schlacht bleibt sein Lieblingsthema.

Dreizehn Helden sind es in seiner Spielversion, die auf der *Invincible* in See stechen und sich via der holländischen Insel-Kolonie Ascension einen blutigen Weg nach Afrika bahnen. Bis auf Arthur Wellesley und Frederic Guelph, den Branwell zum ersten König der Glasstown-Föderation macht, tragen seine Besatzungsmitglieder andere Namen als die von Charlotte. Sneaky (Petzer), Naughty (Frecher),

Badey (Böser), Crackey (Knacks) und der zu kurz geratene
Stumps (Stummel) beziehen sich offenbar auf den ersten
Eindruck, den die Holzfiguren am Morgen ihres Erschei-
nens auf die Kinder machten.

Schließlich sind es Branwells Leute, nicht Charlottes, die
im Spiel der Jungen Männer obsiegen. Sneaky, Stumps und
Monkey erscheinen in der Geographie der afrikanischen
Kolonie als Namensgeber von Königreichen und Inseln.
Dazu kommen die Länder von Ross und Parry, zwei prominente britische Forschungsreisende, die die belanglosen
Herren Gravey und Waiting Boy in Emilys und Annes Phantasie abgelöst haben. Im Westen des Reichs herrscht schließlich der Herzog von Wellington unter dem Protektorat von
Charlotte. Zusammen bilden sie die Glasstown-Föderation.
Jenseits ihrer Grenzen drohen die feindlichen Aschantis, die
in den gewagtesten Koalitionen mit Arabern und Franzosen
(von der Insel Frenchy Land unter Bonaparte) die Bundes-
staaten zu überrennen trachten.

Seiner *Geschichte der Jungen Männer* hat Branwell alias Captain Bud, »der größte Prosaschreiber von ihnen«, eine kolo-
rierte Landkarte beigegeben, in der Länder und Grenzen
der Eroberung festgelegt sind. Eine ähnliche Karte der Gui-
nea-Küste war im Juni 1826 in der von der ganzen Familie
hochgeschätzten literarischen Monatsschrift *Blackwood's Magazine* erschienen und wurde von Branwell für seine Zwecke
kopiert und abgewandelt. *Blackwood's* war viele Jahre für die
kleinen Brontës geschmacks- und stilbildend. Es war ein
konservatives, gelegentlich jedoch gewagtes Blatt. Der Reverend zeigte sich, was die Lektüre angehender junger Damen anging, manchmal erstaunlich freizügig. Das neue, viktorianische Zeitalter mit seiner Sentimentalität und Prüderie
wollte erst heraufdämmern. Es war die Ära von George IV.,
einem gewaltigen Prasser, in der die Dinge noch beim Na-

men genannt wurden. Noch wirkte die Saftigkeit eines Swift, Sterne oder Fielding nach. Auch *Blackwood's* versagte sich vorläufig der neuen Zimperlichkeit und der Schere im Kopf, die die Kirche bediente, und veröffentlichte Regency-Autoren wie James Hogg, Lockhart, Byron und de Quincey. Bei letzterem bedankten sich die Schwestern später für »Vergnügen und Gewinn«, die sie zeitlebens aus seinen Werken gezogen hätten. In *Blackwood's* Fortsetzungs-Romanen wurde geraubt, betrogen und reihum ins falsche Bett gestiegen – nicht ungestraft, jedoch unmißverständlich. Worte wie »Bordell« und »Prostituierte« waren noch druckbar, »Hosen« noch keine »Unaussprechlichen«. Im Jahr 1839 mokiert Charlotte sich dann in ihrer Novelette *Caroline Vernon* über das Aufkommen eines neuen respektablen Tons: »Gewiß hat ein Wechsel stattgefunden, eine Reformation, und laßt uns, die wir so lange auf frech-unverhüllte Schuld sahen, nun Trost finden in einem züchtigen Blick auf gereifte Moral.«

Als Kinder gestalten Charlotte und Branwell nach dem Vorbild von *Blackwood's* ihr *Young Men's Magazine* mit Leitartikeln, Reisereportagen, Rezensionen und Charlottes *Military Conversations*, die den *Noctes Ambrosianae* nachempfunden sind, dem Zirkel geistreicher Gentlemen in Ambros' Hotel. Charlotte versammelt ihre Dampfplauderer in Braveys Kneipe, wo es unter Vorsitz des Herzogs von Wellington weit weniger distinguiert zugeht. Badey z. B. stimmt dort ungebeten ein Lied an, dessen letzte Strophe lautet:

Ich hoffe, edler Herzog, daß euch mein Lied gefällt, / das zu eurem Vergnügen ich sang. / Es ist wohl das schönste auf der Welt / und muß euch gefallen, da nicht einmal lang.

– Der Herzog von Wellington: Corporal Spearman, führen Sie diesen betrunkenen Kerl zum Spießrutenlaufen.

– Corporal Spearman: Jawohl Mylord.

– Sir Alexander Hume Badey: Habt Erbarmen mit mir, Mylord!

– Herzog von Wellington: Hinaus mit ihm!

Zusammen edieren Branwell und Charlotte fünfzehn Ausgaben dieses Magazins, das Branwell im Januar 1829 zum erstenmal erscheinen läßt, und das »der Großschutzgeist Charlotte« ihm bis Ende Juli und nach drei Ausgaben offenbar abgeschwatzt hat. Sie übernimmt die Herausgabe und beendet damit offiziell »die Herrschaft der Langeweile«.

Branwell bleibt ihr jedoch als Autor erhalten; einige Geschichten schreiben sie auch zusammen, gezeichnet mit UT – us two, wir beide. Die in Tütenpapier oder in die Rückseite von Reklamezetteln eingenähten Heftchen – nicht größer als 4 mal 5,5 cm – sind in winziger Druckschrift verfaßt und enthalten nach ersten, eher dilettantischen graphischen Versuchen, ein gezeichnetes Deckblatt, Editorial und Inhaltsverzeichnis. Darin sind so anregende Geschichten aufgeführt wie: *Tagebuch eines Franzosen* (in Fortsetzungen), *Im Anblick eines alten Dolches in der Waffenkammer des Turms von Babylon* etc. (ein Gedicht des Marquis von Douro), *Lied der alten Britannier beim Verlassen des Lands der Schutzgeister* (von UT), *Innenleben einer Kneipe* (von Young Soult), *Die Großschutzgeister im Rat* (Besprechung eines Gemäldes), *Ein Tag in Parrys Palast* (Reportage von Lord Charles Wellesley).

Dazu kommen verrückte kleine Anzeigen. ›Zu verkaufen: Eine Rattenfalle von Monsieur Fängt-nix-weil-kaputt‹ – ›Die Kunst, sich die Nase zu putzen lehrt Monsieur Pretty-foot in seinem Haus in der Blue Rose Street Nr. 105, Glasstown.‹ – ›Eine Feder wird am 9. Dezember 1830 von der Kneipe Sulky Boys aus eine Luftreise unternehmen. Der Eintrittspreis entspricht einem Humpen Bier.‹ – ›Bücher aus dem Verlag von Captain Tree: Grundkurs im Lügen von Lord Charles Wellesley in einem Band, Duodezformat, Preis 2 Schilling 6 Pence, mit praktischen Beispielen‹ – oder ein besonders interessantes Angebot: ›Achtung! Hört zu, ihr Lümmel! Ich bring euch um, wenn's recht ist! Young Man Naughty in der Kneipe von Ned Laury!!!‹

Aber nicht nur das Magazin, auch lange Geschichten entstehen an dem kleinen Klapp-Pult, das Charlotte im »Arbeitszimmer« auf den Knien balanciert: 3000 Worte allein für *Die Abenteuer von Mon. Edouard de Crack*. Dazu Charlotte: »Ich fing dieses Buch am 22. Februar 1830 an und beendete es am 23. Februar, schrieb drei Seiten am ersten und elf am zweiten Tag. Am ersten Tag schrieb ich eineinhalb Stunden am Morgen und eineinhalb Stunden am Nachmittag. Am zweiten Tag schrieb ich eine viertel Stunde am Morgen und zwei Stunden am Nachmittag und eine viertel Stunde am Abend. Macht zusammen fünfeinhalb Stunden.«

Dem Vater kann der Bienenfleiß, mit dem da auf Zettelchen gekritzelt wird, nicht entgangen sein. Selbst Brillenträger, fürchtet er zu Recht um die Sehkraft der Skribenten. »Alles, was in dieses Buch geschrieben wird, soll in guter, einfacher, lesbarer Schrift sein«, trägt er auf die erste Seite eines Notizbuchs ein. Es ist leer. Kein Wunder, denn was Branwell speziell zu Papier bringt, ist für Vaters Augen nicht gedacht:

Endlich wurde der Mörder gefaßt.
Sie zogen ihm die Haut ab und rieben ihn mit Salz ein
Und legten ihn auf einen Rost, um ihn lebendig zu braten.
Und oh, die gräßlichen Schreie, die aus ihm brachen!
Sie waren wie das Brüllen des Windes in den Bäumen,
Den Felsen und Bergen in einem Nebeltal,

Bis sie schließlich langsam erstarben
In leisem, rauhem Murmeln – und vergingen.
Und nichts anderes war zu hören als tropfendes Blut und
                                                                    Fett
In dem rasenden Feuer, das um ihn loderte.

Soweit das Land der Phantasie. Der Haushalt in Haworth ist
inzwischen um einen wichtigen Neuzugang reicher. Aus fi-
nanziellen Gründen, heißt es, habe man sich von Sarah und
Nancy Garrs getrennt und eine ältere, zuverlässige Person
angestellt. Denkbar ist auch, daß Tante Branwell mit den beiden Mädels, die sich hinter ihrem Rücken die Ellenbogen in
die Seite stießen, auf die Dauer nicht gut auskam. Denkbar
ist auch, daß es ein mächtiges Donnerwetter von seiten des
Reverend gab, als Sarah und Nancy und die »unpäßlichen
Kinder« von dem Ausflug, der ja auf den Anger hinter dem
Haus beschränkt war und der sie mitten in ein Erdbeben geführt hatte, zurückkehrten.

    Wie auch immer, seit Ende des Jahres 1825 herrscht nun
Tabitha Aykroyd in der Küche, eine dreiundfünfzigjährige
Witwe aus Haworth mit methodistischen Ansichten und einer entschiedenen Hand, wenn es ums Klapse-Austeilen
geht, aber mit einem großen, warmen Herzen, in das sie die
mutterlosen Gören umgehend einschließt. Dreißig Jahre
bleibt Tabby in der Familie, zum Schloß stocktaub und eher
eine Last als eine Hilfe, aber von den jungen Frauen loyal unterstützt und erhalten. Emilys Tagebuchnotizen und Charlottes Briefe erwähnen sie – Köchin, Magd und Kindermädchen – häufiger und liebevoller als die Tante. Es ist Tabby am
Küchenherd, die von den alten Zeiten erzählt, von Pastor
Grimshaw, von den Blutfehden zwischen den Familien und
den Elfen auf dem Moor. Es ist die Stimme der »alten Haus-

hälterin«, die auf den letzten Seiten von *Shirley* noch wieder-
klingt. »Wie sah das Tal damals aus, Martha?‹ – ›Ganz anders als heute… Ich kann dir sagen, daß meine Mutter an einem Sommerabend vor bald fünfzig Jahren, gerade als es
dunkel wurde, angerannt kam, und sie war bald narrisch vor
Angst, als sie sagte, sie habe eine Fee im Tal von Fieldhead gesehen; und das war die letzte Fee, die in unserem Land hier
gesichtet wurde.‹«

Feen gibt es auch in Irland. Vielleicht erzählt der Reverend manchmal in einer heitren Regung von ihnen, so wie
sein Vater einst seiner großen Kinderschar von den »guten
Leuten« erzählte, oder vom Pooka, einem Elf, der in Gestalt
eines Pferdes herumspukt. In Yorkshire heißt die Erscheinung Gytrash. Charlotte hatte sie nicht vergessen, als sie die
erste Begegnung zwischen Jane Eyre und Mr. Rochester inszenierte. Jane, die ein Kapitel weiter selbst in den Verdacht
gerät, eine Fee zu sein, die Rochesters Pferd hat ausgleiten
lassen, sitzt auf einem Zauntritt, hört den näherkommenden
Reiter und gruselt sich ein wenig vor dem »nordenglischen
Gespenst namens Gytrash… das in Gestalt eines Pferdes,
Maulesels oder großen Hundes in einsamen Gegenden gei-
stert und sich zuweilen verspäteten Wanderern zeigt«.

Lieblingslektüre der Kinder sind die Bücher von Sir Walter Scott. »Alle Romane, die später geschrieben wurden,
sind wertlos«, belehrt Charlotte später ihre Schulfreundin
Ellen. Von ähnlichem Einfluß wie die edlen schottischen Ritter sind die Dschinnen aus den »Arabischen Nächten« und
aus 1001 Nacht und natürlich die Figuren der Bibel, »das beste Buch der Welt«. Ohne fromme Skrupel nimmt Charlotte
sich den Allmächtigen selbst zum Vorbild für Schutzgeister
und Dämonen, wie er in der Offenbarung des Johannes unter Posaunenschall erscheint, »seine Augen wie flammendes
Feuer, seine Füße gleichen kostbarem Erz, das im Ofen

glüht... Aus seinem Mund kommt ein Schwert, zweischnei-
dig und scharf, und sein Aussehen strahlt wie die Sonne in
ihrer Kraft«.

Wenn diese Schutzgeister in ihrem Kinder-Arbeitszim-
mer, das kaum größer ist als eine geräumige Besenkammer,
aneinandergeraten, dann wird sich das auch dem übrigen
Haus mitgeteilt haben. Branwell berichtet unter der dünnen
Tarnung des Glasstown-Spiels von einer Balgerei zwischen
ihm und Emily – alias Tracky, der sich auf den ruhenden
Parry setzt und von diesem heftig getreten wird, worauf sich
der Schutzgeist Tallii zugunsten von Tracky einmischt...

Emily wird ihrem Bruder inzwischen über den Kopf gewachsen sein: eigensinnig, reizbar, kühn in Obstbäume steigend und mit den Ästen herunterkrachend; wohl auch zu
Ausbrüchen und Wutgetrampel neigend. In der Geschichte
The Foundling gibt es ein Gedicht im breiten Yorkshire-Dia-
lekt, in dem Charlotte oder Branwell auf einen Vorfall an-
spielen, bei dem Emily, gereizt durch die Anforderungen
des Haushalts (oder gar als Folge einer Expedition zu dem
Bierfaß im Keller?) einem Anfall erlegen ist: »Eamala«, ein
großer, röhrender Bulle, wälzt sich betrunken auf dem Boden, fuchtelt mit einem Messer herum und schneidet sich in
den Hals. Der Erzähler wickelt Eamala/Emily schließlich in
einen Mantel, aus dem sie ihm entschlüpft und sich zu Bett
legt, »bis das Haus gekehrt ist und der ganze gute Schnaps
aus ihrem Kopf gewichen ist«.

Tabby rennt eines Tages zu ihrem Neffen ins Dorf hinunter mit der alarmierenden Nachricht, die Pfarrerskinder
seien allesamt übergeschnappt und sie traue sich nicht wieder allein ins Haus zurück. Neffe und Tabby werden, als sie
endlich einen Vorstoß wagen, mit gewaltigem Gelächter begrüßt. Es müssen bewegte Tage für die Großschutzgeister
gewesen sein.

Am 12. März 1829, Charlotte ist fast vierzehn Jahre alt, schreibt sie auf, was sich in den vergangenen Jahren zugetragen hat. Von nun an müssen wir uns weitgehend auf sie als die Familienchronistin verlassen. Ohne ihre Aufzeichnungen und die vielen hundert Briefe wäre das Leben der Brontës nicht mehr zu erzählen. Es ist ihr Blick, mit dem wir ihre Familie betrachten, und dessen sollte man sich von Zeit zu Zeit erinnern.

Um Vollständigkeit bemüht und mit Sinn für Atmosphäre schreibt die junge Autorin unter dem Titel *Die Geschichte des Jahres*: »Einmal lieh Papa meiner Schwester Maria ein Buch. Es war ein altes Geographie-Buch; sie schrieb auf sein Vorsatzblatt: ›Papa lieh mir dieses Buch.‹ Dieses Buch ist einhundertundzwanzig Jahre alt; in diesem Augenblick liegt es vor mir. Während ich dies schreibe, bin ich in der Küche des Pfarrhauses von Haworth, Tabby, das Hausmädchen, wäscht das Frühstücksgeschirr ab und Anne, meine jüngere Schwester (Maria war meine älteste), kniet auf einem Stuhl und guckt auf ein paar Kuchen, die Tabby für uns gebacken hat. Emily ist im Wohnzimmer und kehrt den Teppich*. Papa und Branwell sind nach Keighley gegangen. Tante ist oben in ihrem Zimmer… Keighley ist eine kleine Stadt, vier Meilen von hier entfernt. Papa und Branwell sind die Zeitung holen gegangen, den *Leeds Intelligencer*, ein höchst vortreffliches Tory-Blatt, herausgegeben von Mr. Wood und dem Besitzer, Mr. Henneman. Wir holen uns jede Woche zwei Zeitungen und lesen drei. Wir holen uns den *Leeds Intelligencer* und den *Leeds Mercury*, eine Zeitung der Whigs, herausgegeben von Mr. Baines, seinem Bruder, seinem Schwiegersohn und seinen beiden Söhnen, Edward und Talbot. Außerdem

---

* diesmal offenbar ohne Wutanfall

lesen wir den *John Bull*, eine fanatische Tory-Zeitung, sehr hitzig. Die leiht uns Dr. Driver, desgleichen das *Blackwood's Magazine*, die beste Zeitschrift, die es gibt. Der Herausgeber ist Mr. Christopher North, ein alter Mann von vierundsiebzig Jahren; der 1. April ist sein Geburtstag; seine Mitarbeiter sind Timothy Tickler, Morgan O'Doherty, Macrabin Mordecai, Mullion, Warnell und James Hogg, ein Mann von überragenden Fähigkeiten, ein schottischer Schäfer.

Unsere Spiele wurden begründet: *Junge Männer*, Juni 1826; *Unsere Gefährten*, Juli 1827; *Inselbewohner*, Dezember 1827. Dies sind unsere drei großen Spiele, die nicht geheimgehalten werden. Die Spiele, die Emily und ich im Bett spielen, wurden am 1. Dezember 1827 begründet; die anderen im März 1828. Bettspiele heißt, daß sie geheim sind; es sind sehr schöne Spiele. Alle unsere Spiele sind sehr eigenartig. Ich brauche nicht niederzuschreiben, was es mit ihnen auf sich hat, denn ich werde sie immer im Gedächtnis behalten. Auf das *Junge-Männer*-Spiel brachten uns ein paar hölzerne Soldaten, die Branwell hatte; *Unsere Gefährten* hatte seinen Ursprung in Aesops *Fabeln* und die *Inselbewohner* in verschiedenen Ereignissen, die sich zutrugen...«

Daß die Spiele, die sich Charlotte und Emily im Bett ausdachten, geheim blieben, könnte durchaus auf Initiative Emilys geschehen sein, die sehr viel weniger mitteilsam als ihre große Schwester ist. In dem Glasstown-Spiel um die *Jungen Männer* bilden sie und Anne bisher die Schlußlichter. Groß-Schutzgeist Brannii scheint sie als die Künderinnen von Krieg, Hungersnot und Elend nur der Vollständigkeit halber zu erwähnen. Ein Handicap der Kleineren ist, daß sie noch nicht schreiben können, jedenfalls nicht so flott, wie ihnen die Gedanken zufliegen. Mit elf Jahren versteht Emily besser mit dem Zeichenstift umzugehen als mit der Schreibfeder, wie ihre Kopien aus Bewicks *History of British Birds* zeigen. Gleichwohl werden sie und Anne mündlich ihr Teil beigetragen haben. Ihre Helden Parry und Ross, die den realen Polarforschern Sir William Edward Parry und Sir John Ross entlehnt sind, verwalten ihre eigenen Königreiche in der Glasstown-Föderation.

Nach Motiven von Emily schreibt Charlotte unter ihrem Pseudonym Charles Wellesley eine Reportage über einen *Tag in Parrys Palast*. Sein Land, obwohl in Afrika gelegen, sticht deutlich von der Rest-Konföderation ab. »Anstelle großer, muskelbepackter Männer, die bis an die Zähne bewaffnet herumliefen und jemanden suchten, den sie umbringen konnten, erblickte ich bloß kleine hilflose Milchgesichter in sauberen blauen Leinenjäckchen und weißen Schürzen… Jeder Zoll des Bodens war mit steinernen Mauern umfriedet.« Wir befinden uns offensichtlich auf heimischem Terrain. Parrys Palast ist »ein viereckiges Steingebäude mit einem blauen Schieferdach, gekrönt von ein paar kürbisförmigen Steinkugeln«.

Die Familie ist von ähnlicher provinzieller Schlichtheit. Der Gast aus Glasstown wird zum Tee hereingebeten. »Bevor er Platz nahm, holte Sir Edward eine Serviette aus dem Schrank und bedeutete mir, sie umzubinden, damit ich meine Kleider nicht beschmutze. In einem kaum verständlichen Kauderwelsch gab er seiner Vermutung Ausdruck, für den Besuch hätte ich gewiß meine besten Sachen angezogen und mein Mütterchen könnte vielleicht böse werden, falls ich sie beflecke. Ich dankte ihm, lehnte das angebotene Lätzchen jedoch höflich ab.« Nach dem Tee wird der kleine Eater hereingebracht, »angetan mit einem höchst schmutzigen und schmierigen Kittel, den ihm Lady Emily auf der Stelle abstreifte und durch einen sauberen ersetzte. In ärgerlichem Ton brummelte sie vor sich hin, wie Amy nur auf den Gedanken verfallen könne, das Kind in einem derart schmutzigen Röckchen in den Salon zu schicken.«

Wellesley, kaum mit Klein-Eater allein gelassen, ärgert sich über dessen stummes Glotzen und streckt ihn mit dem Schürhaken nieder. Die hereinstürzenden Eltern beruhigt er mit einer Lüge. Am nächsten Morgen beobachtet er das Kind, wie es im Hof drei Katzen, zwei Hunde, fünf Kaninchen und zwei Schweine auf einmal füttert. Zum Mittagessen gibt es bei Parrys Roastbeef, Yorkshire-Pudding, Kartoffelbrei, Apfelpastete und eingemachte Gurken. Alle, auch Ross, der neu eingetroffene Gast, »schlangen das Essen hinunter, als hätten sie drei Wochen lang nichts zu beißen gehabt... Ich verspürte die heftige Neigung, das Haus in Brand zu setzen und diese hirnlosen Freßsäcke zu verbrennen. Zum Nachtisch trank jeder ein einziges Glas Wein, nicht einen Tropfen mehr, und verspeiste eine Portion Erdbeeren und ein paar süße Plätzchen. Da Ross sich allem Anschein nach überfressen hatte, wie ich seinem fortwährenden Ächzen und Schnaufen entnehmen konnte, rechnete ich mit einer Explosion, und ich wurde nicht enttäuscht. Eine Stunde nach dem Essen wurde ihm sterbensübel. Da kein Arzt zur Hand war, rechnete man mit seinem augenblicklichen Tod; und dieser wäre gewiß auch eingetreten, wenn nicht der Schutzgeist Emily zur rechten Zeit eingetroffen wäre. Als die Erkrankung in ihr kritisches Stadium getreten war, kurierte sie Ross mit einem Zauberspruch und verschwand.«

Emily hatte offenbar mit zwölf den Kopf zwar in den Wolken, die Füße aber auf dem Boden. Auch Gondal, das Traumreich, das sie später mit Anne teilt, ähnelt mit seinen rauhen Bergen eher dem Norden Englands als einer exotischen Kolonie. Emilys Einfluß ist auch in dem nächsten Spiel deutlich, das die Kinder im Dezember 1827 erfinden. Charlotte schreibt:

»Eines Abends saßen wir alle um das warm lodernde Küchenfeuer zusammen. Gerade hatten wir einen Streit mit

Tabby beendet, ob es wohl angebracht sei, eine Kerze anzu-
zünden, aus dem sie siegreich hervorgegangen war. Es gab
keine Kerze. Eine lange Pause folgte, die schließlich von
Branwell unterbrochen wurde, der mit fauler Stimme sagte:
›Ich weiß nicht, was ich machen soll.‹ Emily und Anne
stimmten ihm zu.

Tabby: ›Ihr könnt schon ma' ins Bett gehen.‹

Branwell: ›Alles andere würde ich lieber tun als das.‹

Charlotte: ›Warum bist du heute abend so mürrisch,
Tabby? Oh, stellt euch vor, jeder von uns hätte eine eigene
Insel.‹

Branwell: ›Wenn das so wäre, würde ich die Insel Man
wählen.‹

Charlotte: ›Und ich die Insel Wight.‹

Emily: ›Die Aran-Inseln für mich.‹

Anne: ›Und für mich Guernsey.‹

Dann legten wir fest, wer die Herrscher auf unseren Inseln sein sollten. Branwell entschied sich für John Bull [Sym-
bolfigur des aufrechten Engländers], Astley Cooper [Hof-
arzt] und Leigh Hunt [Herausgeber des liberalen *Exami-
ner*], Emily für Walter Scott, Mr. Lockhart und Johnny Lockhart [Scotts Schwiegersohn und Enkel]. Anne für Michael
Sadler [Sozialreformer], Lord Bentinck [Befürworter der
katholischen Emanzipation] und Sir Henry Halford [Hof-
arzt]. Ich wählte den Herzog von Wellington und zwei
Söhne, Christopher North [Herausgeber von *Blackwood's*]
und Co., dreißig Offiziere und Mr. Abernethy [Arzt und Au-
tor]. An dieser Stelle wurde unser Gespräch durch das für
unsere Ohren unheilvolle Schlagen der Uhr unterbrochen.
Es war sieben Uhr, und wir wurden zu Bett geschickt.«

Die realen Inseln werden im Spiel zu einem großen märchenhaften Eiland zusammengelegt, auf dem sich die politische Situation Englands mit der häuslichen der Brontës ver-

bindet. Als omnipotente Schutzgeister, diesmal in Gestalt von Klein-König und -Königinnen, dringen die Kinder bis in Downingstreet No. 10 vor, wo Wellington mit seinen Parteifreunden sitzt. »Herr Sekretär Peel« flüstert und schmeichelt in das herzogliche Ohr, während Lord Castlereagh vor seinem imperialen Ärger wie ein Hund unter dem Tisch verschwindet. Aus seinen politischen Geschäften wird Wellington von einem Hutzelweibchen (Klein-Königin Charlotte) in ein verzaubertes Land abgerufen, um dort seinen ältesten Sohn, den Marquis von Douro, aus der Gewalt finsterer Mächte zu befreien.

Magie und Tagesgeschehen liegen nahe beieinander. Mit einem Satz geht es von der Feen-Insel zurück ins Wohnzimmer von Haworth, wo Papa gerade die Post öffnete. »Keiner konnte an etwas anderes denken, über etwas anderes reden oder schreiben als die große katholische Frage, den Herzog von Wellington oder Mr. Peel. Ich erinnere mich an den Tag, als das Extrablatt kam, in dem Mr. Peels Rede und die Bedingungen, unter denen die Katholiken zugelassen werden sollten, abgedruckt waren. Mit welchem Eifer Papa das Streifband aufriß, und wie wir alle um ihn standen, und mit welch atemloser Spannung wir ihm zuhörten, als er jeden Punkt hervorhob und erklärte und von allen Seiten so kundig und so wohl erläuterte. Und als alles gesagt war, wie Tante meinte, daß es hervorragend sei und daß die Katholiken nichts anstellen könnten mit so vielen Absicherungen. Ich erinnere mich auch an die Zweifel, ob die Vorlage ins Oberhaus gelangen würde und die Voraussagen, daß es nicht soweit kommen würde. Als die Zeitung dann eintraf, in der die Entscheidung stehen würde, war die Spannung kaum zu ertragen, mit der wir der Angelegenheit lauschten: das Öffnen der Türen, das Verstummen der Stimmen, die königlichen Herzöge in ihren Roben und der große Herzog in grüner

Schärpe und Weste. Die Pairs erhoben sich geschlossen, als er aufstand. Dann seine Rede. Papa sagte, daß seine Worte reines Gold seien, und schließlich die Mehrheit von vier zu eins für das Gesetz…«

Alle Brontës sind eiserne Torys, die Kinder noch radikaler als der Vater; und obwohl aus irischer Familie, stehen sie der katholischen Nachbarinsel, die zu jener Zeit nicht mehr als eine von England ausgebeutete und geschurigelte Kolonie ist, mit demselben protestantischen Dünkel gegenüber wie die meisten Briten. Noch 1848, nachdem Irland in verheerenden Hungersnöten, hervorgerufen durch die Kartoffelpest, ein Viertel seiner Einwohner durch Tod und Emigration verloren hat und Unruhen gegen die tatenlos zusehenden englischen Herren ausbrechen, schreibt Charlotte: »Mit den Iren habe ich kein Mitleid.« Daß Wellington sich als englischer Premierminister für die katholische Frage stark machte, entsprang nicht etwa seiner Liebe zu seiner Heimat Irland, sondern taktischem Kalkül. Der irische Abgeordnete im Londoner Parlament, Daniel O'Connell, hatte mit seiner Kampagne für die katholische Emanzipation in Irland gewaltigen Zulauf. Wellington, der einen Bürgerkrieg fürchtete, überzeugte 1829 seine Partei, in der Frage der katholischen Emanzipation nachzugeben, also katholische Abgeordnete im rein protestantischen Unterhaus zuzulassen und die drückendsten Gesetze gegen die Katholiken abzuschaffen.

Auf ihrer Insel, die eine ähnlich stürmische Entwicklung mitmacht wie Irland, erbauen die Kinder eine palastartige Schule für tausend junge Edelleute. Die glitzernden Hallen, von kostbaren Draperien durchweht, können jedoch das schreckliche Fundament nicht verbergen. Dort unten in den Kellern befinden sich Zellen und Folterkammern, zu denen Charlotte und Emily die Schlüssel in Verwahrung halten.

Auch oberirdisch geht es recht rabiat zu. Die Zöglinge wer-
den regelmäßig von Lord Charles Wellesley und dem Marquis von Douro, den Söhnen des Herzogs von Wellington,
ausgeführt, und zwar »in die wildesten und gefährlichsten
Teile der Insel. Sie sprangen über Felsen, Schluchten und
Abgründe, ohne sich viel darum zu kümmern, ob die Kinder vorausliefen oder zurückblieben. Wie oft kamen sie nach
Hause und ein gutes Dutzend von ihnen fehlte, die man
Tage später in Hecken und Gräben fand mit gebrochenen
Beinen und Schädeln. Sie stellten ein feines Versuchsge-
lände für Sir A. Hume, Sir A. Cooper und Sir H. Halford
dar, ihre verschiedenen Methoden des Knochenrichtens
und Schädelbohrens zu praktizieren… Ich vergaß zu erwähnen, daß Branwell einen langen schwarzen Stock hat, mit
dem er die Kinder gelegentlich haut, und das höchst gnadenlos.«

Die Schüler erheben sich schließlich gegen ihre Peiniger,
und Klein-König und -Königinnen eilen per Fesselballon
herbei, um Ordnung zu schaffen. Bemerkenswerterweise
sind zwei der Rebellenführer Figuren aus Emilys Repertoire: Johnny Lockhart und Prinzessin Vittoria. Die künftige
Königin Victoria, die mit Emily nahezu gleichaltrig war, erfreute sich ihrer Aufmerksamkeit und Sympathie. Hier war
eine junge Frau, die – zwar eher passiv als aktiv – eine Rolle
in dem Intrigennetz der englischen Politik spielte. Sie war
selbstbewußt und gefühlvoll, und sie würde einmal ein Weltreich regieren. Später nannte Emily ihre beiden zahmen
Gänse nach Victoria und ihrer Königin-Tante Adelaide; und
sie wählte als Oberhaupt ihres Gondal-Tagtraumreiches eine
Frau: Augusta Geraldine Almeda, die, ein leidenschaftlicher
Satansbraten, mit der biederen Königin von England allerdings nichts mehr gemein hatte.

V

Von Büchern und Kindern · Roe Head ·
Mary und Ellen · Ein neues Gedankenspiel:
Gondal · Etwas über Politik

›Was – du kannst so einen großen Ball nicht sehen?
Dann solltest du eine Brille aufsetzen.
Damit sähst du auch nicht häßlicher aus,
als du schon bist.‹
Sie gab ihr einen Schubs.
›Ach, geh doch zurück zu deinen Büchern.
Dich kann man ja überhaupt nicht gebrauchen.‹

Lynne Reid Banks
Dark Quartet

In der Einsamkeit von Haworth gedeiht das Gedankenspiel
prächtig. Der Reverend stört kaum. Er ist oft halbe Tage zu
Fuß unterwegs, um Pflichten in seinem Kirchspiel nachzuge-
hen. Patrick versteht seine Aufgabe als Seelsorger im ganz-
heitlichen Sinn. In Haworth, Stanbury und Oxenhope gründet er Sonntagsschulen – die einzigen Bildungsstätten für
Häusler und Handwerker. Er sitzt einem Komitee zur Ver-
besserung der sanitären Zustände in seiner Gemeinde vor
und sammelt Spenden für eine Orgel in St. Michael's. Im
vier Meilen entfernten Keighley gehört er dem Gründungs-
rat für eine Bibliothek des »Mechanic Instituts« an.

Für seine Kinder ist diese Mitgliedschaft eine besondere
Gunst. Charlotte ist nun vierzehn, Anne zehn Jahre alt, und
ihr Appetit auf Lektüre ist beträchtlich. Die Bücherei in
Keighley ist zwar nicht auf dem letzten Stand, was Neuerscheinungen betrifft, aber sie verleiht neben theologischen
und wissenschaftlichen Werken auch Belletristik; Lyrik des
18. Jahrhunderts – Coleridge, Cowper, Byron und Crabbe,
die Schotten Burns und Scott, die Emily besonders liebt,
und Zeitgenossen wie Wordsworth und Southey. Eine weitere Quelle (wiewohl keine ganz gesicherte) ist die Bibliothek
von Ponden Hall. Die Heatons, die seit Mitte des 16. Jahrhunderts drei Meilen westlich von Haworth auf der Heide resi-
dieren, sind reiche Landbesitzer und Wollhändler. Ihr
»neues« Haus von 1801 ist die Erweiterung eines elizabethanischen Gebäudes – ein langgestreckter Bau aus grauen
Sandsteinen, halb Bauernhof, halb Herrensitz, zu dem zur
Zeit der Brontës eine stattliche Allee aus Edelkastanien hin-
aufführte, deren Stümpfe heute in den Wassern des Pon-
den-Reservoirs verschwinden.

Nach der Legende soll Ponden Hall Emily zu Thrushcross
Grange in der *Sturmhöhe* inspiriert haben, wofür die Jahreszahl 1801 über dem Türrahmen (dem Datum, mit dem der

Roman beginnt), die verwickelten Erbstreitigkeiten der Heatons und die Höhe der Fenster im Erdgeschoß Zeugnis ablegen sollen. Zwei Kinder könnten durchaus, auf einem Blumentopf stehend und sich am Sims festhaltend, durch die tiefliegenden kleinen Scheiben ins Innere schauen, wie Cathy und Heathcliff das tun.

Emily ist in ihrem Leben so selten von Haworth-Moor heruntergekommen, daß die Vermutung naheliegt, sie habe ihre Anregungen exklusiv aus der engeren Heimat bezogen. Die Autorin der *Sturmhöhe* war eine präzise Beobachterin mit einem langen Gedächtnis. Den architektonischen Vorfahren von Wuthering Heights scheint sie in der Nähe von Halifax erblickt zu haben, wie wir noch sehen werden. Top Withens, die Ruine weit draußen auf der Heide, die nach dem Willen vieler Brontë-Verehrer Wuthering Heights darstellen soll, ist eine vergleichsweise dürftige Schale für Mr. Heathcliffs ausladenden Hausstand. Doch welche Örtlichkeit immer Emily inspiriert hat: Es ist ihre Imagination, die die *Sturmhöhe* zu einem Kunstwerk macht und nicht ein Haufen höchst vergänglicher Steine.

Wie vertraut der Umgang der Brontë-Kinder mit den Heatons war, ist ebenfalls nicht nachgewiesen. Vermutlich waren sie von der über 1300 Bände umfassenden Bibliothek stark angezogen und hatten auch Zugang zu ihren Schätzen: Werke aus dem 17. Jahrhundert, darunter eine Shakespeare-Erstausgabe, und zahlreiche französische Bände. Mit dreizehn Jahren übersetzt Charlotte das erste Buch von Voltaires *Henriade* ins Englische, eine Arbeit, die nach Aussage von Experten nicht einmal schlecht gelungen ist. Sie belegt nicht nur ihr sich regendes poetisches Talent, sondern auch ihr Streben nach Kultivierung des kruden Wissens, das sie sich unter Vater und Tante angeeignet hat. »Sie sammelte jede kleinste Information über Malerei, Bildhauerei, Dichtung

und Musik, als sei es Gold«, erinnerte sich ihre spätere
Freundin Mary Taylor.

Der ältesten der Brontë-Töchter war es jedenfalls bewußt,
daß sie in einer nicht allzu fernen Zukunft auf eigenen Füßen würde stehen müssen. Zum einzig möglichen Beruf der
Gouvernante bedurfte es aber auch in einer Zeit, in der an
Lehrerseminare oder ein Studium für Frauen nicht zu denken war, einer etwas systematischeren Ausbildung, als Charlotte sie bisher genossen hatte. Mit vierzehn Jahren nahm sie
einen zweiten Anlauf, sie zu erwerben, und sie tat es nüchtern und mit unkindlicher Selbstverleugnung.

Ein halbes Jahr zuvor hatte sie im Rahmen des Glasstown-
Spiels ihre erste Liebesgeschichte geschrieben: *Albion and
Marina*, in der ein junger Herr die Hauptrolle spielt, der ihr
Innenleben und ihre Literatur bis ins Erwachsenenalter prä-
gen sollte: der Marquis von Douro. Er hat sich inzwischen
von dem rücksichtslosen Erziehungsberechtigten aus dem
Spiel der *Inselbewohner* in einen glänzenden, romantischen
jungen Mann, feschen Offizier und vielseitigen Künstler ver-
wandelt. Seine funkelnde Konversation reicht von der Kunst
des Bogenschießens bis zur Astronomie. Er ist Präsident des
»Clubs der Literaten«, Schatzmeister der »Gesellschaft für
die Verbreitung klassischer Bildung« und Sekretär der »Vereinigung der Förderer der Gymnastik«. Sein kleiner Bruder,
Lord Charles Wellesley, liebt es, hinter seinen Capricen her-
zuspionieren und seine Affäre mit Lady Zenobia Ellrington
sowie die zarteren Bande, die ihn mit Marian Hume verbin-
den, der Öffentlichkeit darzulegen.

Nun aber muß Charlotte die frechen Federn ablegen, die
kleinen Büchlein – zweiundzwanzig sind es, wie sie in einem
Katalog vom 3. August 1830 auflistet – wegschließen, den
Großschutzgeist Brannii mit der Verwaltung der Födera-
tion betrauen, die sich mitten im Krieg mit den Aschantis be-

findet, und nach Roe Head reisen, siebzehn Meilen von Haworth entfernt, zwischen Leeds und Huddersfield. Ihre neue Schule liegt in einem hügeligen, grünen Landstrich von Yorkshire – seit Generationen der »Woll-Distrikt« und seit dreißig Jahren Schauplatz einer industriellen und sozialen Veränderung, wie England sie nie zuvor erlebt hatte. Die Hügel sind abgeholzt, die Flüsse kanalisiert. In den Tälern rauchen die Schornsteine der Fabriken. Wasserkraft wurde durch Kohle und Dampf ersetzt. Eine neue Herrenklasse, der es weder an Geld noch an Selbstbewußtsein mangelt, will sich gesellschaftlich gleichberechtigt an die Seite des alten Landadels stellen und eigene Abgeordnete in ein verknöchertes, unbewegliches Parlament schicken. Die Wege zu ihren neuen Häusern sind mit Schlacke bestreut und von jungen Pappeln gesäumt. Manche der Anwesen sind vielleicht ein wenig zu protzig geraten, manche ihrer Besitzer stehen zu Recht in dem Verdacht, weder über Bildung noch über Manieren oder Herzenstakt zu verfügen. Den jungen Frauen, die in diesen Haushalten als Gouvernanten gebraucht werden, steht jedenfalls keine leichte Aufgabe bevor.

Roe Head ist eine kleine Schule in einem großen Haus, zweistöckig, mit hohen Fenstern und drei halbrunden Erkern als Front, die vom Erdgeschoß bis unter das flach geneigte Dach reichen. Dort auf dem Kiesplatz vor dem Portal fährt am 17. Januar 1831 eine geschlossene Kutsche vor, und die sieben oder acht Schülerinnen, die das ganze Etablissement darstellen, drängen sich hinter den Fenstern im Salon, um ein durchgefrorenes Mädchen in einem altmodischen Kleid von verschossenem Grün aussteigen zu sehen.

»Als sie im Klassenzimmer erschien, trug sie andere, aber ebenso altmodische Kleider. Sie sah aus wie eine kleine alte Frau und war so kurzsichtig, daß sie fortwährend den Eindruck erweckte, als suche sie etwas und bewege ihren Kopf hin und her, um des Gegenstandes ansichtig zu werden. Sie war sehr scheu und nervös und sprach mit einem starken irischen Akzent. Gab man ihr ein Buch, ließ sie ihren Kopf so tief hinuntersinken, daß ihre Nase beinahe darauf stieß. Wenn man ihr sagte, sie solle den Kopf heben, folgte das Buch dieser Aufwärtsbewegung, bis es dicht vor ihrer Nase war, so daß es unmöglich war, ein Lachen zu unterdrücken.«

Die Mitschülerin, die sich das Lachen über die sonderbare Neue nicht verkneifen kann, wird eine von Charlottes besten Freundinnen: Mary Taylor, eine unerschrockene, intelligente Person, zu der sich Charlottes leidenschaftliches Wesen, das meist unter Schüchternheit, Förmlichkeit und Pflichtbewußtsein verschüttet liegt, hingezogen fühlt. Noch ein anderes junges Mädchen lernt sie in Roe Head kennen. Ellen Nussey, die sie weinend und heimwehkrank hinter dem Fenstervorhang im Erker entdeckt und ihr stumm die Hände reicht, wird wegen ihrer Freundlichkeit und ihres Sanftmuts von Charlotte heftig zurückgeliebt. Ellen – reizend, konventionell und fromm – sollte in den folgenden fünfundzwanzig Jahren viele hundert Briefe von Charlotte erhalten; herzliche, neckische Briefe voller Tratsch und guter Ratschläge und oft ohne ein Wort von dem, was die Schreiberin wirklich bewegte. Auch Mary korrespondierte ausführlich mit Haworth. Sie vernichtete jedoch später »in einem Anfall von Vorsicht« alle Briefe der Freundin bis auf einen. »Mary ist fast genauso verrückt wie ich«, schätzte Charlotte. Ihr Zwiegespräch war offenbar vertrauter und gewagter. Ellen nahm bereits Anstoß an Worten wie »Teufel«, »Miststück« oder »Unterhemden«, die sie vor Veröffentlichung in Gaskells Biographie in »Zeus«, »Untier« und »Sachen« redigierte…

Die neue Schülerin hat einen schweren Start in Roe Head.

Sie ist nicht nur unmöglich angezogen und spricht mit diesem grausamen Akzent, sie erscheint den anderen auch reichlich beschränkt, weil sie noch immer nichts über Grammatik und Geographie weiß. Andererseits kann sie schon all die Gedicht-stellen, die die Mädchen auswendig lernen müssen, hersagen, kennt die Autoren, die Titel und den Fortgang der Handlung. Und sie kann so gut und so schnell zeichnen wie keine andere. »Sie wußte Bescheid über berühmte Bilder und Maler. Wann immer sich eine Gelegenheit bot, ein Bild zu betrachten, ging sie Stückchen für Stückchen darüber her, die Augen dicht am Papier, und zwar so lange, daß wir sie fragten, was es zu sehen gäbe. Sie sah immer eine ganze Menge und wußte es gut zu er-klären. In mir jedenfalls erweckte sie ein außerordentliches In-teresse an Poesie und Malerei«, schreibt Mary.

»In unseren Spielstunden stand oder saß sie abseits, mei-stens mit einem Buch in der Hand. Einige von uns drängten sie einmal, sie solle auf unserer Seite bei einem Ballspiel mit-machen. Sie sagte, sie hätte nie gespielt und könnte nicht spielen. Wir brachten sie schließlich dazu, merkten aber bald, daß sie den Ball nicht sehen konnte und stellten sie wie-der raus. Alles, was wir taten, nahm sie mit fügsamer Gleich-gültigkeit hin, und sie schien immer einen Vorausbeschluß zu brauchen, um ›nein‹ zu sagen. Für gewöhnlich stand sie unter den Bäumen am Spielplatz. Sie sagte, dort sei es ange-nehmer. Sie versuchte uns das zu erklären; es seien die Schat-ten, die Durchblicke in den Himmel. Wir verstanden sie kaum. Sie erzählte, in Cowan Bridge habe sie in der prallen Sonne auf einem Stein gestanden, um das Wasser im Vorbei-fließen zu betrachten. Ich sagte, sie hätte angeln sollen; sie sagte, das habe sie nie gewollt… Ich sagte ihr einmal, daß sie sehr häßlich sei. Jahre später meinte ich, daß ich damals sehr unverschämt war. Sie antwortete: Du hast mir einen großen Gefallen getan, Polly, also bereu' es nicht.«

Gewiß entsprach Charlotte nicht dem Schönheitsideal ihrer Zeit – der graziösen Dame mit dem Kirschenmündchen und der Alabasterstirn, aber das einzige Foto, das sie zeigt, rechtfertigt auch nicht die schlechte Meinung, die sie und andere von ihrer äußeren Erscheinung hegten. (Was einmal mehr zeigt, wie schwierig es ist, das 19. Jahrhundert mit den Augen des 20. zu betrachten.) Sie war zu klein und zu mager – »verkümmert« nannte sie sich selbst. Auf der Schule pickte sie in ihrem Essen herum, schob das Fleisch an den Tellerrand. Tatsächlich wurde sie nicht größer als 4 Fuß, 10 Zoll (1,47 m). Gemäß der Sitte trug sie ein Korsett, und nach Aussage ihres Verlegers schnürte sie sich bis an die Grenze des Verschwindens. Daß sie, die selbst keine »Farben« hatte, ihr Leben lang nichts Erregenderes als Schwarz oder Grau trug, beförderte noch den mausigen Eindruck. Elizabeth Gaskell, die sie mit vierunddreißig Jahren kennenlernte, spricht von ihren schönen, kastanienbraunen Augen als Charlottes auffälligstem Merkmal. »Ihr gewöhnlicher Ausdruck war ruhig, von aufmerksamer Intelligenz, aber dann und wann, wenn etwas ihr lebhaftes Interesse oder ihren gesunden Ärger erregte, schien ein Licht aus ihnen, als ob eine geistige Lampe aufflammte, die hinter diesen Augen glühte. Ihre übrigen Gesichtszüge waren ziemlich häßlich, groß und unproportioniert – ein schiefer Mund, eine große Nase. Ihre Hände und Füße waren die kleinsten, die ich je sah.« (Charlottes Stiefeletten sind 23,4 Zentimeter lang und 6 cm breit.) »Wenn sie ihre Hand in die meine legte, war es wie die leichte Berührung eines Vogels… Sie war bemerkenswert proper in ihrer ganzen Erscheinung und besonders gewählt, was den Sitz ihrer Schuhe und Handschuhe anging.«

Mary und ihre jüngere Schwester Martha (»kleines Fräulein Ungestüm«) kommen aus der Familie eines Tuchfabrikanten aus Gomersal in der Nachbarschaft, der mit der Pro duktion von Uniformen so gut wie bankrott gemacht hat. Ihm ist nicht viel mehr geblieben als das »Red House«, ein elegantes, behagliches Backsteingebäude in einem großen Garten, mit verglasten Erkern zu ebener Erde und einem georgianischen Fächerfenster über der Haustüre. Es dauert nicht lange, bis Mary das unterernährte, nervöse kleine Ding zu sich nach Hause einlädt und dort mit einer anregenden, debattierfreudigen Gesellschaft bekannt macht, die Charlotte später in *Shirley* als die Yorkes von Briarmains portraitieren sollte.

»Wir waren leidenschaftliche Politisierer«, schreibt Mary, »und wie auch nicht in diesem Jahr 1832. Charlotte kannte die Namen aller Mitglieder aus den beiden Kabinetten, des einen, das zurückgetreten war und des anderen, das folgte und die Reform Bill verabschiedete. Sie verehrte den Herzog von Wellington, sagte aber, daß Sir Robert Peel nicht vertrauenswürdig sei, da er nicht wie die anderen nach Grundsätzen, sondern aus Zweckdienlichkeit handelte. Ich, die der radikalen Opposition angehörte, sagte zu ihr: ›Wie kann einer von denen dem anderen trauen. Sie sind alle miteinander Schufte.‹ Da legte sie los und pries den Herzog von Wellington und seine Taten. Ich konnte ihr nicht widersprechen, da ich überhaupt nichts von ihm wußte. Sie sagte, sie interessiere sich seit ihrem fünften Lebensjahr für Politik.«

Auch die Mädels in der Schule schweigen bisweilen verwirrt, wenn Charlotte gedankenverloren loslegt über die Charakterbilder berühmter Männer, ihre Tugenden und Fehler. »Cleverality« – Klugsamkeit – was das wohl wieder bedeuten sollte?

»Auch in unserem Hause wollte ihr keiner geduldig zuhören, denn wir waren zwar nicht wie die Schulmädchen, dafür aber um so intoleranter. Wir waren fanatische Pragmatiker… Jede Seite meinte, daß ihre Meinung natürlich die al-

ler vernünftigen Menschen darstellte, und wir setzten uns
mit jedem neuen Satz in Erstaunen.«

Es muß aber auch Momente der Traulichkeit gegeben haben, in denen Mary das Barmen um ihre verantwortungsbewußte, illusionslose Freundin anfliegt. »Charlotte hatte auf
der Schule keinen Lebensplan, der sie über die herrschenden Umstände hinausgeführt hätte. Sie wußte, daß sie für
sich selbst sorgen mußte und wählte ihren Beruf; jedenfalls
beschloß sie, einen Anfang zu machen. Der Gedanke, voranzukommen, beherrschte sie die ganze Zeit.« Auch Mary
mußte sich nach dem Tod ihres Vaters für einen Beruf entscheiden, aber zu dem, was ihr offenstand – Gouvernante,
Gesellschafterin oder Modistin –, fühlte sie weder Neigung
noch Talent, und sie wanderte aus, um sich als Geschäftsfrau
zu versuchen.

Es ist Mary, der Charlotte ihre Träume anvertraut, und als
einzige gestattet sie ihr einen Blick in diese Anderswelt, die
auch Freunden gegenüber auf höchster Geheimhaltungs-
stufe steht. »Sie hatte die Gewohnheit, in Druckbuchstaben
zu schreiben, und sagte, das habe sie durch das Schreiben
für ihre ›Zeitung‹ gelernt. Sie brachten einmal im Monat
eine ›Zeitung‹ heraus, der sie nach Möglichkeit das Aussehen geben wollten, als sei sie gedruckt. Niemand außer ihr
selbst, ihrem Bruder und ihren zwei Schwestern schrieb
oder las darin. Sie versprach, mir einige dieser Zeitungen zu
zeigen, nahm aber später wieder Abstand davon und war
niemals mehr dazu zu überreden, es zu tun. [...] Sie erzählte
einmal von ihren älteren Schwestern Maria und Elizabeth,
die in Cowan Bridge gestorben waren. Sie schienen mir
wahre Wunder an Talent und Freundlichkeit. Sie erzählte
mir eines Morgens, daß sie gerade von ihnen geträumt hätte.
Man hatte sie in den Salon bestellt, und da waren Maria und
Elizabeth. Ich wollte mehr von ihr hören, und als sie sagte,

da sei sonst nichts gewesen, sagte ich: ›aber erzähl doch weiter, mal es aus. Ich weiß, daß du's kannst.‹ Sie sagte, sie wolle nicht, sie wünschte, sie hätte nicht geträumt, denn es ging nicht schön weiter. Sie waren so verändert. Sie hatten vergessen, was sie einst liebten. Sie waren elegant angezogen und begannen, an dem Zimmer herumzukritisieren. – Diese Angewohnheit, sich interessante Dinge auszudenken, welche die meisten Kinder annehmen, deren wirkliches Leben ereignislos verläuft, war in ihr sehr ausgeprägt. Die ganze Familie pflegte sich Geschichten auszudenken und Charaktere und Ereignisse zu erfinden. Ich sagte ihr zuweilen, sie kämen mir vor wie Kartoffeln, die in einem dunklen Keller keimten. Sie sagte traurig: ›Ja, ich weiß, so sind wir.‹«

Alles in allem sind die achtzehn Monate, die Charlotte in Roe Head verbringt, eine glückliche Zeit. Sie rückt schnell zur Klassenbesten auf und wird trotz der Ungeselligkeit und Strebsamkeit, mit der sie noch im Dämmerlicht, wenn die anderen Mädchen schon am Kamin plaudern, am Fenster hockend studiert, von ihren Mitschülerinnen gemocht. Konkurrenzlos sind ihre Texte, die sie für die kleinen Theaterspiele schreibt, schrecklich schön die Gruselgeschichten, die sie abends im Schlafsaal erzählt – bis sich Charlotte selbst auf dem Höhepunkt einer Geschichte, als sie ihre Schlafwandlerin über bebende Mauern schreiten läßt, ein Schreckensschrei entringt, der die Direktorin herbeibringt. Danach ist »spätes Reden« ein für allemal verboten.

Miss Margaret Wooler, die mit Hilfe ihrer drei Schwestern das Institut leitet, ist eine geliebte und respektierte Dame Ende Dreißig, »weder hübsch noch stattlich, doch ihre ruhige Würde verlieh ihrer Erscheinung etwas Eindrucksvolles«, erinnert sich Ellen. Die kleine Schar ihrer Schülerinnen erlaubt es ihr, jede auf ihre Weise und ohne den üblichen Drill zu fördern. Wissen wurde in der Regel durch Auswen

diglernen erworben, aber darüber hinaus versteht es Miss
Wooler, ihren Stoff anregend zu präsentieren. Die Spaziergänge am Samstagnachmittag führen die jungen Damen
über die Hügel der nahen und fernen Umgebung, dort, wo in
Miss Woolers Jugendtagen die arbeitslosen Weber nachts auf
der Heide exerzierten und dann im April 1812 mit Knüppeln,
Beilen und Picken bewaffnet nach Rawfolds Mill in Livers-
edge zogen. In diesem Hohlweg kam ein Fabrikbesitzer zu
Tode, und in jenem Wäldchen paßten die Ludditer die Karren mit den neuen Maschinen ab, um sie kurz und klein zu
schlagen. Hartshead, wo Vater Brontë als Vikar lebte und wo
Maria und Elizabeth getauft wurden, ist nur einen Spaziergang von Roe Head entfernt. Damals hatte sich der Reverend
ein Paar Schießeisen zugelegt, die er noch jeden Morgen aus
der Hintertür des Pfarrhauses mit doppeltem Knall entlädt.

   Charlotte liebt Miss Woolers Geschichten und legt sie sorgsam zu ihrem Informationsschatz. Gleich nach ihrer Rückkehr nach Haworth wird sie eine Geschichte schreiben, *Die
Vermählung*, in der sie das neue Material einwebt: Anzeichen
von Unzufriedenheit mehren sich in Verdopolis (wie Glasstown inzwischen in französisch-griechischer Übersetzung
heißt), die niederen Stände begehren auf, die Fabrikbesitzer
weisen ihre unmäßigen Lohnforderungen zurück, es
kommt zum Streik, ein Fabrikbesitzer wird erschossen. In
Unerhörtes von Arthur marschieren dann vierzig »Rare Lads«,
die berüchtigten schuftigen Verdopolitaner schweigend und
bis an die Zähne bewaffnet zum Sturm auf eine Fabrik. In
Shirley – fast zwanzig Jahre später – bildet der Konflikt der
Weber mit den Herrschenden den Hintergrund des Roman-
geschehens. Branwell nimmt den Faden aus der *Vermählung*
begierig auf und spinnt ihn weiter zur Großen Rebellion unter der Figur von Alexander Rogue, dem »Schuft« und groß-
mächtigen Gegenspieler des Marquis von Douro.

Vier Monate nach Charlottes Eintreten in Roe Head besucht Branwell die große Schwester dort, ein 42-Kilometer-Spaziergang, der den jungen Wanderer schon nach der Hälfte des Wegs recht erschöpft aussehen läßt. »Ich möchte unbedingt wissen, wie und in welchem Zustand Du nach Deiner anstrengenden Reise zu Hause angekommen bist. Ich bemerkte schon in Roe Head, daß Du sehr müde warst, obwohl Du es nicht zugeben wolltest. Nachdem Du fort warst, fielen mir noch so viele Fragen und Themen ein, die ich eigentlich besprechen wollte, die ich aber in der Aufregung über das völlig unerwartete Vergnügen Deines Besuchs ganz vergessen hatte«, schreibt sie ihm am 17. Mai 1831.

Die Fragen und Themen haben sicher mit den Vorgängen in Verdopolis zu tun. Bevor Charlotte im Januar nach Roe Head ging, hatte Branwell eine Serie *Briefe eines Engländers* begonnen und im März die *Geschichte der Jungen Männer* abgeschlossen. Ihre Abenteuer kann er unmöglich einem Brief anvertrauen. Vielleicht trägt er die Manuskripte in der Rocktasche bei sich. Wir wollen uns die kleine Phantasie gestatten, die beiden in der Frühlingssonne unter einer der großen Linden am Spielplatz sitzen zu sehen, Charlotte in verschossenem Grün und unvorteilhaft aufgesteckten Löckchen, Branwell, dem das rote Haar unter der Kappe »auf jeder Seite absteht wie eine gespreizte Hand« und die Brille auf seiner »römischen« Nase, der ihr eine Kostprobe aus dem laufenden Werk vorliest.

»Als wir unsere Mahlzeit beendet hatten, befahl unser Gastgeber Platz zu schaffen und ein Tänzchen zu wagen. Gesagt, getan, doch da der Marquis, Charles und meine Wenigkeit beschlossen hatten, uns nicht an dem Vergnügen zu beteiligen, standen wir auf und sahen zu. Die gesprungene Fiedel stimmte das berühmte Lied an: ›Und wenn's Kännchen zerspringt – trinkt, Burschen, trinkt!‹ Und sogleich began-

nen sie. Ihre Art, die Füße zu setzen, war fürchterlich – derjenige, der am höchsten springen und am kräftigsten stampfen konnte, galt als der beste Tänzer. Laury, der für seine
Sprünge bekannt war, hatte, da die Decke ziemlich niedrig
war, eine überaus geschickte Art, sich kleiner zu machen, wie
er es spaßhaft nannte, indem er seine Knie ans Kinn zog,
wenn er sich der Decke näherte. Young Man Naughtys Art
zu tanzen, überstieg alles, was ich einem menschlichen Wesen je zugetraut hatte, denn jedes Aufstampfen dröhnte beinahe wie ein Schuß aus einer Muskete. Die anderen tanzten
mit trefflicher Behendigkeit und heftigem Stampfen, sahen
sich jedoch durch Naughty völlig in den Hintergrund ge-
drängt, der gegen Ende des Tanzes mit einem ›Mordsding‹
abschließen wollte und derartig kraftvoll aufstampfte, daß,
wie zu erwarten stand, der Boden unter ihm nachgab und
wir uns alle, traulich beisammen, in einem Schnapskeller unter dem Haus wiederfanden.«

Auch über eine andere Entwicklung wird Branwell seine
Schwester unterrichtet haben. Über den drohenden Abfall
der beiden Großschutzgeister Emmii und Annii zum Beispiel. Die beiden jüngeren, zwölf und zehn Jahre alt, lassen
sich von »Brannii Blitz« offenbar nicht mehr so recht beeindrucken. Sie haben das verzauberte Eiland aus dem Spiel
der Inselbewohner, das Charlotte den Feen überlassen hatte,
wieder für sich entdeckt. Emily, die ja die Schlüssel zu den
Gefängniszellen im »Palast der Weisung« verwahrt und
durch entscheidende Beiträge ein Anrecht auf das Copyright hat, übernimmt nun die Initiative in einem neuen Tagtraum namens Gondal, der ihrem praktischen und ungestü-
men Temperament eher entspricht als das Gezänk und Ge-
ländel in Verdopolis. Mit der älteren Schwester hatte sie ein
Bett und besonders »schöne Spiele« geteilt. Doch Charlotte
hatte sich auf Branwell/Trackys Seite geschlagen, und Emily

entdeckt, daß sich auch mit Anni trefflich spielen läßt. Gondal wird – ebenso wie das erste Großreich der Phantasie – Teil der Brontë'schen Realität. Wie selbstverständlich notiert eins der Mädchen in den Index seines Geographie-Buches zwischen die gedruckten Örtlichkeiten »Gomera – eine der kanarischen Inseln« und »Gondar – eine Hauptstadt in Abessinien«: »Gondal, eine große Insel im Nordpazifik.« Auf diese Weise erfahren wir auch, daß Gondal zwei Provinzen, Angora und Exina, hat. Daneben existiert noch Gaaldine, eine Insel im Süd-Pazifik, mit fünf Königreichen: Alexandia, Almedore, Elseraden, Ula, Zelona und einer Provinz Zedora, die von einem Vizekönig regiert wird.

Was wir sonst noch über Gondal wissen, müssen wir uns aus zwei Listen von Annes Hand mit den Namen der Protagonisten, einem Papierstreifen, auf dem Emily Namen, Haar- und Augenfarbe einiger ihrer Figuren notiert hat, aus Tagebuchschnipseln und dem poetischen Werk der beiden zusammenreimen. Von den Büchern und Biographien, die die Schwestern über Gondal schrieben, ist nichts erhalten. Gleichwohl hat es nicht an Versuchen gefehlt, die Chronik der Ereignisse zu rekonstruieren, eine Operation, die pfeilgerade in die Spekulation führt, denn Emily und Anne halten sich im Ausphantasieren von Gondal weder an eine Chronologie noch an vorgegebene Namen. Wie in der Glasstown-Historie, in der Autor und Autorin gelegentlich den Faden verlieren, scheint es auch in Gondal Zeitsprünge und Kehrtwendungen zu geben. Emily hat einen Teil ihrer Gondal-Gedichte mit kryptischen Kürzeln überschrieben, und niemand kann mit Gewißheit sagen, ob ihre skrupellose Königin A.G.A. – Augusta Geraldine Almeda – nicht oder auch Rosina Alcona ist, die fünfzehn Jahre lang um ihren toten Geliebten trauert.

Der Beginn des Spiels scheint immerhin gesichert: Gondal, eine rauhe Insel im Nordpazifik mit Mooren, Bergen und Seen, wird von zwei rivalisierenden Königshäusern beherrscht: Angora und Exina. Entschlossene Finsterlinge spielen wie in der Glasstown-Welt eine wichtige Rolle, aber anders als in deren exotischem Geglitzer gibt es in Gondal keine zauberischen Mächte, keine Marmorstädte, nicht einmal eine gescheite Verwaltung. Wie Heathcliff in der *Sturmhöhe* stehen die Gondals monolithisch allein – kriegerisch, freiheitsliebend und hoch-patriotisch, personifizierte Leidenschaften ohne den Charme und die Ironie der Beaus und Belles aus Verdopolis. Gondal hat seine Wurzeln in Yorkshire und in der Poesie Byrons, der, selbst eine unruhige, unsoziale Figur, mit seinen Verbannten und Vogelfreien, seinen Banditen und Korsaren eine verwandte Seite in Emilys Seele rührt.

Branwell hält derweil den Kontakt zu der in Roe Head exilierten Charlotte. Ihre wöchentlichen Briefe nach Hause richtet sie in der Regel an ihn, »weil Du es bist, dem ich am meisten zu sagen habe«. Da sie sich über ihre Tagtraumwelt nicht austauschen können, widmen sie sich ihrem zweitliebsten Thema, der Politik. Der Herzog von Wellington war 1828 zum Premierminister ernannt worden. Die oppositionelle Whig-Partei und die aufstrebende Klasse der Fabrikbesitzer forderten von ihm und den Torys eine Wahlreform. Nach traditionellem Recht waren zwar viele kleine Wahlbezirke durch einen adeligen Grundherrn im Parlament vertreten, nicht jedoch die wachsenden Industriestädte wie Birmingham, Leeds, Manchester oder Bradford. Obwohl es auch bei den Torys Befürworter einer Parlamentsreform gab (etwa den »nicht vertrauenswürdigen« Robert Peel), war der ultra-konservative Herzog nicht der Mann, der Reformen zuneigte. 1831 scheiterte die Reform Bill für das Wahlrecht im Oberhaus. Die Pairs verlangten so viele Änderungen, daß das Kabinett Lord Greys entnervt zurücktrat und Wellington eine Interimsregierung bildete. Erst im Juni 1832 wird sie verabschiedet. Patrick, der von sich sagt, es gäbe »keinen wärmeren und echteren Freund von Kirche und Staat, der die lebensspendende Luft atmet«, stimmt moderaten Reformen dennoch zu – im Gegensatz zu Charlotte, die zu den wilden Torys gehört. »Ich hatte schon befürchtet, daß ich mein Interesse an Politik verloren hätte«, schreibt sie Branwell, »aber das außerordentliche Vergnügen, das ich empfand, als ich hörte, daß die Reform Bill aus dem Oberhaus geflogen und Lord Grey vertrieben oder zurückgetreten ist, belehrte mich eines Besseren.«

Nach eineinhalb Jahren bei Miss Wooler hat Charlotte gelernt, was es in Roe Head zu lernen gibt. Sie wird mit einer Silbermedaille als beste Schülerin verabschiedet. An ihrem letzten Tag scheint sie plötzlich ein Bedauern zu überkommen, daß sie ihre Zeit fast ausschließlich mit Lernen und Arbeiten verbracht hatte. Ellen schreibt später: »Sie sagte, ›einmal möchte ich mich durch und durch wie ein Schulmädchen fühlen. Ich wünschte, irgend etwas würde passieren. Laßt uns um den Obstgarten rennen (rennen war etwas, das sie nie tat), vielleicht treffen wir jemanden, oder wir bekommen eine Übertretungsstrafe.‹ Sie sehnte sich offenbar nach einem unvergeßlichen Erlebnis. Nichts Ungewöhnliches erwuchs jedoch aus ihrem kleinen Unternehmen. Sie verließ die Schule so ruhig und friedlich, wie sie dort gelebt hatte.«

Die Kutsche fährt vor und holt Charlotte Brontë ab. Zu Hause in Haworth trifft Lord Charles Wellesley ein. »Die Kreatur hatte ihr schmutziges Handwerk wieder aufgenommen.«

VI
Außenwelt und Unterwelt · Ellen in Haworth · Der Haushalt eines Gentleman · Branwell zwischen Wiggins und Percy · Familientrennung

Von einem anderen Ausstellungsstück ist man
tief berührt: der kleine Eichenholz-Schemel, den Emily
auf ihren einsamen Wanderungen über das
Moor mit sich herumtrug, und auf den
sie sich setzte, entweder um zu
schreiben – wie man mir sagte – oder
um nachzudenken; was wahrscheinlich
besser als ihr Schreiben war.

Virginia Woolf
Haworth, November 1904

Zurück in Haworth, nimmt Charlotte nicht nur das Gedankenspiel mit Branwell wieder auf, sondern auch ihre Rolle
der großen, verantwortungsvollen Schwester. Selbst erst
sechzehn Jahre alt, beginnt sie die beiden jüngeren Mädchen zu unterrichten, und wir können davon ausgehen, daß
dies keine säumigen Plauderstündchen waren, sondern daß
ernsthaft gearbeitet wurde. Charlotte hatte schon in Roe
Head nie »vorgesagt« oder gar – die Feder sträubt sich – »ge-
spickt«. Sie war vorangekommen. Emily und Anne sollten
ihren Nutzen daraus ziehen. Träumen, Erzählen und Schreiben waren eine Sache; Grammatik, Geschichte und Geographie eine andere. »Morgens zwischen neun und halb zwölf
unterrichte ich meine Schwestern und zeichne; dann gehen
wir bis zum Dinner spazieren. Nach dem Dinner nähe ich bis
zur Teestunde, und nach dem Tee schreibe oder lese ich, je
nachdem…« berichtet sie Ellen.

Drei Monate nachdem sie die Schule verlassen hat, besucht
sie die Freundin auf dem Familiensitz der Nusseys, The Rydings. Ellens Vater, ein reicher Textilfabrikant, war 1826 gestorben. Ihre Mutter lebt mit Ellen, dem jüngsten von zwölf
Kindern, drei ihrer Schwestern und zwei Brüdern in dem alten, zinnenbekränzten Haus, das, so will es die Legende,
Charlotte Modell für Thornfield in *Jane Eyre* gestanden haben
soll. Die Nusseys vertauschen 1837 The Rydings für ein be-
scheideneres Haus – Brookroyd – und verkaufen es später
ganz. Heute steht der alte Herrensitz, der vor 150 Jahren sicher einmal stattlich gewirkt hat, mitten auf einem Fabrikge-
lände, dessen containerartige Gebäude ihn an Höhe, Breite
und Farbigkeit bei weitem übertreffen. So bedauerlich es ist,
daß solche Veteranen nur noch als Steinhaufen geduldet werden, so tröstlich ist es auch, daß Thornfield niemals von Absurditäten umzingelt oder abgerissen werden kann, was letztlich für die Literatur und gegen Legendenbildung spricht.

Charlottes Ankunft in The Rydings wird 1833 nicht von einer rotweiß geringelten Schranke behindert. Unter dem Portal empfängt Ellen sie herzlich und ladylike. Branwell begleitet seine Schwester und kutschiert den einzigen Leihwagen, der in Haworth zu haben ist, einen zweirädrigen Einspänner. Ellen erinnert sich, daß Branwell ihr zu dieser Zeit »ein überaus liebevoller Bruder« war, und ihr »so teuer wie ihre eigene Seele«. In ihren Neigungen und Gefühlen stimmten sie vollkommen überein, und der eine erfreute sich an der Gegenwart des anderen. Branwell war vorher vermutlich nie weit von zu Hause fortgewesen; alles versetzte ihn in äußerste Erregung. In jungenhaftem Überschwang ging er umher und ließ seine Blicke überallhin schweifen. Das alte Haus mit seinen Zinnen und Türmchen auf dem Dach, die prächtigen Kastanien auf dem Rasenplatz ... der große Krähenhorst in den Wipfeln, der dem Haus einen markanten Hintergrund verlieh – all das nahm er in sich auf und ließ sich in völliger Begeisterung darüber aus. Er sagte seiner Schwester, »er lasse sie in einem Paradies zurück, und wenn sie hier nicht völlig glücklich sei, werde sie es nie sein«.

Charlotte aber ist nicht ganz so euphorisch. Während ihres Besuches spaziert sie am liebsten mit der Freundin durch den Obstgarten. Dort ist sie relativ sicher vor unerwarteten Besuchern. Ellen ist Charlottes überwältigende Schüchternheit oft ebenso peinlich wie ihr selbst. Als ein fremder Herr sie eines Abends zu Tisch führt, bricht sie fast in Tränen aus. Diese krankhafte Scheu, so Ellen, entsprang weder einer mädchenhaften Befangenheit noch dem Gefühl von Nichtigkeit, sondern ihrem Bewußtsein, anders zu sein und von ihrer Umgebung nicht verstanden zu werden.

Selbstverständlich hat auch Ellen dieses gespaltene Wesen, dessen eine Hälfte ihr verborgen blieb, nicht durchschaut. Wie sollte sie auch? Eingezwängt in ein Korsett von Konven-

tionen, das jungen Damen Beherrschung in allen Lebensla-
gen vorschrieb, lag Charlottes freimütige Natur ständig im
Zwist mit diesem aufgezwungenen Anstand und ihrem
Pflichtgefühl der Familie gegenüber. Es war, um eine Meta-
pher aus ihrer Tagtraumwerkstatt zu bemühen, der tadel-
lose, eiserne Herzog von Wellington versus den rebellischen,
warmblütigen Marquis von Douro. Letzterer aber gehörte
der geheimen, »der Welt dort unten«, an. Als Sechzehnjäh-
rige findet sie noch Trost in der unbeschränkten Freiheit des
Gedankenspiels, in dem die Vier – untereinander völlig
schamlos – ihre Phantasie von Gewalt und sexueller Faszination ausleben. Douro selbst, der inzwischen zum Herzog von
Zamorna befördert ist, entwickelt sich, mit erwachendem
Sinn der jungen Autorin für erotische Zusammenhänge, zur
schillernden Figur: Ein Herzensbrecher mit Basilisken-
Charme, ein »Sultan« in Gönnerlaune und Rachsucht, ein
Verächter konventioneller Moral und manchmal schon ein
»wahrer Dämon«. Im Februar 1834 verlangt er nach einem
siegreichen Feldzug gegen die Feinde der Glasstown-Föderation als Preis und Beute ein eigenes Königreich. Das Parlament überantwortet ihm Angria, eine grüne Provinz im
Osten, die Charlotte und Branwell nun zum Hauptschau-
platz ihrer Kopfwelt machen.

1833 ist Charlottes produktivstes Jahr. Im Sommer sammelt sie das Personal vergangener Spiele um sich und mu-
stert es auf Tauglichkeit für kommende. Sie schreibt unter
anderem *The Green Dwarf – A Tale of the Perfect Tense*, ein Märchen vom Perfekt, in dem Captain Bud Charlie Wellesley
eine Geschichte erzählt, die zwanzig Jahre zurückliegt, als
sich eine babylonische Menschenmenge aus Anlaß der afrikanischen olympischen Spiele im Gasthaus der Großschutzgeister in Verdopolis versammelte. Trotz des zweifelhaften
Charakters der Hoteliers Tallii, Brannii, Emmii und Annii

und der Schurkereien der Kellner waren seine 500 Zimmer ausgebucht. »Die Eingangshalle sah aus wie ein buntes Karnevalstreiben. In einer Ecke saß eine Gruppe türkischer Kaufleute auf dem Boden ... in ihrer Nähe stolzierten ein paar dunkle, sonnenverbrannte Spanier, ernst und eitel wie die Pfauen – ein Vogel, der nach vorherrschender Meinung nicht nach unten schaut, auf die Gefahr hin, daß der Anblick seiner Füße die selbstzufriedene Bezauberung brechen könnte. Nicht weit von diesen Herren der Schöpfung saß eine Gesellschaft mit rosigen Gesichern, Lockenköpfen und ausgestreckten Beinen mit nur einem Schuh daran: Wesen von Stumps Insel, wo diese heute nahezu ausgestorbene Rasse damals grünte und blühte. Mehr als ein Dutzend Schutzgeister war dabei, sie mit Melonen und Reispudding zu bedienen, wonach sie unaufhörlich brüllten.«

Die Wesen mit den durchgedrückten Knien gehören deutlich zur Verwandtschaft der Holzsoldaten mit ihrem einzigen Schuh als Ständer, und sie treten nun, wie die Großschutzgeister, ins Perfekt, in die Historie ab. Auf tritt die muntere, blonde Mary Percy, Tochter von Alexander Rogue, alias Percy, die den Herzog von Zamorna sogleich und zuverlässig bezaubern sollte – nicht ohne daß der Vielgeliebte ihr die Pein der Eifersucht ersparte. In *High Life in Verdopolis* sind die beiden gerade drei Monate verheiratet, als Zamorna Mary auf einem Empfang brüskiert. Er fordert ein vornehmes Fräulein zum Tanz auf, »deren Wangen vor Vergnügen leuchteten, als der unwiderstehliche Zamorna mit ihr davonrauschte in einem wirbelnden, schwindelerregenden Walzer und mit einer galanten Zwanglosigkeit, die sich keiner außer seiner allmächtigen und verwegenen Person gegenüber dieser hochgeborenen Prinzessin gewagt hätte herauszunehmen«.

Mary in ihrem Stuhl am Fenster vergeht vor Demütigung, bis er, gerührt von ihrem sichtbaren Elend, zu ihr tritt, die

Arme auf die Sessellehne stützt, sich über sie beugt, bis seine
Lippen fast die ihren berühren, und in der charmantesten
Art nach den Ursachen ihres Kummers fragt. Kaum versöhnt, verbittet er sich jedoch jede weitere Belehrung und
macht seiner jungen Frau klar, daß er zu der Sorte der un-
zähmbaren Männer gehört.

Dieses Treiben ihrer Welt dort unten vor den Anforderungen des Alltags abzuschirmen, muß beträchtliche Energie
gekostet haben. Ellen Nussey aber bietet sich bei ihrem Gegenbesuch in Haworth im Juli 1833 ein ungebrochenes, trau-
liches Bild. Da sie die erste Außenstehende ist, die die Brontës in diesen frühen Jahren auf eigenem Terrain kennenlernt, soll sie hier ausführlich zu Wort kommen:

»Schon zu dieser Zeit erschien mir Mr. Brontë vom Aussehen her sehr ehrwürdig, mit seinem schneeweißen Haar
und dem gepuderten Rockkragen [Mr. Brontë war sechs-
undfünfzig]. Seine Art und Sprechweise hatten den Anflug
von erlesener Höflichkeit … Seine weiße Krawatte war damals noch nicht so bemerkenswert wie in späteren Jahren.
Er hatte die Gewohnheit, diese Krawatte selbst zu wickeln.
Wir waren nie Zeuge dieses Vorgangs, aber wir mußten die
weiße Seide, die er dafür brauchte, säumen. Charlotte sagte,
dies sei die einzige Extravaganz, die sich ihr Vater erlaube –
er schnitt dafür viele Yards weißer Seide zurecht, und so wie
Dr. Joseph Woolfe, der berühmte Entdecker, auf einer Reise
jeden Tag ein frisches Hemd anlegte, ohne das getragene
auszuziehen, so gewann Mr. Brontës Krawatte jeden Tag an
Material und Umfang, bis schließlich sein halber Kopf darin
eingewickelt war. Zweifellos hatte seine Anfälligkeit für
Bronchitis dieses Krawattenwachstum hervorgebracht.

… Emily war zu einem graziösen, beweglichen jungen
Mädchen herangewachsen. Sie war die größte im Haus neben ihrem Vater. Ihr Haar, das von Natur aus ebenso schön

war wie Charlottes, trug sie in der gleichen unvorteilhaften gekräuselten Lockenfrisur, und auch ihrem Teint fehlte es an Frische. Sie hatte sehr schöne Augen – freundliche, leuchtende, klare Augen, aber sie blickte Fremde nicht oft an; sie war zu reserviert. Ihre Augenfarbe war zuzeiten dunkelgrau, dann wieder dunkelblau. Sie sprach sehr wenig. Sie und Anne waren wie Zwillinge – unzertrennliche Gefährten in größter Zuneigung, die nie gestört wurde.

Anne – die liebe, sanfte Anne – war ganz anders als die beiden. Sie war der Liebling ihrer Tante. Ihr sehr hübsches, dunkelblondes Haar fiel in anmutigen Locken über ihren Nacken. Sie hatte wunderschöne, veilchenblaue Augen, feingezeichnete Augenbrauen und einen klaren, fast durchsichtigen Teint. Sie machte noch immer ihre Aufgaben und besonders ihre Näharbeiten unter der Aufsicht ihrer Tante. Emily verfügte schon über ihre eigene, freie Zeit.

Branwell hatte regelmäßig Unterricht bei seinem Vater. Er malte in Öl, was allgemein als Vorbereitung auf einen möglichen Beruf angesehen wurde. Die ganze Familie glaubte, daß er ein Künstler werden würde und hoffte, daß er eine glänzende Karriere vor sich hatte.

Bei schönem Wetter machten wir herrliche Spaziergänge über das Moor und hinunter in die kleinen Täler und Schluchten, die die Eintönigkeit der Landschaft unterbrachen. Die schroffen Ufer und plätschernden Bächlein waren unser ganzes Entzücken. Emily, Anne und Branwell bauten Dämme und legten Trittsteine für die beiden anderen … Besonders Emily genoß diese idyllischen Plätze; ihre Reserviertheit schwand. Ein langer Spaziergang führte uns weit über das Moor zu einer Stelle, die Emily und Anne vertraut war und die sie ›Die Begegnung der Fluten‹ nannten. Es war eine kleine Oase aus smaragdgrünem Rasen, in dem überall Quellen entsprangen. Ein paar große Steine dienten uns als

Rastplatz. Wenn wir da saßen, waren wir vor dem Rest der
Welt verborgen. Vor uns erstreckte sich meilenweit das Heideland und über uns der blaue Himmel mit der hellen
Sonne ... Emily, halb über eine Felsplatte gelehnt, spielte wie
ein kleines Kind mit den Kaulquappen im Wasser, jagte sie
mit der Hand herum und moralisierte über die Starken und
die Schwachen, die Tapferen und die Feiglinge.

   ... Es gab [keine Vorhänge] und nicht viele Teppiche im
Haus, außer im Wohn- und im Arbeitszimmer. Der Flur und
die Treppe waren aus Sandstein, immer wunderschön sau-
ber wie alles im Haus. Die Wände waren nicht tapeziert, sondern in einem hübschen Taubenblau gestrichen. Im Arbeitszimmer gab es gepolsterte Stühle, Mahagonitische und Bü-
cherregale, aber in den übrigen Zimmern nicht sehr viele
Möbel ... Wenig später wurde ein Klavier angeschafft. Nach
einiger Übung spielte Emily mit Präzision und Brillanz.
Anne spielte ebenfalls, aber sie bevorzugte sanfte Harmo-
nien und Lieder. Sie sang ein wenig; ihre Stimme war
schwach, aber sehr lieblich.

   Aus gesundheitlichen Gründen zog Mr. Brontë sich früh
zurück. Er versammelte seine Familie um acht Uhr zur An-
dacht, um neun Uhr verschloß und verriegelte er die Haustüre und vergaß nie, den ›Kindern‹ die freundliche Empfeh-
lung auszusprechen, wenn er an der Wohnzimmertür vor-
beiging, nicht zu lange aufzubleiben. Auf dem Treppenabsatz blieb er stehen, um die große Uhr aufzuziehen.

   ... Während Miss Branwells Regiment im Pfarrhaus waren der Tierliebe strenge Grenzen gesetzt ... später gab es
drei Haustiere. Eins war der starke, braune Keeper, Emilys
Liebling. Sie hatte ihn ganz ohne Zwang so unter Kontrolle,
daß er auf ihren Wink wie ein Löwe heromsprang und
brüllte. Flossy – schwarzweiß mit langem, seidigem Fell – war
Annes Liebling, und der schwarzgetigerte Tom war der

Liebling aller. Er wurde so zärtlich behandelt, daß er seine Katzennatur verloren zu haben schien und sich in luxuriöse Zufriedenheit und Sanftmut hatte sinken lassen. Die Liebe der Brontës für die stumme Kreatur machte sie sehr sensibel für die Behandlung, die jene empfing. Jeder, der sich in dieser Beziehung danebenbenahm, trug in ihren Augen schon einen schwarzen Fleck auf seinem Charakter.«

Die wohlerzogene Ellen, die ein wenig von Tantes Gewohnheit des Tabakschnupfens und Vaters grimmigen Geschichten schockiert ist und dennoch die Contenance wahrt, macht den denkbar besten Eindruck auf die Familie. Selbst Emily erklärt sich bereit, mit ihr allein spazierenzugehen, ohne Charlottes Besorgnis zu rechtfertigen, die bei ihrer Rückkehr die Freundin fragt: »Wie hat Emily sich betragen?« Vielmehr bezaubert sie Ellen durch ihre »Intelligenz und Herzlichkeit«. Diese ist sich der Ehre durchaus bewußt, denn am liebsten streift das lange Ding allein über die Moore, »gefolgt von ihren Hunden, nach denen sie wie ein Mann pfiff«.

Wieder zu Hause, erhält die Freundin Post von Charlotte, in der sie ihr schreibt, Vater und Tante hielten sie ihr nun als Muster vor, Tabby sei völlig von »ihrer Ladyschaft« fasziniert, und Emily und Anne »kennen niemanden, den sie so sehr mögen wie Miss Nussey«. Die beiden Mädchen korrespondieren nun regelmäßig miteinander, zuerst förmlich auf französisch, um »voranzukommen«, was Ellen aber bald zu anstrengend ist, dann zunehmend vertraulich. Ellen sucht schmeichelhafterweise Charlottes Rat in allen Dingen – außer in Angelegenheiten der Religion. Da fühlt sie sich der Pfarrerstochter wenn nicht an Bibel-, so doch an Glaubensfestigkeit überlegen.

»Was hältst Du von dem gegenwärtigen Stand der Politik?« schreibt Charlotte im März 1835. »Ich frage, weil ich glaube, daß Du, obwohl Du dich früher nie darum gekümmert hast, inzwischen ein gesundes Interesse entwickelt hast. Du siehst, Brougham triumphiert. Schurke! Ich kann von Herzen hassen, und wenn es jemanden gibt, den ich gründlich verabscheue, dann ist es dieser Mann. Aber die Opposition ist gespalten: Glühendheiße und Lauwarme, und der Herzog (par excellence *der* Herzog) und Sir Robert Peel zeigen keine Anzeichen von Unsicherheit, obwohl sie zweimal geschlagen wurden. Deshalb, Courage, mon amie, wie die alten Ritter sagten, ehe sie in die Schlacht zogen.«

Ellen muß wohl doch erst einmal in die Zeitungen der letzten Wochen schauen, um Charlottes gute Meinung zu rechtfertigen. Im Parlament wogt noch immer der Machtkampf zwischen Whigs und Torys. Keine Partei scheint in der Lage, eine stabile Regierung bilden zu können. Lord Brougham ist Führer der Whigs und Lordkanzler in Lord Melbournes erstem Kabinett vom Juli 1834, das der Regierung des Herzogs von Wellington und dann Sir Robert Peel weichen mußte. Die Torys konnten sich jedoch auch nicht halten, und Lord Melbourne wurde im April 1835 wieder eingesetzt, allerdings ohne Brougham im Kabinett. Am 8. Mai heißt es dann: »Die Wahlen! Die Wahlen! Dieser Ruf schallt sogar durch unsere einsamen Berge wie Trompetenschmettern. Wie hat er wohl erst das volkreiche Birstall aufgerührt? Ellen, unter welches Banner haben sich Deine Brüder gestellt? Blau oder Gelb? Nutze Deinen Einfluß auf sie, beschwöre sie, wenn nötig auf Deinen Knien, ihrem Land und ihrem Glauben in diesen Tagen der Gefahr beizustehen.«

Frauen, das versteht sich von selbst, dürfen ihrem Land nicht beistehen. Nicht einmal alle Männer sind wahlberechtigt. Für diejenigen, die es angeht, spricht der Reverend auf einer Wahlversammlung vor dem Black Bull – selbstverständlich für die Blauen. Er war immer dafür, Farbe zu bekennen.

Nächst der Rettung des Vaterlandes ist die Kultivierung des Geschmacks ein wichtiges Thema. »Du bittest mich, Dir ein paar Bücher zu empfehlen. Das will ich tun, mit so wenigen Worten wie möglich. Wenn Du Poesie liebst, so achte darauf, daß sie von höchstem Rang ist: Milton, Shakespeare, Thomson, Goldsmith, Pope (wenn Du willst, wenngleich ich nicht zu seinen Bewunderinnen gehöre), Scott, Byron, Campbell, Wordsworth und Southey. Erschrick nicht gleich bei den Namen Shakespeare und Byron. Beide waren sie große Männer, und ihre Werke sind wie sie. Du weißt, wie man das Gute herauspflückt und das Böse meidet; die schönsten Stellen sind immer die reinsten, die schlechten sind gleichbleibend abstoßend, und Du wirst nie wieder den Wunsch haben, sie ein zweitesmal zu lesen. Verzichte auf die Komödien von Shakespeare und auf den *Don Juan*, vielleicht auch auf *Cain* von Byron, obwohl das letztere eine großartige Dichtung ist, und lies das übrige ohne Furcht. Derjenige, der aus *Henry VIII*, *Richard III*, *Macbeth* oder *Hamlet* Böses herausliest, muß wirklich über einen lasterhaften Geist verfügen. Scotts wilde, süße, romantische Dichtkunst kann Dir keinen Schaden zufügen. Das gilt auch für Wordsworth, Campbell und Southey – beim letzteren zumindest für den größten Teil seines Werks.

An Büchern zur Geschichte lies Hume, Rollin und die *Universal History* – wenn Du es über dich bringst, ich selbst habe es nie getan. Was Romane angeht, lies einzig und allein Scott: Alle Romane, die später geschrieben wurden, sind wertlos.«

Auch in Dingen der Schicklichkeit vertritt Charlotte ihre Meinung mit Festigkeit. Die Epistel, die die Achtzehnjährige in leicht ironischem Gouvernantenton über das Tanzen schreibt, steht in erheiterndem Gegensatz zu dem Treiben in Angria, wo sie diesmal eine Geschichte im Futur ansiedelt

(*A Leaf from an Unopened Volume*) und zwei halbwüchsige
Söhne Zamornas in rabiater Weise um die Gunst derselben
jungen Dame buhlen läßt.

»Die Sünde des Tanzens besteht ja nicht allein darin, ›die
Beine zu schwingen‹, sondern in den Begleitumständen, die
da sind Leichtsinn und Zeitverschwendung. Geht es aber wie
in Deinem Fall um eine Stunde des Sports und Vergnügens
für junge Leute (denen ohne eins der zehn Gebote zu brechen, ein wenig Leichtherzigkeit zugestanden sein sollte)
und ohne die erwähnten Konsequenzen, dann ist das Vergnügen ein vollkommen harmloses.« Anfang 1834 besucht
Ellen einen ihrer Brüder in London. Charlotte, hingerissen
zwischen Schrecken und Faszination, beglückwünscht die
Freundin zu ihrer Reise, fürchtet aber zugleich die defor-
mierende Wirkung, die die Großstadt auf den Charakter des
Landmädels ausüben könnte. London stellt sie sich vor wie
Verdopolis, Babylon und den Jahrmarkt der Eitelkeit auf einem Fleck. Ob Ellen den Herzog von Wellington gesehen
habe, Sir Robert Peel, Earl Grey oder Daniel O'Connell? (natürlich nicht), und ob sie so freundlich sein wollte, herauszufinden, wie viele Musiker in der königlichen Militärkapelle
spielen.

Diese Information wird gebraucht, um einen Vergleich
mit den Kapellen zu schaffen, die in diesem Jahr in Angria
aufspielen. Wieder einmal läßt Charles Wellesley sich von
den Vorgängen in Haworth inspirieren, und wieder einmal
nutzt sie/er die Gelegenheit, sich an Branwell zu wetzen. Musik ist Branwells neueste Leidenschaft. Die Orgel für St. Michael's, die der Reverend aus Spendengeldern finanziert
hat, wird im Mai 1834 aufgestellt und geweiht. Mr. Sunderland, Organist in Keighley, der den Brontë-Kindern auch
Klavierunterricht gibt, spielt zur Eröffnung, und Branwell
ist vor Begeisterung buchstäblich von den Socken. »Umge-

hend nahm ich jene Stellung ein, die für mich immer Ausdruck höchsten Staunens, Entzückens und Bewunderns ist. Mit anderen Worten, ich rammte meinen Schädel gegen den Boden und ließ mit Schwung meine Hacken nach oben fliegen.« beschreibt Charlotte die Reaktion des närrischen Patrick Benjamin Wiggins auf eine meisterliche Orgel-Darbietung. Wiggins, eine Art tapferes Schneiderlein der Poesie, ein Schmeichler und Bramarbasierer, ist eine Karikatur ihres überschwenglichen Bruders.

In Wirklichkeit erweist sich der junge Mann als so begabt, daß er nach einiger Unterweisung nicht nur während des Gottesdienstes in St. Michael's spielt, sondern dort auch stundenlang auf dem Instrument herumphantasiert. Seiner Familie muß der Siebzehnjährige wie ein sich rasch entfaltendes Genie vorgekommen sein. Er schreibt mit links und rechts zugleich – und mehr noch als Charlotte. Er verfaßt Blankverse, übersetzt Horaz, er malt und musiziert. Vor allem aber bezaubert er durch seine Eloquenz. Er ist der Star von Haworth, den der Wirt des Black Bull herbeiruft, wenn ein Fremder sich an seiner Theke langweilt. Der Pfarrersbub wird ihm schon die Zeit vertreiben mit seinen erstaunlichen Gaben – und sicher wird er auch die Flasche mit ihm teilen.

Seine Schwestern sind die reinsten Aschenputtel gegen ihn; schüchtern, kurzsichtig, taubengrau. Charlotte, die Ellen mitteilt, sie sei seit Roe Head kein Stückchen gewachsen, beschreibt sich und die ihren mit den Worten des hochgezwirbelten Wiggins: »›Es gibt ein paar Leute in der Gestalt von drei Mädchen, die sich als meine Verwandten bezeichnen. Nicht, daß sie sich dadurch geehrt fühlen, mich zum Bruder zu haben, ich bin es vielmehr, der leugnet, daß sie meine Schwestern sind…‹

›Wie heißen ihre drei Schwestern?‹

›Charlotte Wiggins, Jane Wiggins und Anne Wiggins.‹

›Sind sie ebenso sonderbar wie Sie?‹

›O, sie sind alberne, armselige Geschöpfe, die es nicht wert sind, daß man über sie ein Wort verliert. Charlotte ist achtzehn Jahre alt, ein dreistes, plumpes Ding, das mir nur bis zum Ellenbogen reicht. Emily ist sechzehn, spindeldürr und mit einem Gesicht, so groß wie ein Penny, und Anne ist überhaupt nichts, absolut nichts.‹

›Wie? Ist sie eine Idiotin?‹

›Es fehlt nicht viel daran.‹

›Hm, ihr seid ja ein reizendes Quartett.‹«

Charlotte steckte nicht zurück, wenn sie sich und ihre Schwestern zum eigenen Gespött machte. Auffällig ist dennoch das schlechte Abschneiden von Anne. Zeit ihres Lebens sah die Ältere sie bevorzugt in der Rolle der Lieben, Sanften. Aber Anne war alles andere als ein Nichts. Ebenso mild wie unbeugsam im Umgang, hatte sie den wachsten Verstand und einen besseren Draht zur Realität als die übrigen drei zusammen. Und sie hatte Vorstellungen von ihren Themen und den Aufgaben der Literatur, die Charlotte nicht teilte; sie hat vielmehr nie mit Herablassung und Kritik am Werk der Jüngsten gespart. Ihre Standardwendung »dear gentle Anne« scheint oft Verständnislosigkeit und eine unbewußte Eifersucht auf die vertrautere Gefährtin Emilys zu überdekken. »Armes Kind«, schrieb Charlotte an Ellen, als Anne zum erstenmal als Gouvernante in Stellung ging, »Du wärst erstaunt, was für einen klugen, vernünftigen Brief sie schreibt.«

Das Jahr 1834 gehört sicher zu den glücklichsten ihrer Jugend. Charlotte entwirft ihr großes Sittenpanorama *Mein Angria und die Angrianer*, Branwell geht zu den Versammlungen der Freimaurer, zum Orgelspielen in die Kirche und zum Boxen ins Hinterzimmer des Black Bull. Dieser Gentlemen-Sport, den Lord Byron gesellschaftsfähig gemacht hatte, übt eine starke Anziehungskraft auf den jungen Mann aus. Den Schwestern erklärt er nicht nur die diversen Techniken, er gibt ihnen auch Kostproben der schneidigen Sprache, derer sich die Herren um den Ring bedienen. Aber was kann Charlotte schon aus Branwells Mund schockieren? »Ein Hermaphrodit? Das lange Wort bezeichnet wohl ein Wesen halb Pferd, halb Alligator.« Und er ist wirklich komisch, wenn er so von den Champions schwärmt.

»Ein Paar Augengläser zierten seine Nase, und durch diese starrte er in einem fort auf Flanagan, dessen Schulterbreite seine tiefe Bewunderung zu erwecken schien, denn hin und wieder berührte er seine eigenen mit der Zeigefingerspitze und drückte seine schmale, enge Brust heraus, um sie größer erscheinen zu lassen.« Dies ist natürlich wieder der wichtige kleine Wiggins, der beim Anblick des irischen Faustkämpfers »Kartoffel« Flanagan ausruft: »Ein prächtiger Mann! Schönes Haar! Flanagan, der große Boxer! Hat der aber einen Brustkorb!«

Emily und Anne wiederum trödeln über ihren Pflichten und lassen ihre Gondal-Helden zu neuen Ufern aufbrechen. Der Haushalt scheint dem straffen Zugriff Tante Branwells zu entgleiten. Am 24. November skizziert Emily in einem Tagebuchblatt (dem Anne eine gezeichnete Locke hinzufügt, »ein wenig Haar von Lady Juliet«) das Familienleben an einem Montagmorgen:

»Ich fütterte heute morgen Rainbow, Diamond, Snowflake [die Tauben] und Jasper, den Fasan. Branwell ging zu Mr. Driver hinunter und brachte die Nachricht, daß Sir Robert Peel aufgefordert werden soll, für Leeds zu kandidieren. Anne und ich haben für Charlotte Äpfel geschält, damit sie uns einen Apfelpudding macht, und für Tante Nüsse und Äpfel. Charlotte sagte, daß sie erstklassige Puddings machte und von rascher, aber begrenzter Intelligenz sei.

Tabby sagt gerade: Komm Anne, pell die Kartoffeln. Tante ist in diesem Augenblick in die Küche gekommen und sagte: Wo hast du deine Füße, Anne? Anne antwortete: Auf dem Boden, Tante. Papa öffnete die Tür vom Salon, gab Branwell einen Brief und sagte: Hier Branwell, lies das und zeig es Deiner Tante und Charlotte – Die Gondals erforschen das Innere von Gaaldine. Sally Mosley wäscht in der hinteren Küche.

Es ist zwölf Uhr mittags vorbei. Anne und ich haben uns weder zurechtgemacht noch unsere Betten oder unsere Aufgaben gemacht, und wir wollen nach draußen gehen und spielen. Zum Dinner werden wir gekochtes Rindfleisch, weiße Rüben, Kartoffeln und Apfelpudding bekommen. Die Küche ist in einem sehr unordentlichen Zustand. Anne und ich haben unsere Musikaufgaben noch nicht gemacht, bei denen es um B-Dur geht. Taby sagte, als ich ihr mit einer Schreibfeder ins Gesicht fuhr: Was pütscherst du hier rum, anstatt die Kartoffeln zu pellen. Ich antwortete: Oje, oje, oje, ich tu es gleich. Damit stand ich auf, nehme ein Messer und beginne zu pellen. Fertig mit dem Pellen. Papa ist ausgegangen. Wir erwarten Mr. Sunderland…«

Welch erstaunliche Notiz aus der Feder eines jungen Mädchens, von dem Charlotte später sagte, es sei nicht aus gewöhnlichem oder biegsamem Stoff gewesen; das die Literaturkritik eine »Sphinx« und Arno Schmidt »die Titanide« genannt hat. Der Ton ist überraschend kindlich, die Orthographie beklagenswert, aber die Stimmung könnte nicht besser sein. Emily zeigt mit sechzehn Jahren ein erfreulich ausgeglichenes Gemüt, aber wenig Anzeichen von Genie. Selbst Charlotte war mit dreizehn Jahren, als sie *Die Geschichte des Jahres* schrieb, in jeder Hinsicht besser organisiert und produktiver als ihre jüngere Schwester.

Ellen Nussey erinnerte sich: »Hoch oben in der Heide

oder in einem tiefen Tal war Emily in ihrer Ausgelassenheit und Begeisterung wie ein Kind. Sie verriet dann auch einen geheimen Hang zum Mutwillen. Sie hatte Spaß daran, Charlotte an Orte zu führen, die diese aus freien Stücken nie aufzusuchen gewagt hätte. Charlotte hatte eine Sterbensangst vor unbekannten Tieren, und es bereitete Emily Vergnügen, sie in deren Nähe zu locken und ihr dann zu erzählen, wo sie sich befand.«

Ellen hatte das Pfarrhaus von innen kahl und kärglich gefunden. In der Tat hatte der Reverend für Dekorationen und Kleider wenig Sinn und kein Geld übrig. Aus Charlottes Jungmädchenzeit existieren bemühte Dankesbriefe an Patinnen und Freunde für abgelegte Schals und Schürzen ... Ich *muß* mich für die schöne Haube bedanken! Und Ellen bittet sie beschämt, das Porto für ihren Brief zu entrichten. Aber das Pfarrhaus war dennoch das Heim eines Gentleman. Es gab nicht nur Rindfleisch und Apfelpudding, es gab auch Klavierstunden für die Mädchen und Zeichenunterricht für alle. Dem Lehrer, William Robinson aus Leeds, zahlte Mr. Brontë zwei Guineen pro Hausbesuch, mehr als das Doppelte eines Handwerker-Wochenlohns.

Dieser Mr. Robinson – »ein Mann von beachtlichem Talent, aber schwachen Prinzipien« –, wie Elizabeth Gaskell dunkel andeutet, ist ein Schüler des größten Porträtmalers des frühen 19. Jahrhunderts, Sir Thomas Lawrence, und ein hochbegabter, energischer Selfmademan, der seinen Weg aus der Provinz an die Königliche Kunstakademie in London gemacht hatte. 1834 hängen seine Werke auch in der Ausstellung, die die nordenglische Gesellschaft zur Förderung der Schönen Künste in Leeds veranstaltet. Branwell hat sie gewiß besucht, denn in diesem Jahr scheint sein Entschluß zu reifen, die Porträtmalerei zu seinem Beruf zu machen.

Vorbilder sind ihm dabei nicht nur Robinson und Lawrence – ein Porträt Zamornas ist in Haltung und Ausdruck
dem bekannten Bild George IV. abgeschaut –, sondern auch
ein junger Künstler von dreiundzwanzig Jahren, dessen
Werke er in Leeds zum erstenmal sieht: Joseph Bentley Leyland aus Halifax. Auch Leyland hat dank Ehrgeiz und Talent
in London und in seiner Heimat Karriere gemacht. In Leeds
stellt er seine Figur des »Satan« (aus dem *Verlorenen Paradies*)
aus, über die der *Morning Chronicle* urteilt: »Die charakteri-
stischen Gesichtszüge sind ein hochmütiger Mund, geblähte
Nüstern und eine Stirn, die, eher breit als gewölbt, Zeichen
großer geistiger Kraft ohne moralische Grundsätze verrät.
Mr. Leyland hat mit ›Satan‹ ein Wesen geschaffen, das, nicht
allein fürchterlich, sondern auch von satanischer Schönheit,
der Auffassung Miltons vollkommen entspricht.«

Die Figur entspricht nicht nur dem dichterischen Vorbild,
sondern auch dem Geist der Zeit, der das Lesen in der Phy-
siognomie als Charakterkunde zu einer seriösen Wissenschaft macht. Für Branwell und Charlotte ist dieser Satan
ebenfalls höchst aufschlußreich und inspirierend. Die junge
Autorin adaptiert ihn für eine Figur, die Branwell erfunden
hat, und die sie beide als Rivalen des Herzogs von Zamorna
zu schönster Blüte bringen: der Pirat Rogue alias Alexander
Percy alias der Graf von Northangerland. Charlotte: »Sein
Gesichtsaudruck ist nachdenklich, gelassen, frei von Sarkasmus bis auf das Hohnlächeln, das um seinen Mund gefroren
scheint, und das seltsame Glitzern seiner Augen – eine Mischung aus schärfstem Spott und großer Gedankentiefe, die
das Blut des Betrachters gerinnen lassen. Meiner Ansicht
nach ist sein Kopf das vollkommene Abbild Luzifers, des gefallenen Erzengels: Dieser kalte Stolz, diese unglaubliche
Macht des Intellekts, diese leidenschaftslose und doch vollkommene Schönheit.«

Percy/Northangerland entwickelt sich mit den Jahren zu Branwells Alter ego. Unter dem Inkognito des diabolischen, hochgewachsenen Grafen bietet Branwell – fünf Fuß drei Zoll (1,60 m) groß, mit viel Nase und wenig Kinn – noch als Erwachsener seine Gedichte bei Zeitungen an. Und vollständiger als Charlotte, der ihre Weiblichkeit die totale Identifizierung mit Zamorna verstellt, lebt Branwell in seinem Geschöpf, das ihm ein schier endloses Selbstvertrauen verleiht, bis der Zusammenstoß mit der Realität die Fassade samt den Grundmauern erschüttert.

Im Sommer 1835 künden sich große Veränderungen an. Charlotte schreibt nach The Rydings: »Wir sind alle dabei, voneinander zu scheiden, uns zu trennen und auseinanderzugehen. Emily wird zur Schule gehen, Branwell nach London und ich werde Gouvernante werden. Diesen letzten Entschluß habe ich selbst gefaßt in dem Bewußtsein, daß der Schritt früher oder später getan werden mußte. Ich weiß ja, daß Papa mit seinem begrenzten Einkommen genug Kosten haben wird, wenn Branwell sich auf der Königlichen Akademie einschreibt und Emily in Roe Head. Und wo werde ich leben, fragst Du wohl. Innerhalb von vier Meilen von Dir, meine Liebste, ein Ort, der uns beiden nicht unbekannt ist, nämlich kein anderer als Roe Head. Ja, ich werde an derselben Schule unterrichten, in der ich gelernt habe. Miss Wooler machte mir das Angebot, und ich zog es ein oder zwei anderen Posten in privaten Haushalten vor, die man mir vorgeschlagen hatte. Der Gedanke, mein Heim zu verlassen, macht mich traurig, sehr traurig, aber Pflicht und Notwendigkeit – dies sind strenge Herrinnen, die keinen Ungehorsam dulden. Habe ich Dir nicht einmal gesagt, Ellen, daß Du dankbar für Deine Unabhängigkeit sein solltest? Damals meinte ich, was ich sagte, und heute wiederhole ich es mit doppeltem Ernst. Wenn mich etwas aufmuntert, dann ist es

der Gedanke, daß ich Dir nahe sein werde. Du und Polly werdet mich besuchen kommen, nicht wahr? Daran könnte ich
doch nicht zweifeln; Du warst bisher noch niemals unfreundlich. Emily und ich verlassen Haworth am 29. Juli.
Der Gedanke, daß wir zusammen sind, tröstet uns ein wenig...«

VII
Branwell, der Maler · Exil in Roe Head · Gratwanderung mit Abstürzen · Fiasko in London · Ein Literat rät, ein anderer schweigt · Poesie am Küchentisch · Anne und Charlotte finden einen Gott

Straßen nach – ›toten!‹ –
Künstlern benannt:…
›Brontë's Square‹ (und da standen sie auch,
die Sisters Three, lasen & schrieben:
Charlotte hochaufgerichtet, die rechte Brust
in der eigenen Hand (daß die, raffiniert,
etwas zwischen den einzelnen Fingern durchschwoll:
das Land der Liebe mit der Seele suchend. /
Emily sitzend, mit gerunzelter Stirn,
die bronzene Ferse tief in die Bronze
des Sockels geschlagen / (Dann noch Anne;
ganz schüchtern und kindlich; einen
Federhalter an die Lippen
gedrückt)./: ›Lovely!‹)

Arno Schmidt
Die Gelehrtenrepublik

Wie ist es zu diesem großen Abschiednehmen gekommen?
Der Grund war Branwell. Mit achtzehn Jahren muß er nun
endlich auf eigenen Füßen stehen und seine vielen Talente in
der Welt erproben lernen. Man beschließt, daß die Königliche Kunstakademie in London der Ort sei, an dem Branwell
zu einem vorzüglichen und erfolgreichen Maler ausgebildet
werden soll. Und warum auch nicht? Branwells Zeichnungen haben einen flotten, originellen Strich – anders als Charlottes Bemühungen, die sich die Stiche adeliger Damen aus
den Gesellschafts-Magazinen zur Vorlage haarkleiner Kopien nimmt. Ihr Bruder hat Talent zum Porträt, selbst zur
Karikatur. (Einen hoffnungslosen Kleckser hätte sein Lehrer William Robinson sicher nicht nach London empfohlen).
Aus der Zeit vor 1837 stammt das Dreier-Porträt, das Branwell von seinen Schwestern gemalt hat, aus dem er sich – un-
vollendet – wieder austilgte und das heute in London in der
National Portrait Gallery am Trafalgar Square hängt. Mrs.
Gaskell wurde dieses Bild 1853 von Charlotte gezeigt, und
sie fand es nicht besser als die Arbeit eines Anstreichers. Ein
irischer Professor, der das Pfarrhaus nach Charlottes Tod be-
sichtigte, sah ein weiteres Gruppenbild aus Branwells Pinsel
im Treppenhaus hängen und war schockiert von dem häßlichen Schinken. Sichtbar ist, daß Branwell kein Meister von
Licht und Schatten war und nicht viel Talent zur Farbe hatte.
Eine Infrarotaufnahme des Bildes in der NPG zeigt seinen
leichthändigen Strich, den er anschließend mit sehr viel weniger Geschick in Öl übertünchte.

Doch trotz seiner technischen Unbeholfenheit, die ihn z.B.
die Abbildung von Händen vermeiden ließ, haben Branwells Gesichter ihre Magie. Das gilt für das Porträt von John
Brown, dem Küster, das in Haworth hängt, für das Profil von
Emily, das offenbar Teil des erwähnten »Schinkens« war,
und mehr noch für das Dreier-Porträt selbst. In der National

Portrait Gallery (vom Eingang die Treppe rechts, 1. Stock noch mal rechts, Room 18 am linken Ende) hängen die Sisters Three inmitten der formidablen Abbilder der Staats- und Geistesgrößen aus der Zeit Victorias: drei Schulmädchen aus der Provinz in spießigen, dunklen Kleidern, die ernsten Gesichter dem Betrachter zugewandt, und die Augen durch ihn, über ihn auf eine andere Welt gerichtet. Keine Reproduktion kann den Eindruck von Nähe und Verletzlichkeit vermitteln, wie er von dieser zwei-, dreimal lieblos gefalteten Leinwand ausgeht. Man möchte immer wieder ein bißchen weinen, wenn man vor ihr steht.

1835 aber soll Branwell sich seine Sporen erst verdienen. Obwohl der Besuch der Akademie – sollte er die Aufnahmeprüfung bestehen – frei ist, bedeutet ein Studium in London für die Familie ein großes finanzielles Opfer. Sein Aufbruch ist also auch für zwei von Patricks Töchtern das Zeichen, nun ihren Lebensunterhalt zu verdienen oder sich mit dem entsprechenden Wissen zu rüsten. »Unvertraut mit den Blendungen und Fallstricken des Lebens«, wie ihr Vater es formuliert, ziehen sie nach Roe Head, Charlotte als Lehrerin, und Emily, für die sie mit einem Teil ihres Salärs einen Freiplatz bezahlt. Der Reverend empfiehlt sie der Obhut von Elizabeth Franks, geborene Firth, seine alte Freundin aus Thornton, die nun in Huddersfield verheiratet ist – eine Verbindung, die den Mädels nicht viel Freude macht. Sie bedeutet Pflichtbesuche und verlorene Ferientage.

Die Tröstungen, die ihnen aus der gegenseitigen Gesellschaft erwachsen, sind nicht von Dauer. Charlotte findet sich plötzlich auf der anderen Seite des Katheders wieder. Die Anzahl der jungen Damen ist seit ihren Schultagen beträchtlich gewachsen, und obwohl Charlotte in Miss Wooler eine großzügige Direktorin, ja beinahe eine Freundin findet, bemerkt sie sehr schnell, daß ihre Pflichten als Lehrerin mit ihrer ungeduldigen Natur und ihrem schöpferischen Drang unvereinbar sind.

Für Emily aber ist das Schulleben eine einzige Tortur. Roe Head bedeutet nicht nur Exil von Anne und Gondal, sondern auch den Verlust der Intimität. Emily, die es liebt, allein über die Heide zu strolchen und die Nachmittage in ungebrochener Träumerei unter einem hohen Himmel zuzubringen, sieht sich plötzlich mit zehn anderen jungen Dingern in einem Schlafsaal zusammengesperrt. Schulstunden und Mahlzeiten, Kirchgang und Freizeit hat sie mit Mädchen zu teilen, die sie weder mögen noch ertragen kann. Ihr Kopf ist nicht zum Auswendiglernen gemacht, ihre langen Beine nicht zum Schritthalten in Zweierreihen. Nach drei Monaten unternimmt Charlotte das Nötige. Sie schreibt nach Hause, und Emily wird abgeholt.

Viele Jahre später erklärt sie im Vorwort zur Neuausgabe der *Sturmhöhe* dieses Versagen: »Meine Schwester Emily liebte die Moore. Blumen, strahlender als die Rosen, blühten für sie in der dunkelsten Heide. Aus der schwarzen Senke in einem fahlen Hügelhang konnte ihr Geist ein Paradies schaffen. In der öden Einsamkeit fand sie viele geliebte Freuden – und die größte und stärkste von allen war – Freiheit. Freiheit war Emilys Atem; ohne sie mußte sie vergehen. Den Wechsel von ihrem Heim auf eine Schule, von ihrer stillen, abgeschiedenen, aber ungebundenen und ungekünstelten Lebensart zu einem Tag voller Disziplin und Routine (selbst unter freundlichster Leitung) konnte sie nicht ertragen. Ihr Wesen war stärker als ihr Mut. Jeden Morgen, wenn sie aufwachte, drängte sich ihr die Erinnerung an das Heim und die Moore auf und verdunkelte und trübte den vor ihr liegenden Tag. Niemand außer mir wußte, worunter sie litt. Ich wußte es nur zu gut. In diesem Kampf wurde ihre Gesundheit schnell zerstört. Ihr blasses Gesicht, ihr abgezehrter Körper und ihre schwindende Kraft waren drohende Boten eines raschen Verfalls. Ich fühlte in meinem Herzen, daß sie sterben würde, wenn sie nicht heimkehrte...«

Charlotte weiß es nur zu gut. Auch sie ist abgetrennt von der Erfüllung des Gedankenspiels. Aber anders als Emily, die wie Catherine Linton in der *Sturmhöhe* unter dem Druck ihrer Fehlentscheidung den Rückzug in die Krankheit antritt, hält die pflichtbewußte Charlotte aus – und wird dabei genauso elend. Den Freiplatz in Roe Head nimmt Anne ein. Doch die kleine Schwester ist Charlotte nicht einmal ein Trost. Die beiden haben sich erstaunlicherweise nicht viel zu sagen. Ihr ganzes Herz und einen Großteil ihres Vertrauens schenkt Charlotte ihrer Freundin Ellen Nussey. In den langen Briefen, die sie ihr schreibt, in dem Tagebuch, das sie führt, taucht Anne nur flüchtig auf, wie sie still am anderen Tischende sitzt und ihre Aufgaben lernt. Warum Ellen und nicht Anne? Warum die freundliche, aber leicht verschlafene Freundin und nicht die Schwester, die ihren Tagtraum geteilt hat und weiß, warum Charlotte sich quält? Der Sachverhalt bleibt letztlich ein Rätsel. Auch Anne lebte in ihrem Schneckenhaus. Charlottes Briefe an Ellen haben nur ihre eigene Verzweiflung zum Thema, und das mit ungeteilter Glut.

Diese Korrespondenz ist 150 Jahre später eine betrübliche Lektüre. Der liebe Gott hat sich in dieser Zeit doch sehr, sehr zu seinem Vorteil verändert. Welcher Pastor, der seine Kirche nicht leerpredigen will, kann es sich heute erlauben, ihn als den viktorianischen Donnergott zu präsentieren, den die Kinder Brontë zu fürchten gelernt hatten? Verschwunden ist das Streben nach einem heilig-mäßigen Leben, dahingegangen die Neigung, sich für sündige Phantasien zu hassen. Dahin sind auch die Reserven, die die Menschen des 19. Jahrhunderts davor bewahrten, ihr Innerstes nach außen zu

kehren. Es gab tatsächlich Dinge, über die man nicht sprach.
In einer modernen Welt, die sich bedenkenlos mitteilt, müssen diese Briefe absurd und schmerzlich wirken. Hinzu
kommt, daß Charlotte in ihrer Roe-Head-Zeit eine schwärmerische Neigung für Ellen entwickelte, die so manche
spätere Biographin die Ohren hat spitzen lassen. Doch in ihrer Zeit war es nur natürlich – und gesellschaftlich akzeptiert –, daß Frauen sich mit »mein Liebling« oder »meine
süße Ellen« anschrieben. Selten konnte ein Mann mit einer
ihm nicht angeheirateten Frau in so vertrauten Kontakt treten wie eine Freundin. Ihre Sphären waren strikt getrennt.
Der Wunsch nach Liebe und Gleichklang brachte zunächst
einmal die Frauen einander näher. Charlotte, ohne Chance,
ihr übervolles Herz und ihre schweifende Phantasie in
Worte zu fassen – »ich kann nicht darüber schreiben, außer
wenn ich ganz allein bin. Ich wage kaum daran zu denken« –
beginnt in Roe Head das Verbotene ihrer Traumwelt zu fühlen. Und doch ist das Gedankenspiel ihr Hafen, in den sie
sich vor dem grauen Schulalltag rettet. Bei dieser Gratwanderung sind die Abstürze voraussehbar. In ihr Tagebuch
schreibt sie am 19. Dezember 1835: »Niemals werde ich,
Charlotte Brontë, den Klang jener wilden und wehklagenden Musik vergessen, die ich erschauernd in meinem Innern – fast sogar in meinen Ohren – hörte; oder wie deutlich
ich, im Klassenzimmer von Roe Head sitzend, den Herzog
von Zamorna an jenem Obelisk lehnen sah, über ihm die
stumme, marmorne Siegesgöttin … und über allem ausgespannt der afrikanische Himmel mit dem Geflimmer seiner
Sterne. Ich war ganz hinüber. Ich hatte wirklich völlig vergessen, wo ich war und die ganze Düsterkeit und Freudlosigkeit meiner Lage. Ich spürte meinen schnellen, kurzen
Atem, als ich sah, wie der Herzog seinen Helm mit dem
schwarzen Busch lüftete, der wie die Federn auf einem Lei-

chenwagen im Winde wehte, und ich wußte, daß diese Musik ihn erregte und seinen immer schnellen Puls beschleunigte. ›Miss Brontë, woran denken Sie?‹ sagte eine Stimme, die allen Zauber verscheuchte, und Miss Lister schob ihren kleinen, groben, schwarzen Kopf vor mein Gesicht. Sic transit…«

Ellen aber bekommt nur die Kehrseite der Euphorie zu sehen. »Mein Liebling, wenn ich wie Du wäre, wäre mein Gesicht gen Zion gewandt, obwohl Fehlurteil und Irrtum manchmal einen Schleier über die strahlende Vision vor mir werfen würden – aber ich bin nicht wie Du. Wenn Du meine Gedanken wüßtest, die Träume, die mich verzehren und die glühenden Phantasien, die mich manchmal verschlingen und mir die Gesellschaft anderer elend abgeschmackt erscheinen lassen – Du würdest mich bemitleiden, oder, ich meine fast, verachten…«

»Glaube nicht, daß ich gut bin«, schreibt sie ihr ein anderes Mal. »Ich will es nur sein … Ich bin in diesem Zustand von schrecklicher, düsterer Unsicherheit, daß ich gerade wünschte, ich wäre alt und grauhaarig, hätte die Freuden meiner Jugend hinter mir und wartete am Rande des Grabes – wenn ich dadurch nur der Aussicht auf Versöhnung mit Gott und der Errettung durch seinen Sohn versichert wäre … Du hast mich aufgemuntert, mein Liebling. Für den Bruchteil eines Augenblicks dachte ich, Dich meine Schwester im Geist nennen zu dürfen. Aber die Erregung ging vorbei und nun bin ich so elend und hoffnungslos wie immer. Heute nacht werde ich so beten, wie Du mich bittest. Möge der Allmächtige mich mit Erbarmen hören. Ich hoffe demütig darauf, denn Du wirst meine besudelten Gebete mit Deiner reinen Fürbitte stärken … Wenn du mich liebst, dann komm, komm, komm am Freitag. Ich werde auf Dich warten und nach Dir ausschauen, und wenn du mich enttäuschst, werde ich weinen. Ich wünschte, Du hättest die Erregung spüren können, die mir durch und durch fuhr, als ich am Eßzimmerfenster stand und sah, wie George [einer von Ellens Brüdern] Dein Päckchen über die Mauer warf, als er vorbeipreschte.«

Als Ellen im Februar nach Bath reist, ist Charlotte verzweifelt. »Was soll ich ohne Dich tun? ... Warum werden wir getrennt? Gewiß doch, weil wir in Gefahr sind, einander zu sehr zu lieben – weil wir den Schöpfer über der Vergötterung seines Geschöpfs vergessen. Zuerst konnte ich nicht sagen: Dein Wille geschehe. Ich rebellierte, aber ich wußte, daß es falsch war, so zu fühlen.« Zum Trost malt sie sich mit Ellen ein Glück im Winkel aus. »Ich wünschte, ich könnte immer mit Dir leben. Wenn wir nur ein Häuschen hätten und ein eigenes kleines Vermögen, ich glaube, dann könnten wir leben und lieben bis zu unserem Tode, ohne unser Glück von einer dritten Person abhängig zu machen.«

Dazu ist es, dem Himmel sei Dank, nie gekommen. Denn von Ellen standen außer Gewissensbissen keine geistigen Stimulantien zu erwarten. Hätten Charlottes Talent und Ehrgeiz in ihrer Gesellschaft überlebt? Wäre ohne sie, die literarische Agentin ihrer Schwestern, überhaupt eine Zeile Brontë'scher Lyrik oder Prosa gedruckt worden? Als junge Frau konnte sie »Feuer spucken« gegen die Freundin; in Roe Head aber ist sie dieser selbstgerechten, reinen Seele unterlegen. Wie gut tat jener doch die Abhängigkeit dieses anderen, stärkeren, rebellischen Intellekts, dem es so bedauerlich an Demut mangelte. Ellen, selbst keine Calvinistin, aber Schwester eines Pfarrers, der diesen rigorosen Leuten zuneigte, vertrat Charlotte gegenüber die Lehre von der vorbestimmten Verdammnis und stürzte die Freundin damit in neue Qualen.

Charlotte: »Wenn ich immer mit Dir leben und täglich die

Bibel mit Dir lesen könnte, wenn Deine und meine Lippen zugleich denselben Kelch aus derselben Gnadenquelle trinken könnten – ich hoffe, ich vertraue darauf, daß ich mich eines Tages besserte, daß ich so gut würde, wie meine schlechten, schweifenden Gedanken, wie mein verdorbenes Herz, das Kälte für den Geist und Wärme für das Fleischliche empfindet, es mir erlaubten. Meine Augen füllen sich mit Tränen, wenn … mich der Gedanke mitten ins Herz trifft, daß Deine gräßlichen, calvinistischen Lehrsätze wahr sein sollten. … Wenn christliche Vollkommenheit die Voraussetzung für die Errettung sein sollte, dann werde ich niemals errettet werden, denn mein Herz ist eine wahre Brutstätte für sündige Gedanken … Ich kann nicht beten, ich kann mein Leben nicht nach dem Vorsatz der Güte ausrichten, ich verfolge immer mein eigenes Vergnügen.«

Ellen empfiehlt gegen diese aufrührerischen Gedanken das Auswendiglernen von Psalmen, aber damit ist Charlotte nicht geholfen. Was auf sie einstürmt, ihre Pulse schlagen läßt und ihr den Atem nimmt, ist ihre eigene Sinnlichkeit, die da in Gestalt des Herzogs mit dem Federbusch, der bebenden Mary und dem süßen Tauregen, der auf ihr Rendezvous fällt, ihre Tagträume erfüllt. Wie weit ist Charlotte in aller Unschuld gegangen? In den raren Stunden der Freizeit kann sie der Versuchung, sich aufs Bett und in die Arme ihrer Phantasie zu werfen, nicht widerstehen. In ihren Geschichten finden sich Metaphern für orgiastische Wallungen, die sie dabei erfährt. »All ihre tiefen Gefühle vereinigten sich in einem einzigen Begehren. Die aufgestaute Flut hielt inne auf dem höchsten Punkt des Wasserfalls. Daneben wogte Ried, wuchsen Blumen und Weidenbäume, aber welcher Baum, welche Blüte konnte den Sturz aufhalten, der bevorstand?« Soweit Mary, die auf Zamorna wartet, soweit Charlotte im Schlafsaal von Roe Head.

Zwischen Entzücken und Schuld hin und her gerissen schreibt sie in ihr Tagebuch:»Ich sah sie, feierlich und schön … die Augen lächelten, die Lippen bewegten sich, ich hörte sie sprechen und kannte ihre Stimmen fast besser als die meiner Schwestern und meines Bruders … welch herrliche Bilder sammelten sich um mich, welche Erregung trieb mir die Hitze ins Gesicht und ließ mich die Hände in Ekstase falten … nur wenige würden glauben, daß aus Quellen, die nur in der Imagination liegen, so viel Glück fließen kann. Der Stift kann nicht den tiefen Eindruck der Szenen beschreiben, den Lauf der Ereignisse, deren Zeuge ich war. Welch ein Schatz sind die Gedanken! Welch ein Privileg ist der Tagtraum! Ich bin dankbar für die Kraft, mich mit der Erschaffung von Träumen trösten zu können, deren Wirklichkeit ich niemals sehen soll. Möge ich diese Kraft nie verlieren, möge ich niemals ihr Abnehmen spüren!«

Dagegen an Ellen:»Ich habe mir Dein Bild vor Augen gerufen, um mir Frieden zu geben. Da sitzt Du nun, aufrecht und schweigend in Deinem schwarzen Kleid und weißen Tuch, mit blassem, marmorgleichem Gesicht – ganz wie in Wirklichkeit … Ich habe Eigenschaften, die mich sehr unglücklich machen, Gefühle, an denen Du keinen Anteil haben kannst – die nur wenige, sehr wenige Menschen in der Welt überhaupt verstehen können. Ich bin auf diese Eigenheiten nicht stolz, ich strebe danach, sie so gut ich kann, zu verbergen und zu unterdrücken.«

Dann wiederum scheint die Flucht aus der Realität die einzige Rettung vor ihrer religiösen Melancholie und der überwältigenden Banalität zu sein. Am 4. Februar 1836 schreibt sie, offenbar inspiriert von einer Nachricht Branwells, der ihre Abwesenheit freudig nutzt, Angria mit Krieg zu überziehen:»Letzte Nacht flog ich auf den Schwingen einer donnerbrausenden Bö, und es wirbelte mich für fünf Sekunden der Ekstase davon wie Heidekraut vor dem Sturm. Und als ich da allein im Eßzimmer saß, während alle anderen beim Tee waren, senkte sich die Trance plötzlich herab. Wirklich, dieser Fuß schritt über die vom Krieg heimgesuchten Ufer des Calabar, und diese Augen sahen das geschändete und zerstörte Adrianopolis, das seine Lichter aus Gitterfenstern über den Fluß warf, aus denen die Besatzer blickten.«

Die Traumwandlerin ersteigt die Marmortreppe von Zamornas Palast und blickt in das Boudoir der Königin, wo sich nun statt der kostbaren Mary der betrunkene Häuptling der Aschantis räkelt – die verkörperte aggressive Sexualität mit seinen struppigen schwarzen Locken, der schwer atmenden Brust, den geblähten Nüstern und seinen »Hauern, die rachsüchtig zwischen den halbgeöffneten Lippen schimmerten. Während mir diese Erscheinung vor Augen stand, öffnete sich die Tür des Eßzimmers und Miss Wooler trat mit einem Teller Butter in der Hand ein. ›Eine stürmische Nacht, meine Liebe‹, sagte sie. ›Ja‹, sagte ich.«

An ihren freien Samstagen besucht Mary sie gelegentlich in Roe Head, aber selten gelingt es ihr, die deprimierte Freundin aus dem Haus oder aus ihrer Reserve zu locken. Charlotte ist oft zu müde und zu resigniert, um Spaß an den alten Streitgesprächen zu haben. Sie schweigt die Freundin an, die sie in aller Liebe, aber entschieden über ihre zurückgebliebenen Ansichten zu Politik und Religion examiniert. »Sie lenkte niemals ein, um zu schmeicheln oder ihre Ruhe zu haben«, erinnerte sich Mary, »deshalb waren ihre Worte wie Gold, ob sie nun Lob oder Tadel austeilte.«

Mary, tüchtig, aber nicht unsensibel, glaubt auch den Grund für Charlottes Depressionen zu kennen. Die Ursachen seien nicht geistiger, sondern körperlicher Natur gewesen. »Wenn Charlotte bei guter Gesundheit war, war sie auch frei von Melancholie.« Mary fragt sie eines Tages, wie sie nur so viel für so wenig Geld geben könnte, wenn sie auch ohne das zurechtkäme. »Sie gab zu, daß nichts übrigblieb, wenn sie für ihre und Annes Garderobe bezahlt hätte, obwohl sie gehofft hatte, etwas sparen zu können. Sie gestand, daß das nicht gerade glänzend war, aber was sollte sie tun? Ich konnte ihr nichts erwidern. Sie schien kein Interesse und kein Vergnügen neben ihrem Pflichtgefühl zu kennen. Wann immer sie konnte, suchte sie sich einen stillen Platz und ›malte aus‹. Sie erzählte mir, daß sie eines Abends im Ankleidezimmer saß, bis es ziemlich dunkel war, und plötzlich, als ihr das klarwurde, schrak sie zusammen. Zweifellos erinnerte sie sich daran, als sie *Jane Eyre* schrieb«, und Mary zitiert die Stelle, als die kleine Jane, im ›roten Zimmer‹ eingesperrt, sich vor einem Lichtstrahl, der durch den Laden fällt, zu fürchten beginnt. »Mein Herz schlug dumpf und wild, mein Kopf glühte, es sauste in meinen Ohren – was ich für Flügelrauschen hielt – etwas schien auf mich einzudringen.«

»Seit dieser Zeit«, schrieb Mary an Gaskell, »wurden ihre Phantasien düster und erschreckend. Sie konnte nicht aufhören, daran zu denken, konnte nachts nicht schlafen und tags nicht bei der Sache sein.« Und sie schwor, daß in einem dieser Zustände eine äußere Stimme ein Gedicht aufgesagt hatte, das sie Zeile für Zeile wiederholen konnte.

Was Charlotte jedoch verängstigt, sind keine gruseligen Erscheinungen, sondern die Angst, daß die Phantasie ihrer Kontrolle entgleitet, daß der köstliche Tagtraum zum drückenden Alp wird. »Ich habe den ganzen Tag in einem Traum zugebracht«, notiert sie im Herbst 1836 in ihr Tagebuch, »halb elend, halb verzückt. Elend, weil ich ihn nicht verfolgen konnte, verzückt, weil er die Vorgänge in der Welt dort unten in einem fast realistischen Licht zeigte.« Sie erzählt von dem vergeblichen Versuch, drei jungen Damen den Unterschied zwischen einem Artikel und einem Substantiv einzutrichtern, und fährt fort: »Muß ich den besten Teil meines Lebens in dieser elenden Knechtschaft verbringen, meine Wut über die Faulheit und Gleichgültigkeit und unsägliche, eselhafte Dummheit dieser hohlköpfigen Einfaltspinsel mit Macht unterdrückend und mir eine Haltung von Freundlichkeit, Geduld und Gelassenheit aufzwingen? Muß ich Tag für Tag angekettet auf diesem Stuhl sitzen, eingesperrt zwischen diesen vier kahlen Wänden, während die Sommersonne am Himmel steht...« Sie springt auf, geht zum Fenster und schiebt den Flügel hoch. Der Tau liegt noch auf den Wiesen, der Heuschober und die Eichen werfen lange, kühle Schatten, und die Hügel verlieren sich im blauen Dunst. Als sie zu ihrem Platz zurückkehrt, fühlt sie eine neue Welle aus der Welt da unten auf sich zurollen. Sie sehnt sich danach, zu schreiben, »aber gerade da kam so ein Tropf mit seinen Aufgaben zu mir. Ich hätte speien können.«

Am Nachmittag desselben Tages, nach einem ermüdenden Spaziergang, auf dem Miss Lister und Miss Marriott sie mit ihrem »vulgären Geschwätz« gelangweilt haben, findet sie endlich eine Stunde für sich, kann die Zügel schießen lassen. Die köstliche Ruhe wirkt »wie Opium« auf sie, und die Figuren ihrer Phantasie umstehen sie in beunruhigender Wahrhaftigkeit. Sie sieht eine Lady mit einem Kerzenhalter in eine Halle treten, erkennt selbst die Mäntel an den Kleiderhaken, sie hört die Haustür gehen, schaut nach draußen und erblickt jenseits des Gartens die flimmernden Lichter einer Stadt. Drei Herren treten ein, von einem weiß sie, daß er Arzt ist. Im Haus wird ein Mann operiert. Ein Komplott ist im Gange, ein Staatsstreich. Der Arzt wäscht seine blutigen Hände in einer Schüssel, die Dame hält die Kerze hoch.

»Ich war bestürzt und ärgerlich, doch ich wußte nicht warum. Schließlich wurde mir bewußt, daß etwas wie ein schweres Gewicht auf mir lag. Ich wußte, ich war hellwach,

und es war dunkel geworden, und daß darüber hinaus die
jungen Damen hereingekommen waren, um ihre Lockenpa-
piere zu holen. Sie sahen mich auf dem Bett liegen, und ich
hörte sie über mich reden. Ich wollte sprechen, aufstehen –
es war unmöglich –, ich fühlte die Mißlichkeit meiner Lage,
ihre Unmöglichkeit. Das Gewicht drückte mich nieder, als
hätte sich ein großes Tier über mich geworfen. Eine grausige
Furcht ließ meine Pulse jagen. Ich muß aufstehen, dachte
ich, und ich tat es mit einem Ruck.«

Frei und ungestört ist sie nur in den Ferien, in denen sie
nach Haworth eilt. Branwell schaltet und waltet dort souverän in Angria, und Charlotte sucht sich in seinem Kriegs-
Panorama die privaten Nischen für Abenteuer und Amou-
ren ihres Personals. Wie aber kommt es, daß Branwell überhaupt zu Hause ist? Sollte er nicht in London auf der Akademie sein?

Im Oktober 1835 war er abgereist, aber ein, zwei Wochen
später kehrte er schon wieder zurück, ohne Geld und mit einer unglaublichen Geschichte: Man habe ihn in der Postkutsche beraubt. Von den Verhören, die der Reverend und
Tante Branwell mit ihm führen, ist nichts in die Öffentlichkeit gedrungen. Zu schockierend, zu peinlich ist dieser Aus-
fall. Auch Branwell hat sich nie darüber geäußert. Jahre später meldete sich ein Zeitzeuge, ein Mr. Woolven, Schaffner
bei der Leeds-und-Manchester-Eisenbahn, um genau zu
sein. Er erinnerte sich, Branwell in der Castle Tavern in Hol-
born, dem Lokal des Faustkämpfers Tom Spring, begegnet
zu sein. Die Gäste dort waren von dem Fluß seiner Konversation und seinem phänomenalen Gedächtnis beeindruckt;
sie riefen ihn sogar zum Schiedsrichter an, wenn es um die
Daten historischer Schlachten ging. – Und die Akademie?
Die Empfehlungsschreiben? Robinsons Verbindungen?

Branwell hat sich niemandem vorgestellt, niemanden ge-

sprochen, keine Arbeiten gezeigt. Den einzigen Hinweis auf
sein Treiben bietet eine Angria-Geschichte, die er ein halbes
Jahr später schreibt. Darin zieht ein Charles Wentworth in
die große Stadt Verdopolis. Er verbringt seine Zeit mit der
Besichtigung des Turms der Nationen, des Parlaments und
der großen Kathedrale. Branwell kannte die Sehenswürdig-
keiten Londons, seit er als Zehnjähriger einen Stadtführer
mit Stichen von St. Paul's Cathedral, der Bank von England,
White Hall und dem Tower geschenkt bekommen hatte. Er
wußte so gut in der Londoner Topographie Bescheid, daß er
Teile des Stadtplans aus dem Gedächtnis zeichnen konnte.
Mehr als alle anderen Gebäude scheint ihn St. Paul's fasziniert zu haben in seinen wahrhaft verdopolitanischen Ausmaßen. Sein Held Wentworth steht lange vor der Kirche. In
der Befürchtung, daß die Realität der Vorfreude nicht
werde standhalten können, verharrt er auf den Stufen;
schließlich rennt er durch das Portal, stellt sich unter die
Kuppel und schaut hinauf, »bis sie in seinen verschleierten
Augen aufzusteigen und seinem Blick zu entschwinden
scheint«. Dann streckt er sich auf dem Boden aus, immer
weiter nach oben starrend, bis er meint, die Kuppel wolle
über ihm zusammenbrechen und ihn unter ihren Trüm-
mern begraben.

Branwell jedenfalls kann dem Druck der Erwartungen
nicht standhalten. Wie Charles Wentworth versäumt er es,
seine Empfehlungsschreiben abzugeben. Ziellos schweift
sein Held umher, »schlägt Funken aus seiner Phantasie« und
glaubt, »daß Ruhe Folter und Entspannung Stumpfsinn« be-
deuteten. Schließlich verdöst er seine Tage auf dem Sofa im
Hotel und beruhigt sein Gewissen mit kleinen Schlückchen
Rum.

Zurück in Haworth, wird Branwell nach dem ersten
Schock wieder aktiv. Die Malerei war schließlich nur die

zweitbeste Leidenschaft. Größeres würde er sicher als Autor leisten können. Schon zweimal hat er an *Blackwood's Magazine* geschrieben, und nun bewirbt er sich dort für die Stelle des Kolumnisten James Hogg, der gestorben war. Es berührt merkwürdig bei der Lektüre von Branwells Briefen, daß dieser junge Mann, von dessen Charme seine Freunde noch als Greise schwärmten, so wenig Fingerspitzengefühl entwickelte, sobald er zur Feder griff. Sollte der Zeitgeschmack sich so weit verändert haben, daß das, was damals als eloquent und reizend empfunden wurde, uns heute bemüht und großmäulig deuchte? Gestatten wir uns den Verdacht, daß im persönlichen Umgang mit Branwell auch etwas von dem durchschimmerte, was er in seinem Schreiben darstellte: ein wenig angenehmes, großes Kind.

»Sir, Lesen Sie, was ich schreibe! Und gebe der Himmel, daß Sie mir Glauben schenken, denn dann werden Sie mir Ihre Aufmerksamkeit zuwenden und entsprechend handeln… Nun, Sir, es erscheint Ihnen, als schriebe ich mit eingebildeter Sicherheit, aber dem ist nicht so, denn ich kenne mich selbst so weit, um an meine Eigenständigkeit zu glauben, und auf dieser Grundlage ersuche ich um Beitritt in Ihre Reihen. Wundern Sie sich nicht, daß ich mich so entschlossen bewerbe, denn… der Gedanke, einer anderen Zeitschrift meine Dienste anzutragen, ist mir schrecklich zuwider. Mein Entschluß lautet, meine Fähigkeiten Ihnen zu widmen, und um des Himmels Willen, lehnen Sie meine Hilfe nicht so kalt ab, ehe Sie nicht gesehen haben, ob ich Ihnen dienen kann oder nicht.« Branwell bittet den Herausgeber, Textproben bei ihm anzufordern oder ihn etwas zu einem Thema seiner Wahl schreiben zu lassen, doch sollte der Herausgeber je eine solche Neigung gefühlt haben, macht Branwell sie mit dem letzten Absatz zunichte. »Nun, Sir, handeln Sie nicht wie ein gewöhnlicher Mensch, sondern wie ein

Mann, der die Dinge nach eigenem Ermessen prüft... Sie haben in James Hogg einen fähigen Autor verloren, gebe Gott Ihnen, daß Sie einen neuen gewinnen in Patrick Branwell Brontë.«

Der Herausgeber von *Blackwood's* heftet diesen Brief unter den dreisten Fällen ab und antwortet nicht. Branwell aber schickt ein viertes Schreiben mit einem Gedicht, und als er wieder nichts hört, bittet er um ein Gespräch. Mit dem unseligen Talent für den falschen Ton klagt er: »Wollen Sie mir so ermüdenderweise eine Unterredung verweigern, wenn Sie nicht wissen, was oder wen Sie abweisen? Glauben Sie, daß Ihre Zeitschrift so vollkommen ist, daß eine Vergrößerung ihres Einflusses weder möglich noch wünschenswert scheint?«

Genug, genug – nach einer Weile wendet Branwell sich an eine andere literarische Koryphäe. Er muß dies in Absprache mit seiner großen Schwester getan haben, denn sie wagt ebenfalls einen Versuch. Er wäre gut beraten gewesen, ihre Meinung auch über das Begleitschreiben einzuholen.

Die Weihnachtsferien hatte Charlotte zu Hause verbracht, und als sei der Kelch von Roe Head am Überlaufen, muß sie, wie Branwell, an eine literarische Karriere gedacht haben. Dazu wollte sie den Rat eines kompetenten Mannes einholen. Sie schrieb an Robert Southey, Poet Laureate seines Königs, und schickte einige Textproben. Der Hofdichter Southey, Verfasser von Verserzählungen, die heute kein Mensch mehr liest, gehörte damals mit Wordsworth, an den Branwell sich wandte, und Byron zur ersten Garde der englischen Poeten. Die jungen Brontës kannten wahrscheinlich seine exotischen Epen *Kehamas Fluch* oder *Roderich, der letzte der Goten*. Wir wissen nicht, was Charlotte ihm aus ihrer Feder schickte, aber es muß hochfliegend genug gewesen sein, ihn drei Monate später zu dem gut gemeinten Rat zu veranlassen, sie möge die Schriftstellerei dem anderen Geschlecht überlassen.

Southey schrieb nicht einmal unfreundlich, und zieht man seine Position als Dichter mit Pensionsanspruch in Betracht, und als Mann in einer Gesellschaft, die weibliches Talent bestenfalls mit wohlwollender Herablassung zur Kenntnis nahm, klingt sein Brief sogar vernünftig. Man kann ihm im nachhinein schlecht den Vorwurf machen, daß er ein weniger inspirierter Geist war als die kleine Gouvernante, die ihn um sein Urteil bat. Und in zwei Punkten hatte er recht: Charlotte war keine begnadete Poetin, und die Tagträumerei war ihr inzwischen zum Lebensersatz geworden.

»Es gibt da eine Gefahr, vor der ich Sie mit allem Wohlwollen und Ernst warne. Die Tagträume, denen Sie sich gewohnheitsmäßig hingeben, sind wahrscheinlich geeignet, einen krankhaften Gemütszustand hervorzurufen; und in dem Maße, in dem alle gewöhnlichen Dinge des Lebens Ihnen platt und unnütz erscheinen, werden Sie untauglich für ebendiese, ohne daß Sie für irgend etwas anderes besser tauglich würden. Literatur kann nicht die Hauptbeschäftigung im Leben einer Frau sein, und sie sollte es auch nicht sein. Je mehr sie sich den ihr eigenen Aufgaben widmet, desto weniger Muße wird sie für Literatur haben, sogar wenn sie diese lediglich als eine Ergänzung und Entspannung betrachtet.« So ein ganz klein wenig gesteht der Laureate ihr zu, dürfe sie doch dichten, denn die Poesie sei nun einmal, nächst der Religion, das beste Mittel, den Geist zu trösten und zu erheben. Nur solle sie sich niemals verleiten lassen, nach literarischem Ruhm zu dürsten.

Charlotte, die die Hoffnung auf eine Antwort schon begraben hatte, denkt in diesem März 1837 lange über sein Schreiben nach. Sie findet es bewunderungswürdig, wenn auch ein wenig scharf, und in einigen Punkten bedarf es der

Richtigstellung. »Ich bin nicht die müßige Träumerin, die mein erster Brief andeutete... Kopf und Hände sind beschäftigt... Indem ich dem Rat meines Vaters folgte, der mich seit meiner Kindheit ebenso freundlich und klug beraten hat, wie Sie es in Ihrem Brief tun, habe ich mich nicht nur bemüht, aufmerksam all die Pflichten zu erfüllen, die einer Frau anstehen, sondern auch ein tiefes Interesse daran entwickelt... Ich vertraue darauf, daß ich niemals wieder den Ehrgeiz fühlen werde, meinen Namen gedruckt zu sehen. Und falls doch, werde ich Southeys Brief noch einmal lesen und den Impuls unterdrücken.« Erfreulicherweise erwies sich ihr Ehrgeiz auf Dauer doch stärker als Southeys Rat. Der Dichter wiederum ist so geschmeichelt, daß er ihr noch einmal antwortet und nach weiteren guten Ratschlägen, wie, sie möge auch im Interesse ihrer Gesundheit einen ruhigen Geist bewahren, sie in sein Haus im Lake District einlädt, falls sie in der Nähe weile – ein Vorschlag, den Charlotte aus Mangel an Barem und vielleicht auch an Courage nur stillschweigend zur Kenntnis nimmt.

Durch die Eitelkeit berühmter Männer, die am liebsten noch ihre Einkaufszettel publizieren möchten, ist ein Brief Southeys aus seiner gesammelten Korrespondenz erhalten, der belegt, was mit Branwells Post geschah, der sich drei Wochen nach Charlotte an den Dichter William Wordsworth gewandt hatte.

»Ich schickte eine Dosis abkühlende Ermahnung an das arme Mädchen, dessen närrischer Brief mich in Buckland erreichte. Sie scheint die älteste Tochter eines Pfarrers zu sein, wurde für teures Geld erzogen und ist löblicherweise Gouvernante bei irgendeiner Familie. Ungefähr zur selben Zeit, da sie mir schrieb, wandte sich ihr Bruder an Wordsworth, der von dem Brief angewidert war, denn er enthielt sowohl grobe Schmeicheleien als auch eine Menge Beleidigungen anderer Dichter, mich eingeschlossen.«

Branwell hatte sein gutes Anliegen, seine Bitte um ein Wort, »das Licht in meine Dunkelheit werfen könnte«, mit seinem unseligen Imponiergehabe verbunden und war auch diesmal ohne Antwort geblieben.

»Sir, ich beschwöre Sie, das Beigelegte zu lesen und mir Ihr Urteil mitzuteilen, denn vom Tage meiner Geburt bis zu diesem 19. Lebensjahr habe ich in abgelegenen Bergen gelebt, wo ich weder erfuhr, wer ich bin, noch was ich kann. Ich las aus demselben Grund, aus dem ich aß und trank: Weil es ein natürliches Verlangen war. Ich schrieb aus denselben Prinzipien, aus denen ich sprach: Aus Impuls und Gefühl, denn ich konnte nicht anders; was raus mußte, kam raus, und damit fertig... Aber nun bin ich in einem Alter, in dem ich etwas für mich tun muß: Die Gaben, die ich habe, müssen mit einem Ziel erprobt werden... Verzeihen Sie mir, Sir, daß ich es wage, mich Ihnen vorzustellen. Ich habe Ihr Werk als Teil unserer Literatur stets am meisten geliebt. Sie waren eine Gottheit in meinen Augen.

Sir, mein Ziel ist es, in die Welt hinauszutreten, und dafür will ich nicht allein auf die Poesie bauen: Sie mag das Schiff vom Stapel lassen, kann es aber nicht weiter tragen. Vernünftige und kundige Prosa, kraftvolle und kühne Schritte auf meinem Lebensweg werden mir ein größeres Recht auf die Aufmerksamkeit der Welt sichern, und dann wiederum soll die Poesie diesen Namen krönen und erstrahlen lassen... Gewiß muß in diesen Tagen, da es keinen schreibenden Dichter gibt, der auch nur Sixpence wert wäre, der Weg für den nachrückenden, besseren Mann offen sein...«

Es gibt noch einen Menschen im Pfarrhaus, der Gedichte schreibt. Allerdings tut Emily es mit größerem Ernst und weniger leichter Hand. Und sie lehnt es für sich ab, kraftvoll und kühn in die Welt hinaus zu streben. Vollauf damit beschäftigt, unter Tantes Aufsicht und mit Tabbys Hilfe dem

Vater den Haushalt zu führen, kocht und bügelt sie und bäckt das Brot. Aufgeschlagen auf dem Küchentisch liegen dabei Grammatikbuch und Notizheft – und in der Mehltüte oder im Wäschekorb der Bleistift. Emily nutzt die Zeit, da ihre Gedanken nicht allzu sehr in Anspruch genommen sind, und lernt Deutsch oder kritzelt Sätze auf kleine Zettel – Samenkörner für Gedichte, von denen viele reifen und manche nach drei, vier Zeilen als unfruchtbar liegenbleiben. Voll Zorn schreibt sie unter ein Fragment: »Ich war in meinem ganzen leibhaftigen Leben noch nie so furchtbar blödsinnig und widerwärtig DUMM wie gerade. Die obigen kostbaren Zeilen sind das Ergebnis von einer Stunde qualvoller Arbeit zwischen halb sieben und halb acht am Abend im Juli 1836.«

Ihre glücklichste Inspiration zieht Emily aus der Natur, dem stürmischen Himmel über der Heide, den grauen Herden in den farnigen Tälern, dem Westwind und dem vollen Mond. Oft wandern ihre Gedanken nach einem Bild, das sie vor Augen hat, nach Gondal hinüber. In dem Gedicht A.G.A. vom 6. März 1837 erinnert sich die Königin Augusta Geraldine Almeda an den Tod Lord Elbës, der am Elnor-See in seinem Blute liegt. Aber während Emily in ruhiger, klarer Sprache diesen Abend beschreibt, an dem das goldene Licht die verschneiten Bergspitzen küßt, wird sie seltsam dürr und formelhaft, wenn Elbë der süßen Welt Lebewohl sagt, als habe sie der gute Geist der Eingebung verlassen. Emilys Gondal-Poesie steckt voller Brüche, die an eine Vermeidungsstrategie denken lassen. Oft nutzt sie das Gedankenspiel als schützendes Medium, wenn ihr Engagement im wirklichen Leben gefragt ist. Aus einem Abschied von Anne flüchtet sie sich in eine Stellvertreterwelt und läßt »R. Gleneden« den Verlust erleben. Ihre poetische Originalität wurde von Gondal eher behindert. Metaphern aus zeitgenössi-

schen Schauer-Balladen und die trotzige, melodramatische
Manier, die sie sich von Byron entlieh, schmücken Verse, die
ohne diesen Zierat nur banal klingen. »Was gut ist an Gondal, ist nebensächlich und irrelevant in seinem Zusammenhang«, schreibt Derek Stanford, »während die Teile, die am
überzeugendsten in seine Struktur passen, in der Regel
schlecht sind.« Dennoch gehört Emilys Kunst zu den großen
guten Rätseln der Literatur. Wie konnte sie schreiben, was
sie nie erfahren hatte? Zärtliche und stürmische Liebesge-
dichte – und einen unerhörten Roman voller Leidenschaft
und Gewalt? War sie, wie Muriel Spark es nannte, »eine geborene Zölibatäre«, die Erfüllung in einer mystischen Vereinigung mit dem Absoluten ersehnte? In ihrem äußeren Leben
hat Emily allem Anschein nach nie einen Mann begehrt, noch
suchte sie Freundschaft und Verständnis außerhalb ihrer Familie – und selbst diese Bande wurden schütter in ihren letzten Jahren. Charlotte schrieb: »Aus menschlichen Wesen
machte sie sich nichts; ihre ganze Liebe gehörte den Tieren.«
Emily war empfindsam und warmherzig, aber auch erbarmungslos und starr – und es fehlte ihr die Gabe, sich in andere hineinzudenken –, das Geheimnis jeder Freundschaft.
Konnte sie überhaupt ein Wesen lieben – außer ihrem Hund?

Reichtum achte ich gering,
Und der Liebe lach' ich zum Hohn,
Und Ruhmeslust war nur ein Traum,
Der mit dem Morgen schwand.

Und falls ich bete, wär's nur ein Gebet,
Das meine Lippen bewegte:
Laß mir das Herz, wie es mir zu eigen
Und gib mir Freiheit.

Ja, wenn meine Tage dem Ziel entgegeneilen,
Gibt es nur eines, das ich erflehe:
Im Leben wie im Tod die Seele frei von Ketten
Und Mut, es durchzustehen.

Auch Anne in Roe Head schreibt Gedichte. Ihr erstes, das
überliefert ist, hat ebenfalls Gondal zum Thema. Es sind *Verses by Lady Geralda*, die im Dezember 1836 entstehen, aber ihr
Thema ist autobiographisch: Annes Aufbruch in ein nützliches, aktives Leben:

Aber nun liegt die Welt vor mir,
Warum sollte ich traurig sein.
Ich will meine Tage nicht umsonst verbringen,
Ich will nicht länger verweilen.

Roe Head bedeutet das Sprungbrett in ein aktives Leben,
und obwohl wir von Anne in dieser Zeit nicht viel hören, ist
aus ihrem weiteren Lebensweg abzulesen, daß sie die
Chance nutzte, zu lernen, was Miss Woolers Institut zu bieten hatte. In diesem Dezember erhält sie nicht nur einen
Preis für ihr tadelfreies Betragen, sie war auch, als sie zwei
Jahre später ihre erste Stelle antrat, mit allem ausgestattet,
was eine Gouvernante wissen mußte: Sie spielte Klavier und
sang, sie sprach nicht nur Französisch, sondern auch Latein
und etwas Deutsch, sie zeichnete nach der Natur und konnte
Geschichte, Englisch, Arithmetik und Geographie unterrichten.

Um die Mitte des Jahres 1837 wird Anne krank. Daß »ihr
Leben an einem Faden hing«, wissen wir nicht von Char-

lotte, sondern aus der Erinnerung eines Herrnhuter Pastors
aus Mirfield, des Reverend James La Trobe, den Anne in ihrer Not zu sich rufen läßt. »Sie litt an einem schweren Anfall
von gastrischem Fieber, der sie sehr angegriffen hatte. Ihre
Stimme war nur ein Flüstern«, schrieb der Geistliche, den
Anne vorher nie konsultiert hatte. Es schien, als erhoffte sie
sich von der Auslegung der Herrnhuter einen größeren
Trost, als die Methodisten jemals durch das Medium Tante
Branwell zu spenden bereit waren. Deren Credo hieß Errettung durch gute Werke; die Herrnhuter, die das Vorhanden-
sein von Restsünde auch in den besten und gottgefälligsten
Menschen hinnahmen, setzten auf die Errettung durch den
Glauben. Es war ein Evangelium der Liebe gegen ein Evangelium des Schreckens, und der Reverend La Trobe war offenbar in der Lage, es diesem verzweifelten jungen Mädchen mitzuteilen. »Ihr Herz öffnete sich den tröstlichen Aus-
sichten auf Errettung, Vergebung und Frieden in Christi
Blut.«

Daß Charlotte in Roe Head die Unvereinbarkeit ihrer Gedanken und Gelüste mit Religion und Konvention spürte, ist
verständlich. Was Anne sich vorzuwerfen hatte, ist schon
schwerer zu begreifen. Die Sünde des Stolzes auf eigene Gedanken, auf ein unabhängiges Urteil? Das Aufbegehren eines wachen Intellekts gegen dumpfen Perfektionismus?
Anne überwand die Krise mit Hilfe ihres starken Glaubens
und in der Hoffnung auf einen gnädigeren Gott. Charlotte
umging in Zukunft ihr Gewissen. Gott war für ihre Welt da
draußen zuständig. Die Innenwelt beherrschte der Herzog
von Zamorna, ihr »geistiger König«.

Ich steh' in seiner Schuld, er hielt
Für mich eine brennende Lampe hoch,

deren Strahlen bezwangen die Dunkelheit ringsum
Und zeigten mir Wunder ohne Schatten.

...

Er ist nicht der Tempel sondern der Gott,
Das Abbild in dem Marmorschrein,
Unser großer Traum in seinem weiten Haus
Und lebt für mich dort göttlich fort.

VIII

Königin Victoria besteigt den Thron · Emilys Traumgesichte · Die Schutzgeister bleiben in Verbindung · Tabby auf dem Eis · Kein Zimmer für sich allein · Law Hill

Heathcliff, it's me, Cathy come home
I'm so cold, let me in-a-your window.

Kate Bush
Wuthering Heights

In der Nacht des 20. Juni 1837 stirbt William IV. von England. Seine Nichte Victoria, gerade volljährig geworden, empfängt die Nachricht noch im Morgenmantel. Das Empire hat eine neue Königin. Sie sollte es vierundsechzig Jahre lang regieren und einer Ära des Besitzbürgertums, der aufstrebenden Industrie, des ungebrochenen Kolonialismus und der rigiden Konvention ihren Namen geben. Victoria, die viele Politiker zur Zeit ihres Regierungsanstritts für eine dumme Gans hielten, hatte sehr wache Instinkte, einen hellen Kopf und einen wasserdichten Moralkodex. Sie brachte das Königshaus, das nach dem Treiben ihrer Vorgänger – des umnachteten George III., des Wüstlings George IV. und des grobschlächtigen William IV. – auf dem Tiefpunkt seines Ansehens stand, zu neuer Popularität. Sie verkörperte Stolz und Stabilität eines Weltreichs und zugleich die Starrheit einer Klassengesellschaft, die bestenfalls Erbarmen mit den »niederen Ständen« aufbrachte und Frauen die elementaren Rechte absprach. Erst 1833 wurde die Kinderarbeit in englischen Fabriken und Bergwerken eingeschränkt und die Sklaverei im Empire abgeschafft. Der Kampf der Frauen aber hatte noch nicht einmal begonnen. 1855 schrieb Caroline Norton, die in einem Scheidungsprozeß das Sorgerecht für ihre Kinder, das Erbe ihrer Mutter und die Einkünfte aus ihrer Arbeit an ihren Ex-Ehemann verloren hatte, mit bitterer Ironie an die Königin: »Ich fordere meine Rechte nicht ein. Ich habe keine Rechte, nur Unrechte.«

Victoria, die Matrone der Nation, die ihre Fähigkeit, ein Weltreich zu regieren, niemals in Frage stellte, sprach nur aus, was die Mehrzahl ihrer Untertanen dachte, als sie 1870 für Lady Amberley (die Mutter von Bertrand Russell) »eine ordentliche Tracht Prügel« empfahl, weil die Lady fortschrittliche Ansichten geäußert hatte. »Die verrückte, sündhafte Narretei der Frauenrechte mit all ihren abscheulichen

Begleitumstände« müsse mit aller Kraft eingedämmt werden. Frauen würden zu den »hassenswertesten, herzlosesten
und abstoßendsten Geschöpfen«, wenn man ihnen erlaube,
ihr Geschlecht zu verleugnen. Und nur konsequent folgert
die Queen: »Wo bliebe dann der Schutz, den die Männer
dem schwachen Geschlecht schulden?«

Diese romantische Vorstellung vom schützenswerten, da
offenbar leicht schwachsinnigen weiblichen Geschlecht sollte Charlotte Brontë später im Zusammenprall mit ihren Kri-
tikern zuverlässig ärgern und verletzen. Southeys Rat nahm
sie noch mit Hochachtung zur Kenntnis. »Immer zu beherzi-
gen«, notierte sie auf dem Briefumschlag. Ihr Selbstbewußtsein konnte der Dichter jedoch nicht verkleinern, den
Drang ihres Genies nicht aufhalten.

In einem Tagebuchblatt vom 26. Juni – Branwells Geburtstag – berichtet Emily über die Lage im Pfarrhaus. Die mehr-
fach geknickte Seite zeigt eingerahmt von ihrer Kritzel-
schrift eine Skizze von ihr und Anne am Wohnzimmertisch.
Man erkennt ihre langen Röcke, ihre weiten Keulenärmel
und einen Dutt auf Annes Scheitel. Vor ihnen liegen »die Papiere« verstreut und steht die Blechschachtel, in der sie sonst
verwahrt werden.

»Kurz nach vier Uhr. Charlotte arbeitet in Tantes Zimmer,
Branwell liest ihr *Eugene Aram* vor – Anne und ich schreiben
im Salon. Anne fängt ein Gedicht an. *Schön war der Abend und
strahlend die Sonne* – ich *Augusta Almedas Leben*, erster Band von
der vierten Seite an. Schöner, eher kühler Tag mit dünnen
grauen Wolken aber sonnig. Papa ist ausgegangen, Tabby in
der Küche. Die Herrscherinnen und Herrscher von Gondal
und Gaaldine sind im Begriff, von Gondal nach Gaaldine ab-
zureisen, um sich auf die Krönung vorzubereiten, die am 12.
Juli stattfinden wird. Königin Vittoria bestieg in diesem Monat
den Thron. Northangerland auf Monkeys Insel – Zamorna in

Evesham. Alle gut beieinander, und ich hoffe, daß dies auch
in vier Jahren der Fall sein wird, wenn Charlotte 25 Jahre und
zwei Monate alt sein wird, Branwell gerade 24 an diesem Geburtstag, ich selbst 22, zehn Monate und ein bißchen, Anne
fast 21 einhalb. Ich möchte wohl wissen, wo wir dann sein werden und wie es uns geht und was für ein Tag es sein wird – laßt
uns das beste hoffen. Emily Jane Brontë – Anne Brontë. Ich
nehme an, daß wir in vier Jahren behaglich in diesem Wohnzimmer beisammen sein werden – ich hoffe es jedenfalls.
Anne glaubt, daß wir alle irgendwo hingegangen und zufrieden sein werden. Ich hoffe, daß dies der Fall sein wird
      Tante: Komm, Emily, es ist nach vier Uhr.
      Emily: Ja, Tante – Tante ab.
      Anne: Willst du heute abend schreiben?
      Emily: Was meinst du?
Wir beschlossen, erst spazierenzugehen, um sicher zu sein,
daß wir in die rechte Stimmung kommen und sie vielleicht
behalten.«
      Behagliches Leben im Pfarrhaus, Handarbeit und Lek-
türe, die englische Politik und – angeregt durch die Thron-
besteigung Victorias – eine Krönung in Gondal – sowie die
Aktivitäten im benachbarten Angria gehen in Emilys innerer und äußerer Ökonomie eine glückliche Verbindung ein.
Die Zukunft? Zu Hause oder anderswo – ganz gleich, wenn
sie nur ungestört nach ihren eigenen Regeln leben kann.
Das bedeutet mehr als die Freiheit der Moore und das Gedankenspiel. Auch Emily hat ihren privaten Gott, ihren geistigen König gefunden. Die Traumgesichte, die sie im Anblick des Nachthimmels überkommen, reichen weit über
Gondal hinaus. Abstrakter und unwiderstehlicher noch als
Charlottes Trancen, ist ihre Macht zugleich süßer und strenger; ein Durchbrechen der weltlichen Schranken und eine
Berührung mit dem Absoluten.

Am glücklichsten bin ich, wenn am weitesten fort
Meine Seele ich trag aus ihrer irdischen Hülle,
In windiger Nacht, wenn der Mond mir strahlt
Und das Auge schweift durch Welten des Lichts –

Wenn ich nicht bin und neben mir keiner
Weder Erde noch Meer noch der klare Himmel –
Nur noch der Geist wandert weit
Durch grenzenlose Unermeßlichkeit.

Die Natur dieser Visionen beschreibt sie in einem späteren Gedicht: Der Hauch von Stille – eine lautlose Musik, wenn das
Unsichtbare seine Wahrheit enthüllt – die Seele, die ihre
Schwingen ausbreitet und den letzten Sprung wagt – der Augenblick der Ekstase – und die Agonie der Rückkehr, wenn der
Körper die irdischen Ketten wieder spürt. Emily beschreibt
diese Trancen in der Sprache der Erotik, aber niemals offenbart sie die Botschaft ihres »Gottes der Gesichte«, dem sie –
»Sklave, Kamerad und Tyrann« – ihr Leben verschreibt.

Ich komme, wenn die Trauer am tiefsten
Im dunklen Gemach dich erfüllt,
Wenn die Freudenfeuer des Tages verraucht,
das Lächeln des Frohsinns verbraucht,
Von Abendkühle frostig umhüllt.

Ich komme, wenn die wahren Gedanken
Sich offenbaren, ohne ein Wort,
Und heimlich brech ich die Schranken,
Magst zwischen Leid und Lust du schwanken
Und trag deine Seele fort.

Dies ist die Stunde, hab acht,
Da deine schwere Zeit bricht an;
Spürt deine Seele nicht, wie unvermutet
Fremde Empfindung sie überflutet,
Ahnungen einer stärkeren Macht?
Herolde sind's, sie gehn mir voran.

Nach den Sommerferien fahren Anne und Charlotte auf die
Schule zurück. Branwell beginnt, seine alten Manuskripte
zu überarbeiten und die Vergangenheit seiner Angria-Hel-
den auszuschmücken. Gewiß werden sich die Geschwister in
Abwesenheit ihrer eingespielten Partner mit Geschichten
und Anregungen aus Gondal und Angria unterhalten haben. Emily ist im Sommer 1837 darüber informiert, daß
Northangerland sich im Exil auf Monkeys Insel befindet
und Zamorna die Stadt Evesham belagert. Namen wandern
von einem Traumreich in das andere. Julius heißt sowohl ein
Sohn Zamornas als auch der König von Gaaldine: Adrian,
Alexander, Zenobia und Zorayda tauchen in Angria und in
Gondal auf. Annes Gedicht *Schön war der Abend und strahlend
die Sonne*, das sie unter dem Titel *Alexander und Zenobia* sechs
Tage nach Emilys Notiz vollendet, hat eine ähnliche Konstellation zum Thema, wie Charlotte sie zu dieser Zeit in Angria
ausphantasiert: die Trennung und Wiedervereinigung eines
liebenden Paares. Die Kooperation der Schutzgeister war
mit der Spaltung ihrer Reiche nicht aufgehoben.

Branwell ist später in den schmeichelhaften Verdacht geraten, Autor der *Sturmhöhe* zu sein. Es gab einen Ohrenzeu-
gen, der schwor, er habe ihn bei einem Dichterwettbewerb in
einer Kneipe das erste Kapitel dieses Romans vorlesen hören. Branwell konnte natürlich nichts dergleichen schreiben, dazu fehlte ihm nicht nur das Talent, sondern auch ein

organisiertes Hirn. Aber er hat, wie Emily, Plot und Figuren aus dem Tagtraumreich nach Yorkshire transponiert.

»Auf dem höchsten Rücken des ausgedehnten Weidelandes stand das am weitesten entfernte Haus mit seinen hohen, dunklen Mauern, einem bemoosten Torbogen und einer Gruppe schwarzer Föhren, von denen die höchste und älteste wie der Schutzgeist dieser verlassenen Gegend ihre Äste waagerecht über einen der Giebel streckte. Jenseits des Hauses bildeten lange Mauern eine Linie mit dem Novemberhimmel, und die Pfade, die dort verliefen, führten hinaus auf ein grenzenloses Moor, das einen langen Jagdtag auf Schnepfe und Birkhahn versprach. Kein Vogel flog jedoch in der Nähe des Hauses, außer Hunderten von Hänflingen, die auf einer alten nassen Mauer zwitscherten. Und doch hatte dieses Haus trotz seiner einsamen Lage einen außergewöhnlichen Ruf im ganzen weiten Kirchspiel, und die Hälfte aller Geschichten aus alten Tagen hatten ›Darkwall‹ zum Schauplatz und seine Herren zu Akteuren.«

Mr. Thurston, der Eigentümer, ist mit einer Jagdgesellschaft unterwegs. Einer seiner Gäste hat sich von ihr entfernt und besucht die Herrin von »Darkwall«. Es ist der ränkevolle Alexander Percy. Gerade knallen seine Stiefel über das Pflaster im Hof.

»›Also Mädchen‹, sagte er, ›führt mich so schnell wie möglich zu eurer Lady!‹ Mit diesen Worten trat er an den Kamin, stellte sich mit dem Rücken zum Feuer und legte seinen Hut auf den Tisch. Die Dienstmädchen drängten sich kichernd zusammen im Anblick des berühmten Mannes; und edel genug sah er aus mit seiner hohen, bleichen Stirn, seinem Kopf voll rotbrauner Locken, den sonnenverbrannten Wangen, deren Falten jedoch ein Leben der Ausschweifung verrieten, und der Blick, der unter den Lidern hervorschoß, war eher dazu angetan, die Bewunderung des Betrachters zu dämpfen und so etwas wie Furcht in ihm zu wecken.«

Branwell schrieb diese Eingangssequenz zu seinem geplanten Roman *And the Weary are at Rest* um 1845, als auch Emily an der *Sturmhöhe* arbeitete. Möglicherweise wirkte die Kooperation der Schutzgeister bis in diese konfliktreichen Jahre fort. Doch Branwell hatte bereits 1837 einen 26seitigen Entwurf geschrieben, den er *Percy* nannte, mit einem ähnlichen Thema und Ambiente. Vielleicht war es ein Stück dieses Textes, das der Ohrenzeuge vernommen hatte. Wie Lockwoods Traum im dritten Kapitel spielt auch *Percy* in einer Methodistenkapelle. Die Lage von Thurstons Haus gleicht der der *Sturmhöhe*, und, flüchtig betrachtet, ist Percy, verglichen mit Heathcliff, nur eine schlichtere Art von Finsterling.

Branwell war jedoch nicht nur Percy. Er hatte sich inzwischen ein weiteres Pseudonym zugelegt: Henry Hastings, Soldat und Dichter aus Angria, eine Figur, der weder noble Geburt zu eigen noch der Aufstieg in bessere Kreise gegönnt ist. Hastings verkörpert das verschwendete Talent, den Trotz und die Blasphemie eines Gestrauchelten, der, da nun einmal auf dem Weg zur Hölle, auch rüstig voranschreitet. Branwell hatte trotz des Londoner Fiaskos für sich gewiß noch rosigere Perspektiven, aber etwas von Hastings' heillosem Phlegma und seinem aufbrausenden Temperament, das durch Alkohol noch befeuert wurde, steckte auch in dem Zwanzigjährigen.

»›So geht das nicht weiter‹, dachte ich, als ich nach einer Nacht der Ausschweifung und Trunkenheit heimwärts schwankte. ›Ich bin ein gebrochener Mann, und bei allen guten Geistern, ich geh' mich ertränken: auf die Plätze, fertig…‹«

Hastings stürzt in die Gosse, als die Postkutsche vorbeirattert, aber er kommt rechtzeitig wieder auf die Füße.

»›Zum Tartarus, was?‹ schrie ich, ›verflixt, ich fahre mit!‹ – ›Die Sneachies-Post, Sir‹, rief der Kutscher. ›Die Kutsche zur Hölle‹, brüllte ich, ›hilf mir rauf, he-hopp, und jetzt los, als ob der Leibhaftige uns auf den Fersen wäre!‹ Ich machte es mir im Sitz bequem. Es war mir ganz gleichgültig, wohin wir fuhren, mir genügte die rasche Fahrt, und so brach ich zunächst in grölenden Gesang aus, beschimpfte dann die übrigen Passagiere, versuchte, dem Kutscher die Zügel zu entwinden und fiel schließlich rückwärts aufs Verdeck, wo ich friedlich einschlummerte. So verharrte ich auf den nächsten 200 Meilen.«

Bei jedem Halt betrinkt Hastings sich aufs neue »und wacht erst wieder an einem Wirtshaustisch in geräuschvoller Gesellschaft und mit einem weiteren Dutzend Flaschen auf«.

Es mutet wie ein Scherz an, daß Branwell Mitglied der Temperenzler-Gesellschaft in Haworth ist, der sein Vater vorsteht. Der Reverend, der ständig unter Magenbeschwerden und Verdauungsstörungen leidet und es deshalb vorzieht, allein in seinem Arbeitszimmer zu speisen, läßt sich von einem Arzt schriftlich bestätigen, daß er der Gesundheit wegen ein wenig Wein zu den Mahlzeiten einnehmen dürfe. Er fürchtet zu Recht, daß ohne dieses Attest die bösen Zungen im Dorf nicht mehr stillstünden. Branwell jedoch hält sich nicht an medizinische Dosen. Was sind das für Zustände, die den Reverend in seiner vielbenutzten *Grahams Hausmedizin* handschriftlich Anmerkungen zu dem Kapitel »Rausch« und zu dem Fall eines tobsüchtigen jungen Mannes machen lassen? Ammoniak mit Milch und Wasser – »nur wenig Wirkung, nur kleine Portionen, gut verdünnt, B 1837«. Und zum Thema Alpdruck notiert er an den Rand: »Das Schrecklichste, das eine menschliche Natur quälen kann – eine Unfähigkeit, sich während des Krampfes zu bewegen, furchtbare Visionen von Gespenstern usw.… 1838 B.«

Handelte es sich hier nur um einen gelegentlichen Vollrausch des Sohnes – wie entwürdigend auch immer – oder um etwas Ärgeres, das sich schon in seiner Kindheit angekündigt hatte – Epilepsie z. B., wie Branwells Biographin, Daphne du Maurier glaubt? Aber ob nun Krankheit, Tobsuchtsanfall oder Rausch – Branwell verliert langsam den Boden unter den Füßen. Der Tod seiner Schwestern Maria und Elizabeth – eine verhätschelte Kindheit lang aus dem Bewußtsein geschoben – steht ihm nun wieder vor Augen, und er versucht, sich seine späte Trauer in Gedichten von der Seele zu schreiben. *Marys Gebet*, das er in diesem Sommer für die sterbende Mary Percy in Angria schreibt, klingt wie ein Nachhall auf seine Kinderfrömmigkeit, die zu verhöhnen er sich inzwischen gestattet und die ihn mit all den Schrecken und Gewissensqualen doch nicht aus ihren Krallen läßt.

Marys Gebet wird heute noch in Haworth als Kirchenlied gesungen – eine versöhnliche Geste an Branwell, den verlorenen Sohn, den wilden Blasphemiker – und eine neuerliche, charmante Gotteslästerung, denn Mary wendet sich mitnichten an den himmlischen, sondern an ihren sehr weltlichen Herrn: Zamorna.

> Gedenke mein, und wenn ich sterbe,
> Um gänzlich zu vergehen,
> Dann soll doch in deiner Erinnerung
> Dein Herz mein Himmel sein.

Charlotte und Anne sind inzwischen auf die Schule zurückgekehrt. Miss Wooler hat ihr Institut im Juni in ein anderes Haus bei Dewsbury Moor, wenige Meilen von Roe Head, verlegt: Heald's House, ein ehrwürdiges Gebäude auf elizabethanischen Mauern, aber weniger luftig und freundlich als das georgianische Roe Head. Charlotte wird dort zum »wandelnden Geist« – »nichts als Unterricht, Unterricht, Unterricht« –, und auch für Anne erweisen sich die alten Mauern als unzuträglich. Vor den Weihnachtsferien beginnt sie zu husten, ein hohles Keuchen, und über Seitenschmerzen zu klagen. Charlotte, der diese Symptome nur allzu schmerzlich noch vor Augen stehen, ist alarmiert, aber Miss Wooler hält ihre Sorgen für eine Grille. Damit hat sie allerdings Charlottes Contenance überschätzt. Es bedurfte offenbar nur dieser letzten Kränkung, um ihren Widerwillen und das Schuldgefühl, Anne vernachlässigt zu haben, zum Überlaufen zu bringen.

»Miss Wooler meinte, ich sei eine Närrin, und um ihren Standpunkt klarzumachen, behandelte sie mich mit ausgesuchter Kühle. Eines Abends kam es zu einem erhellenden Gespräch. Ich sagte ihr ein, zwei ziemlich schlichte Wahrheiten, die sie zum Weinen brachten. Am nächsten Tag schrieb sie an Papa, ohne daß ich davon wußte, daß ich ihr bittere Vorwürfe gemacht, sie zur Rede gestellt hätte usw. usw. Papa schickte nach uns am folgenden Tag. Inzwischen stand mein Entschluß fest, Miss Wooler zu kündigen, aber als ich mich zur Abreise fertigmachte, rief sie mich in ihr Zimmer und ließ ihren Gefühlen, die sie sonst viel zu streng für sich behält, freien Lauf. Sie gab mir zu verstehen, daß sie mich trotz ihrer kühlen, abweisenden Art hoch schätzte und sehr traurig wäre, wenn ich ginge. Wenn mich jemand mag, kann ich nicht umhin, denjenigen auch zu mögen, und weil sie sonst sehr freundlich zu mir war, gab ich nach und sagte, ich käme zurück, wenn sie es wünschte. So haben wir uns also arrangiert, aber ich bin nicht zufrieden. Ich hätte sie weit mehr respektiert, wenn sie mich rausgesetzt hätte, anstatt sich zwei

Tage und zwei Nächte lang die Augen auszuweinen. Ich hatte einen rechten Zorn, mein ›hitziges Temperament‹ hat mich überwältigt. Ich will damit nicht angeben, es war Schwäche, aber ich schäme mich auch nicht, denn ich hatte guten Grund, ärgerlich zu sein. Anne geht es jetzt viel besser, doch sie braucht noch immer viel Pflege. Wie auch immer, was sie angeht, bin ich von meinen schlimmsten Befürchtungen erlöst.«

Auch Charlottes Verhältnis zu ihrer Direktorin gerät wieder ins Lot. »Miss Wooler ist wie guter Wein«, sagte sie später,, »mit den Jahren wird sie immer besser.«

Obwohl der Winter in Haworth hart ist und die Moore im Schnee versinken, erholt Anne sich schnell von ihren Beschwerden. Die Wärme, mit der Emily sie empfängt, der Gedanke, endgültig aus Dewsbury Moor erlöst zu sein, werden die Genesung gefördert haben. Gondal blüht, Weihnachten steht vor der Tür, die liebe Miss Nussey wird erwartet, da geschieht ein Unglück.

»Wenn die alten Frauen in roten Wollcapes und klappernden Pantinen über die Straße laufen, wenn die Apotheker mit Gurgeltropfen und Tinkturen und Umschlägen für verstauchte Knöchel, Frostbeulen und erfrorene Nasen herumrennen, wenn du kaum deine Hände und Füße spürst vor lauter Kälte und zitternd am Feuer stehst aus Angst, sonst vom Frost versteinert zu werden – wie nett ist das doch!« schrieb Charlotte einmal in Angria. Und so ist es passiert: Tabby – fast 70 Jahre alt – gleitet in der Dunkelheit auf der vereisten Hauptstraße aus und bricht sich das Bein. Es dauert eine gute Weile, bis man sie findet, und dann ist bis in den frühen Morgen kein Arzt aufzutreiben. Die alte Frau wird ins Pfarrhaus gebracht und dort von den Schwestern gepflegt. Charlotte, die zu ihrem großen Bedauern Ellen wieder ausladen muß, schildert ihr Tabbys »sehr zweifelhaften und gefährlichen Zustand«. Alle sind »über die Maßen unglücklich«, denn Tabby war Kindermädchen, Gefährtin und guter Geist im Haus, seit Charlotte mit neun Jahren aus Cowan Bridge zurückkehrte. Die Kinder haben sie immer wie ein Familienmitglied geliebt. Nun sieht es so aus, als müsse die alte Dienerin ihr Leben außerhalb des Pfarrhauses beschließen. Tante Branwell drängt darauf, daß Tabby, sobald es ihr besser geht, zu ihrer Schwester im Dorf gebracht wird. Ihre Ersparnisse werden ihr über die erste Zeit hinweghelfen, und später – nun, der Reverend wird sich in Anbetracht des langen Dienstverhältnisses erkenntlich zeigen… Der Reverend, dies sei zu seiner Ehre gesagt, muß lange bearbeitet werden, ehe er seine Zustimmung zu diesem Plan gibt.

Beide haben jedoch nicht mit dem zivilen Ungehorsam gerechnet, mit dem Charlotte, Emily und Anne für Tabby Partei ergreifen: Schweigen und Hungerstreik. Das Frühstück geht unberührt zurück, Dinner und Tee desgleichen. Zum erstenmal in der Familiengeschichte stößt die Elterngeneration auf offenen Widerstand. Er ist ebenso staunenerregend wie wirkungsvoll: Tabby bleibt. Noch achtzehn Jahre lang soll sie durchs Haus humpeln, unterstützt von der kleinen Martha Brown, der Tochter des Küsters; am Ende zu blind, um die Kartoffeln säuberlich zu pellen und zu taub, um diskret mit Familiennachrichten betraut zu werden, bleibt sie dennoch mit einigen Monaten Unterbrechung auf dem Posten – und es wird selbst ihrer christlichen Seele eine kleine Genugtuung gewesen sein, daß sie Tante Branwell um dreizehn Jahre überlebte.

Der Streik war also erfolgreich, aber nach den Weihnachtsferien muß Charlotte zurück zu Miss Wooler. Zwar kommt gelegentlich eine Frau fürs »Grobe«, doch die Last der täglichen Hausarbeit ruht allein auf Emilys und Annes Schultern. Dreimal am Tag geht es mit dem Tablett über den

Hof, denn Tabbys Zimmer ist nur über eine Außentreppe zu erreichen. Auch die Aufteilung der übrigen Räume ist für die jungen Frauen von Nachteil. Tante bewohnt im ersten Stock das größte Zimmer vorneraus, daneben liegen Vaters Schlafstube und Branwells Zimmer. Der Reverend hat selbstverständlich sein Büro im Erdgeschoß; Branwell nennt sein Zimmer Studio, denn er hat wieder angefangen zu malen.

Im Pfarrhaus ist heute sogar »Mr. Nicholl's Study« zu besichtigen, die Studierstube von Charlottes späterem Ehemann im umgebauten Torfschuppen. Nur diejenigen, deren Werk alle Aktivitäten in diesen Stuben überlebt hat, verfügen über kein Zimmer für sich allein – es sei denn, man ließe die kleine Kammer gegenüber dem Treppenaufgang, das alte Arbeitszimmer der Kinder, zwei auf drei Meter groß und ohne Kamin, als ihre literarische Werkstatt gelten.

Hier sitzen sie auf ihren Faltbetten, auch im Sommer mit einem Tuch über den Schultern, und auf den Knien die kleinen Kastenpulte aus Rosenholz, die – noch einmal verkleinert zu einer mobilen Form – die Keimzelle des Brontë-schen Schaffens darstellen. In ihren Fächern und unter dem lüpfbaren Deckel horten sie nicht nur Schreibfedern und Siegellack, Manuskripte und Rezensionen, sondern auch Tagebuchblätter und alte Rechnungen, ein Stück Borte, einen polierten Stein und Emily einen Umschlag mit »enigmatic puzzle wafers« – Scherzkekse aus Papier zum Aufkleben mit Sprüchen wie »RUMT Headed Eh? – Are you empty headed eh? – Bist du ganz richtig im Kopf?« Abends nach neun, wenn Papa im Bett und die Bahn frei ist, werden die Pulte ins Wohnzimmer hinuntergetragen, wo ein Feuer glüht und die Petroleumlampe brennt. Die Füße auf dem Kamingitter oder Arm in Arm um den Tisch wandernd, entspinnt sich ein neues Stück Gondal-Saga, erwachen Figuren zum Leben, deren Personalien Emily auf einen Papierstreifen krit-

zelt, nur ein paar Buchstaben, Zahlen und Kürzel als Gedan-
kenstütze: Ronald Stewart, 28, sechs Fuß groß, braune
Haare, graue Augen… Regina, 24, fünf Fuß sieben, dunkel-
braunes Haar, griechische Nase…

Im Juni ist Charlotte dann wieder bei Ihnen. Das Schulleben demprimiert sie so tief, daß ihr ein Arzt dringend zu einem Ortswechsel rät. In Haworth ist ihre Schwermut wie
weggeblasen, zumal Mary und Martha Taylor zu Besuch
kommen, die wesentlich zur guten Laune beitragen. »Sie
machen einen solchen Lärm um mich herum, daß ich nicht
weiterschreiben kann. Mary spielt Klavier, Martha schwatzt
so schnell, wie ihre Zunge laufen kann, und Branwell steht
vor ihr und lacht über ihre Munterkeit.«

Aber die Bürde muß wieder geschultert werden. Im
Herbst geht Charlotte zurück auf die Schule, und Emily
wagt einen zweiten Versuch. »Meine Schwester Emily hat
eine Stellung als Lehrerin an einer großen Schule für beinahe vierzig Schülerinnen in der Nähe von Halifax angenommen. Seit ihrer Abreise habe ich einen Brief von ihr bekommen; er enthält eine schreckliche Beschreibung ihrer
Aufgaben – harte Arbeit von 6 Uhr früh bis beinahe 11 Uhr
abends mit nur einer halbstündigen Erholungspause dazwischen. Das ist Sklaverei. Ich fürchte, sie wird es nicht ertragen.«

Wie lange Emily Miss Patchets Institut für Höhere Töchter auf den Hügeln über Halifax ertragen hat – sechs, zwölf
oder achtzehn Monate –, ist nicht belegt. Es besteht nicht einmal Übereinkunft, was das Jahr ihres Eintretens angeht.
Charlottes Nachricht trägt das Datum 1836, die Briefmarke
den Stempel 1838. Recherchen bei Experten des frühen britischen Postwesens und im Nachlaß ehemaliger Schülerinnen erhärten jedoch das letzte Datum als die Zeit von Charlottes Brief.

Aus erster Hand wissen wir nichts über Law Hill. Immerhin wiederholt sich das Desaster von Roe Head nicht. Emily schreibt vierzehn Gedichte in der Zeit, da sie von zu Hause fort ist. In einigen ist die Rede von »Gefängnismauern«, die sie einschließen, andere aber scheinen auf Spaziergängen entstanden zu sein, was dafür spricht, daß Miss Patchet ihrer Lehrerin ein wenig mehr Freiheit als eine halbe Stunde gönnte. Die Schulleiterin, zu Emilys Eintritt dreiundvierzig Jahre alt, lebt im Andenken ihrer Ehemaligen als umgänglich und pragmatisch fort, eine Frau, die ihren Beruf liebte und darüber hinaus eine flotte Reiterin war – was auf Emily seinen Eindruck nicht verfehlt haben dürfte.

Und noch etwas nimmt sie als Erinnerung mit, das ihr acht Jahre später beim Entwurf einer imaginären Topographie zur Orientierung dient: Aus den Fenstern im ersten Stock schweift der Blick über das offene Heideland und in einiger Entfernung über das alte Haus eines Gutsbesitzers: High Sunderland aus dem 17. Jahrhundert, um 1840 bereits ein wenig heruntergekommen und untervermietet an Bauersfamilien (samt einem Knecht namens Joseph), hat mit seinen Ausmaßen – dem »Haus«, wie die Wohnhalle genannt wird, und der angrenzenden Küche – sowie mit seiner eindrucksvollen Fassade eine bestechende Ähnlichkeit mit Heathcliffs Anwesen, dem wehrhaften Wuthering Heights.

»Die schmalen Fenster sind tief in die Mauern eingelassen, und die Ecken werden von mächtigen, vorspringenden Steinen verteidigt. Bevor ich über die Schwelle trat, blieb ich stehen, um eine größere Anzahl seltsamer Verzierungen zu bewundern, die in der Vorderseite des Hauses, und besonders über dem Haupteingang, in verschwenderischer Manier eingemeißelt waren. Über diesem entdeckte ich, inmitten eines wilden Durcheinanders von zerbröckelnden Greifvögeln und kleinen nackten Kinderfiguren, die Jahreszahl 1500 und den Namen ›Hareton Earnshaw‹.«

High Sunderland wurde 1950 abgebrochen, nachdem es fast gänzlich verfallen war. Zeichnungen und Fotos zeigen über seinen tiefen Fenstern Steinköpfe, ein Wappen und zwei Greife. Über dem Portal befanden sich offenbar eine Sonne (kein Datum) und die Statuen zweier nackter Männer.

Auf der Schule wird Emily auch die Geschichte von Law Hill gehört haben, derer sie sich später in der *Sturmhöhe* bediente. Das Haus, im 18. Jahrhundert erbaut, war das Heim eines Mannes namens Jack Sharp, der – ein Findelkind – seinen wohlhabenden Ziehvater ausgenutzt und dessen leiblichen Sohn verdrängt hatte. Erst der zweiten Generation gelang es, sich von ihm zu befreien. Bei seinem Auszug nahm er mit, was nicht niet- und nagelfest war und erbaute Law Hill unweit des ausgeräuberten Vaterhauses.

Emily liebte die finsteren Geschichten, die der Reverend am Teetisch erzählte, ebenso wie Tabbys Schauermärchen, und legte sie in ihrem Phantasie-Fundus ab. Auch das Heideland um Halifax mit seinen Legenden und romantischen Gemäuern wird darin Einlaß gefunden haben. Wie immer aber sind es nur Indizien, die auf Emilys Denken und Treiben in Law Hill deuten. Sie selbst hat sich über diese Zeit nicht geäußert. Es war eine Schülerin, die sie sagen hörte, das einzige Geschöpf, das sie in Law Hill leiden möge, sei der Hund.

IX Die Kunst des Liebens · Kein Talent zur Gouvernante · Bruder Hastings · Ein Studio in Bradford · »Das Geheimnis der Glückseligkeit« · Willi Weightman · Reise ans Meer · Schwarmgeister und Kanzel-Polterer

Dieselbe Weisheit, die den Löwen lehrt,
im mitternächtlichen Wald umherzustreifen und
die kleinen Vögel, in den Zweigen zu singen,
die die Fische lehrt durchs tiefe
Wasser zu gleiten und den Maulwurf, seinen
Weg in Tiefe zu graben, hat der Frau
ihre Stellung zugewiesen und sie reich,
ja überreich für die
Erfüllung ihrer Pflichten begabt.

Miss M. A. Stockart
*Female Writers, Thoughts on their
proper Sphere and on their
Power of Usefulness*

Die einzige Alternative zu der Aussicht, »in Stellung« zu gehen, war für Frauen der Mittelklasse die Ehe – im 19. Jahrhundert noch ungleich höher geschätzt als heute. Sitzenzu-
bleiben, war nicht nur gesellschaftlich lächerlich, sondern
auch ein schwerer Stand, der die Frau der Willkür ihrer Familie auslieferte; ihren unverheirateten Brüdern, denen sie
wie selbstverständlich als Haushälterin diente, oder den verheirateten, die sie – unwillig oder barmherzig – mit durch-
fütterten.

Charlotte hatte sich ungewöhnlich früh mit ihren Aussich-
ten befaßt. Sie waren nicht glänzend. Seit ihrem zwölften Lebensjahr habe sie sich damit abgefunden, eine alte Jungfer
zu werden, teilt sie Ellen mit. Woher diese Sicherheit? Aus
dem immer präsenten Bewußtsein, »anders« zu sein, nicht
schön genug, nicht biegsam genug? Von der Liebe hatte sie,
wie die meisten Zeitgenossinnen ihres Alters, ungenaue Vorstellungen, die starken Schwankungen unterworfen waren.
Ohne das besondere Gefühl, für den Auserwählten sterben
zu können, wolle sie nicht heiraten, bekannte sie Ellen, riet
dieser aber kaum ein Jahr später zu überaus gedämpften Erwartungen bezüglich der Ehe: »Was heftige Leidenschaft betrifft, bin ich überzeugt, daß sie kein wünschenswertes Gefühl ist. Zum ersten wird sie selten oder nie ihren Lohn finden; und zweitens, wenn dies der Fall sein sollte, wird das Gefühl nicht dauerhaft sein. Es wird während der Flitterwo-
chen andauern und dann Abscheu Platz machen oder
Gleichgültigkeit, die vielleicht noch schlimmer ist als Abscheu. Auf seiten des Mannes wäre dies gewiß der Fall; und
auf seiten der Frau – Gott steh ihr bei, sollte sie mit ihrer leidenschaftlichen Liebe allein gelassen werden. Ich bin ziemlich fest davon überzeugt, daß ich niemals heiraten werde. Das
sagt mir die Vernunft, und ich bin nicht so vollkommen Sklavin des Gefühls, um nicht zuweilen ihren Ruf zu vernehmen.«

Und nochmals warnend an Ellen, die über Aufmerksamkeiten junger Herren nach Haworth berichtet: »Keine junge Dame sollte sich verlieben, bevor der Antrag gemacht, angenommen, die Hochzeit vorüber und das erste halbe Jahr des Ehelebens vergangen ist. Dann kann eine Frau zu lieben beginnen, jedoch mit großer Vorsicht, sehr kühl, sehr bescheiden, sehr vernünftig. Wenn sie jemals so sehr liebt, daß ein rauhes Wort oder ein kalter Blick ins Herz schneidet, ist sie eine Närrin.«

Wer hat Charlotte diese Vorsicht gelehrt, die so ganz im Gegensatz zu ihren Neigungen steht und von keiner Erfahrung geklärt ist? Ellen vertraut sie an, daß Mary Taylor und Branwell ihr zur Anschauung dienten. Der Bruder habe sich in die Freundin verliebt, sei aber, als diese seine langen Blicke zu erwidern begann, erschrocken abgefallen und habe eine beschämte Mary zurückgelassen. Nun verlieben sich ja die unwahrscheinlichsten Menschen ineinander; warum nicht auch die unsentimentale, selbstbewußte Mary in den zutiefst bindungsunfähigen Branwell? Nicht nur Charlotte, auch Emily scheint etwas von seinem stummen Versagen beobachtet und bewahrt zu haben. In der *Sturmhöhe* erzählt Lockwood:

»Während ich bei herrlichem Wetter einen Monat an der See genoß, machte ich die Bekanntschaft eines höchst faszinierenden Geschöpfes, einer wahren Göttin in meinen Augen – solange sie mir keine Beachtung schenkte. Ich habe ihr meine Liebe nicht gestanden, nicht in Worten jedenfalls, aber wenn Blicke sprechen könnten, hätte auch der größte Dummkopf bemerkt, daß ich über beide Ohren verliebt war. Schließlich verstand sie mich und erwiderte meine Blicke. Es waren die süßesten Blicke, die man sich nur vorstellen kann. Und was tat ich? Zu meiner Schande muß ich gestehen: eisig verkroch ich mich wie eine Schnecke in mich selbst und zog

mich bei jedem ihrer Blicke kühler und weiter zurück, bis
schließlich das arme, unschuldige Geschöpf glaubte, an ihren eigenen Sinnen zweifeln zu müssen, und gänzlich verwirrt über ihren vermeintlichen Fehler, ihre Mama zur Abreise bewegte.«

Ob Mary nun den Fehler begangen hatte, sich zu verlieben
oder nicht – Charlotte und Branwell verfügten über ein be-
trächtliches Talent, die Dinge des Lebens zu dramatisieren.
Ein wägender Rück-Blick, ein leichtsinniges Wort von Mary
konnten sich im Bewußtsein dieser beiden leicht zu einer
Leidenschaft angrianischen Ausmaßes steigern, ganz ohne
Zutun ihres Objekts. Doch was immer Charlotte über die
Liebe rät, sie schlägt es in den Wind, als der erste Heiratskan-
didat anklopft: Henry Nussey, der Bruder ihrer Freundin.
Respekt – moderate Zuneigung – eine gute Partie sind plötzlich nicht mehr ausschlaggebend. Sie zögert. Die erste Über-
legung, die sie weich stimmt, ist die Aussicht, dann auch mit
Ellen zusammenleben zu können. Doch das ist wohl kein
Fundament für eine Ehe. Sie schreibt ihm ab: Nicht daß sie
Abneigung gegen eine Verbindung mit ihm fühle, aber er
ahne ja nicht, mit wem er sich verheiraten wolle. Der Charakter seiner Zukünftigen solle anders als der ihre sein, »nicht
zu ausgeprägt, feurig und selbständig sein, ihr Temperament milde, ihre Frömmigkeit ohne Makel, ihre Gemütsart
ausgeglichen und fröhlich und ihre persönlichen Reize ausreichend, um Ihren Augen zu gefallen und Ihren gerechten
Stolz zufriedenzustellen«.

Ellen bekennt sie, daß sie eine freundliche Neigung zu
Henry hege, da er ein liebenswürdiger und ausgeglichener
Mann sei, daß dieses bißchen Gefühl ihr für eine Ehe jedoch
ungenügend erscheine. Und darüber hinaus: »Er würde
mich für eine wilde Schwärmerin halten. Ich könnte nicht
den ganzen Tag mit ernstem Gesicht neben meinem Mann

sitzen. Ich würde lachen und spotten und alles sagen, was
mir so durch den Kopf geht... Zehn zu eins, daß ich niemals
wieder eine Chance bekomme, aber n'importe.« Im nachhinein kann man Charlotte zu ihrem Instinkt nur beglück-
wünschen, denn der Pastor Henry Nussey war weder ein liebenswürdiger noch ein liebesfähiger Mann, sondern ein
schlechtgelaunter, bigotter Langweiler, für den Charlotte
nur auf Platz zwei der möglichen Ehekandidatinnen stand
(was sie natürlich nicht wußte). Als er sich ein halbes Jahr
nach ihrer Absage mit Wahl Nummer drei verlobt, beglückwünscht sie ihn ohne Ironie, daß er ein fügsames Geschöpf
gefunden habe.

Die nächste Chance kommt unerwartet schnell, aber Charlotte lehnt den Kavalier, der gerade ihren Intellekt und ihren
regsamen Spott bewundert, lachend und rundheraus ab. Es
handelt sich um den Kuraten Bryce, einen jungen Mann,
den es kürzlich von der Universität in Dublin nach Yorkshire
verschlagen hat und der eines Tages mit einem Kollegen des
Reverend zum Tee nach Haworth kommt. »Er fühlte sich
nach Art der Iren gleich zu Hause, war witzig, lebhaft, feurig, klug – aber ohne die Würde und Gediegenheit eines
Engländers.« Charlotte genießt den Schlagabtausch, zieht
sich aber pikiert zurück, als er beginnt, ihr Gespräch mit allerlei keltischem Dummschmus und Komplimenten zu wür-
zen. Ein paar Tage später hält er brieflich um ihre Hand an.
»Das ist ein Abenteuer, das man mir kaum zutraut«, wundert
sie sich. »Ich bin gewiß dazu verdammt, eine alte Jungfer zu
sein. Das ist mir gleich.«

Der Kurat Bryce stirbt ein halbes Jahr später, und Charlotte nimmt die Nachricht schockiert und traurig zur Kenntnis – dommage.

Es bleibt also wieder nichts anderes übrig, als sich nach einer Stelle umzusehen. Anne war mit entschlossenem Bei-

spiel im April vorausgegangen. Die jüngste Brontë, neun-
zehn Jahre alt, das »arme Kind«, zu dem die Familie das geringste Zutrauen hatte – ihre Gesundheit war delikat und sie
stotterte, wenn in Bedrängnis –, faßte ihren Entschluß alleine und fuhr auf eigenen Wunsch auch alleine zu ihrem
Arbeitgeber, der Familie Ingham auf Blake Hall bei Mirfield
zwischen Dewsbury und Huddersfield. Ihr Jahresgehalt beträgt spärliche 25 Pfund. Dafür soll sie einen sechsjährigen
Jungen und ein fünfjähriges Mädchen unterrichten. In ihrem Roman *Agnes Grey*, der auf Annes Erfahrungen als Gouvernante fußt, beschreibt sie den Auszug einer Jüngsten,
ihre hohen Erwartungen an Nutzen, Frommen und Erfüllung des Lehrerberufes und spiegelt im Bild der behüteten
Agnes und der lieben Greys unverblümt ihre eigene Familie.

»›Ich habe einen anderen Plan, Mama… ich möchte gerne
Gouvernante werden.‹ Meine Mutter stieß einen Schrei der
Überraschung aus und lachte. Meine Schwester ließ vor Ver-
wunderung ihre Arbeit in den Schoß sinken und rief: ›*Du*
eine Gouvernante, Agnes! Wie kannst du nur davon träumen!‹ ›Nun! ich sehe darin nichts so sehr Außergewöhnli-
ches. Ich behaupte nicht, ich könne große Mädchen erzie-
hen, aber sicher könnte ich kleine unterrichten – und ich
täte es so gern –, ich mag Kinder so sehr. Erlaube es mir,
Mama!‹ ›Aber mein Liebes, du hast noch nicht einmal gelernt, auf dich selbst aufzupassen…‹ ›Aber Mama, ich bin
über achtzehn und kann ganz gut auf mich selbst aufpassen
und auf andere auch. Du kennst nicht die Hälfte der Klugheit und Vernunft, die ich besitze, weil ich nie auf die Probe
gestellt worden bin.‹ ›Überleg doch nur‹, sagte Mary, ›was
würdest du in einem Haus voll Fremder tun ohne mich oder
Mama, die für dich sprechen und handeln; – mit einem Haufen Kinder, für die du, außer für dich selbst, sorgen müßtest,
und keiner, an den du dich um Rat wenden könntest. Du

wüßtest nicht einmal, welche Kleider du anziehen solltest.‹«
Agnes wie Anne setzt sich schließlich durch, aber ihre Blü-
tenträume von der Wonne, kleine Kinder zu unterrichten,
welken schnell. Anne teilt sich Charlotte mit, und die wiederum informiert Ellen, bei den kleinen Inghams handele
es sich um zwei »moderne Kinder«, und darüber hinaus um
»hoffnungslose kleine Dummköpfe. Keins von ihnen kann
lesen, und manchmal beherrschen sie nicht einmal ihr Al-
phabet. Das schlimmste ist, daß die kleinen Äffchen un-
glaublich verwöhnt sind und es ihr nicht erlaubt ist, Strafen
über sie zu verhängen. Sie soll, wenn sie sich nicht beneh-
men, ihre Mama informieren, aber das steht völlig außer
Frage, denn sonst müßte sie dort von morgens bis abends Be-
schwerde führen. Also schilt sie, redet ihnen gut zu und
droht, besteht immer auf ihrem ersten Wort und setzt sich
durch, so gut sie kann.«

Ob die Kinder des englischen Landadels verwöhnte
kleine Monster waren oder ob die Erziehungsmethoden dieser ernsten jungen Frauen einfach scheitern mußten, läßt
sich aus der zeitlichen Entfernung nicht mehr mit Sicherheit
klären. Gewiß ist, daß keine der Schwestern Brontë Talent
zur Gouvernante hatte. Sie wollten schreiben, nicht unterrichten, und sie sahen ihre schöpferischen Energien in
fruchtlosen Kämpfen aufgezehrt. Sie, die als Kinder »so ruhige, brave kleine Wesen« waren, deren lauteste Spiele Diskussionen um die Vorzüglichkeit von Wellington und Bonaparte waren, fühlten sich außerstande, mit durchschnittli-
chen Gören einträchtig zu leben. Es steht zu vermuten, daß
sie »die hoffnungslosen kleinen Dummköpfe« ihre Abneigung schmecken ließen. Die Chancen für eine entspannte Beziehung standen also von vornherein schlecht. Was wir über
das viktorianische Erziehungsideal wissen – daß die Spröß-
linge zwar zu sehen, nicht aber zu hören sein dürften –,

steht darüber hinaus im Gegensatz zu den Erfahrungen der Brontës. Aus Überzeugung oder Gleichgültigkeit überließen »moderne Eltern« ihre Nachkommen dem freien Spiel der eigenen Triebe. Und während Mädchen so weit gezähmt wurden, daß sie eitel und ehrgeizig nach einer guten Partie strebten, wurden Dummheit und Grausamkeit bei kleinen Jungen als männlich und schneidig noch gefördert. Die Episode, die Anne in *Agnes Grey* von dem kleinen Tom erzählt, der Leimruten für die Vögel auslegt, ist gewiß »nach dem Leben« geschrieben. »›Und was machst du mit ihnen, wenn du sie gefangen hast?‹ ›Dies und jenes. Manchmal gebe ich sie der Katze; manchmal schneide ich sie mit dem Taschenmesser in Stücke; aber den nächsten beabsichtige ich bei lebendigem Leibe zu braten.‹«

Agnes läßt schließlich einen schweren Stein auf ein Vogelnest mit junger Brut fallen, das der Onkel dem Jungen geschenkt hat. »Laute Entrüstungsschreie, schreckliche Verwünschungen folgten diesem dreisten Frevel; gerade da kam Onkel Robson mit seiner Flinte den Weg herauf und hielt inne, um seinen Hund zu treten, und Tom flog ihm entgegen und schwor, er werde ihn dazu bringen, daß er mir anstatt Juno einen Tritt versetzen würde. Mr. Robson stützte sich auf seine Flinte und lachte unmäßig über die heftige Wut seines Neffen… ›Nun, du bist in Ordnung!‹ rief er schließlich, nahm seine Waffe und ging weiter zum Haus. ›Donnerwetter, der Bursche hat aber auch wirklich Mumm in den Knochen! Verflucht will ich sein, wenn ich je einen vortrefflicheren kleinen Schurken sah. Er ist dem Weiberregiment schon entwachsen; bei Gott! Er bietet Mutter, Oma, Gouvernante und allen die Stirn! Ha, ha, ha! Laß es dich nicht verdrießen, Tom, ich will dir morgen eine neue Brut verschaffen.‹ ›Wenn Sie das tun, Mr. Robson, werde ich auch diese töten‹, sagte ich. ›Hm!‹ erwiderte er, nachdem er mich mit einem langen Blick beehrt hatte – dem ich, entgegen seinen Erwartungen, ohne mit der Wimper zu zucken standhielt –, wandte er sich mit der Miene tiefster Verachtung ab und stolzierte ins Haus.« Auch Toms Mutter tadelt die Gouvernante, »daß Sie den lieben Jungen wegen einer bloßen Laune in solches Elend versetzen«.

Anne, für die als Kind ein verweigerter Gute-Nacht-Kuß die schlimmste Strafe war, die Tiere liebte und alles, was nicht mehr kreuchen und fleuchen konnte, zur Pflege mit nach Hause brachte, ist der »heftigen Wut« schutzlos ausgeliefert. In *Agnes Grey* räumen die Kinder das Pult der Gouvernante aus und spucken in ihre Handtasche, werfen den Inhalt des ersten aus dem Fenster und der zweiten ins Feuer. Bittend und tadelnd folgt sie ihnen in den Park, wo sie zu den schmutzigsten Plätzen vorausrennen und mit Stöcken im Wasserbecken rühren wollen.

Dieser Roman, der mit so vielen bitteren Erinnerungen und als Mahnung an Eltern geschrieben wurde, daß eine nicht vorhandene Erziehung herzlose und unglückliche Erwachsene hervorbringe, liest sich heute zu Teilen wie das tragikomische Scheitern einer schönen, aber unduldsamen Seele vor dem kindlichen Drang zu Schmutz und Trotz. In ihrer Ratlosigkeit bindet Anne die beiden Rabauken am Tischbein fest. Nach acht Monaten ist sie ihre Stellung los.

Auch Charlotte bleibt nicht länger als zehn Wochen auf ihrem ersten Posten bei den Sidgwicks auf Stonegappe in der Nähe von Skipton, einer reichen Tuchhändler-Familie. Auch sie wird nicht nur das Opfer infernalischer Gören und bornierter Eltern; sie sieht sich auch in einer gesellschaftlichen Situation verschlissen, die sie mit allen viktorianischen Gouvernanten teilt: Sie waren traditionellerweise Damen und vermittelten Formen und Normen, die von einer aufstrebenden Klasse von Land- und Fabrikbesitzern als einengend,

aber dennoch zum notwendigen guten Ton gehörend, empfunden wurden. Von den Eltern weder geschätzt noch autorisiert, von den Kindern provoziert, befanden sie sich zwischen allen Stühlen. Obwohl sie genauso schlecht wie eine
Zofe bezahlt wurden, gehörten sie nicht zum Personal (und
wurden von ihm entsprechend widerwillig bedient), noch
waren sie ein Mitglied der Familie.

»›Theodor, weißt du noch, was wir für einen Mordsspaß
hatten?‹« fragt die elegante Blanche Ingram ihren Bruder in
Jane Eyre, »»wenn wir Madame Joubert zum äußersten trie-
ben? Wenn wir unseren Tee vergossen, unsere Butterbrote
zerkrümelten, unsere Bücher bis an die Zimmerdecke
schleuderten, mit dem Lineal auf das Pult trommelten, mit
dem Schüreisen auf das Kamingitter schlugen?‹« Und ihre
Mutter fügt hinzu: »›Ach Liebstes, sprich mir bloß nicht von
Erzieherinnen. Schon die Erwähnung geht mir auf die Nerven. Ich habe wahre Qualen unter ihrer Unfähigkeit und ihren blöden Launen gelitten.‹«

Charlotte, die sich Anregung davon versprochen hatte, in
»besseren Kreisen« zu verkehren, fühlt sich bei den Sidgwicks umgehend fehl am Platze. »Haus und Park sind göttlich«, schreibt sie an Emily, aber sie habe keinen Augenblick
und keinen Gedanken frei, sie zu genießen. »Die Kinder
sind ständig um mich herum, und so aufsässige, verstockte,
widerspenstige Bengel hat es noch keine gegeben.« Darüber
hinaus versuche Mrs. Sidgwick so viel Arbeit wie möglich aus
ihr herauszuschinden und überschwemme sie mit einem
Meer von Handarbeiten. »Batist ist meterlang zu säumen,
Musselin-Nachthauben sind zu nähen und Puppen zu be-
kleiden… Ich sehe nun klarer denn je, daß eine Gouvernante kein Eigenleben hat, daß sie nicht als atmendes, denkendes Wesen betrachtet wird außer im Zusammenhang mit
den öden Pflichten, die sie zu erfüllen hat.«

Der Knabe Sidgwick, den sie zu beaufsichtigen hat, folgt seinem großen Bruder eines Tages zu den Pferdeställen, ein Terrain, auf dem er nichts zu suchen hat. Die Gouvernante, die sie von dort wegzulocken versucht, wird von ihnen mit Steinen beworfen. Ein Geschoß verletzt Miss Brontë an der Schläfe und bringt die beiden zur Vernunft. Die Tatsache, daß sie nicht »petzt«, sondern auf eine entsprechende Frage von Mrs. Sidgwick antwortet, »ein Unfall, Madame«, macht ihr die Kinder gewogen. Klein Sidgwick legt bei Tisch seine Hand in die ihre und sagt: »I love 'ou, Miss Brontë«, worauf die Mutter vor der versammelten Familie ausruft: »Die Gouvernante lieben – Kind!«

Zwei solche Gemüter konnten wohl kaum miteinander auskommen. Beschämt gesteht Charlotte, daß Mrs. Sidgwick sie »wie eine Närrin« zum Weinen gebracht habe. Sie, die ihr Bestes versuche, werde wie ein Dienstbote gescholten, weil sie mit einem langen Gesicht herumlaufe und die Kinder nicht amüsiere. Aus den Annalen der Tuchmacher-Familie geht wiederum hervor, daß man die erzieherischen Talente der Gouvernante B. als enttäuschend empfunden habe. »Sie war die ganze Zeit in sehr labilem Gemütszustand. Mein Vetter Benson Sidgwick, heute Vikar in Ashby Parva, warf tatsächlich einmal eine Bibel nach Miss Brontë. Das einzige, woran mein Vetter sich im Zusammenhang mit ihr erinnert, ist, daß sie, wenn man sie einlud, mit zur Kirche zu gehen, glaubte, man wolle sie wie ein Dienstmädchen herumkommandieren. Wenn man sie jedoch nicht einlud, bildete sie sich ein, vom Kreis der Familie ausgeschlossen zu sein.«

Man trennt sich zur gegenseitigen Erleichterung im Juli 1839. Charlotte: »In meinem ganzen Leben war ich noch nicht so froh, aus einem Haus herauszukommen.« In Haworth entdeckt sie ihr Talent zum Herdputzen, Staubwischen, Bettenmachen und Fegen. Am liebsten würde sie, so

scherzt sie in einem Brief an Ellen, als Küchenmädchen arbeiten oder in einer Fabrik; als sei eine 16-Stunden-Plackerei
geistiger Freiheit zuträglicher als die Verpflichtungen einer
Gesellschafterin oder Gouvernante und der halbherzige Verkehr mit besseren Herrschaften.

Es wird an ihrem Einblick ins wirkliche Leben liegen, daß
die Geschichten, die sie nun aus Angria schreibt, von Menschen statt von typisierten Finsterlingen handeln. Afrikas
brennendes Klima ist auf englisches Maß temperiert, Leidenschaft, Ehrgeiz, gekränkter Stolz und eitle Betriebsamkeit tragen wiedererkennbare Züge. In einer ihrer »Novelettes«, die sie ohne Titel gelassen hat und die nach einer
Hauptfigur *Captain Henry Hastings* genannt wird, behandelt
sie das Verhältnis eines Geschwisterpaares, aus dem wir vorsichtig auf ihre Beziehung zu Branwell schließen können.
Noch heißt der Autor Charles Townsend, noch spielt die Geschichte in Angria, aber das Wetter ist Yorkshire, die familiäre Situation Brontë, und die Heldin, Elizabeth Hastings,
spricht und handelt wie eine literarische Vorfahrin von Charlottes späteren Frauenfiguren Jane Eyre und Lucy Snowe.
Auch Elizabeth, unscheinbar und gescheit, reserviert, aber
nicht ohne Schneid, gelingt der Aufstieg vom Aschenbrödel
zur selbständigen Erzieherin. Schließlich ist sie »so erfolgreich, wie es sich eine kleine Frau, die fünf Fuß groß und
noch nicht zwanzig Jahre alt ist, nur wünschen kann… Sie
schwirrte so lebhaft durch die Welt wie eine Biene. Kein
Zweifel also, daß sie glücklich war… Doch dieses anspruchsvolle, stolze Geschöpf glaubte, daß es noch immer nicht auf
einen einzigen Menschen gestoßen war, der ihr geistig ebenbürtig und darum ihrer Liebe wert war.«

Elizabeth erregt das Interesse von Sir William Percy, dem
sie freilich nur eine »kleine private Marotte« darstellt. Sie gesteht ihm freimütig ihre Liebe, stößt ihn aber zurück, als der

Edelmann ihr nicht seine Hand, sondern den fragwürdigen Stand einer Mätresse anbietet. »Männer sind verdammte Tiere«, sagt der entzauberte Zamorna in derselben Geschichte. Charlottes Fazit für Elizabeth, für Jane, für Shirley und Lucy lautet: Nur Frauen, die auf ihrer persönlichen Integrität bestehen, sind gegen ihre Demütigungen gefeit.

Parallel zu Elizabeths sich anbahnender Romanze steht die Jagd auf ihren Bruder Henry Hastings, Heißsporn und Poet aus Angria, ein Deserteur, Mörder und Verräter, den sie loyal zu decken versucht. »Seine Schwester dachte trotz all seiner Schande nicht einen Deut schlechter von ihrem Bruder. In den Augen seiner Angehörigen ist es persönliche Gemeinheit, nicht öffentliche Schande, die einen Mann erniedrigt. Miss Hastings hörte, wie ihn jedermann verfluchte, sah ihn in jeder Zeitung gebrandmarkt; trotz allem war er für sie derselbe Bruder, der er immer gewesen war... Als er fortging, hatte sie die jubelnde Hoffnung (die sie ungeteilt genießen konnte, weil niemand sonst sie hegte), daß seine zukünftigen Taten die Verleumdungen seiner Feinde auf überzeugende Weise vergessen machen würden. Doch im Grund wußte sie, daß er ein Erzschurke war.«

Als Charlotte *Captain Henry Hastings* schrieb, war Branwell noch nicht wieder von seinem letzten Ausflug in die Welt zurück. Im Mai 1838 hatte ihm sein Vater ein Studio in Bradford finanziert. Die Porträtmalerei, in der vor-fotografischen Zeit eine Einnahmequelle selbst für unbegabtere Künstler, als Branwell es war, sollte nun doch mit Ernst verfolgt werden. Bradford als Industrie-Metropole mit einer aufstrebenden Mittelschicht schien ausreichend Kundschaft zu bieten. Doch Branwell gelang es nicht, sich zu etablieren. Er malte seine Wirtsleute, das Ehepaar Kirby und deren Nichte, sowie seinen Paten William Morgan, der einen Zuschuß zu dem Unternehmen gegeben hatte und Branwell

nun aus Gefälligkeit saß. Dann wurden die Aufträge spär-
lich. Der junge Künstler, der an den Wochenenden die acht
Meilen nach Hause lief, hatte an seinen Werktagen genügend Muße, sich mit einem Kreis von Möchtegern-Bohe-
miens zu treffen und die Runde durch die Ateliers der Kollegen zu machen. Dabei traf er den Maler J. H. Thompson,
der Charlotte später aus der Erinnerung porträtierte, und
den Bildhauer Joseph Bentley Leyland wieder, der auf dem
Höhepunkt seiner Karriere stand. (Er starb wenige Jahre
später im Alter von neununddreißig Jahren im Schuldge-
fängnis. Seine Skulpturen, für die er immer billigeres und
schlechteres Material verwenden mußte, sind heute, bis auf
eine Statue in der Kathedrale von York, sämtlich zerbröselt.)

Vielleicht war es in dieser Gesellschaft, daß Branwell, der
in Bradford in Wirtshausschulden geraten war, sich das
Opiumtrinken angewöhnte. »Freund Whisky« war teuer,
sein Rausch unbekömmlich, die Folgen nicht zu verbergen.
Opiumtinktur – Laudanum liquidum – gab es jedoch in
Penny-Portionen beim Drogisten zu kaufen. Es hieß, sie
stärke den Geist und beuge der Schwindsucht vor. Ihre wundervolle Euphorie dauerte Stunden an.

1822 hatte Thomas de Quincey seine *Bekenntnisse eines englischen Opiumessers* veröffentlicht, und was für viele Künstler
seiner Zeit stimulierend war, sollte wohl auch Branwell
Brontë bekömmlich sein. Laudanum war nicht nur eine
Mode-Droge, sondern auch eine wohlfeile Universal-Medi-
zin. Man nahm sie so leichtherzig wie heute Aspirin und
flößte sie selbst kleinen Kindern ein (»Mutter Baileys Beru-
higungs-Sirup«). Walter Scott schluckte sie gegen Magen-
krämpfe, als er *Die Braut von Lammermoor* schrieb, und sollte
sich später an keine der Passagen mehr erinnern, die unter
dem Einfluß der Droge entstanden waren. Auch im Pfarrhaushalt griff man zur blauen Phiole. Charlotte, die selten

etwas Stärkeres als Tee zu sich nahm, brauchte öfters eine Medizin gegen Kopf- und Zahnschmerzen. Die Präsenz ihrer Angria-Gestalten, die sie einst im Schlafsaal von Roe Head umstanden, spricht nicht nur für die Kraft ihrer Imagination, sondern auch für ein, zwei Teelöffel zehnprozentiger Opiumtinktur.

Byron nahm gelegentlich Laudanum, Shelley, Keats und Barrett-Browning waren abhängig davon. Auch de Quincey konnte sich trotz wiederholter Anstrengungen nicht von der zerstörerischen Sucht befreien. In seinen Schriften pries er »den furchtbaren Mittler unausdenklicher Wonne und Qual«. Wenn 8000 Tropfen täglich »das Geheimnis der Glückseligkeit« für ihn bargen, dann sollten Branwell kleinere Fluchten aus diesem Jammertal gewiß erlaubt sein. Der Genuß von Wein sei wie eine Flamme, schrieb de Quincey, der von Opium wie ein ständiges, gleichmäßiges Glühen. Welche Verlockung, die Tür jederzeit aufstoßen zu können, dem gequälten Gewissen Frieden zu schenken und den Traum von der intellektuellen Allmacht zu träumen! Coleridge nannte den Rausch einen »Ort der Verzauberung«, und de Quincey schwärmte: »O, gerechtes, unendlich zartes, machtvolles Opium, das du den Herzen der Armen und der Reichen ohne Unterschied für die Wunden, die nie verheilen, für die ›Qualen, die den Geist zum Aufruhr treiben‹, lindernden Balsam bringst! Sprachgewaltiges Opium, das du mit deiner Rede Kraft die Pläne des Zorns entführst und dem Schuldigen für eine Nacht die Hoffnungen seiner Jugend zurückgibst… Aus den Tiefen der Dunkelheit, aus dem phantastischen Bildstoff der Gehirne führst du Städte und Tempel auf, schöner als die Werke des Phidias und Praxiteles, herrlicher als die Pracht von Babylon… und aus der ›Anarchie des Traumschlafs‹ rufst du die Gesichter längst begrabener Schönheiten und die Züge der Seligen, die einst das

Haus bewohnt, gereinigt von der ›Schmach der Gruft‹ herauf ins Sonnenlicht.«

Dies war wie ein nicht enden wollender Angria-Traum, eine erwärmende Euphorie, die das beste in ihm noch einmal zur Entfaltung drängen will. Leylands Kunst blüht, andere sehen sich gedruckt. Branwell, der nur ein paar Gedichte beim *Leed's Mercury* unterbringt und sonst vor seinen unvollendeten Leinwänden sitzt, kann sich nach ein, zwei Unzen Laudanum immer noch einbilden, Northangerland zu sein, der Dandy mit den arroganten Augenbrauen, wie ihn Freund Leyland nach seinem Abbild skizziert. Er ist einundzwanzig, und die Welt wird noch von ihm hören!

Im Mai 1839 aber ordert ihn sein Vater nach Haworth zurück und begleicht seufzend seine Schulden. Branwells Stern in der Familie beginnt zu sinken. Da erwächst ihm unverhofft ein Freund in der Gestalt des neuen Kuraten seines Vaters. William Weightman, fünfundzwanzig Jahre alt, ist die einzige erfreuliche Erscheinung in der langen Reihe seiner Spezies, die der alternde Reverend zu seiner Hilfe engagiert. Alles in allem hatte Mr. Brontë wenig Glück mit seinen Assistenten. Er wünschte keine Schwarmgeister, und schon gar nicht solche, die von seiner Kanzel die ewige Verdammnis predigten, und geriet doch, wenn man Charlottes Karikaturen in *Shirley* halbwegs Glauben schenken darf, immer wieder an eitle Hohlköpfe, lärmende Eiferer – und am Ende seiner Laufbahn an einen irischen Landsmann, in dessen »physischer und geistiger Ökonomie« ein Quäker, der in der Kirche den Hut aufbehielt, »wundersame Verheerungen anrichten konnte«. Dies war Arthur Bell Nicholls, sein Schwiegersohn.

William Weightman jedoch ist hübsch, blond gelockt, charmant und ein vorzüglicher Theologe; er ist gütig, intelligent, voll guter Lebensgeister und darüber hinaus ein Filou,

dem sich das Kirchspiel »als ein fruchtbares Feld der Eroberung zu Füßen« wirft. Er ist, in Kürze, eine enorme Bereicherung des Pfarrhaushaltes. Mit ihm zieht eine Leichtherzigkeit ein, an der es in den letzten Jahren doch deutlich geman-
gelt hat. Der Reverend schätzt seinen guten Kopf, Charlotte
steht nicht zurück, ein wenig mit ihm zu kokettieren, Branwell teilt mit ihm die Freude an Jagdausflügen aufs Moor
und gelehrten Diskussionen, Emily betrachtet ihn mit ihrem
grimmen Humor. Sie wird von ihm »der Major« genannt,
weil sie bei einem Spaziergang Ellen Nussey vor seinen Flott-
heiten beschirmt. Sogar die Tante läßt sich – in Grenzen –
von dem jungen Mann aufziehen, und Anne verliebt sich in
ihn mit der bangen Gewißheit, daß sie nicht die einzige Be-
werberin um sein Herz ist. Denn Willi Weightman, von dem
ihre Schwester später ein wenig pikiert sagte »er hätte nicht
Pfarrer werden sollen, ganz bestimmt nicht«, verehrt viele
und rasch wechselnde Damen.

Charlotte, die wie üblich nicht bemerkt, was in Anne vor-
geht, tauscht derweil mit Ellen anspielungsreiche Briefe.
Jede der Freundinnen verdächtigt die andere, in der Person
von Mr. Weightman mit dem Feuer zu spielen. Ellen sieht
schon Cupidos Pfeile fliegen, Charlotte trägt sich mit dem
Gedanken, die beiden zu verkuppeln. »Er wäre gesetzter,
wenn er gut verheiratet wäre. Du könntest diesen Einfluß
auf ihn haben – keine andere.« Sie selbst dementiert heftig
jede zarte Neigung: »Unfug – grundloses Geschwätz«, aber
der Ton ihrer Briefe verrät zumindest das Vergnügen, das sie
an der Anwesenheit dieses Trabanten empfindet.

Er lädt die jungen Frauen zu einem seiner Vorträge nach
Keighley ein, und weder das winterliche Wetter – immerhin
muß man vier Meilen mit Laternen über das Moor zurück-
laufen – noch die späte Stunde (12 Uhr!), noch die fassungs-
lose Tante, die nicht damit rechnet, daß ihr Willi Weightman

um Mitternacht mit Kaffeedurst ins Wohnzimmer schneit,
können die gute Laune der kleinen Gesellschaft trüben.

Seine rosigen Wangen und blonden Locken verhelfen
Weightman zu dem Spitznamen Miss Celia Amelia, und
Charlotte schreibt, als wiege sie diese Androgynität in größerer Sicherheit im Umgang mit ihm, in der Regel von »ihr«.
Sie malt sein Porträt und lacht über die Eitelkeit, mit der er
die Falten seines besten geistlichen Gewandes ordnet. Sie
leiht ihm ein Ohr – »wenn es ihm gut geht und er dick und
fröhlich ist, denke ich nie an ihn, aber wenn ihn etwas
schmerzt, fühle ich mit ihm« – und scheint nicht zu bemerken, daß sie auch in der Rolle der Beraterin in Liebesdingen
nicht gegen seinen Charme gefeit ist. Und Mr. Weightman
muß eine schöne Menge davon besessen haben. Als er erfährt, daß keine der Schwestern je einen Gruß zum St.-Va-
lentins-Tag erhalten hat, wandert er zehn Meilen aus dem
Gesichtskreis des Reverend zu einem entfernten Postamt,
um von dort seine gereimten Komplimente an Charlotte,
Emily, Anne und Ellen zu schicken: »Göttliche Seele«…
»Hinweg, närrische Liebe«… »Schöne Ellen, schöne Ellen«.
Seine Post schlägt wie eine Bombe ein und ruft verstärktes
Korrespondenz-Gegacker zwischen Charlotte und Ellen
und der neugierig erwachten Mary hervor.

Dabei übersieht die ältere Schwester ganz offenbar, was
sich vor ihren Augen abspielt: »In der Kirche sitzt er Anne
gegenüber, seufzt leise und schaut sie aus den Augenwinkeln
an, um ihre Aufmerksamkeit zu erregen; und Anne ist so
still, ihr Blick so niedergeschlagen. Die beiden sind ein
Bild!« Ob ihre Blicke sich schließlich trafen, ob Anne und
Willi Weightman sich in den drei Jahren, die er noch zu leben hatte, einander erklärten, werden wir nie wissen. Es gibt
keine Briefe, keine Zeugen und keine gemeinsame Zukunft.
Es gibt nur Annes Gedichte an einen jungen Mann mit son-

nigem Lächeln und weichem Herzen. Aber selbst wenn es Versprechungen gegeben haben sollte, weiß Anne, daß »unser Liebling« ihr nicht alleine gehört. Ihr Gedicht *Glückwunsch an mich selbst* verrät, wie sorgsam Anne ihre Liebe für sich behielt, wie verschlossen sie auch ihren Schwestern gegenüber war, und wie einsam.

…

Doch Gott sei Dank, du schaust in mein Gesicht
Für Stunden – und siehst doch nicht,
Was meine Seele heimlich fühlt,
Ob Freude oder bitteren Schmerz.
Gestern abend, als wir am Feuer saßen
Und munter miteinander sprachen,
Hörten wir draußen den sich nähernden Schritt
eines, den ich gut kannte.

Da war kein Zittern in meiner Stimme,
Keine Röte auf meinen Wangen,
Kein Glanz in meinen Augen,
Die von Hoffnung oder Freude sprachen.
Doch, oh, wie brannte meine Seele,
Mein Herz schlug schnell und schwer.
Er kam nicht näher, er ging fort,
Und mein Glück war verflogen.

Doch meine Freunde bemerkten es nicht.
Meine Stimme war noch immer dieselbe.
Sie sahen mich lächeln, und mein Gesicht
Zeigte kein Mal von Traurigkeit.
Wie wenig kennen sie meine verborgenen Gedanken.

Niemals werden sie erfahren:
Die schmerzende Qual meines Herzens,
Das bitter brennende Weh.

Im August 1839 – Charlotte ist dreiundzwanzig Jahre alt –
reift zwischen ihr und Ellen ein kühner Plan. Die beiden jungen Frauen wollen auf ihre erste gemeinsame Reise gehen –
ohne Anstandsdame, ohne brüderliche Begleitung. »Nur
wir beide – welch ein Entzücken!« Es ist fast zu verwegen, um
wahr zu sein. So viele Dinge müssen bedacht werden: Das
Ziel – Charlotte würde überall hin mit der Freundin reisen,
aber schließlich einigt man sich auf Bridlington an der Ostküste – der rechte Zeitpunkt, die Art der Fortbewegung, und
vor allen Dingen das Einverständnis von Papa und Tante.
Obwohl der Reverend nach vielem Umdisponieren keine
Einwände mehr hat, fühlt Charlotte, daß ihm das frivole Unternehmen zuwider ist und er sie lieber zu Hause sähe. Die
Tante rückt natürlich erst mit ihrer Mißbilligung heraus, als
alles geregelt scheint. Die Stimmung ist sehr unerfreulich,
und Charlotte schon dabei, deprimiert abzusagen, als Ellen
wunderbarerweise die Initiative ergreift und einen Wagen
nach Haworth schickt, um die Freundin abzuholen. Plötzlich
klappt alles wie am Schnürchen. Die Reisekiste ist im Nu gepackt. Branwell lobt: »Ein wackerer Angriff, die Wankelmü-
tigen wurden zurückgeschlagen!« Charlotte wird mit Tasche
und Portmanteau in der Kutsche verstaut und rattert win-
kend und glücklich davon.

   In Leeds trifft sie Ellen und steigt zum erstenmal in ihrem
Leben in eine Eisenbahn. Die letzte Wegstrecke zur Küste legen die beiden in der Begleitdroschke der Postkutsche zurück. Heute fährt man von Haworth nach Bridlington (damals Burlington) in weniger als zwei Stunden, aber vor 150

Jahren dauerte die Reise einen ganzen Tag, und Charlotte, die noch nie das Meer gesehen hat, ist zum Zittern gespannt. Es ist köstliches Sommerwetter. In der offenen Droschke kann sie die Nordsee fast schon riechen, und manchmal blitzt es blau zwischen den Hügeln. Aber Charlotte, die ihre Brille nicht findet, kann das Meer nicht sehen. »Beschreib's mir nicht«, bittet sie Ellen, »laß mich warten.« Doch der Tag bringt ihr kein ungetrübtes Glück. Freunde der Nusseys, die von dem Alleingang der beiden erfahren haben, halten sie an der Station auf. Zwei schutzlose Frauen in einem öffentlichen Verkehrsmittel! Umgehend werden sie wieder ins Landesinnere verschleppt und mit Tee und Ratschlägen traktiert. In einer Pension am Meer wollen sie wohnen? Welch ein Gedanke! Man quartiert sie bei den guten Bauersleuten Hudson ein, drei Meilen von der Küste entfernt.

Es fällt nicht schwer, sich Charlottes Pein vorzustellen, als ihr Fuß nach solchem Höhenflug unvermutet wieder Boden streift. »Ich hätte speien können«, hatte sie in Roe Head bei einer ähnlichen Störung in ihr Tagebuch geschrieben. Vermutlich fühlt sie nun eine gleiche Regung – aber Manieren, Formen sind strenge Meisterinnen, die keinen Ungehorsam dulden. Am nächsten Tag ist es dann endlich soweit. Arm in Arm wandern die beiden durch gelbe Kornfelder und buschige Hohlwege zu dem kleinen Seebad hinüber. Die Brille steckt in der Tasche. Als Charlotte des Meeres ansichtig wird, ist sie so überwältigt, daß sie die Freundin vorauswinkt und ihren Tränen freien Lauf läßt. Ellen darf sie schließlich weiterführen, aber noch stundenlang ist sie ergriffen und in sich gekehrt.

»Ich werde Ihnen nicht sagen, was ich vom Meer halte, sonst verfalle ich in meine alte Sünde des Überschwangs«, schreibt sie an Henry Nussey, und später – »gesund und sehr dick« von der Reise zurück –, an Ellen: »Hast Du das Meer

vergessen? Oder siehst Du es noch vor Dir? Dunkelblau und
grün und gischtweiß; hörst Du es tosen, wenn der Wind
stürmt, und sanft sich wälzen, wenn alles still ist?« Die Sehnsucht nach dem Meer hat Charlotte ihr ganzes Leben lang
nicht verlassen, aber Bridlington sollte sie erst wiedersehen,
als sie Anne auf ihrer letzten Reise begleitete.

Für eine Woche nehmen die beiden Freundinnen schließlich Logis in der Stadt. Sie laufen über den Strand und die
Klippen, und Charlotte amüsiert sich über das gesellschaftliche Treiben. Bridlington, das heute über eine ausgedehnte
Seepromenade verfügt, samt Vergnügungspark, Minigolf-
platz und spotzenden Motorbötchen, konnte seinen Som-
mergästen damals nur ein kleines Pier für den abendlichen
Spaziergang bieten, und so drehte sich die ganze Gesellschaft wie in einem vollgepackten Ballsaal im Kreise herum,
grüßend und nickend, und nach der dritten Begegnung mit
den Herrschaften aus Nummer neun wurde es nachgerade
peinlich.

Von den Fenstern ihrer Pension blicken die beiden auf die
Kapelle einer schwarmgeistigen Sekte. Als Charlotte die Gemeinde eines Abends über die Straße herüber juchzen hört,
ist sie ganz versessen darauf, hinüberzugehen und nachzu-
schauen, »was die da vorhaben«, aber Ellen überzeugt sie,
daß diese Menschen weder Spott noch Kritik vertrügen, und
Charlotte nimmt Abstand von ihrem Vorhaben.

Charlottes Anhängerschaft zur »Church of England«
wurde niemals erschüttert, aber sie hegte ein immer waches
Interesse an allen Ausformungen der Religion. Zwar wurde
die anglikanische Pfarrerstochter nicht müde, den »papistischen Unfug« mit seinen Weihrauchfässern zu schmähen,
gleichwohl schlummerte in ihr ein katholisches Element,
eine Neigung zum Wunderbaren über ihren knöchernen
Protestantismus hinweg. (Schließlich war ihre irische Groß-

mutter erst bei ihrer Heirat zur anderen Konfession übergetreten.) »Sie hatte mehr religiöse Toleranz, als man von einem Menschen annehmen könnte, der nie gezweifelt hat«,
bestätigte Mary. Als im April 1840 in der Sonntagsschule von
Haworth ein Gemeindetreffen einberufen wird, weil die
Methodisten und die Baptisten sich weigern, Abgaben zu
zahlen, sind die Schwestern selbstverständlich dabei. Es geht
hoch her. Mr. Brontë hat Mühe, nicht nur die Dissidenten in
Schach zu halten, sondern auch seinen Kuraten Weightman
und einen irischen Pfarrer namens Collins, dessen Worte
Charlotte der Freundin lieber einmal mündlich mitteilen
will. Am Nachmittag ist dann ganz Haworth in die Kirche St.
Michael's eingeladen, und tatsächlich sperren die Dissidenten ihre Kapellen zu und finden sich geschlossen zum Gottesdienst unter dem Thema »Sekten und die Folgen« ein.

»Miss Celia Amelia sprach nobel und schlug die Dissidenten furchtlos und unbarmherzig. Ich dachte, danach hätten
sie für eine Weile genug, aber es war nichts gegen die Dosis,
die sie an diesem Abend noch zu schlucken bekamen. Eine
schärfere, klügere, mutigere und herzbewegendere Rede als
die, die Mr. Collins letzten Sonntag von der Kanzel in Haworth lieferte, habe ich noch nie gehört. Er schrie nicht, er
übertrieb nicht, er jammerte nicht, er versuchte nicht, sie zu
angeln. Er stand lediglich auf und sprach mit der Direktheit
eines Mannes, der von der Wahrheit seiner Worte überzeugt
ist und der weder Furcht vor seinen Feinden noch vor ir-
gendwelchen Konsequenzen hat. Seine Predigt dauerte eine
Stunde, und ich hätte ihm gern noch länger zugehört. Ich
sage nicht, daß ich mit ihm oder Mr. Weightman überein-
stimme – nicht einmal mit der Hälfte ihrer Ansichten. Ich
halte sie beide für bigott, intolerant und sträflich ungerecht… Mein Gewissen erlaubt mir weder Puseyist noch
Hookist zu sein, aber wäre ich ein Dissident, hätte ich die er-

ste Gelegenheit ergriffen, diese beiden Herren für ihre erbitterte Attacke gegen meine Religion und ihre Lehrer mit der
Reitgerte durchzuprügeln.«

Auch Emily, die so sein wollte »wie Gott mich gemacht
hat«, gestand einem jeden zu, nach seiner Fasson selig zu
werden, äußerte sich jedoch nur sparsam zu dem Thema.
»Einmal erwähnte ich, daß mich jemand gefragt habe, welcher Religion ich angehörte«, erinnerte sich Mary, »und ich
sagte, das sei eine Angelegenheit zwischen Gott und mir.
Emily, die auf dem Kaminvorleger saß, rief aus: ›Stimmt!‹
Und das war alles, was ich je von Emily über Religion hörte.«
In ihrem Gedicht *Mein Tröster* steht Emily zwischen der Glorie des Himmels und dem Glanz der Hölle, bereit für die widerstrebenden Empfindungen; die konventionelle Glaubensausübung aber irritierte sie bis zur Weißglut: »Um mich
herum stammeln Kreaturen Lob / oder heulen über ihre
hoffnungslosen Tage / mit rasendem Mund.« John Greenwood, der Schreibwarenhändler, beobachtete sie sonntags in
der Kirche, wie sie stocksteif und mit zusammengepreßten
Lippen in der Bank saß. (Und er fügte hinzu, daß ihr äußeres Erscheinungsbild nicht verbessert wurde durch einen
einzelnen, vorstehenden Zahn.)

Charlotte scheint sich über einen fest abgesteckten Glauben hinaus wenig Gedanken über Religion gemacht zu haben. Anne ging ihren eigenen schmalen Pfad. Branwell
hatte die Beziehung zu Gott gekündigt. Als Pfarrerskinder
aber waren sie alle eingebunden ins kirchliche Leben – und
sie nutzten jede Gelegenheit, über seine unwürdigen Spielarten herzuziehen. Anne tadelt in *Agnes Grey* den Rektor Mr.
Hatfield, der den Mittelgang hinaufgesegelt kommt, »er
kletterte auf die Kanzel, wie ein Eroberer seinen Siegeswagen besteigt… zog einen hellen lavendelfarbenen Handschuh aus, um die Gemeinde mit dem Anblick seiner glit

zernden Ringe zu beglücken, fuhr sich mit den Fingern sacht durch das wohlgelockte Haar, schwenkte ein Taschentuch aus Batist«… und nach dem »Amen« fliegt er zum Portal, um dem Landherrn und seinen schönen Töchtern seine Komplimente zu entbieten.

Emily greift in der *Sturmhöhe* schon härter zu mit der Figur des alten Pharisäers Joseph und mit Lockwoods Traum vom Gottesdienst bei Jabez Branderham, zu dem möglicherweise der Methodistenprediger Jabez Bunting Modell gestanden haben könnte, der 1833 die neue Kapelle von Woodhouse Grove eingeweiht hatte. Das Treiben der Wesleyaner war den Brontës hoch verdächtig und reizte zugleich ihre Spottlust. In der *Sturmhöhe* gerät Lockwood in der Kapelle in eine Schlägerei, »und Branderham, der nicht untätig zusehen wollte, verlieh seinem Eifer durch einen Hagel lauter Tritte gegen die Bretter der Kanzel Ausdruck«. Auch für Charlotte sind die Methodisten eine bevorzugte Zielscheibe. In den Jahren 1838 und 1839 schreibt sie manch saftige Satire auf die »Kanzel-Polterer«. In *Julia* läßt sich z. B. eine Truppe Methodisten, denen der Hausherr die Tür gewiesen hat, im Speisesaal der Dienerschaft nieder. »›Wir können warten.‹« Es ist gerade Essenszeit, und als für das Personal eine Schüssel Suppe, Schweinebraten, Pastete und Gemüse aufgetragen werden, vernimmt der Anführer eine Stimme: »›Erhebe dich und iß!‹ – ›Dein Wille geschehe‹«, antwortet er laut und beginnt sich zu bedienen. Wie Elias unter dem Wacholderbaum nötigt ihn die innere Stimme zum Nachfassen, und er versorgt auch seine Glaubensbrüder mit Braten und Kohlrabi sowie zwei Gallonen milden alten Ales. Das Mahl nimmt seinen Fortgang unter lauten Gebeten und respondierenden Seufzern, bis die Missionare aus dem Haus geworfen werden und man den Anführer um ein Haar in der Pferdetränke ersäuft.

In *Passing Events* wiederum geht der Dandy Charles Townsend in die Kapelle der Wesleyaner, um sich an den wüsten Predigten zu delektieren. Da sitzt er in seinem schmukken dunkelgrünen Gehrock, blaßgelber Lederweste und Nankinghosen, die schönen hellen Locken keck zur Seite gebürstet und die primelfarbenen Handschuhe über dem Gesangbuch arrangiert. Es kann losgehen: »Dreckige Lumpen sind wir, Topfscherben, mit denen der Aussätzige sich kratzt, Schalen mit verfaultem Opferblut, Kehricht aus dem Hof Deines Tempels, Halme aus dem Misthaufen, Auswurf der Hundehütten, Diebe, Mörder, Verleumder, Meineidige.‹ ›Amen, Amen‹, stöhnte ein jeder vom Grund seiner Seele… Mr. Bromley fuhr fort: ›… O, schütte Deine Gnade auf uns wie ein Wasserspeier, wasch uns, schrubb' uns mit Sand und Seife, wirf uns Hals über Kopf in Nebukadnezars Feuerofen, eingewickelt in unsere Mäntel und Hosen, unsere Kleider, unsere Schuhe und Hüte, unser Bett und Bettzeug, unsere Laken, Decken, unsere Pfühle und Kopfkissenbezüge. Hinein mit unseren Fischkesseln und Wärmeplatten, unserem Bratspieß und dem Breitopf, unserer Terrine und der Suppenkelle. Hinein ohne Ausnahme, denn die Pest unserer Schande ist über uns allen… o, Herr tue Dein Werk gründlich, wenn das Feuer geschürt wird, und spare nicht mit Kohlen!‹«

Noch in *Shirley* mokiert Charlotte sich über die Methodisten – nicht mehr ganz so ungeniert, wie sie es in Angria für ihr exklusives Publikum zu Hause tat –, dafür mit etwas mehr Stahl in der Stimme, denn in dem großen sozialen Gewebe des Romans sind die Dissidenten nicht nur dubiose Glaubensvertreter, sondern auch die Verbreiter von höchst gefährlichem republikanischem Gedankengut. Und da endete der Spaß.

X Emily und Keeper · Romantik und Erotik · Abschied von Angria · Ein braver junger Mann · Mai in Ambleside · Branwell bei der Eisenbahn · Anne in Thorp Green · Junge Damen der Gesellschaft · Charlotte in Upperwood House · Schule für drei · Ein starker Wunsch nach Flügeln · Geburtstagsbriefe · Nach Brüssel

Wissen Sie, als ich nämlich in den Vierzigerjahren
noch Kurat im West Riding war,
besuchte ich einmal Haworth und
übernachtete im Pfarrhaus. Seit meiner Ankunft
in Shangri-La befasse ich mich mit dem
ganzen Problem der Familie Brontë –
ich schreibe ein Buch darüber.
Vielleicht wollen Sie es gelegentlich durchblättern?

James Hilton
Der verlorene Horizont

Das Jahresende 1839 sieht die Geschwister Brontë zusammen im Pfarrhaus. Es ist für lange Zeit das letztemal, und nie wieder sollte ihre Gemeinsamkeit ohne Schatten sein. Anne war im Dezember von den Inghams nach Hause geflüchtet. Sie stotterte und war sehr verstört über ihr »Versagen«; man hatte ihr gekündigt. Emily war seit dem Law-Hill-Intermezzo zu Hause geblieben. Ob sie sich von der Direktorin, Miss Patchet, in gegenseitigem Einvernehmen getrennt hatte, ist nicht bekannt. Nun backt sie zu Hause das Brot, schreibt Gedichte und malt ihre Tiere, darunter den Mastiff Keeper, der mit Duldung von Tante Branwell sein mächtiges Gestell vor dem Wohnzimmerkamin ausstrecken darf.

Aus Keepers Jugend gibt es eine Anekdote, die etwas von Emilys gespaltenem Wesen verrät, das sie meist unter ihrer Wortkargheit verbarg. Die junge Frau, die gern zum Fenster hinausträumte und darüber ihre Näharbeit vergaß, war furiosen Anwandlungen unterworfen, deren Unbarmherzigkeit sich bevorzugt gegen geliebte Wesen richtete und damit fast einer Selbstbestrafung gleichkam. »Mit sich selbst hatte sie kein Mitleid«, klagte Charlotte später. Sich selbst zu lieben, fand Emily offenbar noch schwerer.

Ihr großer Hund pflegte in unbewachten Momenten die Treppe hinaufzutrotten und sich auf den frischgemachten Betten zu lagern. Obwohl er mehrmals darauf hingewiesen wurde, daß er sich damit das Privileg des Haus-Aufenthaltes verscherzte, bestand er auf dieser unsauberen Gewohnheit. Schließlich entschied Emily für ihn. Sie schleppte das knurrende Ungeheuer am Nackenfell in den Hausflur hinunter und vertrimmte es in einer Ecke mit bloßen Fäusten, während Charlotte und Tabby, die Hand vor den Mund geschlagen, aus sicherer Entfernung zusahen. Keeper hatte seine Meisterin gefunden. Sie badete ihm anschließend selbst die geschwollenen Augen, und der arme Kerl dankte ihr die

Willenskundgebung wie die Wohltat durch lebenslange, ausschließliche Treue.

Glücklich, einander wiederzuhaben, nehmen Emily und Anne in diesem Winter den Faden ihrer Gondal-Saga erneut auf. Wir kennen nicht den aktuellen Stand des Spiels, wir wissen nicht, wieviel sie gemeinsam erdachten oder wie weit der Spielraum für eigene Muster in dem großen Gewebe war. Im April 1839 hatte Emily das *Lied* von König Julius geschrieben, der hoch zu Roß ausgezogen war, seinen Widersacher Gerald aufs Haupt zu schlagen. Doch:

> Auf seinem Schwert, so blank von Siegen,
> Ein unsichtbarer Rost schon lag,
> Die Sonne sinkt, kaum daß sie gestiegen,
> Der Abend kommt, bevor es Tag.

Auf dem Feldzug ereilt Julius sein Geschick. Er wird von einem gedungenen Mörder erstochen.

Anne wiederum beschäftigt ein ganz anderes Thema. In den Sommerferien desselben Jahres hatte sie die Ballade *Der Abschied* geschrieben, in der »die Herrin von Alzernos Hallen« vergeblich auf die Rückkehr ihres Gemahls wartet, der in den Armen der Erzählerin, Alexandrina Zenobia, gestorben war. Aus einer Geburtstagsnotiz, die eineinhalb Jahre später entsteht, wissen wir, daß noch immer Krieg wogt zwischen den Königshäusern. Die Gondaländer wanken nicht in ihrer Unversöhnlichkeit. Währenddessen wird Charlottes Kunst erwachsen. Seit *Henry Hastings* hat sie begonnen, den Rahmen des Angria-Spiels als Fessel ihrer literarischen Entdeckerfreude zu empfinden. Auch die Vorgaben des Bruders – immer noch in der Rolle von Brannii-Blitz alias

Northangerland – beginnen sie zu langweilen. »Ein Erdbeben und eine Revolution stehen nicht jeden Tag zu erwarten«, schreibt sie in ihrer letzten Novelette, »eine ständige
Wiederholung solcher Stimulantien belastet und verstimmt
den Magen der Öffentlichkeit.«

Ihre Öffentlichkeit sind Branwell, Emily und Anne – aber
ihre seit Kindertagen kultivierte Haltung von angenomme-
ner Publizität in allergrößter Heimlichkeit – diese Zeitungen
ohne Auflage, diese Fensterreden an ein nicht existierendes
Publikum und die vielen fiktiven »lieben Leser« – verliert
für sie niemals ihren Reiz.

In *Caroline Vernon*, ihrer letzten Geschichte aus Angria,
nimmt sie sich noch einmal ihr Lieblingsthema vor: die
Machtspiele zwischen Männern und Frauen. Zur Anregung
dienen ihr diesmal die Skandale um Lord Byron, die sich
nach dem Tod des Dichters (1824) inzwischen auch bis in den
abgelegensten Winkel von Yorkshire herumgesprochen haben. Da hört man von Caroline Lamb, die dem Verehrten in
Knabenkleidern nachgestellt hatte; von Claire Clairmont,
die explizit nur das eine wollte, und von dem Verhältnis des
Lords mit seiner Halbschwester Augusta. Dies alles ist natürlich überaus schockierend und erstaunlich, und ein wunderbarer Stoff, der nach einer Fassung in blumiger, ironischer,
metaphernreicher Prosa verlangt. Der Heldin der Geschichte, Caroline, fünfzehnjährige »natürliche« Tochter
Northangerlands und der Opernsängerin Louisa Vernon,
hatte die Lektüre Byrons den Kopf verdreht, informiert die
Autorin den Leser. Sie selbst ist mit dreiundzwanzig selbstverständlich dem Alter törichter Schwärmerei entwachsen
und kann sich entsprechend über Miss Vernon, in der doch
auch ein Stückchen Miss Brontë steckt, mokieren. »Sie
wollte für einen Mann sterben können – ohne deshalb gleich
einen Fall für den Leichenbestatter abzugeben.« Das roman-

tische junge Ding wächst in einem abgeschiedenen Landhaus als Mündel des Herzogs von Zamorna auf. Von ihrer überspannten Mutter in Unkenntnis über ihre Schönheit gehalten und längst über ihre Jahre hinaus in eine Kinderschürze gesteckt, verliebt sie sich in ihren Vormund, der erst am Abend ihrer Abreise nach Paris, wo sie endlich »Schliff« erhalten soll, bemerkt, daß er ein erblühtes Wesen auf dem Schoß sitzen hat. Monate später, von Vater Northangerland in weiser Voraussicht dem Dunstkreis Zamornas entzogen, grämt sich Caroline auf dem Lande in der Unschuld von Eden-Cottage. In ihren Träumen sieht sie sich an der Stelle ihrer Halbschwester, Mary Percy, der Herzogin von Zamorna. Sie entwirft Pläne zur Flucht, bestellt beim Dorfschneider schon einen Knabenanzug, als ein Brief Zamornas an »meine liebe kleine Caroline«, die er schon fast vergessen hatte, sie zu einem ebenso überstürzten wie kaltblütigen Aufbruch treibt. Sie setzt ihren Strohhut auf, schließt das Gartentörchen hinter sich und geht in die Stadt, wo sie die Postkutsche nach Freetown nimmt – »eine Entführung ohne Bräutigam«. Zamorna, von ihrem unerwarteten Auftauchen zunächst peinlich berührt, vergißt bald seine feineren, skrupulösen Neigungen. Auf seine Frage: »Willst du morgen mit mir gehen?«, antwortet Caroline Vernon wie achtzig Jahre nach ihr Molly Bloom: »Ja.«

Eine solche Geschichte wäre 1839 selbstverständlich nicht zu veröffentlichen gewesen. Denn nicht nur das Thema, auch die satte Sprache, mit der Charlotte Romantik und Erotik verbindet, grenzen an Pornographie. Dr. Freud wäre vielleicht vor Vergnügen um seinen Schreibtisch gesprungen, wenn er Zamorna im abendlichen Garten hätte sehen können, wie er seine Zigarre entflammt. Aber auch die Viktorianer verstanden, zwischen den Zeilen zu lesen und wußten die Bilder vom süßen Tauregen, vom zerbrochenen Siegel

und dem scharfen Krummschwert an des Herzogs Lende zu
deuten.

In dem Winter, in dem Charlotte *Caroline Vernon* beendet,
nimmt sie auch Abschied von Angria. Dreizehn Jahre lang
hat sie ihr Leben mit dem Tagtraum geteilt. Die Obsession,
die sie in Roe Head fast zerrissen hatte, als sie am hellichten
Tag Stimmen hörte und Gesichter sah, ist einer milderen Gemütslage gewichen. Sie hat ein wenig von der Welt draußen
gesehen, und sehnt sich nun danach, »für eine Weile das glühende Land zu verlassen, in dem wir allzu lange verweilt haben, über dem der Himmel flammte und beständig das Glühen des Sonnenuntergangs lag. Der Geist möchte ablassen
von der hitzigen Erregung und sich nun einem kühleren Bezirk zuwenden, wo die Morgendämmerung grau und nüchtern heraufzieht und der neue Tag, zumindest für eine Zeit,
wolkenverhangen ist.«

Diesmal ist es Branwell, der als erster ins Nüchterne auf-
bricht. Charlotte schreibt am 28. Dezember an Ellen. »Es
wird bei uns noch weniger abwechslungsreich werden. Branwell, dessen Gegenwart uns belebte, wird uns in einigen Tagen verlassen, um den Posten eines Hauslehrers in der Nähe
von Ulverston anzutreten. Ob es ihm gefällt und wie er zu-
rechtkommt, wird man abwarten müssen. Zur Zeit ist er voller Hoffnung und guter Vorsätze. Ich, die ich seine wechsel-
hafte Natur… kenne, wage nicht, allzu zuversichtlich zu
sein. Wir sind emsig bei seinen Reisevorbereitungen. Hem-
denschneidern und Kragennähen beschäftigen uns vollauf.«

Branwells Brotherr, Mr. Postlethwaite, ist Landbesitzer
und Magistratsmitglied, seine beiden Jungs sind »aufgeweckte Burschen«, wie ihr Lehrer bald nach Hause mitteilt.
Der Brief, den er im März an seinen alten Freund, den Küster John Brown, schreibt, ist allerdings nicht für die Augen

seiner Familie bestimmt. Die Praktizierung der guten Vorsätze – so stellt sich nun heraus – ist nicht mehr als eine Posse.
Und ob sein Abschiedsumtrunk in Kendal auf dem Weg wie
geschildert verlaufen ist oder ob es sich um eine Percy'sche
Prahlerei handelt – Charlottes Unruhe bezüglich seines
wechselhaften Charakters und unberechenbaren Tatendrangs scheint sich zu bestätigen.

»Alter Trumpfbube«, schreibt er an Brown, »…Du würdest mich nicht wiedererkennen, und Du würdest lachen,
wenn Du hörtest, was für einen Charakter mir die Leute hier
andichten. Oh, die Falschheit und Heuchelei der Welt!…
Mein Hausherr ist ein honoriger Arzt, an zwei von sieben Tagen voll wie eine Haubitze. Seine Frau ist eine emsige, schnat-
ternde, herzensgute Seele, und seine Tochter! Oh, Hölle
und Verdammnis! Nun, was bin ich? Das heißt, wofür halten
sie mich? Für einen sehr ruhigen, gesetzten, nüchternen,
enthaltsamen, geduldigen, mildtätigen, tugendhaften, vor-
nehmen Philosophen, das Bild guter Werke und die Schatz-
kammer rechtschaffener Gedanken. Karten werden unter
das Tischtuch geschoben, Gläser im Buffet versorgt, wenn
ich das Zimmer betrete. Ich nehme weder Spirituosen noch
Wein noch Malzgetränke. Ich kleide mich in Schwarz und
lächle wie ein Heiliger oder Märtyrer. Jedermann sagt: ›Was
für ein braver junger Herr ist doch Mr. Postlethwaites Hauslehrer!‹ Das ist eine Tatsache, so wahr ich eine lebende Seele
bin, und ich mache mich sehr behaglich lustig über sie. Ich
gedenke, mir ihre gute Meinung zu erhalten. Ich habe in
Kendal, am Abend, als ich fortfuhr, für ein halbes Jahr Abschied vom alten Freund Whisky genommen.«

In diesem Städtchen, nicht weit von seinem Bestimmungs-
ort entfernt, hatte Branwell sich im Royal Hotel einer Herrengesellschaft angeschlossen. »Wir bestellten ein spätes
Abendessen und dazu Whisky-Punsch ›heiß wie die Hölle‹.

Sie dachten, ich wäre Arzt und gaben mir den Vorsitz. Ich
sprach diverse Toasts aus, die heruntergespült wurden, bis
der Raum sich drehte und die Kerzen vor unseren Augen
tanzten.« Ein Streit zwischen einem Iren und einem »Sohn
Israels« führt zu einer Schlägerei, und Branwell schmettert
sein Glas zu Boden und hält mit für »Alt Irland«… Seitdem
sei er nüchtern geblieben. »Meine Hände zittern nicht mehr.
Ich reite mit Mr. Postlethwaite in Bankgeschäften nach Ulverston, trinke Tee und klatsche mit alten Damen. Was die
jungen angeht! Eine sitzt gerade neben mir: hübsches Gesicht, blaue Augen, dunkles Haar, süße achtzehn – sie ahnt
nicht, daß der Teufel ihr so nahe ist.«

Immerhin hält Branwell ein halbes Jahr durch. Die Post-
lethwaite-Knaben (wahrscheinlich auch keine frecheren
Kinder als die Monster, die seine Schwestern verabscheuten)
sind sehr angetan von ihrem jungen Hauslehrer, der nicht
allzu streng auf Zucht und Ordnung sieht. In den Schulstunden malt er Bilder für sie und erzählt Geschichten dazu.

Im Mai erfüllt sich einer von Branwells heftigsten Träumen: Er trifft einen wirklichen Dichter. Hartley Coleridge,
ältester Sohn von Samuel Taylor Coleridge, lädt ihn in sein
Häuschen bei Ambleside ein. Branwell hatte ihm überraschend moderat geschrieben – »ich lechze nicht nach
Ruhm« – Verse und einen Teil seiner Horaz-Übersetzung
geschickt. Dabei hatte er eine glückliche Auswahl getroffen.
Auch Hartley Coleridge las und übertrug Horaz. Die Oden,
die Branwell aus dem Lateinischen ins Englische transponiert hatte, gefielen ihm. Branwells Übersetzung ist 1923 als
Privatdruck erschienen, und sie muß ihre Frische und Gül-
tigkeit bewahrt haben, denn der Herausgeber schrieb dazu:
»Branwell war (nach Emily) der zweite Dichter in der Familie
– und übrigens ein sehr guter zweiter.«

Der Maitag in Ambleside beglückt Branwell und gibt ihm

neuen Mut. Hier spricht ein Mann zu ihm, der in vieler Hinsicht ebenfalls nie erwachsen geworden ist. Hartley Coleridge, ein brillantes, hypersensibles Kind, kam so wenig wie Branwell mit der Realität zurecht. Als Junge lebte er in seiner eigenen Traumwelt Ejuxria, aus der er »Briefe« empfing, die er seinem Bruder schilderte. Manisch-depressiv veranlagt, schon mit vierzig Jahren weißhaarig und gebückt umherschleichend wie ein alter Mann, konnte er es nicht einmal ertragen, wenn in seiner Gegenwart ein Brief geöffnet wurde. Eine kurze Universitätslaufbahn mußte er wegen seiner Trinkerei aufgeben. Anders als Branwell hatte Hartley jedoch einen überaus gnädigen Vater und Freunde, darunter Wordsworth und Southey, die seine Unfähigkeit, das Leben zu bestehen, mit Nachsicht vergalten, und keine Forderungen nach Karriere und Erfolg an ihn stellten.

Sei es aus Menschenfreundlichkeit oder Überzeugung – an diesem Frühlingstag rät Coleridge Branwell, die Literatur zu seinem Leben zu machen. Leider endet ihre Verbindung zur nämlichen Zeit. Auf den Dankesbrief des jungen Mannes, der sich, zurückgekehrt nach Ulverston, verwegene Grillen in den Kopf setzt und Coleridge schreibt, er bestehe darauf, ihn am künftigen Geldsegen aus seiner literarischen Produktion teilhaben zu lassen, antwortet der Dichter nicht.

Wahrscheinlich hätte sein Brief Branwell bei der Familie Postlethwaite auch nicht mehr erreicht. Aus nicht ganz geklärten Gründen – sei es die Vernachlässigung seiner Pflichten, sei es eine leichtsinnige Zechtour – verliert Branwell im Juni seinen Posten. Immerhin gelingt es ihm, den neuerlichen Fehlschlag so zu verbergen, daß sein Vater brieflich um seine Entlassung bittet. Sie wird ohne Umstände gewährt. Wieder einmal ist Branwell im Pfarrhaus von Haworth gestrandet.

Dort trifft er auf die streng blickende Charlotte und die etwas gelassenere Emily.

Nun, manche mögen hassen und manche mögen höhnen
Und manche selbst deinen Namen vergessen,
Aber mein betrübtes Herz wird für immer
Deine vernichtete Hoffnung, deinen zerstörten Ruhm
beklagen

…

hatte sie im Jahr zuvor ein Gedicht begonnen, und ob es
sich nun auf den Versager in der Familie bezieht oder nur
eine Facette in Emilys Weltsicht spiegelt – es sieht aus, als ob
sie, die ähnlich untüchtig wie ihr Bruder war, jedoch nicht
die gleiche Erwartungslast zu tragen hatte, zu dieser Zeit
Branwell verstand und mit ihm fühlte.

Wie auch immer die Stimmung ist, den jungen Mann hält
es nicht lange zu Hause. Zwei Monate später berichtet Charlotte mit etwas gequälter Lustigkeit von einer neuen Entwicklung: »Ein entfernter Verwandter von mir, ein gewisser Patrick Boanerges, ist ausgezogen, um in der wilden,
schweifenden, abenteuerlichen, romantischen Eigenschaft
des fahrenden Ritters sein Glück als Angestellter der Leeds-
und-Manchester-Eisenbahn zu machen.« Nun hatte die
Eisenbahn für Charlotte vielleicht den Hautgout des Profa-
nen; für die Mehrzahl der Engländer war sie das prachtvolle
Symbol eines neuen Zeitalters. 1830 hatte der Herzog von
Wellington die erste Linie von Liverpool nach Manchester
eingeweiht, und die unerhörte Spitzengeschwindigkeit von
40 Meilen in der Stunde ließ manche Zeitgenossen um die
geistige Gesundheit der Passagiere fürchten. Um 1840
wurde dann Keighley ans Netz angeschlossen, die nächst-
erreichbare Station für die Brontës. Ein Posten bei der Eisenbahn konnte auch für einen begeisterungsfähigen jungen
Mann ohne technische Vorkenntnisse durchaus seine Reize
haben – vergleichbar mit der Stellung eines Stewards bei
einer Fluggesellschaft heutzutage –, zumal das Anfangsge-

halt als stellvertretender Stationsvorsteher 75 Pfund im Jahr betrug.

Der Nachteil ist jedoch, daß es auf dem Bahnhof von Sowerby Bridge, zweieinhalb Meilen außerhalb von Halifax, herzlich wenig zu tun gibt. Fahrkarten müssen verkauft, Züge beim Durchfahren oder Anhalten beobachtet werden. Branwells Vorgesetzter ist ein Herr, der sich rühmt, schon vor Dienstantritt zehn halbe Bier zu heben, und es steht zu befürchten, daß der Stellvertreter ihm nacheifert. In seiner reichlich bemessenen Freizeit wandert er nach Halifax hinüber, um den Bildhauer Leyland und alte Freunde aus Bradford zu besuchen. Ein halbes Jahr später wird Branwell zum Stationsvorsteher ernannt, aber die Beförderung muß auf ihn wie eine Strafversetzung gewirkt haben. Luddenden Foot liegt noch zwei Meilen weiter aufwärts der Strecke, kein Knotenpunkt, sondern nur eine miese kleine Station. Da hilft auch die Gehaltserhöhung nichts. Emily berichtet Charlotte: »Es sieht aus, als ginge es nun doch voran.« Das tut es mitnichten.

In Luddenden Foot gerät Branwell in ziemlich rauhbeinige Gesellschaft. Die Langeweile in seiner Bretterbude, das Vorbeirumpeln der Züge wirken nicht sehr stärkend auf sein Pflichtgefühl. Er ist öfter an der Theke des »Lord Nelson« zu finden als hinter seinem Schreibtisch. In seinem Terminkalender stehen neben flüchtigen Aufzeichnungen über Fahrkartenverkauf und Tonnage, Gedichtfragmente, gezeichnete Vignetten und immer wieder der Ausruf: Heiliger Jesus! Als Ende März 1842 der Kontostand überprüft wird, fehlen elf Pfund in seiner Kasse. Sie sind in der unübersichtlichen Geschäftsführung des Stationsvorstehers von Luddenden Foot verlorengegangen.

Branwell wird entlassen – und trotz der erneuten Schande muß er den Einschnitt auch als Erlösung empfunden haben.

An einen Freund, den Eisenbahningenieur Francis Grundy, schreibt er später: »Ich würde lieber meine Hand verlieren, als noch einmal die gemeine Liederlichkeit durchzumachen, die lästerliche, kaltblütige Ausschweifung, die Entschlossenheit herauszufinden, wie weit ein Mensch mit sich Schindluder treiben kann, ehe er zur Hölle fährt. All dies prägte dort nur allzu oft mein Verhalten, verloren wie ich war, fern von allen, die ich liebte, als ich Erleichterung im Frönen von Gefühlen suchte, die einen dunklen Punkt in meinem Charakter darstellen.«

Anne hatte sich zum Zeitpunkt seiner Rückkehr bereits zu ihrem zweiten Wagnis gesammelt. Im Mai 1840 war sie nach Thorp Green Hall in der Nähe von York zur Familie Robinson aufgebrochen. Edmund Robinson, einundvierzig Jahre alt, war Würdenträger der anglikanischen Kirche, ein Umstand, der Anne zu der Meinung verführte, in seinem Haushalt ginge es weniger weltlich und materialistisch zu als bei den Inghams. Dies war jedoch nicht der Fall.

Wenn wir Annes Roman *Agnes Grey* so lesen, wie sie ihn als Schilderung nach dem Leben hatte verstanden wissen wollen, dann können wir vorsichtig in einigen Punkten von den Murrays auf die Robinsons schließen. Mrs. Robinson war demnach »eine hübsche, flotte Dame um die Vierzig, die weder Rouge noch Polster benötigte, um ihre Reize herauszustreichen«. Etwas vage im Kopf, bringt sie keine klare Anweisung an die Gouvernante zustande und – was Anne mit besonderer Mißbilligung vermerkt – kein Bibelzitat korrekt zu Ende. Ihre drei Töchter, fünfzehn, vierzehn und elf Jahre alt, für deren Bildung, oder wohl eher konventionellen Glanz, die Pastorentochter sorgen soll, zeigen ein erschreckendes Maß an Eitelkeit und Herzenskälte und »kennen nicht den Unterschied zwischen Recht und Unrecht«. Die älteste ist nur darauf erpicht, eine gute Partie zu machen, die andere ist ein Wildfang, »voll animalischer guter Lebensgeister«, als denkendes Wesen jedoch im Zustand der Unversehrtheit. Außerdem flucht sie wie ein Soldat. Die beiden machen sie auf ihre schwatzhafte Art zur Vertrauten, was Anne, die sich noch weniger als Charlotte eine Frivolität gestattet, in Kühle und christlicher Demut erduldet. Dennoch lernen die Mädchen in den fünf kommenden Jahren ihre sanfte, unbeugsame Erzieherin zu respektieren und zu lieben. Noch nach ihrem Weggang suchen sie brieflich ihren Rat und umdrängen sie bei einem Besuch in Haworth mit solcher Herzlichkeit, daß Charlotte ein ganz klein wenig angewidert ist von ihrem Enthusiasmus. Junge Damen der Gesellschaft vom Kaliber der Robinson-Mädchen spielen in den Romanen der beiden Schwestern oft den Kontrast-Part, vor dem die Heldinnen – tapfere Damen mit Namen Grau, Luft oder Schnee – in besonders vorteilhaftem Licht erscheinen. So mancher jungen Miss, die zu ihrer Zeit die Lehrerin verdrossen hatte, wird da retour beschieden. Anne schreibt über den Typ Range in *Agnes Grey*: »Bald nach dem Frühstück begab sich Miss Matilda zu ihren bevorzugten Aufenthaltsorten – den Gehegen, Ställen und Hundezwingern. Zuvor war sie durch ein paar wenig gewinnbringende Übungen hindurchgejagt und -gestolpert und hatte eine Stunde lang sträflich auf dem Klavier gehämmert, in schrecklicher Laune gegen mich und das Instrument, da ihre Mutter ihr den Unterricht nicht erlassen wollte.«

In Charlottes Roman *Villette* ist es die kokette Guinevra Fanshawe, die wasserdicht gegen alle Ermahnungen ihr Lebensziel verfolgt: den Herren zu gefallen. »Doktor Brettons Ankunft erweckte Miss Fanshawe, die bisher teilnahmslos dagesessen hatte. Jetzt begann sie zu lächeln und gefällig zu plaudern.« Doch kaum waren die Damen nach dem Dinner wieder unter sich, »da wurde sie wieder matt und verdros-

sen… Im Augenblick aber, da wir hörten, wie die Herren die
Stühle rückten, brachen ihre Schmähungen ab. Sie fuhr auf,
flog zum Piano und hämmerte mit Feuereifer auf die Ta-
sten.«

Charlotte neigte auch im Leben zu Spitzen gegen weniger
charakterstarke Vertreterinnen ihres Geschlechts – ein Zug,
den sowohl Ellen als auch Mrs. Gaskell als unpassend zu verbergen trachteten. Mary sagte von ihr: »Sie war viel zu geduldig mit dummen Leuten, wenn die nur einen Funken
Freundlichkeit in sich hatten.« Deduzierte Charlotte jedoch
Dummheit ohne Güte, kannte sie wenig Schonung. Sie verfügte nämlich nicht nur über eine hervorragende Beobach-
tungsgabe, sondern auch über ein böses Mundwerk. Über
ihre ehemalige Mitschülerin Amelia Walker, eine Verwandte
von Mrs. Firth, schrieb sie nach einem Besuch: »Miss Amelia
wechselte ihren Charakter alle halbe Stunde; eben noch die
süße Sentimentale, nun die heillose Plaudertasche. Mal lau-
tete die Frage: Bin ich am hübschesten, wenn stolz und vor-
nehm? Dann wieder: Würde mir sanfte Vertraulichkeit besser stehen?«

Doch zurück nach Thorp Green. Ganz ohne Vorteile ist
Annes Stellung bei den Robinsons nicht. Durch sie und mit
ihnen sieht sie in den Sommerferien in Scarborough zum erstenmal das Meer. Es bringt in ihr eine Saite zum Klingen,
die niemand bei der scheuen Frau vermutet hat. Sie ist glücklich, wenn sie hinter ihren nach den Männern äugelnden
Schützlingen am Strand spazierengehen kann; sie genießt
die Farben des Wassers, seinen Geruch, und je heftiger es
rollt, um so mehr liebt sie es. Ihr Gedicht *Zeilen, geschrieben im
Wald an einem windigen Tag* offenbart in seinem für Anne ungewöhnlichen, treibenden Versmaß dieses Glücksgefühl angesichts der stürmischen Natur und ihren Drang aus der ge-
duckten Enge.

Auf fährt mein Geist und die Seele erwachet,
Getragen davon auf den Flügeln des Winds,
Denn um mich herum heult des Sturms wildes Tosen,
Erweckt zu Entzücken die Erde, das Meer.

Das lang-welke Gras in der Sonne erglänzet,
Hoch werfen die Bäume die Äste empor,
Das Laub auf der Erde, es wirbelt im Tanze,
Schnell über den Himmel die Wolken hinziehn.

Ich wünschte, ich sähe das Meer um mich branden,
Den Schaum seiner Wogen, zerstäubende Gischt,
Ich wünschte, ich sähe die Wellen sich brechen
Und hörte zur Stunde den donnernden Schall.

Im März 1841 – Branwell dient in Sowerby Bridge, Anne auf
Thorp Green – begibt sich auch Charlotte wieder in die »alte
Tretmühle«. Die Familie von John White, Kaufmann aus
Bradford in Upperwood House, Rawdon, kann ihrer neuen
Gouvernante nur 16 Pfund im Jahr bieten (einschließlich Be-
sorgung ihrer Wäsche). Charlotte hofft jedoch, auf ihrem
zweiten Posten durch ein freundliches Verhältnis zu ihren
Arbeitgebern für das knappe Salär entschädigt zu werden;
und in der Tat findet sie bald lobende Worte für Mr. White,
der zwar von niederer Herkunft ist, dafür aber keine Bücher
nach der Gouvernante wirft. Auch ihre Zöglinge, ein achtjähriges Mädchen und ein sechsjähriger Junge, sind selbstverständlich verwöhnt, zeigen aber Anlagen zur Folgsam-
keit. Zwischen der spröden Charlotte und dem »dicken
Baby«, das sie gelegentlich zu beaufsichtigen hat, spinnt sich
sogar eine Zuneigung an, die sie selbst kaum glauben kann.
»Es hat sich an mich gewöhnt und mag mich – manchmal

vermute ich, daß auch ich es gerne mag – aber dieser Verdacht schwindet sofort, wenn seine Mama es nimmt und einen Narren aus ihm macht. Von dem süßen kleinen rosigen Krümel sinkt es in meiner Achtung zu einem verwöhnten kleinen Plagegeist.«

Das Zeitalter der Kindheit war für Charlotte ein barbarisches Stadium auf dem Weg zur Menschwerdung. Die »plumpe Vertraulichkeit« ihrer Zöglinge weist sie ärgerlich zurück. Als sie später die kleinen Mädchen von Elizabeth Gaskell kennenlernt und in deren Verhalten Anzeichen von Rücksicht auf andere Menschen und Fürsorge für ihre Tiere entdeckt, ist sie überzeugt, außergewöhnliche Spezies vor sich zu haben.

Trotz ihres zuvorkommenden Arbeitgebers wird sie auch in Rawdon nicht glücklich. Es liegt wohl an ihr. »Ich bin eine Närrin«, schreibt sie. »Es fällt mir schwer, die Dienerschaft oder die Herrin um etwas zu bitten, ganz gleich wie sehr ich es wünsche. Es ist mir weniger schmerzlich, die größten Unannehmlichkeiten zu ertragen, als in die Küche zu gehen und um Abhilfe zu bitten.«

Das Verhältnis zu Mrs. White gestaltet sich entsprechend schwierig. Diese ist noch viel weniger distinguiert als ihr Gatte, nämlich die Tochter eines Steuereinnehmers, rühmt sich jedoch gerne ihrer glänzenden Verbindungen und schaut auf die »Geschäftswelt« hinab. Charlotte, deren Großvater Branwell selbst Kaufmann war, und deren Großvater Brunty ein Tagelöhner, in dessen Hütte der Fußboden die blanke Erde war, hatte sich eine Philosophie zurechtgelegt, nach der Herrschaften, wenn schon nicht adelig, dann wenigstens reich, eine bessere Sorte Menschen zu sein hätten. Noch in ihren Romanen sind die Heldinnen, selbst wenn sie sich Waisenkinder wähnen, alle von respektabler Herkunft. Charlotte war gern bereit, »große Leute« zu bewundern;

wurde sie durch Trivialität enttäuscht, zog sie sich in einen Dünkel zurück, den sie aus ihren beherrschten Manieren, ihrem tadellosen Sprachgebrauch und ihrem hoch entwickelten Sinn für Schicklichkeit bezog. So hatte sie schon begonnen, von der Dame des Hauses »gut zu denken«, trotz ihrer mangelhaften Grammatik und noch schlechteren Rechtschreibung, als sie in deren Jovialität plötzlich einen derben, völlig undamenhaften Zug entdeckte; und damit darf sich Mrs. White aus der Achtung der Gouvernante verabschieden.

Hinfort vermerkt diese jeden Nadelstich, den sie der anderen versetzen kann, mit kleinlicher Genugtuung: Ellens Bruder setzt sie nach einem Ausflug zu den Nusseys mit seinem Wagen vor den Stufen ab, ohne seine Aufwartung im Haus zu machen – »Mrs. White wurde vor Ärger ganz rot im Gesicht.« Mr. White möchte den Reverend Brontë zu einem Besuch in Upperwood House einladen, aber Charlotte winkt ab. Papas Gesundheit – ein voraussehbarer Mangel an Ungezwungenheit – lieber bittet sie um einen freien Tag, an dem sie Miss Nussey besuchen kann. Sie freut sich, das liebe Gesicht wiederzusehen und, die Füße auf dem Kamingitter, mit Ellen zu plaudern. Aber wie immer läßt sie die Freundin in Unkenntnis über das, was sie wirklich bewegt. Erst muß die Angelegenheit entschieden und auf den Weg gebracht sein, ehe Charlotte sich darüber verbreitet. Sie kennt die Grenzen der guten Seele; ihr Rat ist nicht gefragt.

Charlottes Plan, der in ihrer Korrespondenz mit Emily und Anne langsam Gestalt annimmt, ist das Projekt einer eigenen Schule. Ein kleines Institut mit wenigen Schülerinnen, bescheidene Anfänge, harte Arbeit – all dies scheint erfreulicher als das fortgesetzte Dienen in fremden Familien. Es bedeutete Autorität im eigenen Haus und das Zusammensein der drei. Ihre Schule – das ist der »Polarstern«, nach dem Charlotte und Anne steuern, und mit der gewohnten Energie und Lust am Bestimmen nimmt die Ältere die Sache in die Hand. Privatschulen für Mädchen gibt es im Westen von Yorkshire in allzu großer Zahl. Charlotte findet den Osten weniger konkurrenzträchtig. Wäre Bridlington nicht schön? Miss Wooler bietet Dewsbury Moor an. Gegen die Übernahme der Möbel möchte sie als Pensionärin dort wohnen bleiben. Emily scheint der Plan zuzusagen, aber Charlotte verwirft ihn. Der Ort ist ihr »vergiftet«, und zudem sind in dem Vertrag Emily und Anne nicht mit vorgesehen.

Das Projekt gerät schon ins Wanken, als ein Brief aus Brüssel Charlotte neuen Schwung gibt. Er kommt von ihrer Freundin Mary. Nach dem Tod des Vaters im Jahr zuvor hatte sich die große Taylor-Familie zerstreut. Martha – das »Fräulein Ungestüm« – war nach Brüssel gegangen, um im Château de Koekleberg, einer eleganten Schule für reiche kleine Engländerinnen, kontinentalen Schliff zu erwerben. Mary besucht sie dort mit ihrem Bruder Joe in den Sommerferien. Aus der belgischen Hauptstadt schickt sie Charlotte ein Paar Ziegenlederhandschuhe und einen Bericht über die Wunder der prächtigen Metropole – ihre Kathedralen und Avenuen –, der Unvorhergesehenes in der Seele der Adressatin anrichtet. »Ich weiß gar nicht, was mir plötzlich in die Kehle stieg, als ich ihren Brief las; so eine heftige Ungeduld gegen die Einschränkungen der Routine, solch ein starker Wunsch nach Flügeln, so ein ungestümer Hunger zu schauen, zu wissen, zu lernen. Etwas in meinem Inneren schien sich plötzlich für einen Augenblick auszudehnen. Mich quälte das Bewußtsein meiner ungenutzten Fähigkeiten – dann brach alles zusammen und ich verzweifelte.«

Doch Marys Brief hat einen Keim der Unruhe gesät, der bald zu einem neuen, noch kühneren Plan reift. Warum sollten zwei von ihnen nicht auch nach Frankreich oder Belgien gehen und gewinnen, was perfekte Gouvernanten auszeichnete? Auslandserfahrung, Sprachen, einen französischen Akzent? Dies würde beim Durchsetzen der eigenen Schule sehr hilfreich sein. Es muß nicht gleich Paris oder ein teures Château sein… Und wer sollte Charlotte begleiten?

Ihre Wahl fällt ohne zu zögern auf Emily. Warum sie, die offenbar so zufrieden in Haworth haushält? Warum nicht Anne, um deren Gesundheit sie sich in diesem Sommer sorgt? »Sie hat so viel zu erleiden, viel mehr als wir. Wenn ich an sie denke, sehe ich sie immer vor mir als geduldige, drangsalierte Fremde unter Leuten, deren grobe Anmaßung, Stolz und Tyrannei unser Vorstellungsvermögen übersteigt. Ich kenne die verborgene Empfindlichkeit ihrer Natur… Sie ist einsamer und noch weniger als ich mit der Fähigkeit begabt, Freunde zu finden.«

Anne hatte ihre ganze Hoffnung auf das Schulprojekt gesetzt, das sie aus der Gesellschaft der Robinsons erlösen würde. Nun entscheidet Charlotte: »Ich sage Emily statt Anne, denn Anne wird vielleicht später einmal drankommen, wenn unsere Schule sich etabliert hat.«

Auch Emily hatte den Plan mit überraschender Bereitwilligkeit verfolgt. Ihr Geburtstagsbrief vom 30. Juli 1841, den sie vier Jahre später mit einer ähnlichen Chronik der laufenden und erhofften Ereignisse aus Annes Feder vergleichen will, bespricht ihren praktischen Sinn – Bares! – und eine Zufriedenheit, die nicht auf den Radius des Pfarrhauses beschränkt ist. Emily, die nach der Legende nur auf ihrem heimatlichen Moor glücklich sein konnte, sehnte sich mit dreiundzwanzig selbst aus seiner langweiligen Öde hinaus. Ein Ortswechsel hatte für sie keine Schrecken. Was sie zuverlässig krank und elend machte, war die Unterordnung ihres Lebensgefühls in fremde Systeme, die keine Muße für ihre

poetische Arbeit ließen. »Freiheit war Emilys Atem«, schrieb
Charlotte später. Im Jahr 1841 war sie durchaus bereit, sie
auch außerhalb von Haworth zu suchen. »Es ist Freitag
abend, kurz vor neun Uhr, wildes, regnerisches Wetter. Ich
sitze im Wohnzimmer, bin gerade damit fertig geworden, unsere Pulte aufzuräumen, und schreibe diese Zeilen. Papa ist
im Salon – Tante ist oben in ihrem Zimmer. Sie hat Papa aus
Blackwoods Magazine vorgelesen. Victoria und Adelaide haben sich im Torfschuppen niedergelassen, Keeper ist in der
Küche – Hero [der Falke] ist in seinem Käfig. Wir sind alle
bei Kräften und guter Dinge, und ich hoffe, daß Charlotte,
Branwell und Anne es auch sind. Charlotte ist bei John
White, Esq., Upperwood House, Rawdon; Branwell ist in
Luddenden Foot, und Anne ist, glaube ich, in Scarborough
und schreibt dort vielleicht ähnliche Zeilen nieder.

Zur Zeit wird ein Plan erwogen, unsere eigene Schule zu
gründen; zwar ist noch nichts entschieden, aber ich hoffe
und vertraue darauf, daß er weiter verfolgt wird und gedeiht
und unsere schönsten Erwartungen erfüllt. Ich wüßte gern,
ob wir heute in vier Jahren noch immer so langweilig dahin-
leben werden wie jetzt, oder ob wir von Herzen zufrieden
sein werden. Die Zeit wird es weisen.

Ich stelle mir vor, daß zu der Zeit, die zur Öffnung dieser
Papiere festgesetzt ist, wir (d. h. Charlotte, Anne und ich) alle
fröhlich in irgendeiner hübschen, gutgehenden Schule in
unserem eigenen Zimmer sitzen werden. Die Sommerferien
werden gerade begonnen haben. Unsere Schulden werden
bezahlt sein, und wir werden Bares in beträchtlicher Höhe
zur Verfügung haben. Papa, Tante und Branwell werden uns
gerade besucht haben oder sich ankündigen. Es wird ein
schöner, warmer Sommerabend sein, ganz anders als die hie-
sige Öde, und Anne und ich werden uns vielleicht für ein
paar Minuten in den Garten hinausstehlen, um unsere

Briefe zu lesen. Ich hoffe, dies oder etwas Besseres wird der
Fall sein. Die Gondaländer sind zur Zeit in einer furchtbaren
Lage, doch bis jetzt gibt es noch keinen offenen Bruch. Alle
Prinzen und Prinzessinnen der Krone befinden sich im Palast der Weisung. Ich habe eine Menge Bücher zur Hand,
muß aber leider sagen, daß ich wie üblich mit keinem so
recht vorankomme. Jedenfalls habe ich gerade einen neuen
Arbeitsplan gemacht! Und das muß ich tun – verb sap –, um
große Dinge zu erreichen. Und nun schließe ich und sende
aus der Ferne eine Ermunterung: Mut, Jungs, Mut! an die
verbannte und gequälte Anne und wünschte, sie wäre hier.«

Anne beschreibt am selben Tag ebenfalls die Familien-
situation, aber obwohl sie wie Emily auf das Gelingen ihres
Plans hofft, ist sie offenbar zu müde, zu klug oder zu bescheiden, um sich die Zukunft in rosigen Farben auszumalen:

»Ich bin Gouvernante in der Familie von Mr. Robinson.
Ich verabscheue den Posten und möchte ihn gern für einen
anderen eintauschen. Ich bin jetzt in Scarborough. Meine
Schüler sind im Bett und ich beeile mich, dies hier zu been-
den, ehe ich ihnen folge... Wir sind nun alle getrennt, und
es ist unwahrscheinlich, daß wir uns vor Ablauf so mancher
beschwerlichen Woche wiedersehen, aber soweit ich weiß, ist
keiner von uns krank, und wir tun alle etwas für unseren Lebensunterhalt, außer Emily, die jedoch so fleißig wie wir alle
ihr Brot verdient. Wie wenig wissen wir, was wir sind.
Wieviel weniger noch, was wir sein werden...

....Wir haben Keeper bekommen, haben eine süße kleine
Katze bekommen und sie wieder verloren, auch einen Falken haben wir. Haben eine Wildgans bekommen, die fortge-
flogen ist, und drei zahme, von denen eine getötet wurde...
Wir selbst haben uns in den letzten vier Jahren kaum verändert. Ich habe noch dieselben Fehler wie damals, lediglich
habe ich an Klugheit, Erfahrung und ein wenig an Selbstbe-

herrschung gewonnen. Was wird sein, wenn wir diesen und
Emilys Brief öffnen? Ob die Gondaländer noch immer ge-
deihen, und in welcher Lage sie wohl sein werden? Ich
schreibe gerade am vierten Band von Solala Vernons Leben…«

Charlotte hat indessen das Auslandsprojekt weiter vorangetrieben. Nach vielen Erkundigungen und Preisverglei-
chen entscheidet sie für eine Brüsseler Schule, die ihr der
englische Kaplan dort empfiehlt: das Pensionat des Demoiselles von Madame Claire Zoë Heger. Und sie hat auch einen
Menschen gefunden, der das nötige Geld vorstrecken wird.
Elizabeth Branwell hatte bereits bei dem Schul-Vorhaben
durchblicken lassen, daß sie möglicherweise einen Kredit gewähren werde. Nun muß Charlotte ihren guten Willen in
vorher noch ungedachte Bahnen lenken. Sie tut es auf
höchst diplomatische Weise, an Tantes Geschäftssinn ebenso
appellierend wie an ihr Faible für feine Lebensart. Hat Tante
Branwell nicht auch immer gewünscht, daß die Nichten vor-
ankämen?

»Meine Freunde sagen mir, daß Schulen in England so
häufig sind und der Wettbewerb so groß ist, daß ohne einen
Schritt in Richtung höhere Bildung unser Vorhaben… möglicherweise scheitern könnte. Ich würde nach Brüssel gehen… In einem halben Jahr könnte ich mich gründlich mit
Französisch vertraut machen. Ich könnte mein Italienisch
sehr verbessern und sogar ein bißchen Deutsch lernen…
Dies sind Vorteile, die von größtem Nutzen sein werden,
wenn wir tatsächlich selbst eine Schule gründen wollen. Du
hast Dein Geld immer gern profitabel angelegt. Du magst
keinen schäbigen Handel. Wenn Du jemandem einen Gefallen tust, geschieht das oft in großherziger Art, und sei versichert, die 50 oder 100 Pfund, die Du gäbst, sind gut angelegt.

Außer Dir, liebe Tante, kenne ich gewiß keinen anderen

Freund in der Welt, an den ich mich in dieser Angelegenheit wenden könnte… Papa wird vielleicht denken, dies sei ein unsinniger und ehrgeiziger Plan; doch wer hat es jemals ohne Ehrgeiz in der Welt zu etwas gebracht?«

Die Reisekosten werden pro Person fünf Pfund betragen, das Schulgeld, inklusive aller »Extras« – Zeichnen, Tanzen und Klavierspiel – 26 Pfund im Jahr. Der Ernst und die Präzision, mit denen Charlotte sich in ihrem besten Französisch bei Madame und Monsieur Heger nach den Bedingungen erkundigte, überzeugten diese sogleich, daß hier eine strebsame Pastorentochter bei ihnen anklopfte, der man bevorzugte Konditionen gewähren sollte.

Diese ist entschlossen, das beste daraus zu machen. Und sie entscheidet für Emily gleich mit. Es ist unwahrscheinlich, daß die Schwester der Übersiedlung ins Damenpensionat mit dem gleichen Enthusiasmus entgegensieht. Pflicht und Notwendigkeit heißen auch ihre strengen Meisterinnen. Im Gegensatz zu Charlotte muß sie sich jedoch von einer Umgebung trennen, die ihr lieb ist. »Sei nicht traurig wegen Dewsbury Moor…«, hatte Charlotte ihr geschrieben, als die Übernahme gescheitert war.

Nun verplant sie bereits ihr Leben nach dem Schulbesuch. »Du und ich werden uns um eine Stelle im Ausland bemühen«, kündigt sie an, »ich habe nicht vor, kürzer als ein Jahr zu bleiben.« In den Weihnachtsferien sind die drei jungen Frauen wieder zusammen in Haworth. Diesmal beschäftigen sie die eigenen Reisevorbereitungen vollauf. Selbst der Reverend ist mit einbezogen. Er hat beschlossen, seine Töchter persönlich zu begleiten, und fertigt für seine erste Auslandsreise ein 36seitiges Heftchen an, in dem er Redewendungen, Grußworte und zu erwartende Beschwerden in Französisch, Lautschrift und Englisch notiert. (»J'ai mal à l'estomac – Jay mal lestomá – I have a sick stomach.«) Branwell, der eigent-

lich zu Weihnachten erwartet wurde, taucht nur an einem Ja-
nuar-Wochenende auf. Charlottes Aufregung und Vorfreude auf Brüssel, »das gelobte Land«, erinnern ihn nur
allzu deutlich daran, daß er in Luddenden Foot lebendig begraben ist. Am 8. Februar 1842 ist es dann endlich soweit. In
Begleitung von Mary und Joe Taylor bricht die halbe Familie
Brontë via London in die Fremde auf.

Anne kehrt nach Thorp Green zurück. Charlottes Plan,
die Jüngste in Haworth zu behalten, wo sie an Emilys Statt
wirken und ihre Gesundheit wieder herstellen sollte, scheitert am Widerstand der Robinsons, die ihre Gouvernante
nicht ziehen lassen; und wie es scheint, hat keine der Schwestern mit besonderem Nachdruck auf der Kündigung bestanden. Anne kehrt zurück, obwohl sie die Pflicht, Papa zu
versorgen, und die Neigung zu Willi Weightman, der sie in
der Kirche anseufzt, eigentlich in Haworth halten sollten.
Läuft sie vor ihren Gefühlen davon? Vom Wohnzimmerfenster winkt ihr Tante Branwell nach, als der Gig sie am Gartentor abholt. Zehn Stunden dauert die Reise im offenen
Einspänner. Das Wetter? Agnes Grey erreicht ihre Arbeitgeber halb totgefroren; der Schnee dringt durch ihren Hut-
schleier und sammelt sich in ihrem Schoß. Im Pfarrhaus
wird es sehr still. Tabby ist zu ihrer Schwester gezogen, um
ihr Bein auszukurieren. Die kleine Martha Brown, zwölf
Jahre alt, hält in der Küche die Stellung. Vier Jahre später
schreibt Anne: »Damals war ich in Thorp Green; von dort
bin ich gerade erst entkommen. Damals wünschte ich mich
von dort weg, und wenn ich gewuß hätte, daß ich noch vier
weitere Jahre würde dortbleiben müssen – wie unglücklich
wäre ich gewesen.«

XI
Das Pensionat Heger · Emilys Eigenheiten · William Weightman stirbt · Elizabeth Branwells Tod · Über das Entstehen von Legenden · Hauslehrer bei den Robinsons · Eine Herzensentscheidung

Ich wollte gern glauben, daß Emily
eine schwierige Person war; nicht
gerade die Sorte Mädel,
die man auf den Jahresball der Polizei
mitnehmen würde.

Robert Barnard
The Case of the Missing Brontë

»Dies ist Belgien, lieber Leser. Nenne das Bild bitte nicht
fade oder stumpfsinnig – als ich es zum erstenmal erblickte,
kam es mir weder fade noch stumpfsinnig vor. Als ich Ostende an einem milden Februarmorgen verließ und mich auf
der Straße nach Brüssel befand, konnte mir nichts langweilig erscheinen... Ich war jung; ich war gesund; Vergnügen
hatte ich nie kennengelernt, kein Wohlleben hatte einen Be-
reich meines Wesens ermüdet oder übersättigt. Zum erstenmal atmete ich die Luft der Freiheit, und die Macht ihres Lä-
chelns und ihrer Umarmung gaben meinem Leben neue
Kraft wie der Westwind und die Sonne.« So begrüßt William
Crimsworth im *Professor* den Kontinent. Die Reisegesell-
schaft Brontë/Taylor hat, als sie ihn am 15. Februar 1842 betritt, eine vierzehnstündige Überfahrt hinter sich. Vorausgegangen waren zwei hektische Tage in London, an denen
Charlotte jedes berühmte Bild und jedes bedeutende Denkmal besichtigen wollte – schon vor 150 Jahren ein ebenso auf-
reibendes wie aussichtsloses Unternehmen.

Einquartiert hatte der Reverend seine Gruppe in dem altmodischen, düsteren Chapter Coffee House, Paternoster
Row, im Schatten von St. Paul's Cathedral, das einzige Gasthaus, das er kennt. Zu seiner Studienzeit waren dort die Kle-
riker abgestiegen. Theodor Fontane schrieb zehn Jahre später über die Örtlichkeit: »Paternoster Row ist eine schmale,
finstere und nicht allzu saubere Gasse, die mit Ludgate
Street parallel läuft und auf St. Paul's Yard mündet. Die
Gasse ist dadurch interessant, daß Buchhandlung neben
Buchhandlung ist, lauter lichtlose, traurige Gewölbe.«
Heute ist das Sträßchen eine Sackgasse mit dem Charme einer Tiefgarage, aber der Blick von ihrem oberen Ende ist
noch immer eindrucksvoll, und wie herzerhebend muß er
für Charlotte und Emily an diesem Februarmorgen gewesen
sein, als sie die kleinen Fenster ihres Fremdenzimmers auf-

stoßen. »Oben, über den Hausgiebeln, fast wolkenhoch, erblickte ich eine erhabene, kreisförmige Masse, dunkelblau und düster – den Dom.« (*Villette*.) Es ist die Rückseite von St. Paul's, nach dessen Vorbild sie als kleine Mädchen die Kathedrale von Glasstown errichtet hatten. Das große Babel mit seinen Wundern lag vor ihnen, und die Zeit reichte an keinem Ende, sie alle zu schauen. »Mein Geist schüttelte die immer gefesselten Schwingen halb frei, mir war plötzlich, als ob ich, die noch nie wirklich gelebt hatte, endlich Leben kosten sollte. An diesem Morgen wuchs meine Seele so rasch wie Jonas Kürbis… Ich mag den Geist dieses großen London, den ich um mich fühle. Wer anders als ein Feigling würde sein ganzes Leben in winzigen Dörfern zubringen und alles, was an Kraft und Können in ihm steckt, in die Dunkelheit werfen, für immer, daß sie's wie Rost zerfrißt.«

Charlotte war trotz ihrer Scheu und Zurückhaltung nicht für das Landleben prädestiniert. Das Erhabene, das Mondiale weckten ihren Wunsch nach Flügeln. Wie Lucy Snowe in *Villette*, dem Roman, der auf Charlottes Erfahrungen in Belgien gründet, muß sie gefühlt haben: »Es war gut, daß ich herkam«, anstatt sich in Haworth den großen müden Kopf noch länger über ihren Schulplänen zu zerbrechen.

Auch die ersten Monate in Brüssel sollten sie nicht enttäuschen. Von Ostende reisen die fünf mit der Postkutsche in die Hauptstadt – eine Eisenbahn wird erst im kommenden Jahr gebaut. Es ist Abend, als sie in der Rue d'Isabelle vorfahren und die Glocke am Tor des Pensionats Heger ziehen, einem geräumigen, alten Haus, das seine Nachbarn um ein Stockwerk überragt. Weder Straße noch Haus noch der ummauerte Garten sind heute erhalten. Wir wollen indessen – noch einmal Biographie und Literatur vermengend – dem Reverend mit seinen Töchtern in »einen kalten, funkelnden Salon« folgen, »mit einem ungeheizten Porzellanofen, ver-

goldetem Zierat und poliertem Fußboden. Eine Pendüle auf
dem Kaminsims schlug neun Uhr.« Dort werden sie von Madame Heger empfangen, einer properen kleinen Person
von siebenunddreißig Jahren, keine brillante Pädagogin,
aber eine gescheite Geschäftsfrau und Mutter von drei Kindern (zwei weitere sollten noch dazukommen). Sie ist es, die
die Zügel im Pensionat in der Hand hält und diskret-auf-
merksam Schülerinnen und Personal in ihren »Souliers de
silence«, den Schuhen der Heimlichkeit, überwacht. Ihr
Mann, Constantin Heger, zweiunddreißig in diesem Jahr, ist
Professor für Rhetorik und Mathematik in der benachbarten Knabenschule, dem Athenée Royal, und gibt nur
Gastrollen in Madames Institut.

Dort verabschiedet Mr. Brontë Charlotte und Emily, empfiehlt sie der Obhut der resoluten, höflichen kleinen Dame
und dem Beistand des Himmels und begibt sich zur Nacht in
das Haus des Kollegen Jenkins, dem Kaplan der englischen
Gemeinde. In das Büchlein der Redewendungen notiert er
am Ende befriedigt den Gegenwert seiner Reise: nur 23
Pfund 10 Schilling bei einer Dauer von zwei bis drei Wochen.
Abzüglich der Fahrtkosten billiger als das Leben zu Hause.
Selbstverständlich besucht er in dieser Zeit auch die Stätte
von Waterloo – ein großer Tag für den beinharten Verehrer
des Herzogs von Wellington!

Seine Töchter bekommen zunächst nur einmal das Pensionat zu sehen: ein langer Schlafsaal mit acht Betten an jeder Wand, einem Waschlavoir und Spiegel für je zwei. Angesichts ihrer Fremdheit und ihres Alters weist Madame den
Engländerinnen die beiden letzten Betten in der Reihe an,
die bei zugezogenen Vorhängen fast ein kleines Privatquar-
tier darstellen. Auch in der Klasse mit den langen Bänken
und der »Estrade« für die Lehrperson bleiben die beiden
dicht beieinander. Sie fühlen sich ein wenig wie zwei graue

Raben in einer Schar von munteren Sittichen. Mrs. Gaskell schreibt später, befangen in dem amüsanten Irrtum ›Wo ich bin, ist England‹, daß alle Schülerinnen, bis auf die Brontës und eine weitere junge Dame, Ausländerinnen waren; Belgierinnen höchstwahrscheinlich.

Die Erkenntnis ist auch für Charlotte und Emily ein Schock. »Alle im Haus sind Katholiken außer uns«, informiert sie Ellen, »die Verschiedenheit in Herkunft und Religion zieht eine breite Demarkationslinie zwischen uns und dem Rest. Wir sind vollständig isoliert unter den Vielen.« Weder Charlotte noch die einsilbige Emily wagen je einen Schritt über diese Linie. Ausgestattet mit den harzigsten Vorurteilen und einem britisch-protestantischen Dünkel, der aufrecht nennt, was oft nur starr ist, verallgemeinert Charlotte rüstig, was ihr an Singulärem innerhalb und außerhalb der Pensionatsmauern zustößt. »Brüssel ist eine schöne Stadt«, schreibt sie an Ellen, jedoch »die Belgier hassen die Engländer. Ihre äußerliche Moral ist strenger als die unsere. Das Korsett zu schnüren, ohne dabei ein Taschentuch im Ausschnitt zu tragen, gilt als abscheulicher Mangel an Feingefühl.« An innerer Moral sind ihnen die Töchter Albions selbstverständlich überlegen. »Würde man den Nationalcharakter der Belgier am Charakter der meisten Mädchen in dieser Schule messen, würde er sich außerordentlich kalt, selbstsüchtig und minderwertig darstellen. Sie sind sehr rebellisch, und für ihre Lehrer ist es schwierig, mit ihnen zurechtzukommen. Ihre moralischen Grundsätze sind durch und durch verderbt. Wir meiden sie.« Noch über *Villette* liegt bei aller Energie und Ironie, mit der Lucy Snowe durch die Tücken eines belgischen Damenpensionats steuert, ein Hauch von dieser sauren Schicklichkeit, die sich einen Walzer ebenso versagt wie eine Blume am Kleid und sich mit wertvoller Lektüre in eine Ecke zurückzieht, wenn

andere junge Damen in der Vorfreude auf ein Fest umher-
flattern.

Im Pensionatsgarten zwischen Rosenbüschen und Wein-
spalieren drehen die beiden ihre exklusiven Runden, Charlotte mit der langen Emily am Arm, die sich auf sie stützt.
Ihre Röcke schlappen um sie herum wie seit Kindertagen,
als der Reverend ausladende Petticoats in der Nähe der Kaminfeuer verboten hatte, und Emily, die sich vom Beginn
der 30er Jahre eine Vorliebe für breitschultrige Keulenärmel bewahrt hat, läßt sich auch auf dem Kontinent nicht von
dieser Mode abbringen, da alle anderen jungen Damen
längst enge Ärmel mit Spitzenfutter tragen. Charlotte hatte
sich viel auf ihre Sprachkenntnisse zugute gehalten; nun
muß sie feststellen, daß sie im Strom welscher Beredsamkeit
wie ausgetrocknet steht. Emily, die ihr bißchen Französisch
von Charlotte gelernt hat, kann dem Unterricht noch weniger folgen. Es ist Monsieur Heger, der sich der beiden merkwürdigen Vögel erbarmt und ihnen private Nachhilfestun-
den gibt.

Über ihn schreibt Charlotte: »Von einer Person habe ich
noch nicht gesprochen, von Monsieur Heger, dem Gatten
von Madame …ein Mann von machtvollem Intellekt, aber
sehr cholerisch und reizbar, ein kleines dunkles häßliches
Wesen mit einem Gesicht, dessen Ausdruck wechselt.
Manchmal nimmt es die Züge eines verrückten Katers an,
manchmal die einer rasenden Hyäne… Vor einigen Wochen
hat er mir in einer hochfliegenden Laune verboten, Wörterbuch und Grammatik zu gebrauchen, wenn ich die schwie-
rigsten englischen Aufsätze ins Französische übersetze. Dies
macht die Aufgabe ziemlich mühsam und zwingt mich, hier
und da ein englisches Wort zu benutzen, bei dessen Anblick
ihm dann die Augen vor den Kopf treten. Emily und er kommen nicht gut miteinander zurecht. Wenn er sehr scharf mit

mir spricht, weine ich; das bringt alles wieder ins Lot. Emily arbeitet wie ein Pferd, und sie hat mit größeren Schwierigkeiten zu kämpfen, viel mehr als ich.«

Heger bemerkt offenbar, daß diese beiden nicht mehr ganz jungen Damen von anderem Kaliber sind als ihre weniger strebsamen Klassenkameradinnen, und er schlägt ihnen eine ungewöhnliche Lehrmethode vor: Statt Vokabeln und Regeln zu pauken, will er ihnen die Werke französischer Autoren vorlesen, ihre Vorzüge und Mängel darstellen. Er hoffe, daß seine Schülerinnen die Trefflichkeit des Stils begriffen und in der Lage sein würden, ihre Gedanken mit ähnlicher Sicherheit und Eleganz zu formulieren. Was sie wohl dazu sagten?

Emily lehnt den Vorschlag rundweg ab. Sie sähe keine Vorzüge darin. Indem sie anderer Autoren Stil kopiere, verlöre sie die Originalität ihres eigenen Ausdrucks. Sie hätte die Angelegenheit gerne mit Monsieur le Professeur durchgesprochen, doch der fühlt keine Neigung zu Diskussionen. Auch Charlotte hat ihre Zweifel, ist jedoch willens, seinem Rat zu folgen, da sie ihm als Schülerin nun einmal Gehorsam schulde.

Es ist wohl kein Wunder, daß Heger und die jüngere Brontë-Schwester nicht gut miteinander auskommen. Der Professor, ein höchst gebieterischer Pädagoge, ist Widerspruch nicht gewöhnt. Aus dem allgemeinen Respekt zieht er gerne noch den Honig der Bewunderung. Charlotte, die schon als junges Mädchen einen Mann gesucht hat, »den ich lieben muß und fürchten kann«, hat in ihm ihren Meister gefunden.

»Vorige Woche bin ich sechsundzwanzig geworden«, schreibt sie nach England, »und in diesem reifen Lebensalter bin ich ein Schulmädchen, und alles in allem sehr glücklich dabei. Es war zuerst sehr merkwürdig, mich einer Auto-

rität zu unterwerfen, anstatt sie selbst auszuüben, aber ich
mag es so, wie es ist. Ich kehrte in diesen Zustand zurück mit
der gleichen Begierde wie eine Kuh, die lange nur trockenes
Heu bekommen hat, zu frischem Gras zurückkehrt. Lach
nicht über meinen Vergleich. Unterwerfen ist mir gemäßer
als kommandieren.«

Beide sind nach Brüssel gegangen, um voranzukommen,
und sie verfolgen ihren Weg mit Entschlossenheit und Fleiß.
Der Lehrplan umfaßt Französisch, Zeichnen, Musik, Singen,
Aufsatz, Arithmetik und Deutsch. Emily zeigt soviel musika-
lisches Talent, daß sie bald Stunden bei einem führenden
belgischen Klavierlehrer nehmen kann. Die Aufsätze, die
beide noch in ihrem ersten Halbjahr schreiben, widerlegen
das Urteil ihres Lehrers, daß sie »kein Französisch« sprachen, als sie nach Belgien kamen. Nach Hegers Anregung –
offenbar hat er sich durchgesetzt – schreibt Charlotte über
Pierre l'Hermite, den Führer des ersten Kreuzzuges, und
Emily über *Le Roi Harold avant la Bataille de Hastings.* Keine
der beiden muß mehr ein englisches Wort einfügen. Was Heger an den Rand schreibt, sind Stilkorrekturen. Er beschnei-
det Charlottes Lust an literarischen Schweifzügen – »Sie haben mit der Figur begonnen und sie zu ihrem Thema gemacht, jetzt gehen Sie auch mit ihr bis zum Ziel« –, ihren
Hang zu blumigen Wiederholungen und ihren Sinn für iro-
nische Kehrtwendungen, wenn eine bombastische Entwicklung sich anbahnt. Als Charlotte in ihrer Betrachtung *Athè-
nes Sauvée par la Poésie* den spartanischen Eroberer Lysander
seine Schlachtpläne in Suff und Kater einfach vergessen
läßt, tadelt Heger dieses glückliche Ende von angrianischem
Schmiß als geschmacklos und unpassend.

An Sonntagen sind die Schwestern bei Herrn und Frau
Kaplan Jenkins eingeladen, die den freundlosen Engländerinnen ein wenig Abwechslung in ihrer Einsamkeit bieten

wollen. Die gesellschaftliche Begegnung wächst sich jedoch bald zu einem Alptraum für beide Seiten aus, besonders wenn noch andere, fremde Gesichter am Teetisch präsent sind. Die Große spricht so gut wie nie, die ältere erwacht gelegentlich bei einem Thema, das sie interessiert, windet sich jedoch beim Sprechen auf ihrem Stuhl und starrt ihrem Gegenüber auf die Jackenknöpfe, daß Gott erbarm. Zur gegenseitigen Erleichterung stellt Mrs. Jenkins die Einladungen bald ein. Charlotte und Emily sind frei, die Stadt zu erkunden. Das Pensionat liegt in der Nähe der eleganten Rue Royale, der Kirche St. Gudula und dem großen Park, aus dessen Vauxhall-Pavillon an Sommerabenden Musik herüberweht. Es kann ja nun nicht alles schmutzig und verderbt sein. Da ist der prachtvolle Place Royale mit seinen Kolonnaden, die verwinkelte Altstadt, da sind die großen Kunstgalerien. Erfreulich anzusehen sind die Flaminnen in ihren hellen Waschkleidern, und wo sonst gibt es diese köstlichen Brötchen – Brioches und Pistolets und Rosinensemmeln? Charlotte kommt nicht umhin, die Überlegenheit der belgischen Putzmacherinnen anzuerkennen. »Gütiger Himmel, warum ziehen sie sich nicht besser an!« ruft William Crimsworth angesichts seiner englischen Landsleute, »ich habe ihren Anblick immer noch vor Augen, die hochgekrausten, schlampigen und zerknüllten Kleider aus Seide und kostbarem Satin, die großen unkleidsamen Kragen aus teurer Spitze, die schlecht geschnittenen Gehröcke und Pantalons von zweifelhafter Mode, deren Träger jeden Sonntag den englischen Gottesdienst besuchten, das Schiff der königlichen Kapelle füllten; und wenn sie von dort aus auf den Platz hinausströmten, standen sie in denkbar ungünstigem Kontrast zu den frischen, adretten ausländischen Gestalten, die zum ›Salut‹ in die Coburger Kirche eilten.«

Das erste Halbjahr endet im Pensionat zu Beginn der gro-

ßen Ferien im August, und es ist Zeit für eine Entscheidung.
Charlotte wollte sich nun eigentlich eine Stelle suchen. Was
Emily will, ist nicht überliefert; am liebsten wohl nach
Hause. Sie hat so viel härter zu kämpfen als ihre Schwester.
»Ich leugne nicht, daß ich manchmal wünsche, in England
zu sein oder daß mich kurzzeitig Heimweh überfällt«,
schreibt diese an ihre Freundin, »doch alles in allem habe ich
bis jetzt ein sehr tapferes Herz gezeigt; und ich bin in Brüssel
glücklich gewesen, denn ich wurde immer zur Gänze von
den Beschäftigungen in Anspruch genommen, die ich mag.
Emily macht rasche Fortschritte im Französischen, Deut-
schen, in der Musik und im Zeichnen. Monsieur und Madame Heger beginnen unter ihren Eigenheiten die wertvollen Seiten ihres Charakters anzuerkennen.«

Emilys Eigenheiten – das sind wohl ihre Kanten, mit denen sie sich im Schulbetrieb stößt. Lernen um des Lernens
willen, wie Charlotte es tut, die stolz ihr Bildungskonto füllt,
ist Emily fremd. Sie ist kein Schulmädchen, das zur opportu-
nen Zeit zu weinen versteht, sondern eine autarke Vierund-
zwanzigjährige, der die aufgezwungene Disziplin und der
Mangel an Privatheit verhaßt sind. Doch schließlich ist sie zu
einem Zweck hier. »Wieder schien sie (wie vor sieben Jahren
in Roe Head) zusammenzubrechen. Doch diesmal sammelte
sie sich durch reine Willenskraft; mit Reue und Scham sah
sie auf ihr erstes Versagen zurück und beschloß, sich zu über-
winden«, schreibt Charlotte. Noch einmal unterwirft sich
Emily der Entscheidung der älteren Schwester. Madame Heger hat ihnen ein Angebot unterbreitet. Sie möchte nach den
Ferien Charlotte als Englischlehrerin und Emily für Musik-
stunden einstellen. Als Gegenleistung sollen die beiden weiter Französisch und Deutsch lernen und im Pensionat wohnen bleiben. Von einem Gehalt ist nicht die Rede. »Für eine
so selbstsüchtige Stadt und eine so selbstsüchtige Schule ein

großzügiges Angebot«, befindet Charlotte. Sie bleiben. Acht Wochen Sommerferien liegen vor ihnen, die sich in ihrer täglichen Routine kaum von den Schultagen unterscheiden. Vielleicht daß sie ihre Bücher in den Garten getragen haben und dort zwischen Rosenbüschen und Obstbäumen ihre Lektionen lernen. Nur wenige Mädchen sind außer ihnen zurückgeblieben, darunter die Töchter eines englischen Doktors Wheelwright, deren älteste, Laetitia, sich mit Charlotte befreundet. Ihre drei jüngeren Schwestern erhalten Klavierunterricht bei Emily, und Laetitia notiert verärgert, daß sie nach der Stunde oft in Tränen aufgelöst sind. Monsieur Heger erinnert sich ihrer Lehrerin als »egoistisch und anspruchsvoll, verglichen mit Charlotte, die stets selbstlos war, und in ihrem Bestreben, die Schwester zufriedenzustellen, dieser erlaubte, eine unbewußte Tyrannei über sie auszuüben«. Mit Emily, so scheint es, ist in Brüssel nicht gut Kirschen essen. Die Überwindung kostet sie mehr als ihre gute Laune. Vorbei die Zeiten, da sie, zufrieden und ausgeglichen, ein »Mut, Jungs, Mut!« an Anne schicken konnte. Nun gebricht es ihr selbst an Stärke. Auch die Besuche bei Martha und Mary im Château Koekleberg sind kein Trost, schon gar nicht, wenn fremde Taylor-Kusinen mit von der Partie sind. Dann versinkt Emily in steinernes Schweigen.

In dieser lähmenden Zeit erreichen sie schlimme Neuigkeiten aus Haworth. William Weightman – achtundzwanzig Jahre alt – ist an der Cholera gestorben. Branwell hat bei ihm gewacht und mit ihm »einen meiner liebsten Freunde« verloren. Anne erhält die Nachricht von ihm in Thorp Green. Sie reist nicht zur Beerdigung nach Hause. Erst zwei Monate später steht sie allein in der muffigen dunklen Kirche, verborgen von dem hohen Gestühl, über seinem Grab. Was sie verloren hat, teilt sie keiner lebenden Seele mit.

Ach, du bist fort! Nie wieder schenkt
Dein strahlendes Lächeln Freude mir.
Die Kirche betret' ich, den Blick gesenkt
Auf den deckenden Boden über dir.

Darf auf eisigem Steine stillestehn
Und denken: Darunter, in Kälte gebannt,
Ruht das reinste Geschöpf, das ich je gesehn,
Das liebreichste Herz, das ich je gekannt.

Selbst wenn meine Augen dich nicht mehr finden,
Ist es doch ein Trost, daß sie dich erlebt;
Und obwohl dein flücht'ges Leben mußt' schwinden,
Ist der Gedanke süß, daß du gelebt;

Zu denken, eine Seele so göttergleich
In einer so engelschönen Gestalt,
Verbunden mit deinem Herzen so weich
Gab uns im irdischen Dasein Halt.

Vier Wochen nach Weightmans Tod wird Charlotte ins Château Koekleberg gerufen – Martha sei sehr krank –, aber als
sie sich am nächsten Morgen auf den Weg macht, ist Marys
kleine Schwester schon gestorben – an der Cholera. Charlotte hat sie später als Jessy Yorke in *Shirley* beschrieben,
»Jessy mit ihrem kleinen pikanten Gesicht« und ihrer reizenden Ungeniertheit. Am 30. Oktober besucht sie mit Emily
und Mary ihr Grab auf dem protestantischen Friedhof außerhalb der Porte de Louvain, einen von Zypressen und Weiden überschatteten Ort, den sie im *Professor* zum Schauplatz
eines Wiedersehens macht.

   Am Tag zuvor, dem 29. Oktober 1842, ist ihre Tante Branwell in Haworth gestorben. Die Nachricht von ihrer schweren Krankheit – sie stirbt an Darmverschluß – erreicht sie kurze Zeit später, aber als Charlotte und Emily sich in aller Hast zur Heimfahrt rüsten, kommt ein zweiter Brief, daß Elizabeth Branwell tot ist. Die Schwestern reisen über Antwerpen und London ohne Halt nach Hause, doch als sie am 8. November in Haworth eintreffen, ist die Beerdigung schon vorbei. »Wir werden sie nicht wiedersehen«, schreibt Charlotte seltsam unbewegt, und etwas später, als sie Ellen zu einem Besuch einlädt: »Hab' keine Angst, uns traurig oder niedergeschlagen vorzufinden. Wir sind alle so ziemlich wie immer. Du wirst keinen Unterschied in unserem Gebaren finden.«

Das mag auf ihren Gemütszustand zutreffen. Branwell, der seine Tante hat sterben sehen, ist bitterlich betroffen. Die kleine alte Dame hat ihn immer ein wenig mehr geliebt als seine Schwestern und war in ihrem Glauben an seine Vorzüglichkeit niemals schwankend geworden. Als Kinder hatten die vier im Spiel der Inselbewohner über sie in der Figur der Mrs. Daura Dovelike, der taubengleichen, gelacht, die die drei kleinen Königinnen als Waschfrauen im Haushalt des Herzogs von Wellington anheuert. »Sie saß in einem Lehnstuhl beim Frühstück mit den Füßen auf einem gepolsterten Schemel. Ihre energische Gestalt war in ein altmodisches, rauschendes, dunkles Seidenkleid gehüllt, Haube und Kragen waren brettsteif gestärkt. Wie es das Glück wollte, war sie an diesem Morgen zufällig gut gelaunt…«

Aber für Branwell war sie mehr als nur Respektsperson. An seinen Freund Grundy schreibt er nach dem Tod Weightmans: »Ich wache nun am Sterbebett meiner Tante, die vierundzwanzig Jahre lang wie eine Mutter zu mir war. Ich erwarte, daß sie in einigen Stunden stirbt… Verzeih das Gekrakel, meine Augen sind vom Kummer zu trüb, um recht zu

sehen.« Und am Tag ihres Todes: »Ich fürchte, ich rede etwas wirr, aber ich habe zwei Nächte hindurch gewacht und
bin Zeuge eines so qualvollen Leidens gewesen, wie ich es
selbst meinem schlimmsten Feind nicht wünsche; und nun
habe ich die Führerin und Leiterin all der glücklichen Tage
verloren, die mit meiner Kindheit verbunden sind.« Branwell muß dieses »wir sind so wie immer« gekränkt haben.
Ein Besuch Ellen Nusseys ist wohl das letzte, was er jetzt er-
sehnt. Auch Anne fühlt den Verlust. Als kleines Mädchen
war sie der Tante sehr nahe; sie hatte ihr Schlafzimmer geteilt. Anne war immer eine besonders Liebe, gutherzig und
leicht zum Weinen zu bringen. Tante Branwell wird sie nicht
mit der gleichen Strenge behandelt haben, mit der sie die
beiden großen Mädchen oft zur Ordnung rufen mußte. Als
Emily schon alleine lesen und spielen durfte, saß Anne immer noch bei ihr und nähte. Es war nicht ladylike, die Füße
dabei aufs Kamingitter zu stellen. Es war sündhaft, die Gedanken von der frommen Lesung abschweifen zu lassen. Es
war ungezogen, Widerworte zu geben. »Wo hast du deine
Füße, Anne?« – »Auf dem Boden, Tante.« Nein, Anne war
nicht so leicht zu lenken gewesen, wie Elizabeth Branwell es
sich vorgestellt hatte. Im *Tenant of Wildfell Hall* erinnert sie
sich der gereizten Gespräche und der kalten Dämpfer, die
die alte Dame ihrem warmen Herzen aufsetzte. »Ich frage
mich, ob sie jemals verliebt war«, wundert sich die Heldin
Helen, als sie mit ihrer Tante Maxwell über einen begehrens-
werten, aber etwas wilden jungen Mann diskutiert. »›Und
denk daran, Helen‹, fuhr sie feierlich fort, ›die Schlechten
werden zur Hölle fahren und werden Gott nicht schauen.
Und nimm einmal an, er würde dich sogar weiter lieben und
du ihn, und ihr kämet ein Leben lang erträglich miteinander aus – wie wird es am Ende sein, wenn ihr für immer voneinander geschieden werdet; du vielleicht in die ewige Selig-

keit und er, geworfen in den See, der in unauslöschlichem Feuer brennt, um dort für ewig…‹ – ›Nein, nicht für ewig‹, rief ich aus« – und Helen vertritt tapfer ihre Sicht von der Errettung der Sünder und der Versöhnung mit Gott. »Oh, Helen, wo hast du so etwas gelernt?‹ – ›Aus der Bibel, Tante.‹«

Ihren drei Nichten in Haworth und einer vierten in Penzance vererbt Tante Branwell ein Vermögen von 1500 Pfund, Charlotte dazu ihren indischen Handarbeitskasten, Emily ihren Handarbeitskasten mit dem Porzellandeckel und ihren Elfenbeinfächer, Anne die Uhr und alles was dazugehört, ferner zu gleichen Teilen ihren Schmuck, ihre Kleider, Bücher und silbernen Löffel. Branwell, von dem die Tante seit seinem 15. Lebensjahr, als sie ihr Testament verfaßte, annahm, er werde seinen Weg auch ohne ihr Geld erfolgreich machen, erbt ihre japanische Lackschachtel. Das kleine Vermögen ist ein weiterer Schritt zur Unabhängigkeit. Aber noch ist an eine Schulgründung nicht zu denken. Wie sollte es bis dahin angelegt werden? Möglicherweise ist es Emily, die den Wirtschaftsteil der Zeitung zu Rate zieht und die Aktien der York-und-Midland-Eisenbahn empfiehlt – Tendenz steigend, denn sie ist es, die in Zukunft das gemeinsame Geld verwaltet, in die Eisenbahn investiert und dabei bleibt, selbst als die Gesellschaft 1846 in eine Baisse schliddert und Charlotte besorgt aussteigen möchte.

In Haworth ist Emilys verstockte Eigenheit wie weggeblasen. Sie empfängt Ellen Nussey mit soviel Charme, daß diese schon glaubt, die kontinenale Erziehung habe bei dem linkischen Mädel, das früher ins Wohnzimmer geschossen kam, sein Buch an sich raffte und ohne einen Menschen anzusehen, wieder verschwand, gut angeschlagen. Mary aber, die die ungesellige Schweigerin in Brüssel erlebt hat, belehrt sie eines Besseren. »Ich kann mir nicht vorstellen, wie die neu erworbenen Fähigkeiten in diesen Kopf und in dieses Herz

passen sollen, in dem schon die alten wohnen. Ich versuche,
mir Emily vorzustellen, wie sie mit irgendeinem Fatzke
Drucke durchblättert und ›Wein nimmt‹ und dabei ihre Beherrschung und ihre Höflichkeit wahrt.«

Emily hat sich nicht verändert. Sie streift die letzten neun
Monate wie einen Kokon ab und verliert, anders als Charlotte, die zwei ihrer vier Romane in Brüssel spielen läßt, kein
weiteres Wort mehr über die Stadt. Monsieur Heger hat den
beiden einen huldreichen Brief an den Reverend Brontë
mitgegeben; Charlotte übersetzt ihn stolz errötend. Ein
neues Angebot in Sachen Klavierunterricht? Für Emily steht
fest: Nie wieder zurück nach Belgien. Heger schreibt auch
nicht ganz so preisend über sie wie über Charlotte. Beide
hätten bemerkenswerte Fortschritte gemacht – kaum je hätte
er mit solchen Schülerinnen zu tun gehabt – dieser außerordentliche Fleiß – diese Haltung – er hege eine fast väterliche
Zuneigung – noch ein wenig mehr Arbeit, noch ein Jahr vielleicht und das Ziel wäre erreicht. »Mademoiselle Emily…
hat jeden Rest von Unwissenheit verloren und – was noch ge-
nanter war – ihre Schüchternheit. Mademoiselle Charlotte
hat Französisch gelernt und Sicherheit und gewandtes Auftreten darin erreicht.« Das Angebot, sie wie bisher als Schülerinnen und Lehrerinnen zu beschäftigen, ergeht an »eine
oder beide«, aber der Familie ist klar, daß nur Charlotte annehmen wird. Der Reverend, dessen Augen durch grauen
Star angegriffen sind, braucht nun, da seine Schwägerin
nicht mehr um ihn ist, eine Tochter im Pfarrhaus. Es geht
nicht an, daß er und Branwell mit einem kleinen Mädchen
in der Küche wirtschaften. Anne hat ihre Stelle in Thorp
Green. Also wird Emily in Haworth bleiben. Sie nimmt ihre
Geschäfte umgehend und souverän auf, holt Tabby als
Stütze zurück und versucht, ihre geliebte Menagerie wieder
herzustellen – vergeblich; die Tante hatte ihre Abwesenheit

genutzt, um sich von allerlei Haustieren zu befreien. In einem späteren Tagebuch schreibt Emily: »Wir haben den Falken Hero verloren, der mit den zahmen Gänsen weggegeben wurde und zweifellos tot ist, denn als ich aus Brüssel zurückkam, fragte ich überall nach ihm, konnte aber nichts in Erfahrung bringen.«

Mit Emily Brontë hat es, wie mit vielen Künstlern, die erst nach ihrem Tod berühmt wurden, eine seltsame Bewandtnis. Ihr Wesen, das den Mitmenschen zu Lebzeiten ganz unauffällig war, gewinnt in der Erinnerung einen nie geschauten Glanz. Sie waren dem Genie nahe und sollten es nicht bemerkt haben? An der jungen Frau, die im Januar 1843 ihre Küchenschürze umbindet, können selbst ihre nächsten Angehörigen nichts Übernatürliches entdecken. Emily hat ihre Eigenheiten, ihre Stimmungen, daran ist man gewöhnt. Anne ahnt, daß sie neben der Gondal-Saga auch persönliche Gedichte schreibt, wird aber nicht eingeweiht. (Emily hatte offenbar größere Freiheiten oder nahm sie sich heraus. In ihrem Tagebuchbrief von 1841 schrieb sie, daß sie ihr und Annes Pult aufgeräumt habe. Ob Anne eine solche Aktion riskiert hätte? Als Charlotte zwei Jahre später auf oder unter dem Deckel ihre Gedichte findet, ist Emily außer sich vor Wut.)

In Brüssel hatte sie den Eindruck einer Schwierigen hinterlassen, unwissend und schüchtern, um mit Monsieur Heger zu sprechen, dem für ihre konfliktgeladene Beziehung keine charmanteren Worte zu Gebote standen. Emily schien »Höflichkeit für Heuchelei zu halten und Grobheit für Aufrichtigkeit«. (Edward Chitham) Ellen Nussey kennt sie als das Mädchen mit den klaren Augen, oft verschlossen, doch im ganzen liebenswert. Wie anders, wie gewichtig und zugleich erhaben ist der Eindruck, den Heger und Nussey – als Zeitzeugen befragt – in der Rückschau beschreiben. Die

Dame zuerst: »Wenige Menschen haben die Gabe, so zu blik-
ken und zu lächeln wie sie«, besinnt sich Ellen über vierzig
Jahre nach Emilys Tod gegenüber Clement Shorter; »einer
ihrer seltenen ausdrucksvollen Blicke war etwas, dessen man
sich ein Leben lang erinnerte; es lag soviel Seelentiefe und
Gefühl darin, und zugleich eine Scheu, sich selbst zu enthüllen, eine Stärke der Innerlichkeit, wie ich sie bei keinem anderen Menschen gefunden habe. Sie trug im strengsten
Sinne ihr Gesetz in sich selbst und befolgte es wie eine Heldin.« Auch der Rückblick auf einen Einkaufsbummel mit
den Schwestern belegt einmal mehr Ellens phänomenales
Gedächtnis und darüber hinaus den Verdacht, daß die wenigen erregenden Stunden ihres Lebens in Gesellschaft von
Emily Brontë stattfanden. »Sie wählte einen weißen Stoff,
der mit lilafarbenen Wolken und Blitzen gemustert war –
dies zum kaum verhüllten Entsetzen ihrer gemäßigteren Begleitung. Und er stand ihr: eine große, biegsame Gestalt von
halb-königlicher, halb-ungezähmter Anmut, die mit ihren
schnellen, geschmeidigen Bewegungen und malerischer
Lässigkeit ihre weiten, lilagefleckten Röcke trug; ihr Gesicht
klar und blaß, ihr dunkles üppiges Haar am Hinterkopf mit
einem spanischen Kamm zusammengesteckt, ihre großen,
graubraunen Augen – eben noch voll träger Nachsicht, nun
in verborgener Bedeutung funkelnd und, vom Ärger zum
Feuer entfacht, ›ein roter Strahl, der den Tau durchdringt.‹«

Ihr Lehrer beschrieb sie Mrs. Gaskell, die 1856 zu Recherchen nach Brüssel gereist war, als »einen logischen Kopf«
mit beachtlichen Fähigkeiten zum Argumentieren, wie sie in
der Tat ungewöhnlich für einen Mann und überaus selten
für eine Frau seien, jedoch gepaart mit Sturheit und Willenskraft. Dies klingt noch ganz nach der aufsässigen Schülerin,
doch Monsieur Heger, der sich inzwischen selbst ein wenig
als prominente Romanfigur Paul Emanuel zu fühlen be-

gann (Madame H. empfing die Schriftstellerin bezeichnenderweise nicht), gab der umstrittenen Autorin Brontë, was ihrer würdig zu sein schien: »Sie hätte ein Mann sein sollen – ein großer Navigator. Ihr kraftvoller Verstand wäre forschend in neue Wissensphären eingedrungen, und ihr starker, gebieterischer Wille wäre niemals von Widerständen oder Schwierigkeiten entmutigt worden; er wäre nur dem Tod gewichen.«

Als Emily von Brüssel nach Haworth zurückkehrt, liegt ihr literarischer Ruhm noch ungeboren in der Zukunft, und ihr einziger Roman ist nicht viel mehr als ein Gondal-Samenkorn. Auch Charlotte, die später die Legende um ihre Schwester, das halbwilde Geschöpf, begründet, weiß noch nichts von Emilys nächtlichen Gedankenflügen und wenig von ihrer poetischen Kraft.

> Wie klar er scheint! Wie ruhig
> Lieg ich in seinem schützend' Licht,
> Da Himmel und Erde mir flüstern zu
> ›Wach morgen, aber träum heut nacht.‹
> Ja, Traumgesichte komm, du meine Zauberliebe!
> Küß sanft die pochenden Schläfen mir;
> Beug über mein einsames Lager dich,
> Und bring mir Wonne, und bring mir Frieden.

Nach den Weihnachtsferien, im Januar 1843 zerstreut sich die Familie wieder. Anne kehrt zu den Robinsons zurück, und Branwell geht mir ihr. Er soll in Zukunft den elfjährigen Edmund unterrichten, der bisher der Aufsicht der Gouvernante unterstand. Beide müssen den Posten als ein Geschenk des Schicksals empfunden haben. Anne mag Charlottes Unruhe bezüglich seines schweifenden Tatendrangs und seiner Trinkerei geteilt haben. Sie sieht aber auch das Unglück hinter der bramarbasierenden Fassade. Eine verantwortungsvolle Tätigkeit bei wohlgeborenen Leuten in guter Landluft, fern den Versuchungen der Städte, könnte wieder Ordnung in sein Leben bringen. Und ganz so verrottet wie die Murrays in *Agnes Grey* können die Herrschaften auf Thorp Green nicht gewesen sein, sonst hätte Anne nicht gewagt, ihren anfälligen Bruder dort als Hauslehrer einzuführen.

Branwell ist diesmal nicht nur von guten Vorsätzen, sondern von Begeisterung erfüllt. Die Robinsons sind die feinste Gesellschaft, in der er sich je bewegte, Thorp Green Hall ist ein wirklich »großes Haus«; seine Aufgabe würde ihn nicht überfordern, und er soll eine eigene Klause im Park, das alte »Mönchshaus«, bewohnen, wo er Muße zum Schreiben haben wird. Es sieht aus, als lächle das Glück ihm wieder zu. Charlotte packt Ende Januar ihre Reisekiste und macht sich alleine auf den Weg nach London. Mitten in der Nacht in der großen Stadt gestrandet, wagt sie nicht, an die Tür des Chapter Coffee House zu klopfen, sondern läßt sich gleich zu dem auf der Themse liegenden Schiff rudern. Dort will man sie zunächst nicht an Bord lassen, doch die kleine schattenhafte Figur erhebt sich von ihrem schwankenden Sitz und macht ihr Anliegen deutlich. Nach Brüssel zurück, mit ganzer Kraft! Sie ahnt schon, daß sie für ihr Herz und gegen ihren Verstand entschieden hat.

XII

Charlottes zweites Jahr in Brüssel ·
»Der schwarze Schwan« · Eine Beichte ·
Branwell und Mrs. Robinson · Das Etablissement
wird aufgegeben

›Ich sage dir, du bringst nie eine
Liebesgeschichte zustande. Oder sie ist nicht wahr.‹
PAUSE
›Weil du das Leben nicht kennst.‹
STILLE
Emily: ›Deine Leute draußen, die das Leben
kennen, bringen sie eine Liebesgeschichte zustande?‹

Gerlind Reinshagen
Die Clownin

Im zweiten Jahr in Brüssel ist alles ganz anders. Charlotte ist
nun Lehrerin und lernt in dieser Eigenschaft ihre phlegma-
tischen jungen Damen noch besser hassen. Nein, nicht hassen, das wäre wahrhaftig ein zu warmes, ein verschwendetes
Gefühl an diese scheinheiligen, »sinnlichen« und geistesar-
men Geschöpfe. »Sie sind nichts.« Aber nun ist sie allein, ein
Robinson Crusoe auf einer volkreichen Insel, und niemand
teilt ihre wissenden Blicke und zarten Ellenbogenstöße: oh
dear, oh dear, diese Belgier! Fischleim fließt in ihren Adern
statt Blut! Sie fühlt sich selbst »sauer und misanthropisch«,
ohne etwas dagegen unternehmen zu können. Viel Abwechslung winkt nicht und kann von den 16 Pfund Jahresgehalt, von denen sie noch ihre Deutschstunden bei einer Mademoiselle Mühl und die »Blanchisseuse« bezahlen muß,
auch nicht geleistet werden. Sogar Briefe nach Hause müssen warten, bis sich eine Mitnahmegelegenheit bietet, denn
das Porto – 1 Schilling 6 Pence – ist ein weiterer Posten, der
geeignet ist, »Chaos« im Budget zu verursachen. Monsieur
Heger nimmt sie und eine Schülerin während des Karnevals
mit in die Stadt, um das Maskentreiben anzuschauen. Charlotte findet das Gewühl und die allgemeine Heiterkeit recht
animierend, aber die Masken »sind nichts«. Von den anderen Lehrerinnen, die wie die Katzen miteinander schmeicheln und zanken und außerdem für die Direktorin spionieren, hält sie sich fern. Die Hegers bieten ihr an, ihr Wohnzimmer mit zu nutzen, aber tagsüber ist dort zuviel Betrieb mit
Musiklehrern, die ein- und ausgehen (offenbar steht auch
das Klavier dort), und abends will sie sich nicht aufdrängen.
An ihren freien Tagen besucht sie die Wheelwrights und
eine andere englische Familie, die Dixons, aber als diese im
Sommer ihre Zelte in Brüssel abbrechen, ist sie ganz alleine.
Mary, die sich 1843 in Deutschland aufhält, reimt sich aus
den Briefen der Freundin zusammen, daß die gleiche See-

lenbetrübnis, die Charlotte bei Miss Wooler überkommen hatte, sie wieder zu überwältigen droht. Im Pensionat läßt sich Charlotte nichts von ihrer »gedrückten Stimmung« anmerken. Sie ist kühl und beherrscht. Madame Heger bietet ihr an, bei den Englischstunden präsent zu sein, aber die neue Lehrerin zieht es vor, sich ohne »Gendarmin« und mit ihren eigenen Methoden bei den jungen Damen durchzusetzen. Sie ereifert sich nicht, sie gönnt ihnen nicht den Triumph, sich in der fremden Sprache zu verhaspeln. »Manchmal werde ich rot im Gesicht vor Ungeduld mit ihrer Dummheit«, aber ein Funkeln des braunen Auges, ein schärferer Ton genügen, um die Insubordination zu unterdrücken. Eine rechte Erholung sind dagegen die Privatstunden, die sie Monsieur Heger und seinem Schwager gibt. »Beide, besonders der erste, machen gute Fortschritte.« Heger fange an, sehr ordentlich Englisch zu sprechen. »Wenn Du meine Bemühungen sehen und hören könntest, wie ich versuche, ihnen beizubringen, die Worte wie Engländer auszusprechen und ihre fruchtlosen Versuche, mich nachzuahmen, Du würdest bis in alle Ewigkeit lachen«, schreibt sie an Ellen.

Sonst gibt es nichts Erfreuliches zu berichten. Sie ist einsam mitten in der großen, glänzenden Stadt. Das Wetter im April ist schauderhaft, im Haus brennt kein Feuer mehr, und sie zittert den ganzen Tag vor Kälte. Ellen will gehört haben, daß die Freundin nach Brüssel zurückgekehrt sei, um einen Ehemann zu angeln. Sie wird mit ungewohnter Barschheit zurechtgewiesen: »Wenn diese barmherzigen Leute meine vollständige Abgeschiedenheit sähen, daß ich niemals ein Wort mit einem Menschen außer mit Monsieur Heger wechsele, und mit ihm selten genug, dann würden sie aufhören, solch grundlose Hirngespinste als Motiv meiner Handlungen zu nähren. Habe ich mich deutlich genug gegen diese dummen Bezichtigungen ausgedrückt? Es ist ja kein Verbrechen, sich zu verheiraten oder den Wunsch danach zu hegen, aber es ist ein Wahnsinn, den ich mit Verachtung zurückweise, wenn es um Frauen geht, die weder Schönheit noch Vermögen besitzen.« Diesen unattraktiven Wesen – Miss Brontë eingeschlossen – rät sie, sich still zu verhalten und an etwas Vernünftigeres zu denken.

Viele harte Worte, um einer Schwäche nicht gewahr zu werden: Constantin Heger. Ihm verdankt sie die lichten Augenblicke in ihrem trüben Alltag – ein ermutigendes Lächeln, ein gutes Wort. Er leiht ihr Bücher und schenkt ihr ein kleines deutsches Testament, auf dessen Vorsatzblatt sie auf deutsch schreibt: »Herr Heger hat mir dieses Buch gegeben, Brüssel 1843.« Sie wirbt um ihn, »den einzigen Lehrer, den ich je hatte«, in der trügerischen Sicherheit des vertrauten Umgangs und der Routine. Schuldet sie ihm nicht Freundschaft und Dank? Seine oft maßlosen Forderungen stacheln ihren Ehrgeiz und ihre Begeisterung an. In seiner Gegenwart fühlt sie sich lebendig. Und er? Sollte er diese Empfänglichkeit nicht bemerkt haben? Monsieur ist sich seiner Sonderstellung als einzige männliche Lehrkraft im Damenpensionat bewußt und gegen eine kleine Verehrung nicht gefeit. Wie nahe ist die Szene in *Villette* der Realität, als Professor Paul Emanuel die Blumensträuße zu seinem Namenstag wie einen selbstverständlichen Tribut einsammelt und am Ende fragt: »Ist das alles?« Dieser kurze Mann mit seiner kurzen Geduld fordert nicht nur Gehorsam, sondern auch Huldigung. Von den Nachwirkungen ist er zutiefst überrascht. In ihr Schulheft schreibt Charlotte ein langes, ungewöhnlich schlechtes Gedicht, das sie *Master and Pupil* nennt und das mit einer Umarmung und einem Glücksversprechen schließt. Sie ist nicht die einzige, die ihre romantische Phantasie an ihn heftet. Heger korrespondiert ausführlich mit ehemaligen Schülerinnen in einem Ton, der zu-

gleich respektabel und von einer onkelhaften Koketterie ist –
ein Ton, der auf seinen Unterricht abgefärbt haben dürfte,
wenn er Bonbons oder Bröckchen von seiner Brioche an die
Artigen verschenkt. Oh, diese fatale Mischung von Zucker-
weck und gezielten Peitschenschmitzen! Diese Krümel, die
eine falsche Hoffnung nähren!

Für die englische Gouvernante hat Monsieur ein ganz be-
sonderes Präsent, ein Stück von Napoleons Sarg. Sie gibt
ihm etwas dafür, das er nicht zu schätzen weiß: drei in Packpapier eingebundene Heftchen, von denen er nur die Titel
lesen kann – *The Spell* – *Highlife in Verdopolis* – *The Scrapbook*.
Er macht sich kaum die Mühe, die Seiten zu inspizieren.
Fünfzig Jahre später finden sich diese »Manuscrits de Miss
Charlotte Brontë« in einem Brüsseler Trödelladen wieder.
Unter der Tarnkappe ihrer lupenkleinen Schrift war Angria, das göttliche, stille Land der Gedanken, unentdeckt geblieben.

Was immer Charlotte in Brüssel für ihren »maître« zu
empfinden glaubt, ihre Phantasie, die sie drei, vier Jahre zuvor »einem kühleren Bezirk« zuwenden wollte, findet in seiner stimulierenden Gegenwart neue Nahrung. Am 1. Mai
schreibt sie an Branwell, nachdem sie sich über ihr ereignis-
loses Leben beklagt hat – »es ist so ermüdend, wenn man
sich Tag für Tag um nichts sorgt, nichts fürchtet, nichts mag,
nichts haßt, nichts ist, nichts tut« – »es ist eine merkwürdige
metaphysische Tatsache, daß ich immer in den Abendstunden, wenn ich allein in dem großen Schlafsaal bin und zur
Gesellschaft nur eine Reihe Betten mit weißen Vorhängen
habe, so fanatisch wie eh und je zu den alten Gedanken, den
alten Gesichtern, den alten Bildern aus der Welt dort unten
zurückkehre.«

Ein Mensch im Pensionat scheint jedoch schon in diesem
Frühsommer eine unziemliche Wärme im Verhalten der

englischen Gouvernante entdeckt zu haben. Madame, die
von Charlotte im Jahr zuvor noch so hochgeschätzt wurde,
die ihr nach Haworth einen so herzlichen Brief geschrieben
hatte und ihren Unterricht immer als vorbildlich lobte, zeigt
sich zunehmend kühl und rechthaberisch. Charlotte möchte
gerne glauben, ihre Entfremdung sei einer Diskussion über
den Katholizismus, diesen »papistischen Unfug, der alles
schlägt«, zuzurechnen, aber Madame wird mit den wachen
Instinkten einer Ehefrau eine Neigung entdeckt haben, die
es schon mit Rücksicht auf einen skandalfreien Schulbetrieb
zu unterbinden gilt. Monsieur, »der schwarze Schwan«, steht
»in erstaunlichem Maße unter ihrem Einfluß« und entzieht
ihr bald das Licht seiner Gegenwart. Die Englischstunden
hören auf, Charlotte fühlt sich bespitzelt, die Temperaturen
sinken.

Die Figur einer intriganten Direktrice tritt sowohl im *Professor* als auch in *Villette* als Nebenbuhlerin der Heldin auf,
und selbstverständlich ist Zoë Heger in den Verdacht des le-
benden Vorbildes geraten. »Ich gestatte der Realität vorzu-
schlagen, aber nicht zu diktieren«, sagte Charlotte später zu
dem Thema Realität und Imagination. Aus diesem Angebot
des Lebens, das in der Rückschau eine Souveränität und Ko-
mik gewinnt, an denen es Charlotte zur Tatzeit so bedauerlich mangelte, werden Monsieur Paul und die Dame Reuter/
Beck entstanden sein. Gleichwohl trug die Autorin Sorge,
daß *Villette* in Brüssel nicht lieferbar war und nicht ins Französische übersetzt wurde, eine Absprache, an die sich der
Verleger nach ihrem Tod nicht mehr gebunden fühlte. Madame Heger las *Villette*, und sie war verständlicherweise not
amused.

»Abends, nachdem sie den ganzen Tag damit zugebracht
hatte, Ränke und Gegenränke zu spinnen, zu spionieren
und die Berichte ihrer Spione zu empfangen, abends kam

sie oft in mein Zimmer herauf, eine Spur echten Überdrusses auf der Stirn. Dann pflegte sie sich hinzusetzen und zu lauschen, während ihre Kinder mir auf englisch ihre kleinen Gebete vorsprachen…Oft zeigte sie sehr viel gesunden Menschenverstand; oft brachte sie höchst vernünftige Ansichten vor. Sie schien zu wissen, daß es, um Mädchen zu rechtschaffenen und ehrbaren Frauen aufzuziehen, nicht die beste Methode war, wenn man sie in mißtrauischer Abgeschlossenheit hielt, in blinder Unwissenheit und unter einer Aufsicht, die ihnen keinen Augenblick und keinen Winkel der Zurückgezogenheit ließ… Und nachdem sie mir so – oft mit Würde und Zartgefühl – einen Vortrag gehalten hatte, schlich sie sich dann in ihren ›souliers de silence‹ davon und glitt geistergleich durchs Haus, überall spionierend, durch jedes Schlüsselloch spähend, lauschend hinter jeder Tür.«

Im August muß Charlotte es wieder mit den Sommerferien aufnehmen. »Ach, ich kann kaum schreiben, ich habe so eine beklemmende Last auf meinem Herzen, ich wünschte mir so sehr, nach Hause zu fahren. Ist das nicht kindisch?« Die acht Wochen, die sie mit einer verhaßten Kollegin allein in der Schule zubringen muß, brechen ihr fast das Herz. Sie fiebert und kann nicht essen. Tagsüber läuft sie sich in den heißen, staubigen Straßen müde und findet, zurückgekehrt, in dem gespenstischen Saal mit den weißen Betten doch keinen Schlaf. »Mein Lebensmut war seit langem immer mehr gesunken. Nun, da ihm die Stütze der Beschäftigung entzogen war, fiel er rasch in sich zusammen.« Wie in ihrem ersten Jahr in Roe Head, als sie von ihren toten Schwestern Maria und Elizabeth geträumt hatte, »die so verändert waren«, ängstigen sie Gesichte. »Unbeschreiblich wurde mir die Seele zerrissen, gefoltert und niedergedrückt. Unter allen Schrecknissen jenes Traums waren diese, glaube ich, die ärgsten. Mir schien, die geliebten To-

ten, die mich als Lebende geliebt hatten, begegneten mir als
Fremde. Die Seele war mir im Innersten von einer unaus-
sprechlichen Verzweiflung über die Zukunft zerrissen…
Wünschen zu leben, wozu?« (*Villette*.)

An Emily schreibt sie Anfang September sorgsam ge-
dämpft von einer merkwürdigen Laune, die sie befallen
habe, die aber wohl nur die äußerste Verlassenheit diktiert
haben kann. Auf einem ihrer Spaziergänge habe sie sich gegenüber der Kirche St. Gudula wiedergefunden, »und die
Glocke, deren Klang Du kennst, läutete zur Abendan-
dacht… Ich fand plötzlich Gefallen daran, mich in eine Katholikin zu verwandeln, hinzugehen und eine richtige
Beichte abzulegen, um zu sehen, was es damit auf sich hat.
So, wie Du mich kennst, wirst Du das verrückt finden, doch
wenn Menschen allein sind, haben sie eigentümliche Ein-
fälle… Nachdem ich zwei, drei von ihnen hingehen und zu-
rückkommen gesehen hatte, näherte ich mich schließlich
und kniete in einer Nische nieder, die gerade verlassen worden war. Ich mußte zehn Minuten knien und warten, denn
auf der anderen Seite war – unsichtbar für mich – ein anderer Büßer. Schließlich ging er, und eine kleine Holztür hinter dem Gitter öffnete sich, und ich sah einen Priester, der
mir das Ohr zuneigte. Ich mußte anfangen und wußte doch
kein Wort von der Formel, mit der sie immer ihre Beichte beginnen. Es war eine merkwürdige Lage. Ich fühlte mich genau wie damals allein auf der Themse um Mitternacht. Ich
begann damit, daß ich sagte, ich sei fremd hier und prote-
stantisch erzogen. Der Priester fragte, ob ich immer noch
Protestantin sei. Aus irgendeinem Grunde konnte ich nicht
lügen und sagte: ›Ja.‹ Er erwiderte, daß ich in diesem Fall
nicht ›jouir du bonheur de la confesse‹, aber ich war entschlossen zu beichten, und schließlich sagte er, er wolle es erlauben, weil es der erste Schritt zur Rückkehr zur wahren

Kirche sein könne. Ich beichtete wirklich, es war eine ehrliche Beichte. Als ich fertig war, gab er mir seine Adresse und sagte, daß ich jeden Morgen in die Rue du Parc in sein Haus kommen solle, und er würde versuchen, mich von den Fehlern und Ungeheuerlichkeiten des Protestantismus zu überzeugen!!! Ich versprach getreulich zu kommen. Gleichwohl, natürlich endet das Abenteuer hier und ich hoffe, den Priester nie wieder zu sehen. Ich denke, Papa erzählst Du besser nichts davon. Er wird nicht verstehen, daß es nur eine Grille war und vielleicht glauben, ich wolle zum Katholizismus übertreten.«

Das »Abenteuer« hilft Charlotte zwar nicht, ihren Frieden, aber doch ihre Fassung wieder zu gewinnen. Ein fremder Mensch hatte in schwärzester Einsamkeit freundlich mit ihr gesprochen. Was aber hatte sie ihm gebeichtet? War sie sich über ihre Gefühle für Heger und die Natur dieser »jämmerlichen Sehnsucht«, die sie zerriß, klargeworden? Auch Ellen empfängt eine Andeutung (von der Sorte, mit der sie sich auch in Zukunft begnügen muß): »Ich habe Dir viel zu sagen, viele kleine merkwürdige Dinge, verquer und rätselhaft, die ich keinem Brief anvertrauen möchte, die ich Dir aber eines Tages oder besser noch eines Abends, wenn wir wieder am Kamin in Haworth oder Brookroyd sitzen, mit den Füßen auf dem Gitter und uns die Haare eindrehen, vielleicht erzählen werde.« Am nächsten Tag – es ist Oktober – schreibt sie auf ein leeres Blatt in ihrem Atlas: »Mir ist sehr kalt – und es ist kein Feuer an – ich wünschte, ich wäre zu Hause bei Papa, Branwell, Emily, Anne und Tabby – ich bin es müde, unter Fremden zu sein – es ist ein trübsinniges Leben – besonders weil es im ganzen Haus nur einen Menschen gibt, der es wert ist, gemocht zu werden – und noch einen gibt es, der aussieht wie eine rosa Zuckerpflaume, aber ich weiß, es ist nur angemalter Gips.«

Sie ist mit ihrer Kraft am Ende und kündigt. Madame hätte ohne Umstände angenommen, aber Monsieur redet ihr »vehement« zu. »Ich konnte nicht auf meinem Entschluß bestehen, ohne ihn ärgerlich zu machen. Also versprach ich, noch ein wenig länger zu bleiben.«

Doch weder seine Vehemenz noch ihr Entschluß ist weise. Die folgenden Wochen können das Elend nur vergrößern. Sie sehnt sich fort. Am 1. Dezember schreibt sie an Emily: »Es ist Sonntag morgen. Sie sind alle bei ihrem Götzendienst, und ich bin hier im Refektorium. Wieviel lieber wäre ich zu Hause im Eßzimmer oder in der Küche oder in der hinteren Küche. Ich würde sogar gern das Fleisch kleinschneiden… mit Dir am Küchentisch, wie Du aufpaßt, daß ich genug Mehl und nicht zuviel Pfeffer drangebe und vor allem daß ich das beste Stück der Hammelkeule für Tiger und Keeper reserviere; der erste dieser beiden Herrschaften würde um Teller und Messer herumspringen, und der zweite stünde wie eine alles verschlingende Flamme mitten in der Küche. Um das Bild zu vervollständigen: Tabby facht das Feuer an, um die Kartoffeln zu einer Art Gemüseleim zu verkochen. Wie köstlich sind mir diese Erinnerungen…« Dennoch will sie nicht aufgeben. Es gibt so viele Gründe: Sie möchte erst noch gut Deutsch lernen; sie braucht einen festen Zukunftsplan, denn was könnte sie, eine ältliche Person, die sich zu Hause lästig macht, in Haworth tun? Eine neue Gouvernanten-Stelle aber will sie nicht. »Das hieße, aus der Pfanne ins Feuer zu springen.«

Schließlich aber springt sie doch ins Ungewisse. Anlaß ist die Nachricht von zu Hause, daß ihr Vater nahezu erblindet sei und ihrer bedürfe. Die Kündigung wird angenommen. Ihre Schülerinnen bedauern, die kleine Englischlehrerin zu verlieren, was Charlotte, die ihnen »bei diesem Phlegma« keine freundliche Regung zugetraut hat, höchlichst verwundert. Monsieur Heger verleiht ihr ein Diplom des Athénée Royal, das ihre Fähigkeit, Französisch zu unterrichten, bescheinigt. Von neuem Wohlwollen beseelt, verspricht Madame, eine ihrer Töchter nach Yorkshire zu schicken, wenn sich die Schule der Mademoiselles Brontë etabliert habe; und, wie um sicherzustellen, daß ihre Englischlehrerin auch wirklich außer Landes geht, begleitet sie sie zum Schiff nach Ostende.

Am 2. Januar 1844 ist Charlotte wieder in Haworth. »Ich war in letzter Zeit sehr deprimiert«, hatte sie an Emily geschrieben, »aber ich hoffe, daß alles gut werden wird, wenn ich wieder zu Hause bin.« Haworth ist der Hafen, in den sie ihr angeschlagenes Schiff zurücklenkt. Die alte Vertrautheit, die ersehnte Heimeligkeit am Herd, die ihr in der Fremde so köstlich erschienen, trösten sie in ihrem Abschiedsschmerz. »Ich habe sehr gelitten, ehe ich Brüssel verließ«, teilt sie Ellen mit, »ich glaube, solange ich lebe, werde ich niemals vergessen, was mich der Abschied von Monsieur Heger gekostet hat. Es hat mich so bekümmert, ihn zu bekümmern, der mir so ein treuer, gütiger und selbstloser Freund war.« Doch erst in den kommenden Jahren lernt sie, den Abschied und die Trennung ganz zu ermessen, als der treue Freund nicht mehr antwortet und sie, die »gegen mein Gewissen, einem scheinbar unwiderstehlichen Impuls folgend« nach Brüssel gegangen war, »für meine selbstsüchtige Dummheit... mit dem Entzug von Glück und Frieden bestraft wird«.

In Haworth warten auch Anne und Branwell auf sie, die für die Weihnachtsferien von Thorp Green gekommen sind. In welcher Gemütslage trifft sie ihre Geschwister an, und was war inzwischen geschehen? Die Antwort lautet: Das wissen wir nicht. Die Chronistin der Familie war in Brüssel. Ihre Schwestern haben in ihrer Abwesenheit kaum Indizien hinterlassen, die auf ihre Taten und Gedanken schließen ließen – ein Briefchen von Emily, eine Liste der Schulbücher, die Anne gekauft hat, Gedichte. Das Lebensgebäude, das einige Biographen für die Jahre 1843 bis 1845 errichtet haben, besteht vorwiegend aus Luftziegeln. In Ermangelung von festeren Stoffen werden als Zeitzeugen so unwahrscheinliche Figuren wie der Schreibwarenhändler von Haworth, John Greenwood, angerufen, der seine Augen und Ohren offenbar überall zugleich hatte, denn er beschreibt in seinem Tagebuch – zweifellos mit Liebe und Gusto –, wie Emily sich in der Küche die bemehlten Hände an der Schürze abwischt, um in den Vorgarten hinauszulaufen, wo der Vater sie das Pistolenschießen lehrt, und wie dieser bei jedem Treffer ausruft: »Gut gemacht, mein Mädchen!« John Greenwood hätte besser daran getan, in Deckung zu gehen, denn der Reverend Brontë war zu dieser Zeit fast gänzlich erblindet.

Ein weiter Chronist, auf den wir uns nicht verlassen können, ist Branwell, dessen phantastisches Gehirn in der Rückschau auf diese Jahre eine Version des Geschehens webt, die er selbst kaum glauben kann. Es bleibt uns also nur übrig, die wenigen gesicherten Puzzlesteine aufzulegen und uns vorzustellen, was sich außerhalb ihrer Zacken und Vertiefungen zugetragen haben könnte.

Emily scheint von ihren Geschwistern das beste Los gezogen zu haben. Sie ist Herrin im Haus und Vermögensverwalterin, so zufrieden mit sich selbst, daß sie beinahe leutselig wirkt. »Liebe Miss Nussey«, schreibt sie, eine Anrede, die auch Anne bei wachsender Vertrautheit beibehält, »es würde mir sehr an Höflichkeit gebrechen, wenn ich Ihnen nicht für Ihr freundliches Angebot dankte und die Gelegenheit nutzte, einen portofreien Brief zu schicken… Charlotte hat kein Wort davon gesagt, daß sie heimkommen wolle. Sollten Sie für ein halbes Jahr hinüberfahren, könnten Sie sie vielleicht mit zurückbringen, andernfalls sehe ich sie schon bis zu einem methusalemischen Alter dort dahinvegetieren, nur weil sie nicht den Mut für die Reise aufbringt. Alle hier sind gesund, auch Anne, nach ihrem letzten Brief zu schließen. Die Ferien beginnen in ein, zwei Wochen, und dann, wenn sie will, bringe ich sie dazu, Ihnen einen richtigen Brief zu schreiben, ein Kunststück, das ich noch nie fertiggebracht habe.«

Dies ist zweifellos der Brief einer rührigen, ausgefüllten Person. Charlottes Sorge, daß Emily in Haworth einsam sein könnte, ist gegenstandslos. Gondal blüht mit unverminderter Kraft. Darüber hinaus arbeitet sie an ihren Gedichten. Im Februar 1844 beginnt sie, ihr poetisches Werk zu ordnen, die als vollendet betrachteten Gedichte in zwei Hefte zu schreiben, von denen das eine den Titel *Gondal Poems Emily Jane Brontë* trägt; das andere mit ihren eher persönlichen Aussagen ist *E. J. B.* überschrieben. Gewiß sind ihre Tage ereignislos, aber anders als Charlotte, die bald nach ihrer Rückkehr vor Sehnsucht und Einsamkeit krank wird, gefällt Emily das Ambiente von Haworth. Die Abende verbringt sie mit Papa, spielt für ihn auf dem kleinen Piano oder liest ihm vor, wenn er seine tellergroße Lupe und den Psalter mit den Buchstaben wie aus der Kinderfibel müde aus der Hand gelegt hat. Niemand ist mehr da, der sie mit kleinlichem Benimm vom Kaminteppich aufscheuche, wenn sie dort, mit einer Hand Keeper gedankenverloren kraulend, sitzt und liest. Charlotte hat ihr häusliches Glück später so in *Shirley* beschrieben und ihren begeisterten autodidaktischen Fleiß in *Jane Eyre*. Im 28. Kapitel studieren die Schwestern Mary und Diana Rivers Deutsch, indem sie Schillers *Räuber* übersetzen. »Wir können nicht Deutsch sprechen, und wir können es nur mit Hilfe eines Wörterbuchs lesen«, erklären sie dem grummelnden Hausmädchen, das sich fragt, wie ein

Mensch sich in dieser unmöglichen Sprache verständlich machen kann. »Den ganzen Tag habe ich hart gearbeitet – doch ohne Pein – im Goldbergwerk des Lernens«, schreibt Emily einmal in einem Gedicht, und so, mit dem Wörterbuch auf dem Tisch, spürt sie auch dem Geist Schillers nach. »Ich wäge die Gedanken in der Schale meines Zorns und die Werke mit dem Gewicht meines Grimms! Das gefällt mir«, sagt Diana Rivers. Schließlich war es nicht das äußere Getriebe, das Emilys Literatur prägte; sie vertraute auf die kreative Kraft ihrer Innenwelt – und auf die Wahlverwandtschaft mit Dichtern, deren Kunst sie verstand: Byron, Scott, Wordsworth, Cowper, Coleridge und Schiller. In ihren Gedichten finden sich Anspielungen auf einen »geliebten Schatten«, einen geistigen Führer ihrer Jugendjahre, die auf Percy Bysshe Shelley hinweisen, der Emilys Haltung zur Gottheit – er selbst nannte sich einen atheistischen Idealisten – zur unsterblichen Seele und zur Beziehung der Geschlechter geprägt haben könnte. »Dem Einfluß eines anderen Intellekts war sie nicht zugänglich«, schrieb Charlotte später, aber damit war ihr eigener schwesterlicher Wille gemeint, dem Emily sich zunehmend verschloß.

Weniger beschaulich als das Leben in Haworth ist die Existenz, die Anne und Branwell in Thorp Green führen. Im April 1843 wird der Reverend von den Robinsons eingeladen und überzeugt sich an Ort und Stelle, daß die beiden von ihren Arbeitgebern geschätzt werden und daß Branwell sich ordentlich führt.

Der Schüler seines Sohnes ist der elfjährige Edmund Robinson, ein Knabe, von dem Anne nicht viel Günstiges zu sagen weiß. Sie hat ihn bereits zwei Jahre lang in Latein unterrichtet, um ihn auf den Besuch einer Privatschule vorzubereiten, aber seine Eltern ziehen es schließlich vor, einen Tutor ins Haus zu holen. Anne ist damit einen »verdrießlichen,

feigen, launischen, selbstsüchtigen kleinen Kerl« los, »rege
nur im Unheilanrichten, findig nur im Ersinnen von Lügen
– nicht um seine Fehler zu verbergen, sondern auch aus
schierer hämischer Böswilligkeit, um andere verhaßt zu machen«.

Einmal bedenkend, daß es sich bei diesem Zitat um ein
Stück Literatur (aus *Agnes Grey*) handelt, daß Annes Erwartungen an Fleiß und Artigkeit von den wenigsten Kindern
erfüllt werden konnten, und daß Branwell sogleich und dauerhaft gut mit ihm auskommt, so bleibt doch der verbürgte,
zwiespältige Eindruck des geistlichen Herrn, dem Edmund
nach Branwells Abgang unterstellt wird. Zwar sei Meister
Edmund voll »Unschuld und Reinheit«, urteilt dieser, aber
eben doch ein verteufelt faules Kind. »Daß seine geistigen
Errungenschaften so überaus gering sind, ist eher sein Unglück als sein Fehler.« Branwell hatte sich offenbar ohne Ge-
wissensnot der von den Eltern gewünschten Lehrmethode
anbequemt. »Mit zehn Jahren konnte er nicht den leichte-
sten Satz im einfachsten Buche richtig lesen, und da man
ihm, den Grundsätzen seiner Mutter gemäß, jedes Wort sagen mußte, ehe er Zeit hatte, zu überlegen oder zu prüfen,
wie es geschrieben wurde, und ich ihn nicht einmal als Ansporn zu größeren Anstrengungen darüber aufklären
durfte, ist es nicht erstaunlich, daß er in den zwei Jahren, in
denen ich mit seiner Erziehung betraut war, nur wenig vor-
ankam. Das winzigste Pensum lateinischer Grammatik etc.
mußte man mit ihm wiederholen, bis er zu sagen beliebte, er
wisse nun Bescheid. Wenn er bei seinen kleinen, simplen
Rechenaufgaben Fehler machte, mußte man sie ihm sogleich zeigen und die Aufgabe für ihn lösen.«

Immerhin hält Branwell sich drei Jahre lang auf diesem
Posten. Noch im Januar 1844 bemerkt Charlotte, daß Anne
und Branwell »erstaunlich hoch geschätzt werden in ihrer

Stellung«. Anne aber hüllt sich mit der Zeit in Schweigen. Selbst in ihrem Tagebuchbrief, der nur für Emilys Augen bestimmt ist, erklärt sie nicht die Ursachen ihrer Mutlosigkeit. Auf einer leeren Seite ihres Gebetbuches steht hauchfein mit Bleistift und in winziger Schrift: »genug von der Menscheit und ihrem widerwärtigen Treiben.« Es klingt wie ein erstickter Aufschrei. Aber was hat Anne gekränkt und angewidert? Sind es ihr Bruder und Mrs. Robinson?

Über die Affaire Branwells mit der siebzehn Jahre älteren Lady ist viel geschrieben und spekuliert worden. Mrs. Gaskell, die sich ganz auf Charlottes Aussagen verlassen hatte und in heiligem Zorn über die Verführerin des armen Jungen hergezogen war, mußte nach der Veröffentlichung ihrer Biographie einen Rückzieher machen und in der *Times* Abbitte leisten. Lydia Robinson war allem Anschein nach nie die heimliche »Geliebte« des Hauslehrers. Möglicherweise war sie ein wenig frivol, möglicherweise gelangweilt, vernachlässigt von ihrem kränkelnden Ehemann. Die Abgeschiedenheit in guter Landluft führte möglicherweise dazu, daß sich die Mitglieder eines Haushalts näher kamen, als die gesellschaftlichen Klüfte des 19. Jahrhunderts zwischen Herrschaft und Personal vorsahen.

Branwell, so wissen wir von seinem Freund Grundy, war mit sechsundzwanzig eine etwas koboldhafte, aber nicht reizlose Figur. »Er hatte einen Schopf roter Haare, die er hoch aus der Stirn gebürstet trug, wahrscheinlich um größer zu erscheinen; eine mächtige, gewölbte, intellektuelle Stirn, die fast die Hälfte seines Gesichts ausmachte, kleine tiefliegende Wieselaugen, die hinter der unvermeidlichen Brille versteckt waren; eine ausgeprägte Nase, aber schwache Züge darunter.«

Wir wollen uns der Versuchung verschließen, diese wieselflinken Augen über die üppige Erscheinung von Lydia Robinson wandern zu sehen, und uns auf das beschränken, was Branwell später dazu sagte. Es ist unwahrscheinlich genug. Seine unglückliche Affaire habe schon bald nach seiner Ankunft in Thorp Green begonnen und sei ausgelöst worden durch eine besonders unverschämte Bemerkung von Mr. Robinson, der gerne über die literarischen Ambitionen des Tutors spottete. Mrs. Robinson habe dem Gekränkten daraufhin ein Ausmaß an Freundlichkeit bezeugt, »das sich zur Offenbarung von mehr als durchschnittlichem Wohlwollen steigerte. Meine Bewunderung ihrer geistigen und persönlichen Vorzüge, mein Wissen um ihre selbstlose Reinheit, ihr liebliches Naturell und ihre unermüdliche Sorge um andere … führten zu einer Neigung meinerseits und zu einer Erwiderung, auf die ich nicht gefaßt war.«

Es ist durchaus möglich, daß Branwell sich in Mrs. Robinson verliebt wähnte und daß sie – nicht ahnend, zu welchen Kopfgeburten der junge Mann in der Lage war – leichtfertig mit ihm tändelte; denn in den Sommerferien zu Hause zeigt er sich unleidlich, abwechselnd von unerklärlicher Lustigkeit und düsteren, reuigen Vorahnungen beseelt, vor allem aber darauf versessen, so schnell wie möglich nach Thorp Green zurückzukehren. »Ständig krank«, seufzt Charlotte und meint damit »ständig betrunken«. Auch ohne Branwell hat sie Kummer genug. Monsieur Heger antwortet nicht mehr auf ihre Briefe, und das Schulprojekt, für das sie nun so lange gespart und gelernt hatten und auf das Anne sich immer noch mit Latein- und Musikstudien vorbereitet, droht endgültig zu scheitern. Nach Charlottes Heimkehr war den Schwestern klargeworden, daß sie den sechsundsechzigjährigen Reverend nicht alleine in Haworth würden lassen können. Die einzige Lösung, der auch Papa zustimmte, bestand in der Einrichtung ihrer Schule im Pfarrhaus. Charlotte und Anne würden die Bildung übernehmen, die Ältere darüber hinaus für

»Ordnung, Ökonomie, peinliche Genauigkeit und fleißige
Arbeit« sorgen. Emily, die »sich nichts aus Unterrichten
macht«, sollte den Haushalt führen. Sie verspürt offenbar
keine Neigung, »ihr hart errungenes Wissen« in die Köpfe
kleiner Mädchen zu trichtern. Obwohl »eher eine Einsiedle-
rin«, wäre sie dennoch gutherzig genug, um alles für das
Wohl der Kinder zu tun – hofft Charlotte. Sie beschreibt
Monsieur Heger ihr Heim als »recht geräumig«; wo aber
fünf, sechs zusätzliche junge Damen, selbst bei Um- oder in
Anbauten Platz finden sollten, bleibt ihr Geheimnis.

Bevor jedoch die Bauarbeiter anfangen, wollen die drei
ihre Klientel sichern. Wieder beginnt landauf, landab eine
Korrespondenz, werden Prospekte verschickt und alle
Freunde eingespannt, denen man sich aufzudrängen wagt.
»The Misses Brontë's Establishment« offeriert für 35 Pfund
im Jahr eine solide englische Ausbildung in Aufsatz, Arith-
metik, Geschichte, Grammatik, Geografie und Handarbeit.
Die »Extras« Französisch, Deutsch, Latein, Musik und Zeichnen schlagen mit 1,10 Pfund pro Vierteljahr zu Buche. Der
Gebrauch des Pianoforte kostet noch einmal 50 Schilling,
und für die Wäsche berechnen sie 15 Schilling. Mitzubrin-
gen hat die künftige Schülerin vier Paar Bettücher, vier
Kopfkissenbezüge, vier Handtücher, einen Löffel und einen
Teelöffel. Das übrige Besteck ist offenbar in ausreichender
Zahl vorhanden. Charlotte hofft, das günstige Schulgeld
und die begrenzte Zahl der Schülerinnen, die erlauben
wird, sich jeder mit besonderer Aufmerksamkeit zu widmen, wögen die Abgeschiedenheit hinter den sieben Bergen
auf – aber ihre Mühe ist umsonst. Selbst wohlgesonnene
Freunde winken ab: Haworth? Keine gesunde Lage für zarte
Töchter. Ein Haus auf dem Friedhof, gütiger Himmel – und
immer dieses Wetter! Das Etablissement der Fräulein Brontë
sieht keine einzige Pensionärin.

Emilys Erleichterung darüber ist unverhohlen. Der Gedanke, einen Rattenschwanz von Gören über das Moor auszuführen, an ihre fortwährende summende Anwesenheit im Haus muß ihr von Tag zu Tag unheimlicher geworden sein. Auch ihre Schwestern schicken sich endlich in den Fehlschlag; Anne mit schwerem Herzen, Charlotte schließlich dem ungünstigen Geschick dankend. Denn das Pfarrhaus ist inzwischen kein geeigneter Ort mehr für die Heranbildung junger Damen. Branwell ist heimgekehrt und macht sich und seiner Familie das Leben zur Hölle.

XIII

Branwell entdeckt · Briefe an Monsieur Heger · Die Literatur als Trösterin · Krank an der Liebe · Vier-Jahres-Chroniken · Fleißig und unverzagt · Ein hoffnungsloses Wesen

Eine männliche Stimme rief:
»Fuß, Heathcliff. Fuß, Heathcliff.«
Schritte waren auf einem
harten Boden zu hören.
»Das ist Heathcliff«,
sagte der Chauffeur säuerlich.
»Heathcliff?«
»Zum Teufel, so nennen
die den Hund, Mann.«
»›*Wuthering Heights*‹?« fragte ich.
»Jetzt sprechen Sie schon
wieder in Rätseln«, zischte er.

Raymond Chandler
Das hohe Fenster

Im Juli 1845 kehrt Charlotte von einem Besuch bei ihrer
Freundin zurück. Es ist zehn Uhr abends, und die Familie befindet sich in heller Aufregung. Branwell ist stockbetrunken
und nicht ansprechbar. Charlotte, zunächst nicht sonderlich
bestürzt – man hat sich an den Zustand gewöhnt – wird von
Anne über die Begleitumstände in Kenntnis gesetzt. »Letzten Donnerstag hat er einen Brief von Mr. Robinson erhalten, der ihn fristlos entlassen hat und ihn bezichtigt, daß er
sein Vorgehen entdeckt habe, das so schlecht sei, daß es sich
mit Worten nicht ausdrücken lasse; und er droht ihm mit
Enthüllungen, wenn er nicht sofort und für immer den Umgang mit jedem Mitglied seiner Familie abbreche. Seitdem
haben wir schlimme Mühe mit Branwell gehabt. Er hat an
nichts anderes gedacht, als seinen Kummer zu betäuben
und zu ertränken. Keiner im Haus findet mehr Frieden.«

Charlotte ist wie die übrigen zutiefst schockiert. Was für
ein Vorgehen? Welche Enthüllungen? Was ist geschehen, das
sich mit Worten nicht beschreiben läßt? Branwell kann auf
diese Fragen nur seine heimliche Liebe zu Mrs. Robinson
herausstammeln. Sie, diese von ihrem grämlichen Gatten ge-
knechtete reine Seele, liebe ihn bis zur Verzweiflung. Sie
habe ihm ihre Hand versprochen, wenn Mr. Robinson sie
einmal – bald – zur Witwe gemacht habe. Selbst jetzt, da der
Ehemann drohe, ihn zu erschießen, habe sie sein, Branwells,
Heil über das ihre gestellt und dem Tobenden seine Grenzen
gewiesen. Es klingt alles überaus schrecklich und widerwärtig, aber schließlich kennen die Schwestern ja die Sorte Herrschaften, und Branwells Verzweiflung ist maßlos, unbe-
herrscht. Er wird erst einmal in Begleitung John Browns
nach Liverpool und Wales verfrachtet, um wieder zu sich zu
kommen.

Was war nun tatsächlich geschehen? Anne und Branwell
hatten Thorp Green zusammen am 11. Juni verlassen, Anne

für immer, sie hatte gekündigt, Branwell für die Sommerferien. Eine Woche später war Branwell allein nach Thorp
Green zurückgekehrt. Die Robinsons waren bereits an ihrem Ferienort Scarborough an der Ostküste, und nur Edmund war zurückgeblieben. Er traf erst um den 17. Juli in
dem Badestädtchen ein, dem Tag, an dem sein Tutor, inzwischen wieder in Haworth, entlassen wurde. Das Datum lädt
zu allerlei Spekulationen ein. Hatte Lydia die Kündigung
der Gouvernante und die Abwesenheit Branwells genutzt,
sich eines lästig gewordenen Verehrers zu entledigen? Wenn
dem so war, hatte sie ihre Karten gut ausgespielt, denn Mr.
Robinsons Haushaltsbuch, das schon vorher Präsente wie
Broschen und Tücher auflistet, verzeichnet auch nach dem
Bruch mit Branwell allerlei nette Kleinigkeiten »für Lydia«,
darunter einen Hund im Wert von zwei Pfund. Warum war
Anne in diesem Sommer heimgekehrt, obwohl das Schulprojekt keine Zukunft mehr hatte? Konnte sie Branwells
»Vorgehen« nicht länger mit ansehen, oder lag es eher an
dem Treiben der ältesten Tochter, die vier Monate nach Annes Kündigung mit einem Schauspieler nach Gretna Green
durchbrannte, das ihre verantwortungsbewußte Erzieherin
vor die Wahl stellte, entweder ihr Schweigen zu brechen oder
zu gehen? In der kurzen Zeit, in der Anne mit ihren Schwestern in Haworth war, scheint sie keinerlei Andeutungen gemacht zu haben, denn der Blitz traf sie mitten im schönsten
Frieden. Emily und Anne unternahmen in dieser Zeit ihre
erste Reise zu zweit, Charlotte weilte bei Ellen. Wie konnte
Mr. Robinson mit »Enthüllungen« drohen, ohne auch seiner
Frau zu schaden? In seinem Brief an Branwell verbietet er
ihm nicht ausdrücklich den Umgang mit ihr, sondern mit jedem Mitglied seiner Familie. Und wie fügt es sich, daß Branwell just zu der Zeit entlassen wird, als Jung Edmund, aus
Thorp Green kommend, wieder zu seiner Familie stößt? War

er die kleine Kröte, die Anne beschreibt, oder das Un-
schuldslamm, an das sein nächster Hauslehrer sich erinnert?
Daphne du Maurier, die Branwells Lebens-Irrweg mit viel
Sympathie nachgezeichnet hat, nährt den Verdacht, daß das
Mitglied der Familie der Vierzehnjährige und nicht seine
Mutter war, das Anlaß für die Kündigung bot, und daß sich
das unbeschreibliche Vorgehen zwischen Branwell und dem
Jungen abgespielt habe. War es so schlecht, daß auch Branwell für sich selbst und andere eine Version brauchte, die sie
glauben konnten? Was immer auf Thorp Green geschah,
Branwell ist sein einziger Zeuge, sein Verteidiger und sein
Richter. In den kommenden Jahren wird sich sein ganzes Leben um die Bewältigung dieser Demütigung drehen, so
weit, daß er in hysterischer Lustigkeit über den Friedhof
tanzt, als ihn die Nachricht von Mr. Robinsons Tod erreicht.

Der Niedergang ihres Bruders trifft Charlotte und Anne
in einer Zeit, in der Trauer aus anderen Quellen ihren Lebensmut untergräbt. Aber wie immer in dieser Familie ist es
nur Branwell, der seine Qual herausschreit. Bei seinem
Freund Leyland beschwert er sich über die Unfähigkeit seiner Familie, die Natur seiner Leiden zu erkennen. Mit den
Auswirkungen – Trunkenheit und Schulden, durchdöste
Tage und Randale in der Nacht – macht er sie allerdings
gründlich bekannt. Hat er jemals gefragt, was die Ursache
ihres Jammers sein könnte? In diesem Sommer 1845 ist nur
Emily unverzagt und wünscht sich herzlich, die anderen
möchten es auch sein. Zwischen Mitleid und Sarkasmus
schreibt sie über die ehemals ihr so Vertrauten, deren »Morgen in Tränen schwand« – »Arme Knechte, von Leidenschaften unterjocht / ihre schwache und hilflose Beute.« Aus
Annes Gedichten spricht die unüberwundene Liebe zu William Weightman:

Im kalten Grab seit Jahren liegt
Die Gestalt, die ich so glücklich war zu seh'n,
Und nur die Träume können mir zurückbringen
Den Liebling meines Herzens.

Anne verschließt sich in ihrem Schneckenhaus; auch Charlotte verbietet sich, über das zu sprechen, was ihr das Herz bricht. Sie ist kränklich und wird mit jedem Tag noch ein bißchen schmaler. Migräne zermartert ihr den Kopf und greift ihre Augen so sehr an, daß sie kaum lesen und schreiben kann. Im Januar hatte sie sich von Mary Taylor verabschiedet, die nach Neuseeland auswanderte. Die patente Freundin, die sich erfüllte, was auch Charlotte wünschte – »zu reisen, zu arbeiten, ein tätiges Leben zu führen« –, versuchte vergeblich, ihr Mut für einen Wechsel zu machen. »Ich sagte ihr sehr ausdrücklich, daß sie nicht zu Hause bleiben sollte; wenn sie die nächsten fünf, sechs Jahre in Einsamkeit und schlechter Gesundheit zubrächte, wäre sie so am Boden, daß sie sich nicht mehr erholte. Als ich sagte: ›Denk daran, was du in fünf Jahren sein wirst‹, glitt ein so dunkler Schatten über ihr Gesicht, daß ich innehielt und sagte: ›Weine nicht, Charlotte.‹ Sie weinte nicht, sondern fuhr fort, im Zimmer auf und ab zu gehen, und nach einer Weile sagte sie: ›Aber ich habe mich entschlossen zu bleiben, Polly.‹«

Ellen klagt sie im März: »Ich vermag Dir kaum zu beschreiben, wie langsam hier in Haworth die Zeit vergeht. Es gibt nicht das geringste Ereignis, das den Ablauf unterbricht – ein Tag gleicht dem anderen – und alle haben stumpfsinnige, leblose Gesichter – Sonntag, Samstag und der Backtag sind die einzigen, die sich um einen Hauch von den anderen unterscheiden – dazwischen schleppt die Zeit sich dahin – bald werde ich 30 sein – und ich habe noch nichts geleistet –

manchmal werde ich schwermütig – angesichts dessen, was
hinter und was vor mir liegt – ... Es gab eine Zeit, da Haworth
mir als ein sehr angenehmer Ort vorkam, jetzt ist es nicht
mehr so. Ich habe das Gefühl, als seien wir alle hier begraben.«

Ellens Briefe und die französischen Zeitungen, die sie mit-
schickt, sind die einzigen Boten der Außenwelt, denn ihre
sehnsüchtigen Rufe nach Brüssel verhallen ungehört. Monsieur Heger ist kein Mr. Rochester. Mit welcher Erwartung
hat sie seit dem Mai 1844 dem Briefträger entgegengesehen,
der die lange Gasse zwischen Friedhof und Sonntagsschule
heraufgestiegen kommt. Beim Abschied hatte sie ihrem Lehrer das Versprechen abgerungen, ihm alle sechs Monate ein
Brieflein schicken zu dürfen, aber die sparsamen Antwor-
ten, die Monsieur sendet, tadeln ihre »schwarze Gedanken«,
und bald stellt er die Korrespondenz ganz ein. Ist ihm inzwischen aufgegangen, daß er in seiner unverbindlichen
Freundlichkeit eine Obsession genährt hat, die »diese arme
kranke Seele«, wie er Charlotte später nennt, ausbrennt und
demütigt? Ihre Briefe sind ihm lästig und ärgerlich; sie wandern zerrissen in den Papierkorb (nachdem er auf den Rand
des einen die Adresse eines Schusters notiert hat). Madame
klaubt sie wieder heraus, näht die Schnipsel zusammen und
bewahrt sie in ihrer Schmuckschatulle auf.

Und Charlotte? Mit welchen Empfindungen steht sie da
am Wohnzimmerfenster, die Brille in der Hand, dann wieder hindurchspähend? Auch heute keine Post. Mit jedem
Tag wird es schwerer, sich aus der Bitterkeit zu erheben. Sie
malt sich eine Intrige aus. Fängt Madame ihre Schreiben ab?
Aber auch was sie durch reisende Boten – Joe und Mary Taylor – aushändigen läßt, bleibt unbeantwortet. Sie fragt und
drängt, erkundigt sich mit bemühter Leichtigkeit nach allen
Demoiselles, die sie in Brüssel nicht ausstehen konnte, nach

seiner Familie und den Kindern. Sie versucht, sein Interesse und sein Mitleid zu wecken, übertreibt verzeihlicherweise den Zustand ihrer kranken Augen und den Beifall, den die literarische Welt ihren Versuchen gezollt habe. »Southey sandte mir seine Zustimmung« – tat er das? Auf der Rückreise von ihrem Besuch bei Ellen trifft sie in einem Eisenbahnabteil einen Herrn, dessen Gesicht und Anzug den Franzosen verraten, und Charlotte, der im Angesicht von Fremden oft die Stimme versagt, spricht diesen Herrn an. Die Versuchung, Französisch zu hören, ist unwiderstehlich. An Heger schreibt sie, sie lerne jeden Tag eine halbe Seite aus einem französischen Buch auswendig, »denn ich bin überzeugt, Sie eines Tages wiederzusehen – ich weiß weder wie noch wann – doch es muß sein, da ich es so sehr wünsche, und dann möchte ich nicht stumm vor Ihnen stehen … Wenn ich die französischen Wörter ausspreche, meine ich, mit Ihnen zu reden … Diese Sehschwäche ist für mich ein schreckliches Ungemach – gäbe es sie nicht, wissen Sie, was ich tun würde, Monsieur? Ich würde ein Buch schreiben und es meinem Literaturlehrer widmen, dem einzigen Lehrer, den ich jemals hatte, Ihnen, Monsieur.« Ein halbes Jahr später und offenbar nach einem Rüffel bekennt sie ihm: »Tag und Nacht finde ich weder Ruhe noch Frieden. Im Schlaf werde ich von quälenden Träumen heimgesucht, in denen ich Sie erblicke, immer streng, immer düster, immer über mich erzürnt. Vergeben Sie mir also, Monsieur, wenn ich Ihnen doch wieder schreiben muß. Wie kann ich das Leben ertragen, wenn ich keinen Versuch mache, seine Leiden zu lindern? Ich weiß, daß Sie ungehalten sein werden, wenn Sie diesen Brief lesen. Sie werden aufs Neue sagen, ich sei exaltiert, ich hätte schwarze Gedanken etc. Nun, Monsieur; ich versuche nicht, mich zu rechtfertigen; ich beuge mich allen Vorwürfen. Alles, was ich weiß, ist, daß ich nicht die Freund-

schaft meines Lehrers gänzlich verlieren kann, will – lieber
will ich die größten physischen Schmerzen erleiden, als daß
mein Herz ewig von bitterer Reue zerrissen wird. Wenn
mein Lehrer mir seine Freundschaft gänzlich entzieht,
werde ich völlig hoffnungslos sein – wenn er mir davon ein
wenig – nur ein klein wenig – gibt – werde ich zufrieden –
glücklich sein; ich werde einen Grund zum Leben –, zum Arbeiten haben. Monsieur, es ist nicht viel, dessen die Armen
bedürfen, um sich zu ernähren – sie bitten nur um die Bro-
samen, die von des Reichen Tafel fallen – doch wenn man ihnen diese verweigert, sterben sie Hungers. Auch ich benö-
tige nicht viel Zuneigung von denen, die ich liebe, eine rück-
haltlose und vollständige Freundschaft würde mich verwir-
ren – daran bin ich nicht gewöhnt. Aber Sie haben mir vor-
zeiten ein *kleines* Interesse entgegengebracht, als ich in Brüssel Ihre Schülerin war – und an das Fortdauern dieses *kleinen*
Interesses klammere ich mich – ich hänge daran, als wäre es
mein Leben.«

Die Zeit kann ihre Wunde nicht heilen. Am 18. November
schreibt sie ihm zum letzten Mal: »Ich muß Ihnen offen
sagen, daß ich in der Zwischenzeit versucht habe, Sie zu vergessen ... Ich habe alles getan, ich habe mir Beschäftigungen
gesucht, ich habe mir strikt das Vergnügen verboten, von Ihnen zu sprechen, auch gegenüber Emily – doch ich habe weder meine Betrübnis noch meine Ungeduld besiegen können – das ist etwas Demütigendes ... Sklavin einer beherr-
schenden und obsessiven Idee zu sein, die den Geist tyranni-
siert. Hätte ich bloß für Sie genauso viel Freundschaft, wie
Sie für mich – nicht mehr und nicht weniger! – Ich wäre
dann so ruhig, so frei ... Wenn ein tristes und andauerndes
Schweigen mir anzeigt, daß mein Lehrer sich von mir zurückzieht – wenn ich Tag für Tag auf einen Brief warte und
wenn Tag für Tag die Enttäuschung mich in eine schmerzli-

che Niedergeschlagenheit zurückwirft und diese süße Freude, Ihre Handschrift zu sehen und Ihre Ratschläge zu lesen, wie eine leere Vision von mir flieht, dann wird mir fiebrig – ich verliere den Appetit und den Schlaf – ich schwinde dahin.«

Wie konnte diese beherrschte Person es wagen, solche Briefe zu schreiben? Sie, eine erwachsene Frau, mit einem stürmischen Herzen und einer wachen Sinnlichkeit begabt, täuscht sich wohl kaum noch über die Natur der »Freundschaft« hinweg, die sie ersehnte. Die Tatsache, daß Heger ein verheirateter, ein unerreichbarer Mann war, muß diese »amour fou« noch befeuert haben. Keinem Junggesellen hätte Charlotte mit solch kaum verhüllter Glut schreiben, von keinem so hemmungslos träumen können. Daß sie es tut, entschlüpft ihr in einem Brief an Ellen, in dem sie Klage über Branwell führt. Der Bruder, so glaubt sie, hat seine verbotene Neigung ausgelebt, während sie nur Ablehnung und Schweigen gekostet hatte. »Es ist so kränkend, daß diejenigen, die nicht gesündigt haben, so schwer leiden müssen.«

Sie sucht die einzige Linderung, die ihr zu Gebote steht, ihre Literatur. Noch immer mit vielen Fäden an die »Welt dort unten« geknüpft, entwickelt sie aus der Beziehung der feindlichen angrianischen Brüder William und Edward Percy den Roman *The Professor*, in dem William Crimsworth der Tyrannei seines Bruders Edward entflieht und auf dem Kontinent Freiheit und Auskommen als Lehrer sucht. Das Werk ist eine Hommage an ihren Maître, dem sie ihr Erwachsenenwerden verdankt, und als habe sie es unter dem strengen Auge Hegers geschrieben, enthält sie sich eines »ausschmückenden und weitschweifigen« Stils, befleißigt sich statt dessen einer Einstellung, die »schlicht und häuslich« ist. Diese erworbene Nüchternheit gereicht dem Roman nicht zum Vorteil. Ihr Held Crimsworth – noch immer

schreibt Charlotte hinter der Maske eines Mannes – ist ein
langweiliger Ich-Erzähler und eine farblose literarische Figur; vom Schicksal herumgestoßen, ohne sich der Knüffe zu
erwehren; ein selbstgerechter, unaufrichtiger Snob, der in allen Frauen eine bedrohliche Sinnlichkeit wittert – außer in
seiner fleißigen, bescheidenen, taubengrauen Schülerin
Frances (eine Ausländerin unvermeidlicherweise, jedoch
aus einem honorigen Land, der Schweiz, und mit engli-
schem Blut in den Adern). Die Liebesgeschichte zwischen
Meister und Schülerin – Charlottes bevorzugte Konstellation – gehört zu den fadesten, die je eine Brontë ersonnen
hat. Verglichen mit ihr ist die zarte, unausgesprochene Beziehung zwischen Agnes Grey und ihrem Pastor Weston eine
warmblütige Romanze. Doch wahrscheinlich mußte Charlotte durch diese Katharsis der Nüchternheit gehen, um zu
verstehen, daß Lebensechtheit nicht die Wahrheit der Kunst
aufwiegen kann. Erst in *Jane Eyre* sollte es ihr gelingen, ihre
Erfahrungen und das fruchtbare, phantastische Erbe aus
Angria glücklich miteinander zu vereinen, »die Realität
durch die Imagination neu zu erschaffen« (Charlotte). In
den beiden Jahren nach Brüssel aber steht sie noch ganz im
Schatten der Erinnerung.

>
> Ungeliebt lieb' ich, unbeweint wein' ich,
> Kummer bezähm' ich, Hoffnung erstick' ich;
> Eitel die Qualen, so fest und tief,
> Eitler die Wünsche und Träume vom Glück.
>
> Mein Lieben bringt kein Lieben mir zurück,
> Die Tränen fließen, doch er fühlt sie nicht;
> Verschlossen meinem Unglück ist sein Herz,
> Ins Nichts die kleine Hoffnung mir zerrann.

Erst sehr viel später ist sie bereit einzusehen: Er war kein
Freund; und sie erlaubt sich, Zorn auf ihren steinernen Göt-
zen und Geduld mit ihrem armen Herzen zu fühlen, das sie
lange glaubte, bestrafen zu müssen.

Er sah meines Herzens Weh, entdeckte meiner
                                        Seele Qual,
Wie in Fieber, Durst und Gram sie sich verzehrte,
Wußte, er konnte heilen, doch schaute und ließ
                                        sie schmachten,
Taub sein Geist gegen ihre Klagen – blind sein Geist
                                        gegen ihre Pein.

       …

Er war stumm wie das Grab, stand reglos wie ein
                                        Turm;
Endlich schaute ich auf und sah, ich betete zu Stein;
Ich bat um Hilfe den, der Hilfe mir nicht gewähren
                                        konnte,
Ich suchte Liebe, wo Liebe gänzlich unbekannt war.

Ich, Götzendienerin, kniete vor einem Bild aus Fels!
Mein Fleisch hätte ich zerfetzen, mein Herzblut
                                        vergießen können:
Der Gott aus Granit empfand keine Milde, keine
                                        Erschütterung;
Mein Baal hatte nicht gesehen, gehört, verstanden.

       …

Nun, Himmel, heil die Wunde, die tief ich immer
                                            noch fühle;
Deine strahlenden Heerscharen schauen ohne Hohn
                                auf unser armes Geschlecht;
Dein ewiger König hält kein eisern' Gericht
Über leidende Erdenwürmer, die Vergeben suchen,
                                            Trost und Gnade.

Er schuf unsere Herzen zur Liebe – Er wird Liebe
                                        nicht verachten,
Selbst wenn die Gabe verschmäht wird, wie die meine
                                            vor langer Zeit;
Er wird die Schuld vergeben, wird den Sünder sich
                                        erheben heißen,
Wäscht ab mit des Segens Tau das Feuermal des Leids.

...

In dieser Zeit nach Branwells Desaster schließen Emily und
Anne sich wieder enger zusammen. Doch Anne hat inzwischen ein wenig mehr von der Welt gesehen. Fern von Emily
vernachlässigt sie Gondal. Das Manuskript, das sie in dem
Geburtstagsbrief vom 31. Juli 1845 erwähnt und das sie
schon in Thorp Green begonnen hat, ist ein Entwurf oder
ein Teil ihres Romans *Agnes Grey*, das erste Werk der Brontës, das alle Eierschalen aus den Gedankenspielen abge-
streift hat und nach der Natur entstanden ist. Emily aber, in
der luxuriösen Einsamkeit von Haworth, erfreut sich noch
immer an Gondal, zugleich Spielleiterin und Subjekt ihrer
Phantasien.

    Anne schreibt: »Gestern war Emilys Geburtstag und der
Tag, an dem wir unsere Aufzeichnungen aus dem Jahr 1841

hätten öffnen sollen, aber durch ein Versehen haben wir das erst heute getan. Seitdem hat sich viel ereignet – einige erfreuliche und einige weniger erfreuliche Dinge. Damals war ich in Thorp Green, von dort bin ich gerade erst entkommen. Damals wünschte ich mich von dort weg, und wenn ich gewußt hätte, daß ich noch vier weitere Jahre würde dortbleiben müssen – wie unglücklich wäre ich gewesen; während meines dortigen Aufenthalts habe ich einige sehr unangenehme Erfahrungen mit der menschlichen Natur gemacht, die ich mir nicht hätte träumen lassen … Branwell hat Luddenden Foot verlassen, war Hauslehrer in Thorp Green und hatte mit vielen Widerwärtigkeiten und schlechter Gesundheit zu kämpfen. Er war am Donnerstag sehr krank, doch er ist mit John Brown nach Liverpool gegangen, wo er sich, wie ich vermute, jetzt aufhält; und wir hoffen, daß er gesund wird und in Zukunft mehr Erfolg hat. Dies ist ein trostloser, wolkenverhangener, nasser Abend … Ich bin im Wohnzimmer und sitze im Schaukelstuhl vor dem Feuer mit den Füßen auf dem Kaminvorsatz. Papa ist im Salon, Tabby und Martha sind, glaube ich, in der Küche. Keeper und Flossy sind, ich weiß nicht wo. Little Dick hüpft in seinem Käfig umher … Charlotte erwägt, wieder in Stellung zu gehen; sie möchte nach Paris. Wird sie's tun? Sie hat übrigens Flossy hereingelassen, und er liegt jetzt auf dem Sofa. Emily ist damit beschäftigt, das Leben des Kaisers Julius aufzuschreiben. Sie hat einiges davon vorgelesen, und ich bin sehr begierig, das übrige zu hören. Sie schreibt auch Gedichte. Ich möchte wissen, wie sie sind. Ich habe den dritten Band der *Passages in the Life of an Individual* angefangen. Ich wünschte, ich wäre damit fertig. Heute mittag habe ich mir mein graues, gemustertes Seidenkleid vorgenommen, das in Keighley gefärbt worden ist. Ob ich die Änderung wohl hinbekommen werde? E. und ich haben eine Menge Arbeit zu

tun. Wann werden wir sie spürbar verringern? Ich will mir
angewöhnen, früh aufzustehen. Werde ich das schaffen?
Wir haben unsere *Gondal-Chronicles*, die wir vor dreieinhalb
Jahren angefangen haben, noch immer nicht beendet. Wann
werden sie abgeschlossen sein? Die Gondals sind zur Zeit in
einer traurigen Lage. Die Republikaner sind ganz oben,
doch die Königlichen sind nicht ganz besiegt. Die jungen
Monarchen sind mit ihren Brüdern und Schwestern noch
im Palast der Weisung. Die Einzigartige Gesellschaft hat vor
etwa einem halben Jahr auf einer verlassenen Insel Schiff-
bruch erlitten, als sie von Gaul zurückkehrten. Sie sind noch
immer dort, doch wir haben nicht viel mit ihnen gespielt. Die
Gondals sind sowieso nicht in einem Zustand, in dem sich
gut mit ihnen spielen ließe … Ich für meinen Teil könnte
mich (in vier Jahren) kaum älter und mutloser fühlen als
heute. Auf das beste hoffend, schließe ich.«

Emily sieht die Lage ganz anders. Sie schreibt: »Mein Geburtstag – regnerisch, windig, kühl. Heute bin ich 27 Jahre
alt geworden. … Anne und ich machten zusammen unsere
erste selbständige lange Reise, brachen am Montag, dem 30.
Juni, von zu Hause auf, schliefen in York, kehrten Dienstag-
abend nach Keighley zurück, schliefen dort und gingen am
Mittwochmorgen nach Hause zurück. Obgleich das Wetter
unbeständig war, hatten wir sehr viel Spaß miteinander, ein
paar Stunden in Bradford ausgenommen. Im Laufe unseres
Ausflugs waren wir Ronald Macalgin, Henry Angora, Juliet
Augusteena, Rosabella Esmaldan, Ella und Julian Egre-
mont, Catharine Navarre und Cordelia Fitzaphnold, die aus
dem Palast der Weisung entfliehen, um sich den Königlichen
anzuschließen, die von den siegreichen Republikanern gerade hart bedrängt werden. Die Gondals sind wie eh und je
noch auf dem Höhepunkt ihres Ruhms. Im Augenblick
schreibe ich an einem Werk über den Ersten Krieg. Anne hat

ein paar Artikel darüber und ein Buch von Henry Sophona geschrieben. Wir haben vor, so lange an den Schurken festzuhalten, wie sie uns Spaß machen, was sie zum Glück im Augenblick gerade tun. Ich sollte erwähnen, daß im letzten Sommer der Plan mit der Schule wieder mit großem Nachdruck vorangetrieben wurde. Wir hatten gedruckte Prospekte, schickten Briefe an alle Bekannten, teilten unsere Pläne mit und taten, was wir konnten, doch die Sache nahm keinen Fortgang. Jetzt habe ich überhaupt kein Verlangen nach einer Schule, und keine von uns verspürt große Sehnsucht danach. Wir haben Geld genug für unsere augenblicklichen Bedürfnisse und die Aussicht auf weiteren Verdienst. Wir sind alle ziemlich gesund, nur Papa hat ein Augenleiden; B. ist ausgenommen, dem es, wie ich hoffe, bald besser gehen und der danach mehr Erfolg haben wird. Mit mir selbst bin ich ganz zufrieden: Ich bin nicht mehr so träge wie früher, im ganzen genommen tüchtig, habe gelernt, das Beste aus der Gegenwart zu machen, und sehne mich nach der Zukunft mit der Unruhe, daß ich nicht alles tun kann, was ich will; selten oder nie plagt mich Langeweile; ich wünschte bloß, jedermann wäre so zufrieden und unverzagt wie ich; dann hätten wir ein sehr angenehmes Leben … Tabby, die zur Zeit unserer letzten Aufzeichnungen gegangen war, ist zurückgekommen, hat zweieinhalb Jahre bei uns gelebt und ist bei guter Gesundheit. Martha, die ebenfalls weggegangen war, ist auch hier. Wir haben Flossy bekommen; Tiger bekommen und verloren; den Falken Hero haben wir verloren… Keeper und Flossy sind wohlauf, auch der Kanarienvogel, den wir vor vier Jahren angeschafft haben. Wir sind nun alle zu Hause und werden wahrscheinlich einige Zeit hierbleiben. Tabby hat mich gerade wie früher geneckt und gesagt, ich solle lieber Kartoffeln pellen. Wäre schönes Wetter und Sonnenschein gewesen, hätten Anne und ich die

schwarzen Johannisbeeren gepflückt. Jetzt muß ich mich be-
eilen und die Wäsche zusammenlegen und bügeln. Ich habe
eine Menge zu arbeiten und zu schreiben und den Kopf voller Geschäfte. Mit den besten Wünschen für das ganze Haus
bis zum 30. Juli 1848 und vielleicht für viel länger – schließe
ich.«

Die Skizze, die Emily ihrer Chronik beigefügt hat, zeigt sie
in ihrem Schlafzimmer sitzend, dem ehemaligen Arbeitszimmer der Kinder, mit dem Pult auf den Knien. Außer einem
Bett unter dem Fenster, einer Kommode und der Andeutung eines Teppichs ist kein Meublement zu erkennen. Im
Vordergrund lagert Keeper, den Kopf auf den Pfoten, und
unbehelligt auf dem Bett zusammengerollt Annes schwarz-
weißer Spaniel Flossy, den sie aus Thorp Green mitgebracht
hat. Was Emily außer Gondal schreibt, erwähnt sie nicht,
nur, daß es »eine Menge« ist. Aus den Daten in ihren Ge-
dichtheften wissen wir, daß sie in den Jahren 1844 und 1845
zu einigen ihrer kraftvollsten poetischen Werke inspiriert
wurde. Sie schreibt *To Imagination* und das Bekenntnis an ihren *Gott der Gesichte*, für den sie die Wirklichkeit beiseite wirft.
Im Rahmen der Gondal-Saga entsteht die Ballade *Julian M.
und A.G. Rochelle*, deren schönste Strophen vom Nahen ihrer
Traumgesichte, ihres »Boten der Hoffnung« handeln:

Er kommt mit westlichen Winden, wenn
                         die Abendlüfte gehn,
Wenn in des klaren Himmels Dunkel die
                           Sterne dichter stehn;
Wehmütig tönen die Winde, der Sterne Heer sich
                           feurig vermehrt,
Traumbilder steigen und ziehen, deren Sehn-
                           sucht mich verzehrt.

Emily berühmtestes Liebesgedicht, das sie am 3. März 1845 vollendet, ist *R. Alcona an J. Brenzaida*, Rosinas Klage um Julius, der seit fünfzehn Jahren begraben liegt:

In kalter Erd', und ein Grabhügel aus Schnee,
dir zugemessen!
Weit, weit entrückt, kalt in der düstren Gruft!
Hab ich, mein einzig Geliebter, zu lieben dich vergessen,
Getrennt durch der Zeit alles verschlingende Kluft?

Das Thema – die unsterbliche Liebe zu einem toten Menschen – ist die Grundnote, die auch ihren Roman *Sturmhöhe* durchzieht. Möglicherweise hat Emily in diesen Wochen die ersten Kapitel niedergeschrieben, den Weg Lockwoods über das tiefverschneite Moor, seine unfreiwillige Übernachtung auf *Sturmhöhe* und das Erscheinen von Catherines ruhelosem Geist vor dem Fenster, der Heathcliffs wilde Trauer weckt:

»Er stieg auf das Bett, riß den Fensterflügel mit Gewalt auf und brach, noch während er daran zerrte, in hemmungsloses Weinen aus. ›Komm herein! Komm herein!‹ schluchzte er, ›Cathy komm doch. Oh bitte, nur *einmal* noch! Oh, mein Herzallerliebstes! erhör mich *dieses* eine Mal, Catherine, bitte!‹«

Auch Branwell, allein gelassen in seinem »Studio« im ersten Stock, müht sich um ein Stück Literatur. An Joseph B. Leyland schreibt er am 10. September 1845, daß er einen Roman begonnen habe, der schon seit Jahren seine Gedanken bewege. Dieses Werk – *And the Weary are at Rest* –, das über achtundfünfzig Manuskriptseiten nicht hinaus gedeiht, behandelt die alte Geschichte von Alexander Percy, der samt seinen angrianischen Kumpanen nach Yorkshire versetzt wird. Angeregt durch seine jüngsten Erfahrungen, verführt Branwells Alter ego darin die vernachlässigte Frau des grimmigen Landbesitzers Thurston auf Darkwall. Ähnlich wie bei seiner großen Schwester nährt die Ferne der geliebten Person seine Obsession. Jeder Kontrolle durch die Realität entzogen, wird Branwell immer kühner. »Sie war alles, was ich mir von einer Frau wünschen konnte; ihr Rang war dem meinen weit überlegen, und sie liebte mich sogar mehr als ich sie.« In langen Briefen sucht er seine Freunde mit seinem Kummer heim, der niemals zu welken scheint – im Gegenteil: Wie ein Kind, dessen fortgesetztes Jammern auf ertaubende Ohren stößt, verschärft Branwell allmählich die Tonlage: »Neun Wochen habe ich gebrochen an Leib und Seele darniedergelegen. Die Möglichkeit, daß sie frei werden könnte, um sich und ihren Besitz mir anheimzugeben, wollte sich nie erheben, um das Bild ihres Dahinsiechens unter ihrem gegenwärtigen Kummer zu verscheuchen … Elf Nächte, die ich in schlaflosem Grauen zugebracht habe, haben mich nahezu erblinden lassen.«

Dennoch ist Branwell in der Lage zu denken – nicht nur an Lydia Robinsons Besitz, sondern auch an ein Berufsleben. Er bewirbt sich noch einmal – vergeblich – bei der Eisenbahn. Er schickt unter dem Pseudonym Northangerland Gedichte an den *Halifax Guardian,* die auch gedruckt werden, und er korrespondiert mit Leyland über Hintergrundmaterial zu einem Epos, das er *Morley Hall* nennen will. Aber seine Energie ist aufgezehrt, sein Talent ausgebrannt. »Mit 28 bin ich ein alter Mann.« Laudanum gibt ihm für Stunden das alte Selbstvertrauen zurück. In einer hellsichtigen Stunde aber bekennt er dem Freund: »Edle Dichtung, Kunstwerke, Musik oder Poesie – statt meine Phantasie zu beleben, verursachen sie einen Wirbelwind vernichtenden Leidens, der mit unaussprechlicher Gewalt durch meinen Sinn fährt, und wenn ich mich niedersetze und zu schreiben versuche, umstehen mich die Gedanken, die einst in Sonnenschein gekleidet waren, in trauerndem Schwarz ... Früher dachte ich, wenn ich für eine Woche die freie Verfügung über das Britische Museum samt der Bibliothek hätte, würde ich mich wie sieben Tage im Paradies fühlen, aber jetzt ... würden meine Augen über die Elgin Marbles, durch die ägyptische Abteilung und über die kostbarsten Bücherschätze wandern wie die Augen eines toten Kabeljaus.« Und an Grundy im Oktober 1845: »Ich war bestrebt, etwas zu schreiben, das wert ist, gelesen zu werden, aber ich habe es nicht gekonnt.«

Seine Familie erlebt ihn weniger poetisch. Die Überlieferung will uns glauben machen, daß Anne und Emily ihrem Bruder barmherziger begegneten als Charlotte, die den gefallenen Großschutzgeist mit Schweigen strafte. Wir kennen die guten Wünsche und Hoffnungen der beiden Jüngeren aus ihren Geburtstagsbriefen, aber diese wurden nur wenige Wochen nach Branwells Entlassung geschrieben. Wie Emily auf die massiven Störungen ihres häuslichen Friedens reagierte, können wir nur vermuten. Mit christlicher Demut? Mit dem Entzug des Wortes? Sie war die Sorte Frau, die einen großen Hund mit bloßen Fäusten durchprügelte; die sich, gebissen von einem tollwütigen Köter, in der Küche die Wunde mit dem heißen Schüreisen ausbrannte. Sollte sie Nachsicht mit diesem haltlosen Mitbewohner, diesem »hoffnungslosen Wesen« (Emily) geübt haben? Es heißt, sie habe den Bruder eines Nachts aus dem brennenden Bett gerettet, das er im Rausch mit seiner Kerze angezündet habe. Sie habe die Vorhänge heruntergezerrt und den Waschkrug über dem Betäubten aus-

geschüttet. Die Episode spricht für Emilys Entschlossenheit, jedoch nicht ausdrücklich für eine milde Gesinnung.
Geäußert hat sie sich nicht darüber. Es ist wie üblich
Charlotte, die der allgemeinen Misere Worte verleiht. Am
4. November schreibt sie an Ellen: »Branwell ist noch immer
zu Hause, und solange er da ist, sollst Du nicht kommen. Ich
bin um so fester entschlossen, je besser ich ihn kennenlerne.
Ich wünschte, ich könnte ein Wort zu seinen Gunsten sagen,
aber da ich es nicht kann, halte ich lieber meinen Mund.«
Und ein halbes Jahr später: »Du fragst, ob es uns besser
geht. Ich wünschte, ich könnte etwas Günstiges berichten –
aber wie könnte es uns besser gehen, solange Branwell
zu Hause ist und es mit ihm schlimmer statt besser wird …
Er will nicht arbeiten – und zu Hause laugt er alle Kräfte
aus – ein Hindernis für jedes Glück. Aber was nutzen die
Klagen.«

Branwell ist jedoch noch nicht am Ende seines Jammertals
angelangt. Aus Thorp Green will er Nachrichten vom Haus-
arzt der Familie erhalten haben: Mrs. Robinson sei bei der
Erwähnung von Branwells Namen in Ohnmacht gefallen
und habe nach ihrem Erwachen von ihrer unauslöschlichen
Liebe zu ihm gesprochen. Sie erwäge nun, in ein Kloster ein-
zutreten. Kurze Zeit darauf, im Mai 1846, stirbt Mr. Robinson, vierundsechzigjährig, an Verdauungsbeschwerden und
Schwindsucht. Lydia ist frei. Doch statt des Boten der Hoffnung erscheint der Kutscher der Robinsons in Haworth, der
den Hochgestimmten in ein Separée des Black Bull bestellt
und ihm ausrichtet, die Lady wünsche ihn nicht zu sehen.
Nachdem der Mann wieder abgefahren ist, hören die Wirtsleute die verzweifelten Schreie von Pastors Sohn, die wie das
hilflose Blöken eines Kalbs klingen. Sie finden ihn bewußtlos
und in Krämpfen auf dem Fußboden.

Wie erklärt sich der grausame Sinneswandel der Geliebten? Mr. Robinson, so heißt es nun, habe ein Testament mit der Bestimmung hinterlassen, daß seine Witwe jeglichen Besitzes beraubt werde, falls sie mit Branwell in Verbindung trete. Eine derartige Regelung – die Witwe erfreute sich des ehelichen Vermögens und Wohnsitzes nur bis zu einer eventuellen Wiederverheiratung – war im 19. Jahrhundert gang und gäbe. Unabhängig davon verfügt Lydia Robinson über ein eigenes hübsches Kapital, das sie auch ohne testamentarische Finten behaglich leben läßt. Eine Klausel, die Branwell zum Gegenstand hätte, sucht man in dem Dokument vergeblich. Ihr »Engel Edmund«, wie sie selbst notiert, hat ihr kein Hindernis für eine neue Ehe in den Weg gelegt. Aber es ist nicht Branwell, den sie wählt. 1848 heiratet Lydia Robinson einen Sir Edward Scott. Das Schicksal hat die Güte, es zwei Monate nach Branwells Tod geschehen zu lassen.

In diesem Mai 1846 aber sieht es aus, als sei sein Los schon besiegelt. »Mein Vater hat vielleicht nicht mehr lange zu leben, und wenn er stirbt, wird mein Abend, der schon im Zwielicht liegt, Nacht sein«, schreibt er. Tatsächlich denkt der alte Brontë nicht daran, zu sterben oder seinen Sohn aufzugeben. (Er sollte ihn um dreizehn Jahre überleben.) Obwohl der Reverend nur noch die Schatten der ihm Vertrauten ausmachen und sich mühsam im Haus herumtasten kann, hält er sonntags seine – auch ohne Taschenuhr – exakt halbstündige Predigt. Und er ordnet an, daß Branwell in sein Schlafzimmer zieht, selbst als dieser droht, einer von ihnen werde den Morgen nicht erleben. Wenn der Sohn dann irgendwann um die Mittagszeit die Treppe herunterkommt, sagt er wohl: »Der arme alte Mann und ich hatten eine schreckliche Nacht zusammen, er tut sein Bestes, der arme alte Mann, aber ich bin fertig.« Er trinkt systematisch und erleidet Anfälle, die nicht allein von Alkohol und Opium herrühren können. Doch kein Arzt wird zu Rate gezogen; es ist ja alles »seine eigene Schuld«. Charlotte klagt der Freundin: »Branwell erklärt, daß er für sich selbst weder etwas tun kann noch will; mehr als einmal sind ihm gute Stellungen angeboten worden, für die er sich durch vierzehntägiges Büffeln hätte als geeignet erweisen können, aber er will nichts tun, außer trinken und uns alle unglücklich machen.«

Sein Freund, der Eisenbahningenieur Grundy, besucht ihn eines Tages in Haworth. Er datiert ihr Treffen im Black Bull auf wenige Tage vor Branwells Ende. Tatsächlich fand ihre Begegnung früher statt, doch sollte Branwell sich aus seinem Wahn und seiner Verzweiflung nicht wieder lösen können. Noch zwei Jahre schleppt sich die Gestalt, die Grundy nach dem Abschied mit hängendem Kopf auf der Gasse stehen sieht, durch das Zwielicht seines verkehrten Lebens.

»Jetzt öffnete sich behutsam die Türe und ein Kopf erschien. Es war eine Fülle von rotem, ungekämmtem, ungeschnittenem Haar, das wild um eine hohe knochige Stirn flutete; die gelben, hohlen Wangen, der eingesunkene Mund, die dünnen weißen Lippen, die nicht zitterten, sondern krampfhaft bebten, die tiefliegenden Augen, einst klein, jetzt vom Licht des Wahnsinns funkelnd – das alles erzählte nur allzu eindeutig die traurige Geschichte.«

Grundy läuft so heiter wie möglich auf den Freund zu, begrüßt ihn und bestellt heißen Brandy. Branwell sieht aus, als fürchte er sich vor sich selbst. »Er murmelte etwas wie, daß er ein warmes Bett verlassen habe, um in die kalte Nacht hinauszugehen. Noch ein Glas Brandy und die wiederkehrende Wärme machten ihn nach und nach zu etwas, das dem Brontë der früheren Zeiten glich. Er aß sogar ein wenig Abendbrot, etwas, das er schon lange nicht mehr getan hatte … Ich habe seinen Sinn nie klarer erlebt. Er sagte von sich, daß er begierig auf den Tod warte, daß er ihn ersehne und in klaren Momenten glücklich sei, ihn so nahe zu wissen.«

Beim Abschied zeigt Branwell dem Freund ein Küchenmesser, das er in seinem Ärmel verborgen hielt. Er hatte geglaubt, Grundys Nachricht sei von Satan persönlich gekommen, und »als er sich ankleidete, steckte er das Messer ein, das er sich schon vor langer Zeit besorgt hatte – alles mit dem festen Entschluß, in die Wirtsstube zu stürzen und den Gast zu erstechen. In seinem erregten Zustand erkannte er mich nicht, als er die Tür öffnete; erst meine Stimme und mein Verhalten brachten ihn wieder zu sich.«

Als Grundy außer Sicht ist, dreht Branwell um und geht vom Black Bull hinauf zum Pfarrhaus, wo aus dem Fenster links von der Tür der Lampenschein auf den Kiesweg und die Stufen fällt. »Zu stark zum Sterben und zu elend, um zu leben«, ist er doch klaren Sinnes. Selbstverständlich hat er bemerkt, was seine Schwestern dort im Wohnzimmer treiben. Aber der Großschutzgeist Brannii ist nicht mehr eingeladen, daran teilzunehmen.

XIV

Die Gedichte · Currer, Ellis und Acton Bell · Mr. Nicholls · Die Kuraten · *Jane Eyre* · *Sturmhöhe* · *Agnes Grey* · Der Geist des Stolzes · Entfremdung

Aber es war wirklich ein wunderschöner Mantel,
und H. bekam nichts weiter heraus als
›Oh, Mr. Rochester!‹ – zum Scherz, was eine Anspielung
auf *Jane Eyre* sein sollte, die sich
für meinen Geschmack so undankbar gegenüber
dem armen Mann benommen hat –
es muß schon bedrückend sein, wenn die Braut,
und sei sie auch nur zur linken Hand,
immer grauen Alpaka oder Merinowolle oder
dergleichen verlangt –,
da kann einem Mann die Liebe schon vergehen.

Dorothy Sayers
Hochzeit kommt vor dem Fall

»An einem Tag im Herbst des Jahres 1845 fiel mir zufällig ein
Manuskript in die Hände, das Gedichte in der Handschrift
meiner Schwester Emily enthielt. Bei der Durchsicht war ich
mehr als überrascht – ich war vielmehr zutiefst überzeugt,
daß es sich bei ihren Gedichten weder um landläufige lyri-
sche Ergüsse handelte, geschweige denn um Lyrik, wie sie
Frauen im allgemeinen schreiben. Ich hielt sie für dicht und
bündig, kraftvoll und eigenständig. In meinen Ohren hatten sie einen besonderen Klang, wild und melancholisch
und erhebend. Meine Schwester Emily war kein Mensch,
der seine Gefühle zur Schau trug, noch jemand, in dessen
geheimes Inneres selbst die ihr Nächsten und Liebsten ungestraft eindringen durften. Ich brauchte Stunden, um sie damit zu versöhnen, daß ich ihr Geheimnis entdeckt hatte, und
Tage, um sie davon zu überzeugen, daß solche Gedichte es
verdienten, veröffentlicht zu werden. Ich wußte jedoch, daß
ein Sinn wie der ihre nicht ohne einen versteckten Funken
redlichen Ehrgeizes war, und ich weigerte mich, in meinem
Bemühen, diesen Funken anzufachen, nachzulassen.

Inzwischen hatte meine jüngere Schwester in aller Stille
einige ihrer Gedichte hervorgeholt und gab mir zu verstehen, daß ich, da Emilys Gedichte mir Freude machten, auch
die ihren ansehen möchte. Ich konnte nur ein parteiischer
Richter sein, doch ich fand, daß auch ihre Verse ein eigenes,
liebliches und unverfälschtes Pathos besaßen. Wir hatten
sehr früh den Traum gehegt, eines Tages Schriftstellerinnen
zu werden. Dieser Traum ... bekam den Charakter einer
Entscheidung.«

Welch kühne, gleichwohl voraussehbare Wende, die die
Chronistin der Familie fünf Jahre später dem englischen Publikum mitteilt. War es nicht das natürlichste von der Welt –
schreiben? War die »Scribblemania« ihrer Kindertage nicht
wie eine lange Lehrzeit gewesen, in der sie ihre Federn er-

probt hatten? Hatte Charlotte Monsieur Heger nicht ange-
deutet, daß sie ihm ein Buch widmen möchte? Und hat
Anne nicht bereits in Thorp Green mit der Niederschrift eines autobiographischen Romans begonnen? Warum also
nicht auch publizieren? Der Funken Ehrgeiz, den Charlotte
in der gekränkten Emily anzufachen hofft, die der Älteren
das Herumstöbern in ihrem Pult nicht vergeben kann,
brennt bei ihr schon lichterloh. Auch Anne ist nicht feuer-
fest. Ellen hatte sie beim Durchblättern von *Chamber's Journal*
lächeln sehen. Was gibt's? »Oh, sie haben nur eins meiner Gedichte eingerückt.« Und Branwell? Wenn er auf dem Damm
ist, teilt er wohl abends das Wohnzimmer mit den Schwestern. Sie sitzen um den Tisch und nähen; Branwell hält Vorträge. Einen Roman zu schreiben – kein Kunststück – besser
als der ganze Plunder, der den Markt überschwemmt – aber
einen Verleger zu finden – die Manuskripte unbekannter
Autoren flögen doch nur ins Kaminfeuer. Hat er ihnen aus
Morley Hall vorgelesen, diesem armseligen Geleier? Ach, der
Branwell von früher wäre sicher würdig gewesen, etwas bei-
zusteuern, das Emilys wildem, melancholischem Klang na-
hekam – aber nun? Sie beschließen, allein in die Welt der
Druckerzeugnisse vorzudringen. »Mein unglücklicher Bruder hat nie erfahren, was seine Schwestern in der Literatur
unternommen hatten; er wußte nichts von einer einzigen
veröffentlichten Zeile.«

Hier irrt Charlotte. Branwell diskutierte ein Jahr später
mit dem Journalisten George Searle Philipps, der *Jane Eyre*
im *Mirror* verrissen hatte, über das Buch seiner Schwester.
Der Zeitungsmann, den Branwell aus Bradford kannte, war
eigens nach Haworth gereist, um die Autorin zu sehen, und
Branwell, der ihn im Black Bull traf, entfaltete noch einmal
seine ganze Eloquenz, als er vom Herbeiströmen der ersten
Literaturtouristen sprach (was nicht stimmen konnte) und

Philipps eine Einführung zu Hause verweigerte. Niemals
wäre der Kritiker auf den Gedanken verfallen, dieser enthu-
siastische junge Mann könne in die Schriftstellerei nicht eingeweiht gewesen sein. Doch nicht nur Branwells wegen, bei
dem kein Geheimnis sicher ist, beschließen die drei, einen
Nom de Plume anzunehmen. Besonders Emily, der ihre
»Reime« merkwürdig abhanden gekommen sind und die
nun dabei ist, sie von allen Anspielungen auf Gondal zu rei-
nigen, besteht auf strengstem Inkognito.

»Da wir unsere Identität nicht öffentlich preisgeben wollten, verbargen wir unsere Namen unter denen von Currer,
Ellis und Acton Bell; die doppeldeutige Wahl wurde durch
eine Art von Gewissensskrupel bestimmt, Vornamen anzunehmen, die eindeutig männlich waren, weil – ohne, daß wir
es damals ahnten, unsere Art zu schreiben und zu denken,
nicht die war, die man ›feminin‹ nennt – und wir eine schwache Ahnung hatten, daß man bei Autorinnen dazu neigt, ihnen mit Vorurteilen zu begegnen.«

In der Tat hielt die viktorianische Literaturkritik für
Schriftstellerinnen gesonderte Standards bereit. Sobald sie
»das Zittern einer feinen, melodischen Stimme« oder »die
zarte Hand einer Dame« in einem Werk ausfindig gemacht
hatte, durfte sich die Verfasserin aus der Kategorie ernstzu-
nehmende Kunst verabschieden. 1850 ermittelte zum Beispiel der liberale *Leader* – dessen Herausgeber George
Henry Lewes zwei Jahre später ein eminentes weibliches Talent entdecken sollte, das unter dem Pseudonym George
Eliot seine Zeitgenossen überstrahlte – eine Übermacht
weiblicher Literaturschaffender und riet: »Kommt es diesen
köstlichen Wesen nie in den Sinn, daß ihre kleinen Finger geschaffen wurden, damit sie geküßt und nicht mit Tinte be-
schmiert werden? ... Gibt es da keine Ehemänner, Liebhaber, Brüder, Freunde, sie zu herzen und zu trösten? Gibt es

da keine Strümpfe zu stopfen, keine Beutel zu nähen, keine Hosenträger zu besticken? Meine Vorstellung von einer perfekten Frau ist die: Sie kann schreiben, aber sie tut es nicht.«

Der Rat kommt in jedem Fall zu spät. Charlotte ist bereits dabei, Verlage anzuschreiben und ein Handbuch der Drucktechnik zu befragen. Am 28. Januar 1846 wendet sie sich an die Herren Aylott & Jones in London, Paternoster Row, Buch- und Schreibwarenhändler mit einem kleinen Verlag für religiöse Lyrik. Von ihnen erfährt »C. Brontë Esq.«, daß der Verlag willens ist, die Gedichte der drei Bells auf deren Kosten zu drucken und zu vertreiben. Ihre finanzielle Beteiligung an dem 165 Seiten schmalen Büchlein in dunkelgrünem Leinen beträgt 35 Pfund. Es erscheint im Mai 1846; die Auflage ist enorm: tausend Exemplare. Charlotte macht noch einmal zögernd fünf Pfund für Anzeigen locker. Verkauft werden zwei Stück, Preis 4 Schilling.

Dennoch gehen die »Poems by Currer, Ellis and Acton Bell« nicht unbemerkt im Literaturbetrieb unter. Der *Critic* schreibt, das Bändchen sei ein Sonnenstrahl auf dem Schreibtisch des Feuilletonredakteurs, der von zeitgenössischem Schund und Ramsch übersät sei. *Athanaeum* rezensiert Acton Bells Anteil zwar mit »gerührter Nachsicht«, bescheinigt Ellis aber einen »feinen, anziehenden Geist« und eine ungewöhnliche »Kraft des Höhenflugs«, und sieht die Muse Currers auf halbem Wege zwischen der Ebene Actons und der Höhe, die Ellis erreicht, wandeln.

Charlotte, die so rückhaltlos Emilys Poesie bewundert, gibt sich, was ihre eigenen Verse betrifft, die ihr ebenso mühe- wie kraftlos aus der Feder fließen, keinem Fehlurteil hin: »unreif und überschwenglich«, Produkte eines rastlos überquellenden, jugendlichen Sinns. »In jenen Tagen war das Meer zu oft zu stürmisch, und Algen, Sand und Kies wurden in dem Sturm mit aufgewühlt«, gesteht sie Mrs. Gaskell.

Ihre Stärke ist die Prosa, die, anders als die Gedichte, keinen Vergleich mit Größeren scheuen muß; und ihre poetischsten Passagen finden sich nicht in den schwerfüßigen, sentimentalen Balladen, sondern in den Romanen, wenn Gefühle und Elemente aufeinanderprallen, oder lieblich miteinander dahinziehen wie die Wölkchen aus Mr. Rochesters Zigarre mit dem Duft von Heckenrosen und Jasmin.

Die Verkaufszahlen des Gedichtbandes sind natürlich eine Enttäuschung. In einer ironischen Laune schicken die Bells im Jahr darauf einen Teil ihrer Belegexemplare an die Dichter Tennyson, Wordsworth, Lockhart und de Quincey, und Charlotte schreibt dazu: »Meine Verwandten Ellis und Acton Bell und ich haben, ungeachtet der wiederholten Warnungen angesehener Verleger, den unbesonnenen Akt begangen, einen Versband drucken zu lassen. Die vorausgesagten Folgen haben uns natürlich überrascht; unser Buch erweist sich als ein Ladenhüter; kein Mensch braucht oder beachtet es. Im Zeitraum von einem Jahr hat unser Verleger lediglich zwei Exemplare abgesetzt, und durch welch mühsame Anstrengungen es ihm gelang, sich ihrer zu entledigen, weiß nur er selbst. Bevor wir die Ausgabe dem Trödler überlassen, haben wir uns entschlossen, einige der unverkäuflichen Exemplare als Geschenke zu verteilen; wir erlauben uns, Ihnen eines davon zu übersenden als Dank für das Vergnügen und den Gewinn, den wir oft und über lange Zeit aus Ihren Werken geschöpft haben.«

Der Mißerfolg kann jedoch nicht den literarischen Ehrgeiz der drei irritieren. Weiteres ist bereits in Arbeit – kein gemeinsames Gedankenspiel, sondern drei sehr verschiedene Stücke Literatur. Wenn Papa abends im Bett ist und Branwell Gottweißwo, beginnen ihre Wanderungen um den Wohnzimmertisch; fünf Schritte vom Fenster und zurück zum Sofa, Emily den Arm um Anne gelegt, daneben Charlotte, vorlesend, diskutierend, beratend. Was Emily vorträgt, erschreckt die beiden anderen manchmal; ihre unbarmherzigen und unversöhnlichen Naturen, die lebhaften und schrecklichen Szenen verscheuchen den nächtlichen Schlaf und stören den geistigen Frieden bei Tag, erinnert Charlotte sich später. Doch Emily versteht die Aufregung nicht: Ihr seid es, die übertreibt.

Aber bevor wir ihren weiteren Weg um den Tisch und in die Welt verfolgen, wollen wir einen Blick auf die andere Straßenseite, auf das Haus des Küsters und seinen Untermieter werfen. Der geneigte Leser hat bereits von ihm gehört. Es handelt sich einmal wieder um den Kuraten von Mr. Brontë, einen ernsten Herrn Ende Zwanzig mit einem Pferdegesicht, das von einem schwarzen Backenbart eingerahmt wird. Er stammt, wie der Pastor, aus dem Norden Irlands, gehört aber, anders als dieser, den eine gewisse keltische Exzentrik auszeichnet, zu den Ulster-Leuten schottischer Herkunft, denen man Zuverlässigkeit, Solidität und Nüchternheit nachsagt, Eigenschaften, die leicht ins Langweilige, Sture und einen Mangel an Humor hinüberchangieren, die ihn aber gleichwohl zu einer wertvollen Stütze für den fast 70jährigen Pfarrherrn machen. Sein Name ist Arthur Bell Nicholls, und er wäre in keiner Weise bemerkenswert, wenn er nicht acht Jahre später Charlotte Brontë heiraten würde.

In Haworth mag ihn niemand so recht leiden; auch die Familie vermißt ihn nicht, als er seine Ferien in Irland verbringt. »Ich kann beim besten Willen nicht jene interessanten Ansätze zur Gutherzigkeit an ihm erkennen, die Du entdeckt hast«, schreibt Charlotte im Oktober 1844 an Ellen, »seine Engstirnigkeit berührt mich äußerst unangenehm. Seine verborgenen Schätze verdankt er, fürchte ich, Deiner Einbildung.« Ellen hat wohl schon wieder einmal Cupidos Pfeile fliegen sehen, und offenbar war sie nicht die einzige, der Nicholls' Blicke aufgefallen waren, die immer einen Augenblick zu lange auf der kleinen Frau ruhten, ehe sie hastig abgezogen wurden.

»Wer war das, der Dich ernsthaft gefragt hat, ob Miss Brontë nicht den Kuraten ihres Papas heiraten wird?« fragt Charlotte streng im Juli 1846. »Ich muß ja wohl kaum erwähnen, daß kein Gerücht jemals unbegründeter war. Eine kalte, ferne Art von Höflichkeit ist die einzige Umgangsform, die ich je mit Mr. Nicholls pflegte. Unter keinen Umständen könnte ich ihm gegenüber dieses Gerücht erwähnen, nicht einmal als einen Scherz. Das würde mich für das nächste halbe Jahr zur Zielscheibe seines Witzes und des der anderen Kuraten machen. Sie betrachten mich als eine alte Jungfer, und ich betrachte sie alle zusammen als höchst uninteressante, engstirnige und unattraktive Vertreter des derberen Geschlechts.«

Mr. Nicholls hat das Pech, zu jener verachteten Spezies von »selbstsüchtigen und aufgeblasenen Menschen« zu gehören, die Charlotte auch beim besten Willen nicht ertragen kann: den Kuraten. »In diesen gesegneten Tagen haben wir nicht weniger als drei in der Pfarre von Haworth – und einer übertrifft den anderen. Kürzlich haben sie alle drei bei uns vorgesprochen – vielmehr kamen sie unerwartet zur Teezeit hereingestürzt. Es war Montag, Backtag, und ich war verschwitzt und müde; dennoch, wenn sie sich ruhig und ordentlich verhalten hätten, wäre ihnen der Tee in Frieden serviert worden, aber sie begannen einander großartig zu feiern und die Dissidenten in einer solchen Weise zu beleidigen, daß ich die Beherrschung verlor und ein paar schnelle, scharfe Sätze äußerte, die sie umgehend verstummen ließen. Papa war ebenfalls zutiefst entsetzt, aber ich bereue es nicht.«

Ein ähnlich unberatenes Trio, das sich gegenseitig rastlos besucht, Schnee, Hagel, Wind und Regen, Schmutz und

Staub trotzt, um miteinander zu frühstücken, Tee zu trinken, zu Abend zu essen, zu zanken und ihren Zimmerwirtin-
nen auf die Nerven zu fallen, hat Charlotte in *Shirley* wieder-
belebt. »›Schneiden Sie Brot ab, Frau‹, sagte ihr Gast; und
die ›Frau‹ tat wie ihr geheißen. Wäre sie der Stimme ihres
Herzens gefolgt, würde sie den Geistlichen ebenfalls ent-
zweigeschnitten haben.« Mr. Nicholls wurde übrigens gehört, wie er bei der Lektüre des Romans in seiner Stube laut
lachte und vor Vergnügen auf den Boden stampfte. Er las
dem Reverend die saftigsten Stellen vor und war offenbar
froh, in der Figur des sittsamen Kuraten Macarthey, »den
der Umstand, daß er mit einem Dissidenten zum Tee geladen war, immer für eine ganze Woche aus der Ordnung
brachte«, glimpflich davongekommen zu sein. Charlotte
aber hatte nicht im Traum daran gedacht, ihn zu belobigen
und ärgerte sich über sein Wiedererkennen: »Na, wohl be-
komm' es ihm!«

Indessen sind die drei im abendlichen Wohnzimmer erst
bei der Niederschrift von *The Professor, Sturmhöhe* und *Agnes
Grey*, drei voneinander unabhängigen Werken der Bells, die
Charlotte im April, noch vor Erscheinen der Gedichte, Aylott & Jones anbietet – ohne finanzielle Beteiligung der Autoren. Die Herren lehnen ab, und im Juli des Jahres 1846 beginnt das Manuskriptpaket seine lange Reise durch die englischen Verlagshäuser. Gut eineinhalb Jahre ist es über sechs
Stationen unterwegs; Charlotte kreuzt die Adressen aus und
beschriftet das Packpapier erneut, ein Vorgehen, das von
sparsamem Sinn und fehlender weltlicher Weisheit zeugt. –
Schon viermal abgelehnt? Das kann wohl nichts Gescheites
sein. Zurück damit, zwei Zeilen, hochachtungsvoll etc.

Gerichtet ist das Paket nun an Miss Brontë, nachdem die
Adresse C. Brontë Esquire oder Currer Bell für »ein kleines
Mißgeschick« und beinahe das Auffliegen ihres Geheimnis-

ses gesorgt hatte. »Currer Bell? – wohnt hier nicht«, hatte
der Reverend den Postboten wieder weggeschickt. In Zukunft legt Charlotte sicherheitshalber einen frankierten
Umschlag an Miss Brontë bei, die Agentin, die im Namen
der Brüder Bell die Geschäfte führt.

Im August treibt die Schwester wieder die Sorge um Papa
um. Er ist nun blind und gänzlich auf ihre Hilfe angewiesen,
doch »nie verdrießlich, nie ungeduldig, nur bekümmert
und niedergeschlagen«. Im Dorf wird gemunkelt, der Reverend spreche in seiner Dunkelheit und in der Einsamkeit
des Studierzimmers dem Whisky zu, eine Verleumdung, die
er, der Vorsitzende der Temperenzler, mit alttestamentari-
schem Zorn zurückweist. Bei der besagten Flasche handele
es sich um seine Augenlotion, deren Geruch dem einer Flüs-
sigkeit von »anstößigem Charakter« ähnele. Wie auch immer, Charlotte und Emily reisen nach Manchester, um die
Ferndiagnose eines bekannten Augenarztes einzuholen.
Dieser bestellt Patrick zu sich, und innerhalb kurzer Zeit ist
die Star-Operation beschlossene Sache. Charlotte und Mr.
Brontë beziehen am 19. August eine kleine Mietwohnung in
Manchester, und fünf Tage später unterzieht sich der Reverend der Tortur. Die Operation wird selbstverständlich ohne
Narkose vorgenommen. Später notiert der Patient: »Bella-
donna, ein tödliches Gift aus dem schwarzen Nachtschatten,
wurde zunächst zweimal aufgetragen, um die Pupille zu er-
weitern. Das verursachte große Schmerzen für etwa fünf Sekunden. Das Gefühl bei der Operation, die fünfzehn Minuten dauerte, war ein brennendes, aber nicht unerträglich.«
Charlotte bleibt auf seinen Wunsch bei ihm. »Papa zeigte außerordentliche Geduld und Festigkeit; die Ärzte schienen
überrascht.« Als sie ihren Brief an Ellen schreibt, liegt Papa
mit verbundenen Augen zum Stillschweigen verurteilt nebenan im dunklen Zimmer. Seine Tochter versucht, in dem

fremden Haushalt zurechtzukommen und macht sich Sorgen um die Pflegerin, die möglicherweise mit der schlichten Diät der Brontës aus Rindfleisch, Butterbrot und Tee nicht zufrieden sein könnte. Ihre »Beflissenheit« ist Charlotte verdächtig. Es ist die Zeit, bevor Florence Nightingale den Stand der Krankenschwester zu einer Profession machte, und Pflegepersonal war oft von der dubiosesten und gröbsten Sorte in der Art der Mrs. Horsefall aus *Shirley*, die dreimal am Tag ihr Quantum Schnaps und viermal am Tag ihr Pfeifchen brauchte. Am Morgen der Operation ist der *Professor* schon wieder einmal zu seiner Autorin zurückgekehrt; aber ungeachtet der Enttäuschung, der Sorgen um Papa und andauernder Zahnschmerzen, die ihr den Schlaf rauben, beginnt Charlotte in Manchester ein neues Buch: *Jane Eyre*. Ihr scheint, als habe sie an diesem gemieteten Tisch eine besonders kreative Strähne zu packen bekommen, und als sie vier Wochen später mit dem Reverend nach Haworth zurückkehrt, ist das Manuskript schon weit gediehen. Die Arbeit sollte in diesem Winter ihre einzige Freude darstellen. Branwell führt sich übler auf als zuvor. Eines Tages klopft ein Gerichtsvollzieher im Pfarrhaus an und stellt ihn vor die Wahl, augenblicklich seine Schulden zu zahlen oder ihn ins Gefängnis nach York zu begleiten. Es ist nicht das Vergehen allein, das die Familie beschämt, sondern seine »Schäbigkeit«, die Ausflüchte, die Schuldzuweisungen an andere. Branwell hat nicht mehr viel zu verlieren.

Das Wetter im Dezember ist bitterlich, »der Himmel sieht aus wie Eis; die Erde ist gefroren; der Wind ist scharf wie ein Messer mit zwei Schneiden. Mir wird nicht mehr warm. Wir sind alle sehr erkältet.« Anne leidet unter Asthma, wird immer dünner und stiller. »Ich würde gerne hoffen, daß ihre Gesundheit sich ein wenig kräftigt... aber sie macht sich viel zu wenig Bewegung, sitzt unaufhörlich über einem Buch oder ihrem Pult. Nur mit Mühe kann man sie dazu überreden, einen Spaziergang zu machen oder sie in ein Gespräch ziehen.«

Der Reverend ist inzwischen wieder auf dem Posten. Sonntags liest er die Gebete in der Kirche, und Mr. Nicholls fährt in die wohlverdienten Ferien. Im Januar wird der Pfarrhausbrunnen im Hinterhof gesäubert. Seit zwanzig Jahren hatte man das gelbliche Wasser getrunken. Nun kommen acht Blecheimer in jedem Zustand der Verrottung zum Vorschein. Das Manuskriptpaket kehrt mit der Zuverlässigkeit eines schlechten Groschens an den Absender zurück. Der ständige Ostwind macht sie alle nervös. Nur Emily, die noch immer als »der Major« grüßen läßt, widersteht ihm. Für sie zählt er zu den »sehr uninteressanten Winden«, aber »ihr Nervensystem ist auch nicht wie das unsere«, seufzt Anne. Selbst die gute Ellen bekommt die gereizte Stimmung zu kosten. »Natürlich vergesse ich Dich nicht, doch ich glaube, daß ich manchmal Feuer spucken und explodieren würde, wenn wir ständig zusammenlebten.« Ein andermal gesteht ihr Charlotte: »An meinem nächsten Geburtstag werde ich 31. Meine Jugend ist wie ein Traum verflogen, und ich habe so wenig Gebrauch davon gemacht. Was habe ich in den letzten 30 Jahren zustande gebracht? Herzlich wenig.« Und doch schreibt sie unermüdlich an ihrem neuen Buch.

Endlich, im Juli 1847 zeichnet sich ein Erfolg ab – aber nur für Emily und Anne. Der Londoner Verleger Thomas Cautley Newby erklärt sich bereit, die *Sturmhöhe* und *Agnes Grey* in einem Band zu veröffentlichen. Allerdings verlangt er einen Zuschuß von 50 Pfund, den er nach den ersten 250 verkauften Exemplaren zurückerstatten will. (Er tut es nie.) Die Autorinnen sind einverstanden, und nun macht sich der *Professor* allein auf den Weg. Charlotte weiß um seine Unzulänglichkeiten, aber wie »eine in ihr blödsinniges Kind vernarrte

Mutter« hofft sie, daß auch andere darüber hinwegsehen möchten. Seine nächste Station ist der Verlag Smith & Elder. Von dort kehrt er mit ungewöhnlicher Promptheit zurück, doch statt der bekannten ablehnenden zwei Zeilen erhält Charlotte einen langen Brief des Lektors William Smith Williams, in dem er die Mängel des Manuskripts klug und verständnisvoll darlegt. Ein neues, erfolgversprechendes Werk von Currer Bell werde der Verlag mit dem größten Wohlwollen prüfen, fügt er hinzu. Charlotte ist entzückt. *Jane Eyre* steht kurz vor der Vollendung, und sie expediert es am 24. August an Smith & Elder, 65 Cornhill, London. Williams liest es in einem Zuge durch und drückt es seinem Verleger George M. Smith in die Hand, ehe dieser ins Wochenende verschwindet. Smith, ein wenig amüsiert von dem Enthusiasmus des würdigen Lektors, beginnt am Sonntagmorgen in dem Manuskript zu blättern. Zur Mittagszeit ist er mit einem Freund zum Ausreiten verabredet. »Kurz vor 12 wurde mein Pferd vor die Tür gebracht, aber ich konnte das Manuskript nicht aus der Hand legen. Ich schrieb hastig zwei, drei Zeilen an meinen Freund, entschuldigte mich mit unvorhergesehenen Umständen, die mich verhinderten, ihn zu treffen, schickte die Nachricht mit meinem Pferdeknecht fort und las weiter. Irgendwann kam der Diener, um mir zu sagen, daß das Mittagessen auf dem Tisch stünde. Ich bat ihn, mir einen Sandwich und ein Glas Wein zu bringen und fuhr fort mit *Jane Eyre*. Die Zeit fürs Abendessen kam; für mich war es nur eine hastige Mahlzeit, und bevor ich zu Bett ging, hatte ich das Manuskript ausgelesen.«

Von nun an geht es mit der vorgegebenen Schnelligkeit weiter. Vier Wochen später treffen bereits die ersten Korrekturfahnen in Haworth ein (während Emilys und Annes Manuskripte wie Blei liegen). Charlotte nimmt die Arbeit mit auf einen Besuch bei Ellen. Beim Schein der Lampe sitzen

sich die beiden Frauen am Tisch gegenüber, die eine mit
dem Stickrahmen, die andere mit der Feder, und in bester
viktorianischer Manier fällt kein Wort über Charlottes ungewöhnliche Beschäftigung. Noch ein halbes Jahr nach
Erscheinen von *Jane Eyre* dementiert Charlotte heftig und
raffiniert ihre Autorenschaft gegenüber Ellen: »Ich habe
niemandem das Recht erteilt, über mich zu klatschen.« Daß
sie publiziere, sei der reine Unfug. Sie trägt Ellen auf, alle
Gerüchte auf das schärfste zurückzuweisen. Schließlich ge-
nieße sie als Freundin das volle Vertrauen der Verdächtigten,
und habe diese ihr gegenüber jemals ein Wort fallengelas-
sen? Im übrigen könne sie ihr nichts über den neuen Bestsel-
ler *Jane Eyre* sagen, da sie ihn noch nicht gelesen habe.

Sechs Wochen nach Annahme des Manuskripts erscheint
ihr Buch und sorgt vom Fleck weg für Aufregung. Das Publikum ist begeistert, und noch ehe die Rezensenten sich des
neuen Werks bemächtigen, wird in den Kreisen der Londoner Kulturschickeria schon heftig gemunkelt. Wer ist Currer
Bell? William Makepeace Thackeray, literarischer Gesell-
schaftslöwe und hochberühmter Autor, teilt Lektor Williams
mit: »Ich wünschte, Sie hätten mir *Jane Eyre* nicht zugesandt.
Das Buch hat mich so sehr gefesselt, daß ich einen ganzen
Tag verloren (oder, wenn Sie wollen, gewonnen) habe... Ich
habe keine Vorstellung, wer der Autor sein könnte; wenn es
freilich eine Frau ist, versteht sie ihr Handwerk besser als die
meisten Damen, oder sie hat eine ›klassische‹ Ausbildung genossen. Gleichviel, es ist ein prächtiges Buch, der Autor ist,
ob Mann oder Frau, großartig, der Stil sehr souverän und,
wenn ich so sagen darf, gradheraus... Einige der Liebesszenen haben mich zum Weinen gebracht, sehr zum Erstaunen
von John, der gerade mit den Kohlen hereinkam... Wenn
eine Frau das Buch verfaßt hat, wer könnte sie sein? Über-
mitteln Sie dem Autor meinen Respekt und meinen Dank.«

Zwei Monate später ist schon die zweite Auflage da (Thakkeray gewidmet), und ein viertel Jahr darauf die dritte. Was ist so erregend an *Jane Eyre*, der Geschichte einer kleinen, unscheinbaren Gouvernante, die den Platz, den Gott und die Gesellschaft ihr angewiesen haben, verläßt, um ihren adeligen Arbeitgeber zu beeindrucken und zu begehren? Die Kritik schwankt zwischen Jubel und Verriß: »Ein Buch, das den Puls rasen läßt... die Augen mit Tränen füllt« (*Atlas*). Eine Freundin der Familie Smith ist schockiert, daß es offen für Kinderaugen im Haushalt des Verlegers herumliegt. Auch Miss Wooler kann den Schreck über das Produkt der alten Freundin nicht verbergen. Trotz allem was die Autorin gesagt und getan hätte, würde sie den Platz in ihrer Achtung nicht verlieren, beteuert sie tapfer, als Charlottes Geheimnis publik wird. Selbst Mrs. Gaskell möchte von ihrer zwanzigjährigen Tochter um Erlaubnis gefragt werden, ob sie *Jane Eyre* lesen dürfe.

Die viktorianische Kritik beurteilte Literatur weitgehend nach der Moral, die sie transportierte und folglich nach den Manieren der Protagonisten. Formen, die den Wunsch einer Frau nach emotionaler und sexueller Selbstbestimmung durchblicken ließen, waren im Leben wie im Roman unerwünscht, ja, ungehörig. Charlotte hatte nun – eher in aufrichtiger Unschuld als in kühnem Trotz – eine Heldin geschaffen, die sich in vieler Hinsicht danebenbenahm – und dazu war sie noch nicht einmal hübsch. Schon die erste Begegnung des Paares deutete Übergriffe an: Er stürzt und muß von ihr wieder aufgerichtet werden. – Es ist die Quintessenz des Romans. Ungehörig, ja unweiblich war es, wie Jane die Initiative zu ergreifen und Mr. Rochester ihre Liebe zu gestehen. Ebenso unmöglich war es, sich laut über ein gebrochenes Herz zu beklagen. Hier aber trat nun eine Figur auf, die behauptete, daß Frauen ebenso wie Männer empfänden und daß es außerdem ein Unrecht sei, sie zu Hause einzusperren und ihren Tätigkeitsbereich aufs Puddingkochen, Klavierspielen und Beutelbesticken zu beschränken.

Elizabeth Rigby (Lady Eastlake) rüffelte im *Quarterly* das »antichristliche Werk, das von derber Sprache und lockerem Ton« gekennzeichnet sei und in dem ein ständiges Gemurre gegen das Wohlleben der Reichen und gegen die Entbehrungen der Armen zu vernehmen sei, eine »arrogante, fortwährende Behauptung der Menschenrechte, für die wir weder in Gottes Wort noch in Gottes Vorsehung einen Beleg finden«. Was Lady Eastlake wohl speziell nesselte, war die Selbstverständlichkeit, mit der sich dieses gesellschaftliche Nichts, Jane Eyre, als die bessere, die gescheitere und die empfindsamere Frau über die aufgeblasene Aristokratin Miss Ingram stellte. Charlotte war in der Regel hart im Nehmen, wenn es um schlechte Kritiken ging; daß ihr aber eine Lady unterstellte, *Jane Eyre* sei das Machwerk einer Frau, die »aus gutem Grund die Gesellschaft ihres eigenen Geschlechts verwirkt habe«, kränkte sie. In *Shirley* hat sie es Lady Eastlake heimgezahlt, als sie deren Zitate vom ständigen Gemurre, von der Gouvernante als Zumutung und ihre tunliche Isolation der schüchternen Mrs. Pryor in den Mund legt, als diese von ihren monströsen adeligen Arbeitgebern berichtet.

Auch der *Christian Remembrancer* rügt »die ziemlich ehrgeizige Beschreibung der Sitten und des sozialen Lebens«. Der Rezensent, der nicht daran zweifelt, daß das Buch von einer Frau geschrieben wurde, gesteht ihr »männliche Kraft, Weitblick und Scharfsinn« zu, gepaart mit »Härte, Derbheit und Freiheit der Sprache« – Talente, die einem Autor zur Ehre gereichten, die eine Dame gleichwohl nicht besitzen und kennen durfte. So sind es wohl auch weniger die zarten Küsse des Paares als Janes Ringen um eine gleichberechtigte

Liebe, was ihn schreiben läßt: »Die Liebesszenen glühen mit einem Feuer – greller als das der Sappho und irgendwie noch rußiger.«

Wie den meisten Zeitschriften fällt auch dem *Spectator* die »grobe Sprache« unangenehm auf, ohne daß der prüde Kritiker die Steine des Anstoßes benennt. Was schockiert ihn? Die Beschreibung ordinärer Zustände? Die Flüche? Der freie Gebrauch biblischer Zitate? Die Andeutung von Promiskuität? Oder die lieber nicht weiter verfolgte Ahnung, daß hinter den Bildern der reifen, tropfenden Natur noch Unsäglicheres lauern könnte?

Schon in Angria hatte Charlotte in einer metaphernreichen, sinnlichen Sprache geschwelgt, wenn der Herzog von Zamorna im abendlich betauten Garten seine Damen verzauberte oder mit seinem Rauchwerkzeug zwischen den Rabatten spazierte. Nun ist es Mr. Rochester, der mit dicken Zigarren hantiert, und zur Erfüllung ihrer Liebe wandert Jane durch ein enges Tor und unter sich neigenden Bäumen zu seinem Landsitz Ferndean in einem dunklen, moosigen Grund.

Niemand außer ihren Mitspielerinnen erkennt jedoch in der Gestalt des kantigen Aristokraten Charlottes romantisch-zynischen Helden aus Kindertagen; noch immer gebieterisch und den Kopf voll schwarzer Locken, jedoch gereift zu einem verwundbaren liebebedürftigen Wesen. Niemand außer ihnen erkennt wohl auch in den märchenhaften Zügen des Romans, die die Kritik als »Unwahrscheinlichkeiten« rügt, das späte Wirken der allmächtigen Großschutzgeister, ihr Strafgericht an dem übermütigen Sünder und seine Wiederherstellung, die Errettung Janes auf der dafür vorgesehenen Türschwelle und endlich die Stimmen und Visionen, die die Liebenden wieder zusammenführen.

Während *Jane Eyre* von London aus ihren Siegeszug antritt, sitzen Emily und Anne in Haworth über den Korrek-

turbögen von der *Sturmhöhe* und *Agnes Grey*. Ihr Verleger
Newby wittert im Erfolg von Currer Bell ein auch für ihn pro-
fitables Geschäft und beeilt sich nun mit der Auflage. Allerdings druckt er, der weder so »businesslike« noch so »gentle-
manlike« wie die Herren von Smith & Elder ist, nur 350 Stück
in einem Band und berücksichtigt keine der Korrekturen, die
die Autorinnen so mühsam an den Rand geschrieben haben.
Am 14. Dezember treffen ihre Belegexemplare ein, und
trotz der vielen kleinen vorausgegangenen Mißlichkeiten
muß es für Emily und Anne ein weihnachtliches Gefühl gewesen sein, ihr Buch endlich in den Händen zu halten.

Nun ist wohl auch der Zeitpunkt gekommen, wenigstens
einen Zipfel des Geheimnisses für den Reverend zu lüften.
Charlotte klopft bei ihm an, mit einem Exemplar von *Jane
Eyre* unter dem Arm und einigen Rezensionen. Später hat
sie die Szene Mrs. Gaskell beschrieben:

»Papa, ich habe ein Buch geschrieben.«

»Tatsächlich, mein Liebes.«

»Ja, und ich möchte, daß du es liest.«

»Ich fürchte, das ist für meine Augen zu anstrengend.«

»Aber es ist kein Manuskript, es ist gedruckt.«

»Mein Liebes, hast du nicht daran gedacht, was das kostet?
Ganz sicher wird es ein Verlustgeschäft, denn wie solltest du
ein Buch verkaufen? Keiner kennt dich oder deinen Namen.«

»Aber Papa, ich glaube nicht, daß es ein Verlustgeschäft
wird, und du wirst es auch nicht mehr glauben, wenn ich dir
ein, zwei Kritiken vorgelesen und mehr darüber erzählt
habe.«

Zum Tee erscheint der Reverend dann im Wohnzimmer
und verkündet seinen Töchtern: »Mädels, wißt ihr, daß
Charlotte ein Buch geschrieben hat und es außerordentlich
vielversprechend ist?«

Jane Eyre war selbstverständlich kein Verlustgeschäft. Charlotte erhielt 500 Pfund dafür.

Was hätte Mr. Brontë wohl zur *Sturmhöhe* gesagt? Vielleicht hätte er darin einige seiner wüsten Geschichten aus alten Zeiten wiedererkannt, an die Ellen Nussey sich zu erinnern meinte. Vielleicht hätte er bei den Zerstörungen, die eine egomane Liebe in zwei Familien anrichtet, an seinen Sohn denken müssen. Wahrscheinlich aber hätte ihn das Buch wie den Großteil seiner Zeitgenossen, seine Töchter Charlotte und Anne eingeschlossen, abgestoßen und verstört. Noch drei Jahre später meinte die Älteste, sich in einem Vorwort zur Neuausgabe der Werke ihrer Schwestern, für Emily entschuldigen zu müssen: »Als sie in ihrem Sinn, der eher düster als sonnig, eher kraftvoll als spielerisch war, Wesen wie Catherine und Heathcliff formte, wußte sie nicht, was sie tat… Hätte sie nur gelebt, wäre ihr Geist wie ein starker Baum gewachsen – höher, aufrechter und ausladender, und seine Früchte wären zu satter Milde und sonnigerem Schmelz gereift; aber an einem solchen Sinn konnten nur Zeit und Erfahrung arbeiten. Dem Einfluß eines anderen Intellekts war sie nicht zugänglich.« Und ihrem Lektor W. S. Williams hatte sie im Winter 1847, als alle noch das Inkognito wahrten, gestanden: »Ellis hat einen kraftvollen, unabhängigen Kopf. Wenn er Gedichte schreibt, spricht diese Kraft eine zugleich direkte, kunstvolle und geläuterte Sprache; doch in seiner Prosa bricht sie in Bildern hervor, die eher abstoßen als anziehen. Ellis wird sich jedoch vervollkommnen, denn er kennt seine Fehler.«

War dies nicht eher Wunschdenken? Die ein wenig »eigenartige« Emily begann ihren Schwestern beunruhigende Seiten zu zeigen, Gedanken zu formulieren, die Charlotte »eher kühn und originell als praktikabel« erschienen. Aus Gondal, ihrem archaischen Tagtraum hatte sie einen modernen Roman gemacht, in dem die konventionellen Beziehungen in Fetzen fliegen – mit Figuren, die zu erschaffen Charlotte weder richtig noch ratsam fand. Aber »Emilys Wille war nicht sehr anpassungsfähig… ihr Temperament war großmütig, aber lebhaft und jäh, ihr Geist unbeugsam«. Mit Anne hatte sie seit Monaten nicht mehr in Gondal herumphantasiert. Ihr letzter glücklicher Ausflug lag über zwei Jahre zurück. Die Geburtstagsbriefe, die sie sich für Juli 1848 vorgenommen hatten, wurden nicht mehr geschrieben. Und obwohl alle drei so heftig miteinander kommunizieren, Charlotte so drängend um ihre Mitteilsamkeit wirbt, muß nach manchem Wortwechsel ein befremdliches Schweigen eingekehrt sein. Emily ist nicht nur querköpfig, sie scheint sich selbst in eines ihrer einsamen, undurchdringlichen Geschöpfe verwandeln zu wollen. Anne überschreibt ein Gedicht aus dieser Zeit bitter mit »Häuslicher Friede« und beklagt die Abwesenheit von Heiterkeit und Liebe an ihrem Herd:

Eine jede fühlte das Glück aller zerstört
Und beklagte den Wandel – aber jede für sich.

Die Welt empfängt ihr Buch mit Ratlosigkeit. Es ist sonderbar, kraftvoll, unwahrscheinlich, aber ohne ersichtliche Moral und voll wilder Grausamkeit. Ein düsterer Mann, offenbar ein Abkömmling der Hölle, reißt aus enttäuschter Liebe zwei Generationen ins Unglück. So ein zielstrebig Verrückter war den Viktorianern noch nicht begegnet, und auch keine Frau wie Catherine, die sich, da sie aus ihrer Ehe nicht ausbrechen kann, zu Tode kränkt. Es ist eine bewegende, psy-

chologisch stimmige Geschichte, erzählt mit der begrenzten
Vernunft der Haushälterin Nelly und von dem notorisch ir-
renden Pächter Lockwood, die zu durchschauen Emily
Brontë ihre Leser alsbald lehrt. Sie handelt von dem aufsässigen kleinen Mädchen Catherine und ihrem Findelbruder
Heathcliff, der, vernachlässigt und herumgestoßen, zu dem
rauhen jungen Mann und schließlich zu dem »wilden, unbarmherzigen, wölfischen Menschen« heranwächst, als der
er dem Phantom seiner verlorenen Liebe nachjagt. Es sind
zwei sonderbare, destruktive, wenig anziehende Geschöpfe,
die sich in einem selbstverliebten Egoismus zu zweit umein-
ander drehen, und denen der Leser dennoch seine Sympathie nicht versagen kann.

    »Meine Liebe zu Heathcliff gleicht den die Zeiten über-
dauernden Felsen dort unten – eine Quelle kaum sichtbarer
Freude, aber notwendig. Nelly, ich *bin* Heathcliff! Er ist immer, immer in meinen Gedanken, nicht zum Vergnügen, genauso wenig, wie ich mir selbst stets ein Vergnügen bin, sondern als mein eigenes Ich.« Die lodernde Wut, mit der
Heathcliff Unschuldige zu den Instrumenten seiner Rache
macht, erschreckt den Leser zuverlässig bis auf den heutigen
Tag. Die Autorin selbst spart nicht mit Hinweisen auf das
Teuflische in seinem Charakter und nimmt dennoch mit ihrem grimmen Humor den gewaltsamen Szenen oft die
Spitze; wenn Heathcliff z. B. droht, Nelly das Messer in die
Kehle zu rammen und sie antwortet, sie zöge es vor, erschossen zu werden, da – pfui Deibel – mit dem Messer gerade die
Heringe zerkleinert worden wären. Es sind die Szenen unan-
gemessenen Tobens, die als Eindruck der *Sturmhöhe* zurück-
bleiben. Daneben gibt es Passagen von wunderbarer Glaub-
würdigkeit; Kinder, die mit einer Einsicht beschrieben werden, wie sie Charlotte nie geschenkt war. Unter der Anrichte
bauen sie sich mit ihren Schürzen ein Zelt gegen die Erwach-

senen; und keck antwortet das kleine Mädchen auf die
Frage: »Warum kannst du nicht immer ein braves Mädchen
sein, Cathy?« – »Warum kannst du nicht immer ein guter
Mann sein, Vater?« Neben Szenen, in denen sie das Böse bis
auf den Grund auslotet, schreibt Emily Vignetten von pasto-
ralem Charme: Jung Catherine, die Hareton das Lesen lehrt
und ihm Schlüsselblumen in den Porridge steckt.

Die zeitgenössische Literaturkritik ist entsprechend beeindruckt. Nicht alle schießen so scharf wie *Graham's Magazine*,
in dem der Rezensent wähnt, Ellis Bell habe das Werk unter
dem Einfluß von Schnaps und Pulver im Leib verfaßt. »Wie
ein menschliches Wesen… das zwölfte Kapitel abschließen
konnte, ohne Selbstmord zu begehen, ist ein Geheimnis.«
Emily schneidet sich fünf Kritiken vom Januar 1848 aus, die
später in ihrem Pult gefunden werden, in denen Tadel und
Ermutigung einander durchaus die Waage halten. Der *Ex-
aminer* schreibt, das Werk zeuge von »beträchtlicher Kraft«,
weist den Autor aber darauf hin, daß es »die Aufgabe des
Künstlers ist, das, was er in der Welt sieht, zu mäßigen, ja zu
läutern.« *Britannia* nennt das Buch »merkwürdig eigenständig« und vergleicht die Geschichte mit der »Kraft eines
dunklen, tückischen Gießbachs, der zwischen hohen, schroffen Felsen strömt«, rügt jedoch die Szenen der Gewalt als zu
wild und zu häufig. *Douglas Jerrold's Weekly Newspaper* verspricht seinen Lesern: »So etwas haben Sie noch nicht gelesen«, und ein ungenannter Rezensent lobt: »Es ist nicht all-
täglich, daß ein so guter Roman herauskommt, und seinen
Inhalt hier zu erzählen, würde so manchen Leser des Vergnügens der Eigenlektüre berauben.«

Nahezu geschlossen entsetzen sich die Kritiker über »den
Helden Heathcliff – wenn er denn ein Held sein soll« (*Exami-
ner*), der »einen düsteren Schatten über das Ganze wirft« (*Atlas*). Noch Dante Gabriel Rossetti schwankt 1854 zwischen

Grauen und Bewunderung, als er die *Sturmhöhe* »ein Teufel von einem Buch« nennt, »ein unglaubliches Monster – es spielt in der Hölle – nur daß die Orte und Personen dort englische Namen tragen«. Erst das 20. Jahrhundert sah die tiefere Radikalität in Emilys Roman. »Hier finden wir den Willen zum Bruch mit der Welt, um das Leben in seiner Fülle besser zu umfassen und in der künstlerischen Schöpfung das zu entdecken, was die Wirklichkeit verweigert«, schrieb Jacques Blondel 1955.

Erschwerend für Kritik und Öffentlichkeit kommt im Fall der Brüder Currer, Ellis und Acton Bell hinzu, daß man sie entweder für einen einzigen hält, oder es mit der Zuordnung ihrer Werke nicht so genau nimmt. Charlotte schreibt später über ihre Schwestern: »Die Kritik tat ihnen unrecht. Die unausgereifte, aber sehr präsente Kraft, die sich in der *Sturmhöhe* offenbarte, wurde kaum erkannt. Ihre Bedeutung und Natur wurden mißverstanden, die Identität des Autors falsch gedeutet. Es hieß, daß es sich dabei um einen frühen und unvollkommenen Versuch aus der gleichen Feder, die *Jane Eyre* geschrieben habe, handele… Ungerechter, schmerzlicher Fehler! Zuerst lachten wir darüber, aber nun beklage ich ihn bitterlich.« Auch Anne wird das Opfer der allgemeinen Konfusion. Ohne das umfangreichere Manuskript der *Sturmhöhe* hätte sie für *Agnes Grey* wohl kaum einen Verleger gefunden, da Romane nun einmal ein bestimmtes dreibändiges Format einzuhalten hatten. (Der *Professor* war ebenfalls zu schmal – mit ein Grund für seine wiederholte Ablehnung.) Nun aber droht ihre Geschichte, »der Spiegel ihrer Gedanken« (Charlotte) in der Aufregung um die beiden anderen Bücher unterzugehen. Für Acton Bell fallen in den Rezensionen meist nur die Krumen der Vollständigkeit ab, etwa in der Formulierung, daß »auch in *Agnes Grey* einige abscheuliche junge Damen« vorkämen, daß der Roman je-

doch ausgeglichener und heiterer sei und sich mit einiger
Unbeholfenheit in der Nachfolge von Jane Austen bewege.
Douglas Jerrold's Weekly Newspaper verdächtigt den Autor dar-
über hinaus, eine Gouvernante reichlich mit Liebe oder
Geld bestochen zu haben, damit sie ihm die Geheimnisse ih-
res Zuchthauses enthülle.

Gewiß stand Anne in der Tradition – weniger von Jane Austen als in der des didaktischen Romans, wie er um die Mitte
des 19. Jahrhunderts Mode war. Allerdings ging sie mit ihrer
präzisen, manchmal leis-ironischen Prosa über sein simples
Moralisieren hinaus. Die fast zwanzig Jahre ältere Harriet
Martineau war zu dieser Zeit die hervorragende Vertreterin
dieser Gattung, die man heute schwerlich Literatur nennen
würde. Ihre »Romane« waren Lektionen in politischer Ökonomie, Justiz, Besteuerungswesen oder über die Barbarei
der Sklaverei in Buchgestalt, wobei es selbstverständlich an
Verbesserungsvorschlägen nicht fehlte. Man lebte in einer
sehr »machbaren« Zeit. Für den Leser, der über der span-
nenden Lektüre das Thema vergessen haben sollte, faßte die
Autorin zum Schluß die wichtigsten Grundsätze noch einmal zusammen.

Annes Kunst war von solchem Schaffen weit entfernt. Sie
war Realistin – die erste in der englischen Literatur. Auch
ihre Geschichte sollte eine Lehre enthalten, wie sie zum Auf-
takt schreibt, aber die junge Agnes Grey ist kein Medium,
durch das den Frauen einmal mehr ihre Unterordnung an-
empfohlen wird, sondern ein unruhiger, auch wehleidiger
Geist, der in der vollständigen intellektuellen und psychi-
schen Isolation zu verkümmern droht. Agnes kämpft –
stumm – gegen dieses Abgleiten. Sie leidet, aber sie zieht
nicht wie z. B. die Heldin in Martineaus *Deerbrook* in schafs-
mäßiger Demut aus jeder Erniedrigung noch eine Läute-
rung des Herzens.

Durch ihre eigene Bescheidenheit und Charlottes mildernde Sicht ist ein Bild der jüngsten Brontë auf uns gekommen, das ihrem Format als Autorin nicht entspricht. »Annes Charakter war sanfter und bezähmter, ihr fehlten die Kraft, das Feuer, die Selbständigkeit ihrer Schwester, aber sie war mit eigenen stillen Tugenden hoch begabt. Langmütig und sich selbst verleugnend, nachdenklich und klug, blieb sie durch eine angeborene Reserviertheit und Schweigsamkeit im Schatten; Eigenschaften, die ihren Sinn und besonders ihre Gefühle mit einer Art Nonnenschleier bedeckten, der nur selten gehoben wurde«, schreibt Charlotte.

Hinter diesem Schleier hatte Anne ihre Liebe zu William Weightman und ihren Abscheu vor dem, was sie auf Thorp Green zu sehen bekam, verborgen. In aller Stille hatte sie auch Abschied von Gondal genommen, in das sie wohl nur Emily zu Gefallen gelegentlich zurückkehrte. Sie war zu sehr mit den Nöten ihres Herzens, der Aussöhnung mit ihrem Gott befaßt, um an den »Schurken« noch Freude zu haben. Emily jedoch verwarf den Gedanken an Harmonie. Sie stand »in der Glorie des Himmels und im Glanz der Hölle«, und sie wollte oder konnte die widerstreitenden Elemente ihrer Natur nicht miteinander versöhnen. Und sie ließ Anne ihre Verachtung spüren. »Feigling und Narr« – sind das ihre Worte, die Anne in dem Gedicht *The Three Guides* zitiert? »Feige ist meine Seele nicht«, hatte Emily im Jahr zuvor geschworen, aber der »Gott in meiner Brust« war kein christlicher, sondern eine in allen Menschen und Dingen webende Allmacht. Nun setzt Anne ihr Strophen entgegen, in denen sie ihre Angst und ihren Glauben vor der Überheblichkeit der Schwester in Schutz nimmt.

> Geist des Stolzes, deine Schwingen sind stark,
> Deine Augen glänzen wie Blitze,
> Voll begeisternder Freude bis du
> Und nahezu göttlicher Kraft;
> Aber es ist ein falscher, zerstörerischer Glanz,
> Den ich in deinen Augen sehe.
> Wende deinen fesselnden Blick ab,
> Ich werde dir nicht folgen.

Anne folgt dem letzten ihrer drei Führer, dem Glauben –
aber »was meine Seele liebte, begehrte und hochhielt, wurde
verachtet, angezweifelt und geringgeschätzt«. Im November
1847, einen Monat vor Erscheinen ihrer beider Romane und
über ihr Pult gebeugt, in Klausur mit einem neuen Buch, in
dem sie mit schmerzhafter Genauigkeit die Verwüstungen
beschreibt, die der »Geist des Stolzes« in einer Beziehung anrichtet, beginnt Anne ihr langes Gedicht *Self Communion* –
Selbstbefragung, in dem sie den Schleier von ihrem Sinn
und ihren Gefühlen hebt. Sie beschreibt sich selbst in ihrer
frühen Jugend, ein sanftes Herz, das nur allzu leicht in Tränen überfloß; bereit, zu bewundern, zu folgen und gequält
von grundlosen Ängsten. Schon ihre Kinderfrömmigkeit
und ihre wachsende Überzeugung von der universellen Erlösung durch Gottes Güte verbirgt sie vor den anderen. Sie
beschwört das ungetrübte Glück einer frühen Freundschaft
und ihren Kummer, als sie fühlt, daß ihre Zuneigung kaum
zur Hälfte erwidert wird, bis sie schließlich lernt:

> Ein kälteres Herz in meiner Brust zu tragen;
> Die Gedanken, die ich teilen konnte, zu teilen
> Und alles andere still für mich behielt.

Ich sah, daß sie nun auseinandergebrochen,
Die Bäume, die eins an der Wurzel waren.
Sie mochten Laub und Zweige noch verschränken,
Doch ihre Stämme stehen allein.

XV

The Tenant of Wildfell Hall · Termin in London · Branwell stirbt · Emily stirbt · Anne stirbt

Sleep O cluster of friends,
Sleep! – or only when May,
Brought by the west-wind, returns
Back to your native heaths,
And the plover is heard on the moors,
Yearly awake, to behold
The opening summer, the sky,
The shining moorland – to hear
The drowsy bee, as of old,
Hum over the thyme, the grouse
Call from the heather in bloom:
Sleep, or only for this
Break your united repose.

Matthew Arnold
Haworth Churchyard, April 1855

Die Geschichte der Pächterin von Wildfell Hall ist sicher das
erstaunlichste Produkt einer viktorianischen Pfarrerstochter und für Charlotte das letzte, was sie aus der Feder von
»dear, gentle Anne« erwartet hatte. Im Sommer 1847, als
Agnes Grey noch zusammen mit den Manuskripten ihrer
Schwestern durch die englischen Verlagshäuser reiste, hatte
Anne bereits mit *The Tenant of Wildfell Hall* begonnen, und
sie ließ sich weder von der spöttischen Emily noch von der
konsternierten Charlotte beirren. Sie fühlte, es war ihre
Pflicht, mit der Wahrheit herauszurücken, und sollte durch
ihr Buch auch nur *ein* junger Mensch vor den Fallen der
Sünde bewahrt, *ein* junges Mädchen, durch das Beispiel der
Helen Huntingdon gewarnt, vor einer ähnlich gedankenlo-
sen Verbindung zurückschrecken, dann fühlte Anne sich für
die Pein, die ihr die Niederschrift selbst bereitet hatte, entschädigt. Damit verfiel die Autorin allerdings in den gleichen Irrtum wie ihre Heldin: daß ein Mensch, der nun einmal zum Abstieg entschlossen ist, durch gutes Zureden oder
ein leuchtendes Beispiel reformiert werden könne.

Im *Tenant* erzählt Anne die Geschichte der alleinstehen-
den Helen Huntingdon, die sich mit ihrem kleinen Sohn in
dem halbverfallenen Herrenhaus Wildfell Hall einmietet.
Die junge Frau, die durch eigenwillige Erziehungsmaßnah-
men in der Nachbarschaft auffällt – z. B. erlaubt sie nicht,
daß ihrem fünfjährigen Jungen ein Glas Wein aufgedrängt
wird –, erregt das Interesse des Gentleman-Farmers Gilbert
Markham, der sie mit kleinlicher Eifersucht verfolgt und einen vermeintlichen Mitbewerber um ihr Herz mit der Reitpeitsche niederschlägt. Helen gibt Markham schließlich ihr
Tagebuch, in dem die lange Leidensgeschichte ihrer Ehe mit
Arthur Huntingdon aufgeschrieben ist, der sich vom sorglo-
sen Draufgänger zum brutalen Säufer entwickelt und seiner
Herrengesellschaft die eigene Frau zur freien Verfügung an-

bietet. Helen flieht, eine ebenso mutige wie gesetzlose Tat, denn zu ihrer Zeit waren die Ehefrau, ihr Besitz und die gemeinsamen Kinder unangefochtenes Eigentum des Mannes. (Erst zehn Jahre später gab es in England die erste bürgerliche Scheidung.) Und noch einen ungewöhnlichen Schritt wagt Helen Huntingdon: Sie verdient ihren Lebensunterhalt als freischaffende Künstlerin, die ihre Bilder an einen Londoner Galeristen verkauft. Als Huntingdon durch einen Sturz vom Pferd schwer verletzt wird, kehrt sie zu ihm zurück, um ihn pflichtschuldig zu pflegen. Er stirbt – trotz ihrer eindringlichen Bußempfehlung – unversöhnt mit Gott: »Ich kann nicht bereuen, ich fürchte mich nur.« Ihrer Vereinigung mit Gilbert Markham steht danach niemand mehr im Wege.

Der *Tenant* ist ein couragiertes Buch mit »fortschrittlichen Ansichten«, eine scharfe Attacke gegen die Doppelmoral und das Unrecht, das sich Männer Frauen gegenüber herausnehmen. Huntingdon meint: »Es liegt in der Natur der Frau, treu zu sein, aber mit *uns* mußt du schon ein wenig Mitleid haben, Helen, du mußt uns ein wenig mehr Freiheit geben.« Anne gesteht ihnen diese Freiheit nicht zu. Als erste Autorin in ihrem Jahrhundert räumt sie mit dem Glauben auf, daß eine Frau sich unter keinen Umständen ihrem Mann verweigern dürfe. Das Knallen von Helens Schlafzimmertür »hallte durch das ganze viktorianische England«, schrieb Mae Sinclair später.

Anne wäre nicht der logische Geist und die gewissenhafte Verwalterin ihres Talents gewesen, wenn sie nicht die Wurzeln dieser Doppelmoral bloßgelegt hätte: die unterschiedliche Erziehung von Jungen und Mädchen. Die ersteren würden auf die Welt losgelassen, als seien sie die vernünftigsten Wesen, die nie auf Abwege geraten könnten, während man ihre Schwestern für unheilbar schwach und dumm hielt.

Und darüber hinaus meint Mutter Markham: »Weißt du,
Rose, in allen Angelegenheiten des Haushalts müssen wir
zwei Dinge beachten: Erstens, was ist schicklich, zweitens,
was ist den Herren des Hauses genehm – alles andere ist gut
genug für die Damen.«

Anne kann am Ende weder ihrer Heldin noch ihren Lese-
rinnen ein Glücksversprechen geben. Aus ihrer Ehe geht
Helen um vieles trauriger, aber um weniges klüger hervor.
Sie heiratet Gilbert Markham, der zwar kein Wüstling, aber
ein ebenso verwöhntes, kindisches Mannsbild wie Arthur
Huntingdon ist. In der Beziehung von Helen und Arthur,
den raschen, vehementen Dialogen, liegt die Stärke des Romans: das unkommentierte Auseinanderdriften zweier Welten. Sie führen aber auch an eine Schmerzgrenze, wo der Leser mit Huntingdon ausrufen möchte: »Oh, verflucht, ver-
schone mich mit deinen Predigten!« Denn Helen, das
schlagfertige junge Mädchen mit einem Anflug von Sinnlichkeit, hat den leichtsinnigen, aber durchaus charmanten
Arthur offenbar nur geheiratet, um seinen Charakter zu
bessern und seine Seele zu retten. In ihrer Ehe verlernt sie
nicht nur das Lächeln, sondern auch ihr »instinktives Entsetzen« vor allem, was niedrig und unrecht ist. Sie wappnet sich
gegen seine Demütigungen mit eherner christlicher Stirn,
was ihn zu immer wüsteren Repliken provoziert. Als Helen
den verrotteten Huntingdon auf seinem Sterbelager pflegt,
scheint der alte Teufel ihre engelhafte Aufopferung zu
durchschauen; und Helens Beherrschtheit kann nicht darüber hinwegtäuschen, daß er der Wahrheit zumindest nahe-
gekommen ist: Ha, welch eine Gelegenheit, glühende Kohlen auf mein Haupt zu häufen und dir einen Logenplatz im
Himmel zu verdienen! Ihre Haltung ist für die Moral des
Buches, nach der die Sünder für Übermut und Stolz bezahlen müssen, unverzichtbar, aber weniger bibelfeste Leser

werden unter der Wucht ihres theologischen Zitatenschatzes möglicherweise zu seufzen beginnen. Es weht ein jenseitiger, kühler, wenig trostreicher Hauch aus den alten methodistischen Traktaten durch den *Tenant*, ein Echo aus den Liebesbriefen, die Annes Mutter vor fast dreißig Jahren an ihren Pat geschrieben hatte: »Oh, welch eine heilige Freude liegt in dem Gedanken, die Ewigkeit zusammen in vollkommenem und ununterbrochenem Glück zu verbringen.« Wie aber das Glück zu zweit auf dieser Erde zu bewerkstelligen sei, darauf weiß auch Anne keine Antwort.

Charlotte hielt das Thema für einen kompletten Mißgriff. Drei Jahre später als Annes Nachlaßverwalterin redete sie W. S. Williams sogar zu, es nicht wieder aufzulegen: »nicht des Bewahrens wert.« Was sie über den Naturalismus der Szenen aus dem Landadel hinaus schockierte, war wohl die Deutlichkeit, mit der Anne sich einige Züge ihres gemeinsamen Bruders vornahm, seine Blasphemie, seine Weinerlichkeit, seine freudlose Krakeelerei.

Charlotte: »Sie mußte in ihrem Leben aus nächster Nähe und für lange Zeit die furchtbaren Folgen eines mißbrauchten Talents ... sehen und bedenken. Was sie sah, prägte sich ihr tief ein; es verletzte sie. Sie brütete darüber, bis sie glaubte, es sei ihre Pflicht, jede Einzelheit (selbstverständlich mit fiktiven Charakteren, Ereignissen und Szenen) wiederzugeben. Sie haßte ihre Arbeit und führte sie doch aus. Wenn man das Thema mit ihr erörterte, betrachtete sie solches Argumentieren als Versuchung, Nachsicht mit sich selbst zu üben. Sie mußte aufrichtig sein, sie durfte nichts übertünchen, abmildern oder verbergen. Dieser gut gemeinte Entschluß brachte ihr Fehldeutungen und Schmähungen ein, die sie in ihrer Art, alles Unangenehme zu ertragen, mit sanfter, ausdauernder Geduld hinnahm. Sie war eine sehr ernsthafte, ausübende Christin, aber der Hauch religiöser Melancholie warf einen traurigen Schatten über ihr kurzes, untadeliges Leben.«

Wie konnte eine so unerfahrene Person wie Anne Brontë überhaupt ein so wüstes Buch schreiben? Ist sie solchen Herren von Welt auf Thorp Green begegnet? Oder gaben ihr die Robinson-Mädchen, die in den Monaten des Entstehens von Annes Buch manchmal täglich mit ihrer ehemaligen Gouvernante korrespondierten, Einblick in die Gepflogenheiten des Heiratsmarktes? Ihr Briefwechsel ist nicht erhalten, doch die Annahme ist wohl gestattet, daß Annes Rat in Liebesdingen gefragt war. Über nichts schreiben junge Damen so viel, so flüssig und so ausdauernd wie über junge Männer; und die Schwestern Robinson verloben sich oft, wenn auch nicht immer freiwillig. Ihr Schatten fällt im *Tenant* auf die Familie Hargrave und die selbstsüchtige Mrs. H., deren Lebensziel die Erbeutung eines reichen Schwiegersohns ist und deren Jüngste ihrem Drängen nur unter Aufbieten aller Kräfte und mit dem Beistand von Helen Huntingdon trotzen kann.

Der *Tenant* erscheint im Juni 1848 und ist sogleich ein Skandal-Erfolg. (In seiner Zeit nach *Jane Eyre* das bestverkaufte Buch der Brontës.) Verleger Newby speist seinen Autor Acton Bell mit 50 Pfund Honorar ab und druckt vier Wochen später eine zweite Auflage. Anne, der bereits die Fetzen der Kritik um die Ohren geflogen sind, begleitet sie mit einem Vorwort: »Ich wollte die Wahrheit erzählen, denn für jene, die fähig sind, sie zu empfangen, trägt sie immer ihre eigene Moral in sich. Aber weil der kostbare Schatz sich allzu oft auf dem Grund eines Brunnens verbirgt, braucht man einigen Mut, danach zu tauchen, zumal derjenige, der das tut, wahrscheinlich weniger Dank für den Edelstein erntet, den er zutage gefördert hat, als Hohn und Spott über den Schmutz, in den er hinabzutauchen wagte … Wenn es mir gelingt, daß das Publikum mir ein Ohr leiht, flüstere ich ihm lieber ein paar gesunde Wahrheiten hinein, als eine Menge angenehmen Unsinns… Acton Bell ist nicht Currer oder Ellis Bell, deshalb lastet ihm nicht seine Fehler an.«

Auch die liebe, sanfte Anne hatte offenbar ihre Kanten und durchaus eigene Vorstellungen von Literatur. »Unsinn« – ist das ihre Antwort auf ein Werk mit denselben Initialen wie Wildfell Hall? Seine Abwesenheit von moralischer Zeichensetzung, seine unchristliche Gespenstererweckung?

Der *Tenant* macht schon bald nach Erscheinen auch in Amerika Furore; der schlaue Newby verkauft seinen Lizenznehmern den Roman als neues Werk des Autors von *Jane Eyre* und preist es darüber hinaus als das beste, das Currer Bell je geschrieben habe. Inzwischen hatte jedoch auch der Verlag Smith & Elder Verhandlungen mit amerikanischen Partnern über das nächste Buch von Currer Bell geführt – *Shirley*, das Charlotte gerade beginnt. Da kein Copyright-Abkommen zwischen England und den USA besteht, ist man auf Treu und Glauben angewiesen. Smith & Elders' amerikanische Partner fühlen sich düpiert, und auch das Londoner Haus wittert ein Doppelspiel seines geheimnisvollen Autors. Unter der Höflichkeit, mit der Smith in Haworth um Aufklärung bittet, schimmert leise Verärgerung durch.

Seine Post schlägt im Pfarrhaus wie der Blitz ein und führt zu einer erregten Dreierkonferenz im Wohnzimmer. Daß man sie einer Tücke verdächtigt, ist ein unerträglicher Gedanke. Er muß sofort aus der Welt geräumt werden. Aber wie? Einer schriftlichen Gegendarstellung mangelte es vielleicht an Überzeugungskraft. Sie sollten sich schon in persona ihren Verlegern zeigen. Sieht Emily das auch ein? Emily ist von der Intrige nicht direkt betroffen und fühlt keinen Drang, sich irgend jemandem vorzustellen. Also müssen Charlotte und Anne reisen. Noch am selben Nachmittag

wird ein Portmanteau gepackt und von einem Jungen aus
dem Dorf zur Station nach Keighley befördert. Nach dem
Tee machen sich die beiden zu Fuß auf den Weg. Unterwegs
werden sie von einem Gewitter überrascht, haben jedoch
keine Zeit, sich unterzustellen und erreichen in letzter Minute die Bahn nach Leeds. Dort steigen sie in den Nachtzug
nach London um. Vielleicht ist es die Einmaligkeit des Unter-
nehmens, vielleicht auch die lockende Exklusivität des Ab-
teils, die ihnen erlaubt, die nassen Hauben auszuschütteln
und sogar aus den durchgeweichten Stiefeletten zu schlüp-
fen, die Charlotte bewegen, zwei Erster-Klasse-Billetts zu je
2 Pfund 5 Schilling zu lösen. In aller Frühe laufen sie in Eu-
ston Station ein – derangiert, in feuchten Kleidern und mit
Augen, die keine Minute Schlaf gesehen haben. Sie mieten
einen Wagen, der sie zum Chapter Coffee House in der Paternoster Row bringt (ein anderes Hotel kennen sie nicht).
Sie wechseln die Garderobe, richten die aufgelösten Stirn-
locken und bestellen ein kleines Frühstück. Es ist Samstag,
der 8. Juli, gegen acht Uhr, und sie haben einen wichtigen
Termin.

65 Cornhill ist von ihrer Bleibe nur ungefähr 800 Meter
entfernt, aber der morgendliche Londoner Auftrieb bringt
sie ganz aus dem Gleis, und sie kreuzen eine Stunde lang
durch die Straßen, ehe sie das Verlagshaus Smith & Elder erreicht haben. George M. Smith, ein schmucker junger Herr,
damals vierundzwanzig Jahre alt, erinnerte sich später an
das erste Treffen mit seinem Bestseller-Autor:

»Ich war in meinem Büro an der Arbeit, als ein Angestellter mich davon unterrichtete, daß zwei Damen mich zu sprechen wünschten. Ich war sehr beschäftigt und ließ um ihre
Namen bitten. Der Angestellte kehrte zurück und sagte, daß
die Damen es ablehnten, ihre Namen zu nennen, mich jedoch in einer privaten Angelegenheit zu sprechen wünsch-

ten. Nach einem Augenblick des Zögerns bedeutete ich ihm, die Damen hereinzubitten. Ich war mit meinen Gedanken mitten in meiner Korrespondenz und weit entfernt von Currer Bell und *Jane Eyre*. Zwei ziemlich altmodisch gekleidete Damen, blaßgesichtig und ängstlich blickend, betraten mein Zimmer; eine der beiden trat vor und überreichte mir einen Brief, der in meiner eigenen Handschrift die Aufschrift trug: ›An Currer Bell Esq.‹ Ich bemerkte, daß der Brief geöffnet worden war, und sagte mit einiger Schärfe: ›Woher haben Sie diesen Brief?‹ ›Vom Postamt‹, war die Antwort, ›er war an mich adressiert. Wir sind zu zweit gekommen, damit Sie sich durch den Augenschein davon überzeugen können, daß es mindestens zwei von uns wirklich gibt.‹ Das also war ›Currer Bell‹ in Person.«

William Smith Williams, »ein sanfter, gebeugter Mann um die fünfzig«, macht ebenfalls die Bekanntschaft der beiden, und Charlotte, der in seiner Gegenwart der Satz »wir sind drei Schwestern« entschlüpft, muß ihn später eindringlich bitten, in seinen Briefen von Emily nur als Ellis Bell zu sprechen, da ihr unbedachter Geheimnisverrat zu Hause mit schwerer Verärgerung aufgenommen worden ist.

Die Arrangements, die Smith zur Unterhaltung seiner Gäste trifft, werden von diesen in der Aufregung nur halb verstanden, und als der Verleger abends mit seinen beiden Schwestern im Chapter Coffee House vorspricht, um sie in die Oper zu führen, hat Charlotte ihre »donnernden Kopfschmerzen und andauernde Übelkeit« gerade mit einer großen Portion Riechsalz bekämpft, trägt aber immer noch ihr Vormittagskleid. Im Anblick des eleganten Herrn mit den weißen Handschuhen und der tiefdekolletierten Damen beschließt Charlotte tapfer, ihr »Kopfweh in die Tasche zu stekken« und sich umzuziehen. Beider Gewand ist hochgeschlossen und dem Ereignis modisch in keiner Weise angemessen, aber sie entscheiden, den Mangel einfach zu ignorieren. Anne ist wie gewohnt, freundlich-schweigsam, als sie im guten Perlgrauen am Arm von Mr. Williams den roten Treppenläufer zu den Rängen emporsteigt. Charlotte genießt den Auftritt an der Seite von George Smith, trotz der erhobenen Lorgnons, die sich aus der Versammlung, die vor den Logentüren wartet, auf die beiden Provinzlerinnen richten.

Smith hat Anne später beschrieben als »eine sanfte, ruhige, eher unterwürfige Person, keineswegs hübsch, aber von angenehmer Erscheinung. Ihre ganze Art drückte den Wunsch nach Schutz und Ermutigung aus.« Auch Charlotte erschien ihm »eher interessant als attraktiv. Sie war sehr klein und sah ein wenig wunderlich und altmodisch aus. Ihr Kopf schien für ihren Körper zu groß. Sie hatte schöne Augen, aber ihr Gesicht war von der Form ihres Mundes und ihrem schlechten Teint entstellt. Sie hatte wenig weibliche Reize und war sich dieser Tatsache ständig mit Unbehagen bewußt.«

Dieser Abend aber gehört ihr in einem ungewohnten Gefühl der Souveränität. Sie lächelt innerlich über den Kontrast ihrer und Annes Erscheinung mit dem glänzenden Publikum. Selbst die Aufführung – Rossinis *Barbier von Sevilla* und der Star Jenny Lind – bringen sie nicht aus der Fassung: »glänzend, aber ich kann mir Dinge vorstellen, die ich schöner finde«, berichtet sie Freundin Mary nach Neuseeland.

Am nächsten Morgen holt Williams sie zum Kirchgang ab, danach speisen sie bei der Familie Smith. Am Montag besuchen sie die National Gallery und die Gemäldeausstellung in der Royal Academy. (Fliegt sie dort die Erinnerung an das unglückliche Gespenst zu Hause an, das vor dreizehn Jahren ausgezogen war, London zu erobern und sich in der Welt der Kunst einen Namen zu machen?) Sie sehen die Kensington Gardens und können sich nicht genug über deren grüne

Üppigkeit wundern. Der weiche Cockney-Slang auf den Straßen klingt Charlotte befremdlich und amüsant. Zum Dinner sind sie bei Smith, zum Tee bei Williams geladen, und am nächsten Morgen fahren sie, zweiter Klasse und reich beschenkt mit Büchern, wieder gen Norden. »Ein abgehetzteres Häufchen Elend als mich hast Du noch nicht zu Gesicht bekommen«, schreibt Charlotte an Mary. »Ich war dünn, als ich wegfuhr, aber ich war mager, als ich wieder zurückkam. Mein Gesicht sah grau und alt aus, mit merkwürdigen tiefen Linien, die sich eingegraben hatten. Meine Augen hatten ein unnatürliches Starren. Ich war erschöpft und ruhelos zugleich.«

Dieser Brief Charlottes ist der einzige, den Mary aufbewahrt hat. Später, als Mrs. Gaskell sie nach ihren Erinnerungen fragte, tat es ihr leid, alle anderen »aus Sicherheitsgründen« verbrannt zu haben. Mary war in das Geheimnis der Bells eingeweiht und empfing ein Exemplar von *Jane Eyre*, als sie selbst gerade an einem Buch, ihrem »Baby« saß. Sie lobte Charlottes Roman als »perfektes Kunstwerk«, vermißte darin allerdings ein maßvolles Wüten gegen »die Absurditäten dieser Welt«, was wohl politisch und feministisch gemeint war.

Nur aus Charlottes Brief an Mary kennen wir die Stationen ihres Abenteuers in London, und die Tatsache, daß auch Acton Bell ihren Verleger T. C. Newby aufsuchte und ihn mit seiner »Lüge« konfrontierte. Darüber hinaus ist nichts über ihr Gespräch bekannt, nicht einmal, ob es zum Bruch kam. Emily schien in bewußter Opposition zu Charlottes Ratschlägen an dem Schurken festgehalten zu haben, obwohl sein Geschäftsgebaren so schäbig war wie seine Honorare. Jedenfalls annoncierte dieser trickreiche Mann im Herbst, daß er in einem neuen Programm wieder Romane von Acton und Ellis Bell vorlegen werde. Haben Anne und Emily tatsäch-

lich an neuen Werken gearbeitet? Auch in dieser Sache sind
wir auf wenige Trittsteine in einem Meer von Spekulationen
angewiesen. Einer davon ist ein Brief Newbys vom 15. Februar 1848, der in Emilys Pult gefunden wurde, in dem er
versichert, er werde mit Vergnügen Vorbereitungen für den
nächsten Roman treffen. »Sie sollten seine Fertigstellung
nicht forcieren, und ich glaube, Sie haben ganz recht, ihn
den Augen der Welt erst dann zu zeigen, wenn Sie ganz zufrieden damit sind; denn sehr viel hängt von Ihrem nächsten
Werk ab…«

Ein anderer Hinweis findet sich in einem Brief Charlottes
an W. S. Williams vom Dezember desselben Jahres: »Ellis ist
nicht in der Lage, sich mit Gedanken ans Schreiben oder Publizieren zu belasten. Sollte es dem Himmel gefallen, seine
Kraft und Gesundheit wiederherzustellen, steht ihm allein
das Recht zu, zu entscheiden, ob es Mr. Newby zukommt,
sein zweites Werk zu veröffentlichen, oder ob er dieses Recht
verwirkt hat.« Und in ihrer *Biographical Notice* schreibt sie:
»Weder Ellis noch Acton gestatteten sich, sinkendem Mut
auch nur einen Augenblick nachzugeben. Kraft ermutigte
die eine, Ausdauer hielt die andere aufrecht. Sie waren beide
bereit, sich wieder zu versuchen … die Arbeiter versagten
über ihrem Werk.«

Anne teilte noch wenige Wochen vor ihrem Tod mit, sie
habe den Kopf voller Pläne und wolle in dieser Welt noch etwas Gutes bewirken. Für eine Autorin mit Annes Anspruch
konnte das nur bedeuten, daß sie an ein neues Buch dachte.
Aber was immer die beiden planten – nicht eine Zeile Prosa
ist nach der *Sturmhöhe* und *The Tenant of Wildfell Hall* auf die
Nachwelt gekommen. Anne vollendete ihr Gedicht *Last Lines*
am 28. Januar 1849. Emily hinterließ aus ihren letzten Lebensjahren nur eine lange Gondal-Ballade, die sie bereits
1846 begonnen hatte: *Why ask to know the date – the clime –* Es

ist ein düsteres Stück Poesie, in dem ein erbarmungsloser
Söldner etwas von Emilys eigener Schuld auszusprechen
scheint:

> Das Blut, das ich vergossen, reut mich nicht;
> Es ist mein Gewissen, das mich quält:
> Es sagt mir, wie oft aus meinem Mund Galle geflossen
> Über viele, die zu schwach waren,
> Um selbst in Gedanken mein Feind zu sein.

Nach den ersten hundertfünfzig Zeilen, die die Autorin in
Reinschrift in ihr Gondal-Heft eingetragen hatte, dichtete
sie ohne Entwurf weiter – nahezu unleserlich – mit Strei-
chungen, Änderungen und einem Tintenklecks, aus dem sie
das letzte Wort »go« formte. Der Söldner, der seinem Gefan-
genen einen gnädigen Tod verweigert hat, nimmt sich dessen Kind an; aber das Mädchen haßt ihn, und »in einer
mondlosen Nacht ließ ich sie gehen«. Im Mai 1848 hat Emily
das Gedicht noch einmal überarbeitet, aber nach fünf Strophen bricht es ab. Sollte sie wirklich ganz verstummt sein?
Oder hat sie ihr Manuskript vernichtet? So, wie sie vielleicht
die Gondal-Chroniken verbrannte, als sie spürte, daß Anne
und sie getrennte Wege eingeschlagen hatten? Noch immer
treibt Brontë-Schatzgräber die Phantasie um, ihnen könne
wie Clement Shorter im Jahr 1895, als Arthur Bell Nicholls
in Irland seine alten Schubladen aufzog, ein Packen zusam-
mengerollter, eng beschriebener Seiten in die Hände fallen,
oder sie möchten unter dem eingesunkenen Steindach eines
verlassenen Hauses auf die Blechschachtel mit den »Papie-
ren« stoßen, den Artikeln über den ersten Gondal-Krieg,
das Buch von Henry Sophona, Gedichte von Solala Vernon,

oder die ersten Kapitel eines Prosawerks, das Ellis Bell noch nicht bereit war, der Welt zu zeigen…

Im September 1848 aber ist an Schreiben nicht zu denken. Branwell hatte die letzten Monate im immer gleichen Zustand verbracht: Getrunken, wenn er Geld hatte, die Tage verdöst, die Nächte durchwacht; und immer wieder hatte er von seinem nahen Tod gesprochen, daß keiner, nicht einmal er selbst sieht, wie nahe er ihm wirklich ist. »Ein Mensch könnte einfach deshalb sterben, weil er es in seinem Körper nicht mehr aushält«, schreibt William S. Burroughs, der die Vorhölle der Drogenabhängigkeit durchschritten hatte, ein gutes Jahrhundert später. Vielleicht hat auch Branwell, von Schnaps, Opium und Wahn verbraucht, in diesem Sommer einfach aufgegeben – wie Heathcliff am Ende seines getriebenen Lebens: »Ich muß mich selbst dazu ermahnen, zu atmen, ja, mein Herz daran erinnern, weiterzuschlagen!« Am 22. September geht er ins Dorf, und es heißt, John Brown habe ihn hilflos irgendwo in Church Lane aufgesammelt und nach Hause gebracht. In diesen letzten beiden Tagen seines Lebens kommt ein unerwarteter Wandel über ihn. Aus der schrecklichen Konfusion der vergangenen drei Jahre scheint noch einmal der alte, liebenswerte, gläubige Branwell aufzutauchen. In das Gebet seines Vaters, der an seinem Bett kniet, stimmt er mit »Amen« ein, ein Wort, das man aus seinem Mund schon lange nicht mehr gehört hatte. Er stirbt am 24. September 1848, gerade einunddreißig Jahre alt. Der Arzt schreibt in den Totenschein: »Chronische Bronchitis und Auszehrung.« Als Charlotte auf den Bruder herunterschaut, überkommt sie »mehr schmerzliche Qual, als ich dachte«. Sie hatte nicht mehr geglaubt, daß sie um ihn trauern könnte, und es ist auch nicht der liebe Gefährte, den sie beweint, sondern das früh erloschene Talent, die ruinierten Hoffnungen, sein ganzes vergeudetes Leben.

In einer Bitterkeit, die noch einmal von den vielen kleinen
verlorenen Wettbewerben um Papas Gunst spricht, schreibt
sie: »Mein armer Vater hielt natürlich mehr von seinem einzigen Sohn als von seinen Töchtern, und obwohl er so viel
und lange um ihn gelitten hatte, weinte er um seinen Verlust
wie David um Absalom – mein Sohn, mein Sohn – und
wollte sich zuerst nicht trösten lassen.« Noch zu Mrs. Gaskell
sprach der alte Reverend von seinem »brillanten, unglückli-
chen« Jungen. Kein Stolz auf seine Töchter, kein literarischer Ruhm konnten je die Erinnerung an Branwells vielversprechende Talente überglänzen.

An dem Sonntag, an dem Branwell in der Gruft bestattet
wird, muß Charlotte sich mit Gelbsucht ins Bett legen. Sie erholt sich nach kurzer Zeit, aber nun ist es Emily, die plötzlich
sehr krank wird. Die Zäheste in der Familie, die auch der
schneidende Ostwind nicht von einem Gang über die Heide
abhielt, verläßt nach Branwells Beerdigung das Haus nicht
mehr. Charlotte schreibt am 29. Oktober: »Emilys Erkältung und Husten sind sehr hartnäckig. Ich fürchte, sie hat
Schmerzen in der Brust, und manchmal bemerke ich eine
Kurzatmigkeit, wenn sie sich schnell bewegt hat. Sie sieht
sehr dünn und blaß aus. Ihre Zurückhaltung bereitet mir
große Sorgen. Es ist sinnlos, sie zu fragen, du bekommst
keine Antwort. Es ist noch sinnloser, eine Medizin zu empfehlen, sie wird doch nicht genommen.« Und in schrecklicher Vorahnung fügt sie hinzu: »Wir sollten menschliche
Bindungen nicht zu eng knüpfen… eines Tages müssen wir
sie doch lösen.« Emily ist ihr das Liebste auf der Welt, und je
weiter sich diese ihr entzieht, um so verzweifelter versucht
Charlotte, sie zu halten. Da sie sich entschieden weigert, einen Arzt zu konsultieren, beschreibt die Schwester ihre Symptome einem Spezialisten in London, aber die Medizin, die
er schickt, will Emily nicht nehmen. Mr. Williams empfiehlt

Homöopathie, aber die ist eben »eine andere Sorte Quack-
salberei«. Nur einmal erlaubt sie der Älteren, ihren jagen-
den Puls zu fühlen. In der Nacht hört Charlotte ihre Anfälle
in dem kleinen ungeheizten Zimmer nebenan, »ein rasen-
des, hohles Keuchen«. Doch wie immer steht Emily jeden
Morgen um sieben Uhr auf, kleidet sich alleine an und
macht sich an den Treppenabstieg. Sie besteht darauf, die
Hunde zu füttern, am Fenster zu sitzen und zu tun, als nähte
sie. Ellen Nussey schickt ein Päckchen mit Krebsbutter, aber
Emily ist zu krank, um sie zu essen, und sie möchte das liebe
Mädchen jetzt auch nicht um sich haben.

»Nie in ihrem Leben hatte sie lange über einer Aufgabe
verweilt, die vor ihr lag, und auch nun verweilte sie nicht
lange. Es ging rasch mit ihr zu Ende. Sie eilte, uns zu verlassen. Dennoch: Während sie körperlich verfiel, wuchs ihr
Geist zu einer Stärke, die wir an ihr nicht gekannt hatten.
Tag für Tag, wenn ich sah, mit welcher Stirn sie den Leiden
begegnete, blickte ich zu ihr hinüber, erfüllt von Qual, Bewunderung und Liebe. Nie wieder sah ich dergleichen;
denn in der Tat, nie wieder sah ich einen anderen ihr gleichen. Stärker als ein Mann, einfacher als ein Kind, stand ihre
Natur für sich. Das Schrecklichste war, daß sie, die voller Erbarmen für andere war, für sich selbst kein Mitleid kannte;
der Geist war unerbittlich gegen das Fleisch. Von den zitternden Händen, den entkräfteten Gliedern, den versagenden
Augen wurden dieselben Dienste verlangt wie in gesunden
Tagen. Dabeizustehen und all dessen Zeuge zu sein und
nicht wagen einzuschreiten, war ein Schmerz, den Worte
nicht beschreiben können.«

Emily besteht darauf, »der Natur ihren Lauf zu lassen«.
Doch offenbar meint sie damit nicht, sich der verheerenden
Krankheit kampflos anheimzugeben, sondern glaubt, daß
sie, die so sehr eins mit der Natur ist, sich selbst helfen und

sie mit der Kraft ihres Geistes bannen könne. So, als ließe die Schwindsucht von ihr ab, wenn sie ihr keinen Zugang gewährte und ihre Symptome ignorierte. Deshalb wohl verfolgt sie stur und streitbar ihre tägliche Routine und verbietet den Schwestern, auf ihren Zustand anzuspielen oder einen Arzt zu rufen. »Kein Giftmischer kommt mir ins Haus.« Deshalb wohl »Lococks Hustenoblaten« als einzige Medizin gegen eine Krankheit, die zu ihrer Zeit immer den Tod bedeutete. »Hoffnung und Furcht wechseln von Tag zu Tag«, schreibt Charlotte, und es entgeht ihr nicht, daß auch Anne so bleich ist und Schmerzen in der Seite hat.

Im Oktober kauft Smith & Elder die noch nicht aufgebundene Auflage der *Poems by Currer, Ellis and Acton Bell* von Aylott & Jones. Es sind, abzüglich der Rezensionsexemplare, noch 961 Stück, und Charlotte erhält aus der Vorauszahlung 24 Pfund zurück. Der Umschlag ist nun rot statt flaschengrün und trägt eine geprägte Harfe, aber die Kritik weiß noch immer nicht die Perlen darunter zu finden. Die *Sturmhöhe* hat inzwischen ihren Weg nach Amerika gefunden. Die Rezension aus der *North American Review,* die Charlotte eines Tages ihrer Schwester vorliest, um sie zu erheitern, findet sich später in Emilys Pult. Charlotte beschreibt die Szene ihrem Lektor: »Ellis, der Mann von ungewöhnlichem Talent, aber verbissen, brutal und mürrisch, sitzt, vorsichtig seinen rasselnden Atem einziehend, im Sessel und lächelt halb spöttisch, halb belustigt. Acton näht still vor sich hin. Es gibt keine Gefühlsregung, die ihn zur Schwatzhaftigkeit verführte.« Ach, seufzt sie, wenn der Herr Feuilletonredakteur aus Amerika »die Bells, diesen üblen Verein« nur sehen könnte!

Es kommt die Zeit, da Emily nicht mehr zuhört, wenn Charlotte vorliest, die Näharbeit im Schoß nicht mehr sieht, nicht einmal den Zweig Heidekraut erkennt, den die Schwe-

ster für sie draußen auf dem geliebten Moor gepflückt hat.
Am Morgen des 19. Dezember ist sie wie immer aufgestan-
den und nach unten gegangen. Charlotte leistet ihr im
Wohnzimmer Gesellschaft, und da sie mit Emily nicht sprechen kann, schickt sie einen letzten Hilferuf an Ellen: »Ich
hätte Dir schon früher geschrieben, wenn ich ein Wort der
Hoffnung hätte sagen können, aber ich kann nicht. Sie wird
täglich schwächer... So dunkle Augenblicke wie diese habe
ich nie zuvor erlebt. Ich bete um Gottes Beistand für uns
alle; bisher hat er ihn gewährt.« Als Emily auf ihrem Stuhl
am Fenster in sich zusammensinkt, bringen die anderen sie
zum Sofa. Sie flüstert: »Wenn ihr jetzt einen Arzt holen wollt,
soll es mir recht sein.« Gegen zwei Uhr stirbt sie. »Emily leidet nun nicht länger Schmerzen oder Schwäche. Sie wird nie
wieder in dieser Welt leiden. Sie ist gegangen, nach einem
kurzen, harten Kampf. Sie starb an dem Dienstag, demselben Tag, an dem ich Dir schrieb. Ich hielt es für möglich, daß
sie noch Wochen mit uns sein könnte, und ein paar Stunden
später war sie in der Ewigkeit. Ja, es gibt keine Emily mehr in
dieser Zeit und auf dieser Erde hier. Gestern legten wir ihre
arme, abgezehrte, irdische Hülle unter die Steinplatten in
der Kirche.«

Dem kleinen Trauerzug, der sich durch das Gartenpfört-
chen über den Friedhof in die Kirche bewegt, folgt auch
Emilys Hund Keeper, der während des Gottesdienstes mit in
der Familienbank sitzt. Arthur Bell Nicholls hält die Predigt;
ihr Motto ist nicht überliefert. Was könnte er dieser sonder-
baren jungen Frau, die in ihrem dreißigsten Lebensjahr gestorben war, wohl nachgerufen haben? Er hatte sie kaum gekannt. Sie sprach nicht einmal mit den Leuten im Dorf; sie
unterrichtete auch nicht an der Sonntagsschule wie ihre
Schwestern. Wenn er in den letzten drei Monaten im Pfarrhaus vorgesprochen hatte, um die Hunde auszuführen,

dann sah er wohl diese arme, abgezehrte Hülle, die der kalte
Windzug, der durch die Haustür hereinfuhr, gegen das
Treppengeländer stolpern ließ, aber weder schenkte sie ihm
Beachtung, noch teilte sonst jemand in der Familie Furcht
und Hoffnung mit ihm. Wer könnte schon zuverlässig etwas
über Emilys Religion sagen? Nicht einmal ihre Schwestern
wollten glauben, daß sie keinen Eingang in eine christliche
Ewigkeit ersehnte. »Ein Bote der Hoffnung kommt jede
Nacht zu mir, / Verheißt mir ewige Freiheit für kurzes Leben
hier«, hatte sie in einer Gondal-Ballade drei Jahre zuvor geschrieben. Er war der Künder ihres »göttlichen Traums«,
den sie bedingungslos umarmte, »und sei es gar der Todes-
bote«. Nun hatte ihre Seele den letzten Sprung gewagt; aber
starb Emily, wie ihre Schwester schrieb, wirklich »in der
Blüte ihres Lebens«, oder war sie in ihrer geistigen Einsamkeit ähnlich wie Branwell, zerrissen, verstummt, von ihren
Visionen verlassen und am Rand eines Abgrunds angelangt,
als sie ihre menschliche Kraft überschätzte und glaubte, ihn
überfliegen zu können?

Charlotte sagte noch viele Monate später, Emilys »furchtbarer Tod« habe ihr das Herz gebrochen, und sie stilisierte
sie zu einem Wesen empor, in dem sich »die Extreme von
Kraft und Schlichtheit« trafen. »Unter einer natürlichen
Kultur, einem ungekünstelten Geschmack und einem unauffälligen Äußeren lagen eine geheime Macht und ein
Feuer, die den Kopf eines Helden beseelt und sein Blut entflammt haben könnten… Zwischen ihr und der Welt hätte
immer ein Vermittler stehen sollen.« Dies klingt eher nach
dem Bild einer Gondal-Kriegerin, die Charlotte sich zum
Trost geschaffen hatte, als nach einem lebenden Wesen, das
sie nicht mehr erreichen konnte. »Ich bin schon fast in *meinem* Himmel angelangt, und der von anderen bedeutet mir
nichts, und es gelüstet mich auch nicht im geringsten da-

nach«, läßt Emily Heathcliff in der *Sturmhöhe* sagen. In einem Gedicht spricht sie noch deutlicher von ihrem persönlichen Himmel – der Erde:

Oft getadelt, kehre ich doch immer wieder zurück
Zu jenen ersten Gefühlen, die mit mir geboren sind,
Und überlasse die eifrige Jagd nach Reichtum und Wissen
den müßigen Träumen von Dingen, die nicht sein können.

…

Ich werde gehen, wohin meine eigene Natur mich gehen
                                                    heißt,
Einen anderen Führer zu wählen, ist mir Verdruß,
Wo die grauen Herden in den farnigen Tälern weiden,
Wo der wilde Wind über die Berge weht.

Was können diese einsamen Berge enthüllen?
Mehr Herrlichkeit, mehr Schmerzen, als ich sagen kann;
Die Erde, die nur *ein* menschliches Herz zum Fühlen er-
                                                    weckt,
Schließt beide Welten, Himmel und Hölle, in sich ein.

Was Charlotte in der Furcht um Emily fast verdrängt hatte,
war Annes Zustand. Zwei Tage nach ihrem Tod schreibt sie
nun an Ellen: »Ich schaue auf Anne und wünschte, sie wäre
gesund und stark, aber sie ist es nicht.« Auch Anne ist bereits
unheilbar an Tuberkulose erkrankt. Der Arzt, dessen Hausbesuch die Jüngste willig über sich ergehen läßt, macht der
Familie keine Hoffnung, und auch sie weiß, was es bedeutet,
als der Reverend sie in den Arm nimmt: »Meine liebe, kleine

Anne!« Ellen, die in Haworth weilt, erinnert sich des Tages, an dem Anne ihre Diagnose erfährt. Die beiden wandern um den Wohnzimmertisch, während Dr. Teale im Salon mit dem Vater und Charlotte spricht. Annes klares, hübsches Gesicht ist von einer trügerischen Frische rosig überhaucht, und obwohl sie sich auf Ellens Arm stützen muß, strahlt sie »in prachtvoller Laune für eine Kranke«. Ach, Fräulein Nussey…

Anne empfängt ihr Todesurteil scheinbar gelassen. Ihre Verzweiflung, ihr Aufbegehren und ihr Dreinschicken in Gottes Willen trägt sie später und alleine mit sich aus. »Eine furchtbare Dunkelheit senkt sich auf mein verwirrtes Gemüt…« beginnt sie in diesem Januar ihre *Last Lines*. Ihr Leben gleicht von nun an einem unsinnigen Wettlauf mit der Zeit. Sie hofft, wenn sie den Winter in dem kalten, feuchten Haus überstünde und den Sommer erreichte, könnte sie, wenigstens für eine Zeit, gerettet sein. Sie spricht offen mit Charlotte über ihre Chancen, was beiden ein Trost ist, und unterzieht sich all den Teerpflastern, den heißen Essig-Kompressen, dem Übelkeit erregenden Lebertran und dem Gemüsebalsam, die uns Besserwissern entbehrlich erscheinen und auf die das 19. Jahrhundert in Abwesenheit eines Heilmittels für die Schwindsucht seine Hoffnungen auf Verlängerung des Lebens setzte. Wo die Weisheit der Medizin endete, begann der Trost des Glaubens; eine Grenze, die 1849 etwas anders verlief als heute. Anne möchte nicht sterben, sie ist weit entfernt von heiterer Gelassenheit, aber sie rüstet sich tapfer für ihren Weg zu Gott.

Auch Charlotte leidet in diesem Winter unter Brust- und Rückenschmerzen. Es ist ein Wunder, daß sie sich in nächster Nähe zu Anne nicht ansteckt. »Die Tage vergehen in einem langsamen, dunklen Zug. Die Nächte sind die schwersten Prüfungen; das plötzliche Erwachen aus ruhelosem Schlaf, die wiederkehrende Erinnerung, daß die eine in ihrem Grab liegt und die andere nicht an meiner Seite, sondern in ihrem Krankenbett.«

Im März schlägt Anne vor, ans Meer zu fahren oder zu einer Badekur. Wenn Charlotte es wegen Papa nicht einrichten kann, würde Ellen sich vielleicht bereit erklären, aber Charlotte interveniert hinter ihrem Rücken und bittet die Freundin abzusagen. Sie fürchtet, daß Anne fern von zu Hause und ohne einen Verwandten sterben könne. Die Kranke hat jedoch gute Gründe, auf ihrem Plan zu beharren. Sie schreibt an die »liebe Miss Nussey« und bittet sie, sie nicht als Pflegerin, sondern als Gefährtin zu begleiten und hofft, sie werde ihr nicht zu viele Umstände bereiten. »Die Ärzte sagen, daß in Fällen von Auszehrung eine Luftveränderung oder ein Wechsel in ein besseres Klima wohl kaum ohne Erfolg bleiben würden, wenn man *rechtzeitig* zu diesem Mittel greift; aber der Grund, warum es so viele Fehlschläge gibt, liegt darin, daß man im allgemeinen so lange damit wartet, bis es zu spät ist. Diesen Fehler will ich nicht begehen; und um ehrlich zu sein: Obwohl ich weniger unter Schmerzen und Fieber zu leiden habe… bin ich entschieden schwächer und dünner geworden. Mein Husten ist mir eine große Last, besonders in der Nacht, und was am schlimmsten ist, ich leide unter arger Kurzatmigkeit, wenn ich Treppen steige oder bei der kleinsten Anstrengung. Unter diesen Umständen ist, glaube ich, keine Zeit zu verlieren. Ich habe keine Furcht vor dem Tod; wenn ich wüßte, daß er unvermeidlich wäre, würde ich mich ruhig in die Aussicht ergeben, in der Hoffnung, daß Sie, liebe Miss Nussey… Charlotte eine Schwester an meiner Statt sein könnten. Aber ich wünsche, es würde Gott gefallen, mich zu verschonen, nicht nur Papas und Charlottes wegen, sondern weil mich danach verlangt, etwas Gutes in der Welt zu tun, ehe ich sie verlasse. Ich habe viele Pläne für künftige Tätigkeiten im Kopf, be-

scheiden und begrenzt zwar, doch es täte mir leid, wenn
nichts daraus werden würde und ich in meinem Leben so wenig bewirkt hätte. Aber Gottes Wille geschehe.«

Auch Charlotte weiß, daß keine Zeit zu verlieren ist, wenn
Anne das angestrebte Ziel – Scarborough – noch erreichen
soll. »Ihre Arme sind nicht dicker als die eines kleinen Kindes… Sie geht jeden Tag ein wenig spazieren, aber wir krie-
chen eher als daß wir gehen.« Im Mai erklärt Ellen sich bereit,
die beiden auf ihrer Fahrt zu begleiten, und schweren Herzens trifft Charlotte die Reisevorbereitungen. »Ich fürchte,
Du wirst entsetzt sein, wenn Du Anne siehst, aber sei auf der
Hut, liebe Ellen, Deinen Schrecken nicht zu verraten. Ich
rechne auf Deine Freundlichkeit und Selbstbeherrschung.«

Am 24. Mai trifft Ellen in Haworth ein und ist Zeugin, wie
Anne sich von Papa, Tabby, Martha und den Hunden verabschiedet und in den Wagen gehoben wird. Jeder scheint zu
wissen, daß man sich nicht mehr wiedersehen wird. Die erste
Reisestation ist York, wo sie das Münster besichtigen und einen kleinen Einkaufsbummel wagen – Anne in einem Trage-
stuhl. Für die Sommerfrische am Meer werden Hauben,
Handschuhe und ein neues Kleid besorgt. Am 25. Mai treffen sie in Scarborough ein und beziehen Zimmer mit See-
blick in bester, teurer Lage. (Anne hatte von ihrer Patin
Fanny Outhwaite aus Thornton kurz zuvor 200 Pfund ge-
erbt; man kann sich ein wenig Eleganz leisten.) Sie hatte sich
so sehr gewünscht, das Meer zu sehen. Nun liegt es ihr zu Füßen, »so glatt wie Glas«. Wenn sie nur freier atmen könnte!
Da sie zum schwach zum Laufen ist, wird sie in einen kleinen
Eselskarren gesetzt, und sie übernimmt selbst die Zügel, als
sie sieht, daß der jugendliche Treiber grob mit seinem Tier
umgeht. Welch ein Anblick: der über den Strand davontip-
pelnde Esel mit seiner Last, die er kaum spüren kann.

»Ich wünschte, ich sähe das Meer um mich branden«,

hatte sie an einem windigen Tag geschrieben. Nun weckt die leichte Brise »kleine Wellen, die den Strand hinaufspringen, schäumend und sprühend wie in wilder Fröhlichkeit«. An einem solchen Tag war Agnes Grey ihrem Mr. Weston auf den Klippen begegnet. Es war der Beginn eines glücklichen Endes. Am 28. Mai fühlt Anne plötzlich einen Wechsel, ein Gefühl, daß sie nicht mehr lange zu leben habe. Sie läßt einen Arzt kommen, fragt, ob sie die Heimreise noch durchhielte. Er verneint, und sie dankt ihm für seine Aufrichtigkeit. Gefaßt und beinahe heiter erwartet sie ihr Ende – mit ihren letzten Worten noch die Schwester tröstend: »Mut, Charlotte!«

Die jüngste Brontë ist an dem Ort, den sie zum Sterben wählte, auch beerdigt. Charlotte glaubt, ihrem Vater innerhalb von neun Monaten nicht noch ein Begräbnis zumuten zu können. Als einzige der Familie liegt Anne nicht in der Kirche von Haworth. Ihr Grabstein auf dem St.-Marys-Friedhof über den Klippen trägt bis auf den heutigen Tag eine falsche Inschrift. Nicht achtundzwanzig, sondern neunundzwanzig Jahre alt wurde Anne Brontë, die kleine Schwester, »das literarische Aschenputtel«, dem es dennoch weder an Glut noch an Stärke gefehlt hatte. Sie schien »von Kindheit an für einen frühen Tod bestimmt«, sagt Charlotte. Anders als Emily, die sie mit allen Fasern halten wollte, läßt sie Anne »in Frieden zu Gott gehen«, der ein Anrecht auf sie zu haben scheint. Unfähig, nach weniger als einer Woche Haworth wiederzusehen, reist Charlotte mit Ellen die Küste entlang, über Filey nach Bridlington, wo sie als junge Mädchen glücklich, fast übermütig waren. Dann kehrt sie nach Hause zurück. »Papa hat nun nur noch mich – das schwächste, kümmerlichste und am wenigsten vielversprechende seiner sechs Kinder.« In der Tat steht dieses Kind vor einer großen Karriere in der Welt – und langen Jahren, in denen »Einsamkeit, Erinnerung und Sehnsucht die einzigen Gefährten« einer gefeierten Frau sein sollten.

XVI

Shirley · Freundschaften in der literarischen Welt · George Smith · William M. Thackeray · Harriet Martineau · Elizabeth Gaskell · George Henry Lewes · Die Emanzipation · Londoner Freuden und Peinlichkeiten

Zwischen uns beiden gab es niemals Streit,
nicht einmal ein Mißverständnis.

Harriet Martineau
Autobiography

Als Emily im September 1848 krank geworden war, hatte
Charlotte ihr neues Werk aus der Hand gelegt. Nun nimmt
sie die Feder wieder auf. Das Schreiben hilft ihr, in Verlassenheit und Trauer, »den Kopf über Wasser zu halten«. Die
Krankheit verläßt das Pfarrhaus auch in diesem Herbst
nicht. Papa leidet ständig unter Bronchitis, Charlotte hat
Schmerzen in der Brust. In berechtigter Sorge bewachen
diese beiden Überlebenden einander, und wenigstens Charlotte versucht vor den anderen ihre Panik zu verbergen:
Könnte es nicht wieder Schwindsucht sein? Nur wenn alles
über ihr zusammenzubrechen droht – Tabby krank, Martha
krank, Papa unfähig, sich zu erheben –, setzt sie sich zehn Minuten lang in den Salon und weint.

   Shirley erscheint am 26. Oktober 1849. Im September
hatte James Taylor, Geschäftsführer bei Smith & Elder, ein
kleiner, energischer Schotte, das Manuskript auf einer Reise
mit nach London genommen, und Charlotte hatte unruhig
auf eine Reaktion ihres Verlegers gewartet. Auf *Shirley* hatte
sie mehr Mühe, mehr Zeit und mehr Nachdenken verwandt
als auf *Jane Eyre*, und doch ist ihr bewußt, daß das neue Buch
nicht den großen Schwung hat, mit dem ihr erstes Werk das
Publikum hingerissen hatte. In *Shirley* nimmt sie wieder Abstand von einer unmittelbaren Ich-Erzählerin, und sie verlegt die Handlung in die Zeit zurück, als die Weber in Yorkshire und Lancashire gegen die Mechanisierung ihrer Ar-
beitsplätze rebellierten.

   Aus dem Zeitungsarchiv in Leeds hatte sie sich die Jahr-
gänge 1812 bis 1814 des *Mercury* kommen lassen. Mit ähnlicher Genauigkeit wie den historischen Hintergrund zeichnete sie die Figuren, und niemals war ihr der Verdacht gekommen, daß man in ihrer Umgebung nach den Vorbildern
suchen und die Spuren bis zum Pfarrhaus von Haworth verfolgen könnte. Doch so ist es, und es dauert nicht lange, bis

in der *Leeds Times* eine kleine Meldung erscheint, daß es nunmehr als ziemlich sicher gelte, »daß Miss Bronti, die Tochter des ehrwürdigen Pfarrers von Haworth bei Keighley«, die Verfasserin der berühmten Werke *Jane Eyre* und *Shirley* sei. »Der Schauplatz von *Shirley* liegt in der Nähe von Dewsbury und Bradford, und die Personen des Romans werden von vielen Einwohnern dieser und der angrenzenden Bezirke wiedererkannt werden.«

In der Folge kann sich die Bibliothek des Mechanic Instituts in Keighley vor Bestellungen kaum retten. Das Los wird geworfen, und jeder Ausleiher darf bei Strafe nicht mehr als zwei Tage auf die Lektüre verwenden. Auch die ersten Neugierigen scheuen nicht die umständliche Reise nach Haworth, um einen Blick auf diese Miss Bronti zu werfen. John Brown verdient nicht schlecht, wenn er sonntags beim Gottesdienst den Fremden die kleine Gestalt in der Familienbank weist.

Das Aufsehen beunruhigt Charlotte eher, als daß es ihr schmeichelt. Und noch einen Preis der Popularität muß sie zahlen: Erfolglosere Autoren schicken ihr Manuskripte mit der Bitte um Weiterempfehlung, durchweg »beklagenswerte Erzeugnisse«, die ihr die Zeit stehlen. Wichtig allein ist, was der Verleger zu *Shirley* sagt. Smith äußert sich nicht enthusiastisch, aber befriedigt, und auch die Presse nimmt den neuen Roman weitgehend als würdigen Nachfolger auf.

Dennoch ist *Shirley* ein Schritt zurück hinter *Jane Eyre*. Begonnen in einer Zeit der Pläne und Hoffnungen, beendet nach qualvollen Monaten, in denen Branwell, Emily und Anne sterben, verliert das Buch in der zweiten Hälfte seine Sicherheit, wirkt zerfahren und gebrochen. Charlotte versucht, in *Shirley* viele Inhalte und viele Anliegen miteinander zu verknüpfen – der Kampf der Weber gegen die Maschinen, der Kampf der Frauen für ein selbstbestimmtes Leben

–, und sie wagt sich mit diesen Themen so weit vor wie kein
anderer zeitgenössischer Autor, nur um am Ende die Blü-
tenträume der Freiheit im Privaten, in einem huldreichen
Patriarchat welken zu lassen. Die Heldin Shirley (nie zuvor
wurde ein Mädchen so genannt) versucht, mit dem über-
kommenen Frauenbild aufzuräumen: »Die Männer glauben, Frauen wären so etwas Ähnliches wie Kinder. Wenn sie
uns sehen könnten, wie wir wirklich sind, wären sie wohl
ziemlich erstaunt, aber selbst die klügsten und scharfsinnig-
sten Männer hängen oft einem Irrglauben an, was Frauen
betrifft... Die gute Frau ist für sie ein seltsames Ding, halb
Puppe, halb Engel, die schlechte Frau fast immer eine Teufe-
lin.« Shirley darf sprechen und handeln wie eine neue Frau
oder eher wie ein junger Herr – ohne daß auch nur ein
Mann ihre burschikosen Spielereien ernst nähme. Zur Verteidigung ihrer Fabrik sind sie dann wieder unter sich, und
die Besitzerin fügt sich widerstrebend, aber besiegt der
Hand eines Meisters. »Schöne, in Freiheit geborene Leopar-
din! Unüberlistbares, ungezähmtes, unvergleichliches Geschöpf! Sie nagt an ihrer Kette: Ich sehe, wie sie ihre weißen
Zähne in den Stahl schlägt! Sie träumt von ihren Urwäldern
und verzehrt sich nach jungfräulicher Freiheit.« »Du bist ein
Feigling und eine Verräterin«, kommentierte Mary Taylor
aus Neuseeland Charlottes Unentschlossenheit.

Shirley, biegsam und grauäugig, »zu unschuldig für die
Hölle, zu rebellisch für den Himmel«, der Stirn ihrer Mut-
tergöttin Eva entsprungen, ist – so vertraute Charlotte Mrs.
Gaskell an – nach Emily in ihren glücklichen Tagen geformt.
Doch dieses Bild kommt einer Idealisierung gleich – und einer Reduzierung auf den netten Wildfang. Dieses muntere
Pfeifen nach ihrem großen Hund, dieser Spitzname »Captain«, diese liebenswerte Schusseligkeit sind nicht mehr als
äußerliche Attribute. Hätte Emily sich in der reichen Erbin

wiedererkannt, der stolzen Miss in adeliger Damengesell-
schaft, »ein Reiher unter Hühnern«? Und wollte Charlotte,
daß sie wie Shirley gezähmt und gebrochen würde – von einem solch unwesentlichen Mann? »Wenn ich heiratete, wäre
ich nicht mehr meine eigene Herrin. Ein schrecklicher Gedanke, er erstickt mich.«

Auch die Freundschaft Shirleys zu der sanften Caroline
hebt mit feministischer Verve an und scheitert an den Konventionen – oder ist es die Egozentrik Shirleys? Die beiden
sind sich wunderbar einig, was die Unzulänglichkeit der
Männer angeht, ihre Unfähigkeit zu fühlen und sich mitzuteilen. Sie planen eine exklusive Frauenwanderung zu einem verfallenen Nonnenkloster. (Eine sehr weibliche Örtlichkeit: Es liegt in einer Waldsenke, in einer tiefen, mit Rasen gepolsterten Höhlung.) Doch als Caroline krank vor un-
erwiderter Liebe im »Tal der Todesschatten« liegt, wird sie
von ihrer Freundin nicht besucht – von der ein Wort genügt
hätte, die Schimären zu vertreiben. Es bleibt ungesagt. Am
Ende verheiratet die Autorin die beiden an das Brüderpaar
Moore: Caroline mit dem Fabrikbesitzer Robert, der ihr wie
einem Kind zur Spielwiese eine Sonntagsschule einrichtet;
Shirley an ihren ehemaligen Hauslehrer Louis. Beide finden
ihren Meister – Shirley mit Worten, die eher an einen Domp-
teur als einen Ehemann denken lassen – und obwohl Charlotte diese Konstellation beständig kritisch umkreist, kann
sie ihren Frauenfiguren doch keine andere anbieten, die ihnen mehr Glück verhieße.

Als das Werk beendet, Korrektur gelesen und ausgeliefert
ist, gibt es für Charlotte nichts Wichtiges mehr zu tun. Ihre
Tage verlaufen gleichförmig einsam, gramvoll, von Sorgen
um sich und Papa begleitet. Sie wartet wieder einmal auf den
Postboten und geht mit sich selbst hart ins Gericht über diese
Abhängigkeit und Schwäche, mit der sie auf einen Brief von

Ellen, von Miss Wooler oder Mr. Williams wartet. Jede
schlechte Kritik in der Zeitung gewinnt unverdientes Gewicht. Da ist niemand mehr bei ihr, mit dem sie Kränkungen
weglachen könnte. Ihr Lektor schickt regelmäßig Bücher –
Leihgaben –, und diese Pakete aus Cornhill sind die seltenen
Freuden, die sie genießt. Williams wählt mit sicherer Hand
Neuerscheinungen, die sie erfreuen könnten. Sie packt Southeys Biographie aus, Harriet Martineaus Reiseberichte aus
Ägypten und Palästina, die ersten Teile von Thackerays *Pendennis*, Eckermanns Gespräche mit Goethe, religiöse und
philosophische Werke – viel Erbauliches, wenig Erheitern-
des, aber gerade so ist es ihr recht. Im November folgt sie einer Einladung der Familie Smith nach London. Was sie sich
bei ihrem ersten Besuch aus Rücksicht auf das gemeinsame
Inkognito versagt hatte – die Begegnung mit anderen Autoren –, arrangiert George Smith nun für sie an seiner Tafel.
Sie trifft Thackeray, dem sie die zweite Auflage von *Jane Eyre*
gewidmet hatte (und ihm damit in aller Unschuld einige
Peinlichkeit bereitete, denn Thackerays Frau war, wie Mrs.
Rochester, geistesgestört, und man verdächtigte eine ehemalige Gouvernante aus dem Dichter-Haushalt der Urheber-
schaft). Smith hatte den Autor von *Jahrmarkt der Eitelkeit* vor
der Begegnung informiert, daß Miss Brontë nach wie vor
unerkannt bleiben wollte, und Thackeray hatte geantwortet:
»Aha! Selbstverständlich. Das geht in Ordnung. Sie sprechen mit einem Mann von Welt.« Mit ebensolcher Selbstverständlichkeit vergaß er nach dem Dinner sein Versprechen
zugunsten eines kleinen Scherzes. Nachdem Smith ihm eine
Zigarre angeboten hatte, näherte er sich schmauchend den
Damen und fragte Charlotte, aus *Jane Eyre* zitierend, ob sie
den Duft erkenne (Mr. Rochester's cigar!!). Die Autorin wies
nach einem Moment der Verwirrung die Anspielung kühl
zurück und bedachte ihren Verleger mit einem vernichten-

den Blick. »Thackeray jedoch fühlte weder Peinlichkeit noch Schuld. Von meinem Haus ging er in den Garrick Club und sagte: ›Jungs, ich habe gerade mit Jane Eyre diniert.‹ Daß ihre Identität im Rauchzimmer des Garrick Clubs offengelegt würde, war gewiß die letzte Erfahrung, die diese fast krankhaft schüchterne und empfindliche kleine Dame sich ausgesucht haben würde.«

Charlotte lernt nun auch die Familie und die Herren des Verlags kennen. »Mrs. Smith und ihre Töchter sind mir zuerst mit einer Mischung aus Respekt und Unruhe begegnet – das hat sich geändert; die Aufmerksamkeit und Höflichkeit sind so ausgedehnt wie zuvor, aber der Schrecken und die Fremdheit sind fast ganz gewichen. Mrs. Smith behandelt mich, als könne sie mich leiden, und ich fange an, sie sehr zu mögen... Von ihrem Sohn habe ich zunächst nicht viel gehalten; er gefällt mir nun sehr. Ich mag ihn sogar lieber in der Rolle des Sohns und Bruders als in der des Geschäftsmanns... Mr. Taylor – der kleine Mann – hat sich von allen seinen Seiten gezeigt; ich habe den Verdacht, daß er von der Helstone-*-Sorte ist – streng, despotisch und eigenwillig. Er versucht, sehr freundlich zu sein und manchmal sogar Mitgefühl zu zeigen, aber es gelingt ihm nicht. Er hat eine entschlossene, schreckliche Nase mitten im Gesicht, und wenn er sie in das meine streckt, schneidet mir das wie Eisen ins Herz. Trotzdem, er ist schrecklich intelligent, helle, gründlich, scharfsinnig und mit einem gnadenlos hartnäckigen Gedächtnis. Nach ihm sich Williams oder Smith zuzuwenden, ist, als kehre man von Granit zu leichten Daunen oder warmem Pelz zurück.«

Sie trifft auch, auf eigene Initiative, eine der umstritten-

---

* ein Pfarrer in *Shirley*

sten Frauen ihrer Zeit, der sie ein Exemplar von *Shirley* zuge-
eignet hatte, Harriet Martineau. In dem Begleitschreiben
hatte Currer Bell ihr für den Gewinn und das Vergnügen ge-
dankt, das sie (›sie‹ durchgestrichen) aus ihren Werken, besonders aus *Deerbrook* gezogen habe, ein Buch, das »seinen
geistigen Horizont erweitert und seine Ansicht vom Leben
bestätigt« habe. Offenbar ist es die wundervolle Selbstverleugnung, mit der man sich in diesem wortreichen Roman
die geistige Gesundheit zermartert, die Charlotte an ihren
eigenen Herzensfall denken ließ. Nicht unerwiderte Liebe
ist der grausamste Schmerz, sondern ihre Entdeckung und
damit der Verlust der »Selbstachtung«. »Du strecktest die
Hand nach einem Ei aus, und das Schicksal legte dir einen
Skorpion hinein. Zeig keine Bestürzung, schließ die Finger
fest um die Gabe«, schreibt Charlotte in *Shirley*. Martineau
treibt diese Haltung bis zum Irrwitz. Naturgemäß gerät sie
mit Charlotte über Kreuz, als diese in ihrem nächsten Buch
einer weniger masochistischen Art der Liebe den Vorzug
gibt.

An diesem Dezembertag aber im Haus ihres Vetters am
Hyde Park Square wartet Harriet Martineau gespannt, wen
sie sich da für sechs Uhr zum Tee eingeladen hat: Herrn
oder Dame? Das Billett von Currer Bell hatte die Empfänge-
rin im unklaren gelassen. Doch Harriet Martineau, die nach
der Lektüre von *Jane Eyre* geschlossen hatte, so wie in dem
Buch Vorhangringe angenäht würden, könnte das nur ein
Polsterer oder eine Frau geschrieben haben, adressierte ihre
Einladung darauf an »dear Madam«.

Im Salon sind an dem fraglichen Abend besonders viele
Kerzen entzündet, und Harriet – fast taub – gibt Kusine
Lucy Anweisung, ihr den Namen des Gastes, den sie aus dem
Mund des Butlers nicht würde erhaschen können, sofort in
ihr Hörrohr zu trompeten. Um Punkt sechs Uhr fliegen die

Türen auf, der Diener murmelt, und herein kommt »die kleinste Gestalt, die ich je gesehen hatte (außer auf Jahrmärkten)... Sie sah sich eilig um, und da mein Hörrohr mich deutlich genug hervorhob, streckte sie mir ihre Hand auf offene, gewinnende Art entgegen«. Harriet, durch deren Instrument das Gemunkel um »Miss Bronti« auch schon gedrungen war, stellt sie der Familie vor, »und dann kam ein Augenblick, den ich nicht vorhergesehen hatte. Als sie neben mir auf dem Sofa Platz nahm, schaute sie mit einem solchen Blick zu mir herauf – so liebreich, so flehentlich –, daß ich in Verbindung mit ihrem Trauerkleid und im Bewußtsein, daß sie die einzige Überlebende ihrer Familie war, nur mit Mühe ihr Lächeln erwidern und meine Fassung bewahren konnte. Viel lieber hätte ich geweint.«

Miss Martineau war eigentlich nicht der Typ, der nahe am Wasser gebaut hatte. Sie war eine robuste, großrahmige Dame Ende Vierzig, eine überaus populäre, weitgereiste Schriftstellerin, eine wackere Streiterin gegen die Sklaverei und für die Rechte der Frauen. Sie war eine Person »mit Ansichten«, die sehr viel sprach, gelegentlich Zigaretten rauchte und sich später »Mrs.« nannte, obwohl sie nie verheiratet war, worüber sie sich glücklich schätzte. Ihren Freunden war sie nicht immer eine Bereicherung. Der Philosoph Thomas Carlyle, der ebenfalls sehr viel sprach, fand sie zu laut und wünschte, daß die liebe Harriet doch in einem anderen als in seinem Hause glücklich werden wolle. In Ambleside, wo sie eine kleine Künstlerkolonie beherrschte, fürchtete man ihr loses Mundwerk, mit dem sie über die Coleridges, die Arnolds, de Quincey, Wordsworth und Southey herzog.

An diesem Abend in London aber sind die beiden Schriftstellerinnen sehr voneinander angetan. Auch Kusine Lucy äußert sich entzückt in einem Brief über »den kleinen Elf von einer Frau… Sie war so nett und naiv, das heißt, so unschuldig und unlondonerisch…«

Charlotte hat immer die Gesellschaft kongenialer Geister gesucht – auch wenn sie eigenartig waren, ihre Ansichten über Politik, Religion und Philosophie nicht teilten. Schon mit Mary hatte sie leidenschaftlich gestritten, ohne daß dies ihrer Freundschaft je Abbruch tat. Vulgäre, oberflächliche Menschen waren ihr zuwider, und es stellte einen Kummer ihrer Ruhmesjahre dar, daß sie ihnen nicht immer aus dem Weg gehen konnte. So wie sie in Männern immer den Meister suchte, so wollte sie auch zu ihren Freundinnen aufschauen können. (Ellen war ein Sonderfall. Zwar mußte sie ihr das Buch aus der Hand nehmen, wenn sie Gedichte vorlas – »sie hat so gar kein Gefühl dafür« –, aber bei ihr zählte, daß sie »ein ruhiges, zuverlässiges Mädchen« war, »nicht glänzend, aber gütig und treu… Ich mag sie in ihrem Phlegma, ihrer Vernunft und Ernsthaftigkeit lieber als eine noch so Begabte ohne diese Qualitäten.«)

In Harriet Martineau glaubt sie, »eine große und gutherzige Frau« gefunden zu haben, deren Mangel an Schönheit – sie hat einen deutlichen Unterbiß – das Vertrauen nur fördert. Charlotte läßt sie gleich beim ersten Treffen versprechen, mit ihrer literarischen Kritik nicht zurückzuhalten. Zwar sei sie für Härte empfindlich, aber »ich liebe, ich ehre die Wahrheit, ich knie nieder vor ihr. Laß sie mich auf die eine Wange schlagen – gut! Die Tränen mögen in die Augen steigen, aber Mut! Hier ist die andere Seite – schlag noch einmal – recht fest!«

Martineau schlug zu – recht fest –, als sie zwei Jahre später in den *Daily News* Charlottes Roman *Villette* rezensierte, und die Freundin, die ihre Leidensfähigkeit überschätzt hatte, oder die Wahrheit in diesem Verriß nicht zu sehen vermochte, dankte ihr für die pünktliche Erfüllung ihres Versprechens und brach die Beziehung ab.

Ihre Freundschaft war schon vorher hart geprüft worden, als Martineau sie 1851 bat, bei der Vermittlung eines neuen Romans an Smith & Elder behilflich zu sein. Charlotte war zu Diensten, riet Smith jedoch zu gedämpften Erwartungen. Das fertige Manuskript rechtfertigte dann auch in keiner Weise Harriets »schwer zu unterdrückende Munterkeit«. Es war für Agentin wie Verleger »ein Schock«, eine vollendete Pleite. Charlotte versuchte zu trösten: »Ruhen Sie eine Weile aus«, aber die Autorin antwortete mit beleidigtem Schweigen.

Als im selben Jahr ihre *Letters on the Laws of Man's Nature and Development* erschienen, in denen Martineau ihre atheistische Grundhaltung deutlich machte, war die Reihe an Charlotte, ein »instinktives Grauen« zu unterdrücken. Sie versuchte, »das Abstreiten einer Existenz Gottes und eines Lebens nach dem Tode« in unparteiischem Geist und in »gesammelter Stimmung« zu bedenken. »Das fällt mir schwer«, gestand sie. »Das merkwürdigste ist, daß wir aufgerufen sind, uns dieser hoffnungslosen Öde zu erfreuen – diesen bitteren Verlust als großen Gewinn zu schätzen –, diese unaussprechliche Trostlosigkeit als einen Zustand von Freiheit zu betrachten.« Sie verteidigte die Autorin gegen engstirnige Kritik; gleichwohl wankte auch sie: »Wer kann dem Wort einer erklärten Atheistin glauben oder ihrer Urteilskraft vertrauen?«

Eine beständigere Freundin gewinnt sie in dem Sommer nach ihrem London-Aufenthalt; und obwohl sie die neue Bekannte bedauerlicherweise eine Demokratin nennen und einen Mangel an Verehrung für den Dichter Tennyson feststellen muß, fühlt sie sich schon bei der ersten Begegnung von ihrem heiteren Naturell, ihrem Talent und freundlichen Herzen angezogen. Elizabeth Gaskell, die Frau eines unitarischen Geistlichen – eine Dissidentin – und Mittelpunkt eines

aufgeschlossenen, reformfreudigen Zirkels, ist eine noch immer schöne Dame von zweiundvierzig, charmant und gewandt, vollauf beschäftigt mit ihrem großen, gastfreundli-
chen Haushalt, vier Töchtern, guten Werken und der
Schriftstellerei – in allem das Gegenteil der verschlossenen,
einsamen Charlotte, dem Star, der oft ein unsichtbarer Elf
sein möchte. Man ist bald miteinander vertraut, obwohl man
sich nie mit Vornamen ansprechen sollte. Nach aufreiben-
den Londonreisen macht sie gerne bei ihr in Manchester Station. Das Haus der Gaskells liegt in einem südlichen Vorort,
fern der Fabrikschwaden, und die beiden sitzen bei geöffne-
ten Flügeltüren in der leichten Sommerbrise und verplau-
dern die Nachmittage beim Nähen. (Eine viktorianische
Dame hatte immer ihren Handarbeitsbeutel bei sich; da gab
es kein müßiges Greifen in die Gebäckschale.) Charlotte
wagt sogar, schüchterne Bande zu den Gaskell-Kindern zu
knüpfen. Die fünfjährige Julia, die eines Tages ihre Hand in
die des Gastes schmeichelt, trägt einen überraschenden
Preis davon. »Können Sie es einrichten, einen kleinen Kuß
an diese liebe, aber gefährliche kleine Person Julia weiterzu-
leiten?« schreibt sie aus Haworth, »sie hat sich unerlaubter-
weise eines winzigen Teils meines Herzens bemächtigt, der
mir fehlt, seit ich sie sah.«

Elizabeth Gaskell war eine der ersten Literaten, die sich
mit den sozialen Folgen der industriellen Revolution ausein-
andersetzten. 1845 hatte Benjamin Disreali, »der gute Tory«,
in seinem Roman *Sybil* den Chartisten Stimme verliehen.
1847 gab Friedrich Engels die Devise »Proletarier aller Länder vereinigt euch« aus, und im Jahr darauf erschienen sowohl Gaskells *Mary Barton – A Tale of Manchester Life* als auch
das *Kommunistische Manifest* von Marx und Engels. Mrs. Gaskell versteht zwar mehr von Barmherzigkeit als von Ökonomie, aber die Folgen des Manchester-Liberalismus empören

sie jeden Tag, wenn sie in die Stadt fährt: Die abgearbeiteten Gestalten, die nach einem Zehn-Stunden-Tag aus den Fabriken und Spinnereien in ihre Quartiere ziehen; die Keller und Verschläge, in denen Typhus und Cholera ausbrechen; Hunger, Prostitution, Suppenküchen und die Kinder, die an Erschöpfung und Überarbeitung sterben.

Für die gute Christin Gaskell kann das Elend nur durch Versöhnung und nicht durch Revolution abgewendet werden. Darin ist sie sich mit der Autorin von *Shirley* einig, der sie im übrigen nicht in allen gesellschaftlichen Fragen – z. B. zur Stellung der Frau – zustimmen kann; dazu sind wohl auch ihre Lebensumstände und Erfahrungen zu verschieden. Mrs. Gaskell nahm ihre Arbeit gebührend ernst, aber sie schrieb zeit ihres Lebens am Wohnzimmertisch und war froh, daß das Zimmer drei Türen hatte, weil sie auf diese Weise gleichzeitig ihren Haushalt überwachen konnte. »Niemand kann die Aufgaben von Tochter, Gattin oder Mutter so gut erfüllen wie die, die Gott beauftragt hat, diesen Platz einzunehmen. Eine Frau kann die häuslichen Pflichten nicht vernachlässigen… um sich in Talenten zu üben, und seien es die glänzendsten, die ihr verliehen wurden.« Gaskells erstes Honorar knöpfte denn auch Gatte William mit größter Selbstverständlichkeit in seine Tasche ein.

Miss Brontë, die inzwischen auf eine lange Praxis als alleinstehende Frau zurückblickt und der, nachdem ihre Eisenbahnaktien 1849 in den Keller gefallen waren, als Verdienstquelle nur die Ausbeutung ihres glänzenden Talents geblieben war, urteilt ein wenig nüchterner über die Lage der arbeitenden Frau: »Ich glaube, es gibt auf dieser Welt keinen ehrbareren Menschen als eine unverheiratete Frau, die ihren eigenen Weg durchs Leben geht, ruhig und standhaft und ohne die Unterstützung von Ehemann oder Bruder.« Unter diesem Gesichtspunkt war sie sogar bereit, ihre Erfah-

rungen als Gouvernante als »gleichermaßen schmerzlich
wie unbezahlbar« einzuschätzen. Der Beruf, wie bitter auch
immer, lehre den Kopf, die Gefühle und das Temperament
wertvolle Disziplin.

Die Gespräche am Fenster setzen die beiden Frauen in langen Briefen fort, in denen die Emanzipation, diese sich leise
rührende Bewegung, von allen Seiten behandelt wird. Sollten Männerberufe auch Frauen offenstehen? »Gibt es wirklich Raum für weibliche Rechtsanwälte, Ärzte, Graveure, für
mehr weibliche Künstler, mehr Autorinnen?« fragt Charlotte. In ihrer Kunst hatte sie sich jede Klassifikation als Frau
und Autorin verboten. Ihre Heldinnen hatten das Recht auf
Bildung, auf Partnerschaft, auf ein authentisches Leben gefordert. In der Realität aber verzagt Charlotte vor der überwältigenden Macht der viktorianischen Konventionen, die
sie sich selbst herzlich zu eigen gemacht hat. Diejenigen, die
Gleichberechtigung forderten, vergäßen, daß es so etwas wie
»aufopferungsvolle Liebe und selbstlose Hingabe« gäbe.
Wie »hart, trocken und elend« sähe die Welt ohne diese weiblichen Tugenden aus. Dennoch: »Öffnet ihnen alle Laufbah-
nen, laßt sie sich versuchen. Diejenigen, die Erfolg haben sollen, werden ihn erlangen oder jedenfalls eine faire Chance
bekommen – und die Unfähigen werden auf den ihnen zu-
gemessenen Platz zurückfallen.« Dies war ihre optimistische
Seite. Zu anderer Gelegenheit schreibt sie an Mrs. Gaskell:
»Es gibt gewiß Übel, die wir durch eigene Anstrengung be-
seitigen können; aber ebenso gewiß gibt es andere, die tief
verwurzelt in den Fundamenten des sozialen Systems liegen,
die keine unserer Anstrengungen berühren kann – worüber
wir uns nicht beklagen können, worüber wir nicht einmal
allzu oft nachdenken sollten.«

Gegenüber Mr. Williams äußert sie sich erfreut, daß doch
mittlerweile eine ganze Reihe vernünftiger, wohlwollender

Männer heranwüchsen. Doch die überwältigende Mehrheit erfüllt noch immer ihre schlimmsten Erwartungen.

Da ist z. B. George Henry Lewes, ein hochgeschätzter, gefürchteter Rezensent und Verfasser überaus seichter Romane. Seit seiner Besprechung von *Jane Eyre* steht er im Briefwechsel mit der Autorin. Als *Shirley* erscheint, bittet sie ihn ausdrücklich, das Werk unabhängig von der Frage der Autorenschaft zu besprechen. Mr. Lewes aber nutzt die offene Vorgartentür und trampelt in der *Edinburgh Review* nieder, was ihm an Vertrauensvorschuß gewährt worden war. *Geistige Gleichheit der Geschlechter? – Weibliche Literatur* betitelt er seine grundsätzliche Abhandlung, und bevor er sich über *Shirley* hermacht (»nicht genießbar«), belehrt er C. B. in großer Ausführlichkeit, indem er durchblicken läßt, daß er über ihre Identität informiert ist: »Die große Aufgabe der Frau… ist und bleibt auf immer die Mutterschaft.« Ein paar Tage später erhält G. H. Lewes Esquire eine Note von Currer Bell: »Ich kann mich vor meinen Feinden hüten, aber Gott bewahre mich vor meinen Freunden.« Lewes antwortet, erklärt, und Charlotte, halb ärgerlich, halb versöhnt, ist bereit, ihm die Hand zu reichen.

Ein halbes Jahr später steht Mr. Lewes schon wieder im Fettnapf. Bei einem Dinner, das Smith für literarische Freunde gibt, verkündet er quer über den Tisch: »Zwischen uns sollte es Bande der Freundschaft geben, Miss Brontë, denn wir haben beide ein ungezogenes Buch geschrieben«, wobei er neben *Jane Eyre* auf *Rose, Blanche and Violet* anspielt, ein Werk, das inzwischen verdientermaßen in den Orkus des Vergessens gerauscht ist. Charlotte läßt ihm die Sottise nicht durchgehen und schießt sofort scharf zurück. Verleger Smith, zwischen Schrecken und Bewunderung, erlebt nicht zum erstenmal, wie diese „unscheinbare, kleine provinzielle, kränklich aussehende alte Jungfer" (Lewes) zu großer Eloquenz aufläuft, wenn jemand ihren innersten Kreis verletzt. Und Lewes ist prädestiniert, sie zu verletzen. Nach der *Shirley*-Kritik wirft sie ihm vor: »Sie wissen so viel und entdecken so viel, aber Sie sind in einer solchen Eile, alles mitzuteilen, daß Sie keine Zeit und keinen Gedanken darauf verschwenden, wie Ihre heillose Beredsamkeit auf andere wirken könnte, und selbst wenn Sie um diese Wirkung wüßten, kümmerte es Sie nicht sehr.« Als sie ihn aber zum erstenmal in London sieht, ist sie fast zu Tränen gerührt und kann sich eines »halb traurigen, halb zärtlichen Gefühls« nicht erwehren, denn Lewes' Gesicht ähnelt dem Emilys' »auf wunderbare Weise – ihre Augen, ihre Gesichtszüge, die gleiche Nase, ja manchmal sogar das Mienenspiel… Was immer er sagt oder tut, ich kann ihn nicht hassen.«

In Zukunft aber ist sie vor ihm und seiner »flippancy«, dem leichtfertigen, vorlauten, frivolen Geschwätz auf der Hut. In ihrer Geradlinigkeit, die alles wörtlich nimmt und nichts vergißt, schätzt sie keine rhetorischen Seifenblasen – bei Thackeray nicht und bei Lewes schon gar nicht. »Seine nicht zu unterdrückende übersprudelnde Art, mit der er Sarkasmen und Possen, komischen Ernst und vieldeutigen Witz verband« (Anthony Trollope über den Kollegen), ist ihr fremd und verdächtig. Spottlust und Gefunkel waren Charlotte in der Bemeisterung von Trauer und Verlust abhanden gekommen. Sie suchte eine Stütze und glaubte, sie nur bei ernsten, gebieterischen Männern finden zu können.

Mit dem anregenden Lewes bleibt sie trotzdem in Verbindung. Er schickt ihr Bücher, macht sie mit den Werken von Balzac und George Sand bekannt. Von Sand ist sie begeistert, »phantastische, verrückte, unpraktische Schwärmerin, die sie ist«. Sie dankt ihm, aber vergeben hat sie diesem unbedenklichen Herrn wohl niemals.

Ein anderer Trabant in der literarischen Welt läßt sie dage-

gen verstummen. Es ist Sir James Kay Shuttleworth, ein
Landbesitzer an der Grenze zu Lancashire, der prominente
Künstler-Bekanntschaften sammelt wie bescheidenere Leu-
te Autogramme, ohne auch nur selbst einen Funken Inspira-
tion zu besitzen. Er spricht eines Tages mit Lady Janet Kay
Shuttleworth in Haworth vor und lädt Charlotte zu einem
Gegenbesuch in Gawthorpe Hall ein. Charlotte fühlt nicht
die mindeste Neigung, aber der Reverend ist offenbar geschmeichelt und drängt so lange, bis sie endlich fährt. Die
Tage in Gawthorpe sind, wie erwartet, kein großer Genuß,
führen aber zu einer Einladung im August 1850 in den Lake
District, wo Charlotte eine weitere Errungenschaft der Kay
Shuttleworths kennenlernt, die dem Leser bereits vorge-
stellte Elizabeth Gaskell. Mit fliegender Begeisterung schildert diese einer Freundin die erste Begegnung mit der kleinen Lady in schwarzer Seide, die trotz ihres roten Gesichts,
der wuchtigen Stirn und dem zu großen Mund eine solch
faszinierende Erscheinung sei. Ihr Blick sei offen, ihre
Stimme sehr lieblich, etwas zögerlich im Ausdruck, aber
wenn sie eine Formulierung gefunden habe, sei diese von
wunderbarer Treffsicherheit.

Sir James fährt die beiden prominenten Damen spazieren. Charlotte kann sich Schöneres vorstellen. Vergebens
versucht sie, diesen dröhnenden Mann an ihrer Seite, der
entschieden zu oft sein weißes Gebiß bleckt, zu vergessen
und sich der Aussicht aus dem Fenster zu widmen. »Wenn ich
nur unbemerkt hätte aus der Kutsche springen können!« So
wagt sie nicht einmal, ihre Begeisterung über die Landschaft zu zeigen, weil sie als der »Star« keine Aufmerksamkeit erregen will. »Sir James war die ganze Zeit so liebenswürdig, wie er kann… gewöhnlich ist er hart wie Feuerstein… Er
droht beständig, Haworth zu besuchen. Möge der Himmel
das verhindern!«

Einer geplanten Reise nach London mit Sir James und
Lady Janet entgeht Charlotte nur, weil ihr Vater von einer
schweren Bronchitis heimgesucht wird, und auch sie selbst
fühlt sich keineswegs stabil genug für ein solches Unternehmen. Kaum aber sind die Kay Shuttleworths außer Sicht, bes-
sert sich auch ihre Gesundheit, und sie nimmt für den Juni
1850 eine Einladung ihres Verlegers an, bei seiner Familie in
Gloucester Terrace, Hyde Park Gardens, zu wohnen. Eigentlich hatte sie gehofft, ihre Kopfschmerzen in Haworth gelassen zu haben, »aber wie es scheint, habe ich sie sorgsam eingewickelt in meiner Kiste mit nach London gebracht«. Dennoch genießt sie das Ereignis nach Kräften und berichtet
Papa gewissenhaft, was sie gesehen hat: den Zoo, in dem es
»Löwen, Tiger, Leoparden, Elefanten, zahllose Affen, Ka-
mele, fünf oder sechs Giraffen, ein junges Nilpferd mit seinem ägyptischen Wärter, Vögel aller Art« gibt, von denen besonders die amerikanischen unglaubliche Geräusche von
sich gäben. »Kröten aus Ceylon, nicht viel kleiner als Flossy
und auswärtige Ratten.« Auf Papas Wunsch besucht sie auch
diverse Waffensammlungen. In der Ausstellung der Royal
Academy erblickt sie ein Bild des Malers John Martin, dessen
Monumentalszenario von der Sintflut als Druck in Papas
Studierstube hängt und das vor vielen Jahren die kleinen
Brontës zu den pompösen Ausmaßen ihrer Glasstown-Ar-
chitektur inspiriert hatte. Das Bild in der Akademie ist nicht
weniger großartig: eine blutrote, untergehende Sonne, die
ihre Strahlen über ein Schlachtfeld ergießt. Den Vordergrund beherrscht eine Ansammlung von Knochen und
Schädeln. An einem Vormittag stattet Thackeray ihr in Gloucester Terrace einen Besuch ab. Der Dichter hatte Charlotte
schon bei ihrem ersten Treffen in Erstaunen gesetzt. Sie verstand nie so ganz, ob er im Ernst oder im Spaß sprach und
kam sich in seiner Gegenwart »schrecklich dumm« vor. Nun

also sitzt der »Gigant des Geistes« vor ihr. »Ich ließ mich hinreißen, über einige seiner Mängel (literarische, natürlich) zu sprechen; einer nach dem anderen kamen mir seine Fehler in den Sinn, und ebenso brachte ich sie vor und erhoffte Erklärungen oder Widerrede. Er verteidigte sich wie ein großer Türke und Heide, mit anderen Worten: Die Entschuldigungen waren oft schlimmer als die Vergehen selbst. Die Sache endete in bestem Einvernehmen. Wenn alles gut geht, soll ich heute bei ihm zu Abend essen.«

Smith, der zwei Stunden lang Zeuge dieses Gedankenaustausches war, wertete ihn später als »eine merkwürdige Szene«. Thackeray machte es Spaß, diese ernsthafte Person mit den großen, ehrlichen Augen zu provozieren. Ihre Verehrung stachelte seinen Widerspruchsgeist an. »Er bestand darauf, über seine Bücher zu diskutieren wie ein Bankangestellter über seine Bilanzen… Miss Brontë wollte ihn davon überzeugen, daß er ein großer Mann mit einer ›Mission‹ sei, und Thackeray weigerte sich mit boshaftem Witz, seine ›Mission‹ zu erkennen.«

Charlottes zweites gesellschaftliches Zusammentreffen mit dem Dichter geht mitnichten gut. Es ist von ähnlichen Peinlichkeiten begleitet wie das Dinner im Hause Smith. Thackerays Tochter Anne, damals ein kleines Mädchen, erinnert sich, wie die berühmte Autorin, deren wunderbare Bücher alle Herzen hatten schneller schlagen lassen, begleitet von der schmucken Gestalt des George Smith, an einem warmen Sommerabend ihren Salon betritt, »in Halbhandschuhen, Schweigen und Ernst.« Beim Essen sitzt sie dem Hausherrn gegenüber, antwortet ihm mit blitzenden Augen, während er den Braten tranchiert. Für die Abendunterhaltung hat Thackeray Freunde aus seinem adeligen und literarischen Bekanntenkreis geladen, darunter die Carlyles, und als sich alle nun im Salon versammeln, herrscht gespannte

Erwartung auf die funkelnde Konversation zwischen diesen geistvollen Menschen, die nicht beginnen will. Miss Brontë zieht sich auf das Sofa im Studierzimmer zurück, neben die Gouvernante, mit der sie ab und zu ein gemurmeltes Wort wechselt. Die Gespräche verebben, die Lampe beginnt ein wenig zu qualmen, die Ladies sitzen noch immer erwartungsvoll herum, Thackeray denkt an Flucht. Eine Dame beugt sich schließlich zu dem Ehrengast herunter: »Gefällt Ihnen London, Miss Brontë?« Und Miss Brontë sagt nach einer Pause, sehr gewissenhaft: »Ja und nein.« Und danach nichts mehr.

Charlottes schreckliche Schüchternheit entsprang ja nicht dem Gefühl, ungebildet oder nichtig, sondern einfach nur »anders« zu sein. Aber weder Scharfsinn noch Bildung taugten als Stütze, wenn sie sich in Gesellschaft der glänzenden Londoner Schwäne bewegte. »Ich habe bemerkt, daß ein Fremder, der einmal in mein Gesicht gesehen hat, sorgsam vermeidet, seine Augen ein zweitesmal in meine Richtung schweifen zu lassen«, schreibt sie – überempfindlich und vielleicht nicht einmal zutreffend. George Smith glaubte später, sie hätte willig ihr ganzes Genie dafür hergegeben, wenn sie hätte schön sein dürfen. Er selbst ist klug genug, hinter der verknöcherten Fassade ihren Charme und ihr sanftes, stürmisches Herz zu erkennen.

»Ich für meinen Teil fand das Gespräch mit ihr höchst interessant; ihre schnelle, wache Intelligenz war ein Vergnügen. Wenn sie sich über ein Thema erregte, sprach sie mit großer Eloquenz, und es war ein Genuß, ihr zuzuhören.« In diesen drei Londoner Sommerwochen wächst eine Sympathie zwischen den beiden, die fast einer Verschwörung gegen den Rest der Welt gleichkommt. Smith läßt ihr Porträt von George Richmond in Kreide zeichnen. Der Society-Maler schmeichelt seinem Modell (Anne Thackeray vermißte

das Kinn, das sie stark beeindruckt hatte), Mrs. Gaskell jedoch findet sie gut getroffen, und der Reverend, dem Smith
das Bild als Geschenk zuschickt, meint gar, sie sähe zu alt aus.
Charlotte selbst bricht in Tränen aus, als sie das fertige Werk
sieht – nicht weil sie sich wieder einmal nicht schön genug
findet, sondern weil es so sehr ihrer Schwester Anne gleicht.

Smith führt sie in die Chapel Royal, wo sie den Herzog von
Wellington erblickt – »ein wahrhaft großer alter Mann« –
und ins Unterhaus. Er plaziert sie dort auf der Ladies Gallery und bittet sie, ihn anzublicken, wenn sie zu gehen
wünsche. Von seinem Platz aus kann er aber die vielen Au-
genpaare über dem Rand der Galerie nicht mehr auseinan-
derhalten. Schließlich glaubt er, ein Signal aufgefangen zu
haben und holt seine Dame ab. Charlotte aber wollte noch
gar nicht gehen. »Ich habe kein Zeichen gegeben,« lächelt
sie, »da gab es wohl andere Winke von der Galerie.«

Ihr Gastgeber plant mit ihr auch eine Reise nach Edinburgh, wo er, zusammen mit seiner Schwester, den jüngsten
Bruder für die Ferien von der Schule abholen will. Sie winkt
lachend ab. Auch Mrs. Smith ist von dem Gedanken nicht erbaut, doch ihr Sohn setzt sich durch. »Seine Mutter regiert
das Haus, aber er regiert seine Mutter.« Am Morgen darauf
drängt auch sie ihren Gast zu der Reise. »George wünscht es
so sehr.« »Nun«, formuliert Charlotte bedächtig, »ich
glaube, daß George und ich uns sehr gut verstehen und einander zutiefst respektieren. Wir wissen beide um die tiefe
Kluft, die die Zeit zwischen uns gezogen hat; wir bringen einander nicht in Ungelegenheiten, oder höchst selten nur.
Mein sechs oder acht Jahre Altersvorsprung, von meinem
fehlenden Anspruch auf Schönheit ganz zu schweigen etc.,
sind ein perfekter Schutz. Ich hätte nicht die geringsten Bedenken, mit ihm bis nach China zu reisen… Seine Munterkeit und jugendliche Energie werden höchste Ansprüche an

meine Muskeln und Nerven stellen, aber ich denke, irgendwie werde ich schon durchkommen.«

Sie treffen sich also en famille in Edinburgh, und Charlotte, die Schottland schon immer »als Idee« liebte, ist begeistert. Seine Hauptstadt ist London weit überlegen, »wie eine spannende Seite aus einem Geschichtsbuch verglichen mit einer langen, stumpfsinnigen Abhandlung über politische Ökonomie.« Offenbar sind es aber auch die Munterkeit und die Energie ihres Reisegefährten, die sie noch lange von Schottland schwärmen lassen. »Es hat mich mit einigen Stunden beschenkt, die zu den glücklichsten meines Lebens gehören.« Vielleicht hatte sie begonnen, ihren jungen Verleger mit den Augen zu betrachten, wie später Lucy Snowe Dr. Bretton in *Villette* taxiert, ehe sie sich in ihn verliebt: »Graham war hübsch, er hatte schöne Augen…« Ellen vertraut sie an: »Wäre da nicht diese große Barriere Alter, Vermögen etc., gäbe es vielleicht genug persönliche Zuneigung, um Dinge möglich zu machen, die jetzt unmöglich sind. Ich bin zufrieden, ihn als Freund zu haben, und gebe Gott mir den gesunden Menschenverstand, einen, der so jung, so aufstrebend, so hoffnungsfroh ist, in keinem anderen Licht zu sehen.«

George Smith hat – über vierzig Jahre nach Charlottes Tod – bestritten, jemals in sie verliebt gewesen zu sein. Er habe sie lediglich sehr bewundert. Aus seinen Briefen geht jedoch hervor, daß da ein Funken mehr Ungeduld, ein etwas sehnsüchtigeres Ziehen zwischen den beiden webt, als die Bewunderung diktiert, und gegen die Charlotte sich zu wappnen sucht. Die Reise an den Rhein, die Smith für den nächsten Sommer plant, sagt sie schweren Herzens ab. »Ich bin nicht aus Stein, und was ihm nur Anregung bedeutet, ist für mich Fieber… Ich glaube kaum, daß seine Mutter und seine Schwestern den Plan schätzen… außerdem würde sich ganz London bald das Maul darüber zerreißen.«

Nach dem Ausflug nach Edinburgh macht sie Station bei Ellen und kehrt danach für lange Monate nach Haworth zurück. Das Pfarrhaus ist in ihrer Abwesenheit neu gedeckt worden, und Papa erfreut sich moderater Gesundheit (obwohl er sich über ihrem langen Ausbleiben in den Gedanken verrannt hatte, sie sei krank oder habe sich verheiratet). Für Charlotte aber bedeutet jedes neue Heimkommen den Abstieg in »Totenstille und Einsamkeit«. Für Smith & Elder bereitet sie eine Neuausgabe der *Sturmhöhe* und *Agnes Grey* vor, das heißt, sie liest noch einmal Korrektur und schreibt ein Vorwort mit einer *Biographical Notice*. Seit dem Tod der Schwestern hatte sie deren Werke nicht wieder aufgeschlagen. Im Frühling konnte sie nicht einmal über das Moor gehen, ohne nicht von jedem frischen Heidelbeergrün, jedem sprießenden Farnblatt und den aufsteigenden Lerchen an Emily erinnert zu werden. »Die weiten Ausblicke waren Annes ganzes Entzücken, und wenn ich mich umschaue, ist sie in den blauen Tönen, dem hellen Dunst, den Wellen und Schatten des Horizonts.« Nun, da der Herbst sich nähert, überfällt sie wieder die Erinnerung an ihr langes Sterben. Manchmal weiß sie nicht, wie sie die Nächte durchstehen soll. Das Vorwort gelingt ihr nur, weil sie es sich zur »heiligen Pflicht« macht, der Welt die wahre Größe dieser beiden unauffälligen Frauen zu überliefern und »den Staub von ihren Grabsteinen zu wischen«.

Im Dezember 1850 besucht sie eine Woche lang Harriet Martineau in Ambleside und ist aufs neue von deren Robustheit und unkonventioneller Lebensweise beeindruckt: »Ihre Besucher genießen die vollkommenste Freiheit; was sie für sich selbst in Anspruch nimmt, gesteht sie auch ihnen zu. Ich stehe auf, wann ich will und frühstücke allein (sie ist um fünf Uhr früh auf den Beinen, nimmt ein kaltes Bad, macht einen Spaziergang, hat gegen sechs ihr Frühstück beendet

und ist an die Arbeit gegangen)... Sie ist eine große und gutherzige Frau; natürlich hat sie ihre Eigenheiten, doch bis
jetzt habe ich noch keine gefunden, die mich gestört hätte...
Ich glaube, sie ist sich ihrer Selbstherrlichkeit überhaupt
nicht bewußt. Wenn ich zu ihr davon spreche, weist sie diese
Unterstellung lebhaft zurück, und dann muß ich über sie lachen.«

Miss Martineau, die einst von einer schweren Krankheit
durch Mesmerismus – eine Art Hypnose – geheilt worden
war, ist überzeugte Anhängerin dieser Lehre, und Charlotte
dringt in sie, einen Versuch bei ihr zu wagen und sie in
Trance zu versetzen. Die Freundin traut jedoch ihren schüt-
teren Nerven nicht und bricht das Experiment ab, als Charlotte angibt, daß sie »unter dem Einfluß« stehe.

Im Bekanntenkreis ihrer Gastgeberin trifft sie den jungen
Matthew Arnold, den sie zunächst eingebildet und unerfreulich vage in seinen theologischen Ansichten findet; sie gesteht jedoch, daß er bei näherer Bekanntschaft gewinne. Arnold zollt ihr und ihren Geschwistern 1855 mit seinem Gedicht *Haworth Churchyard* Tribut, das mit ihrer Begegnung
im Lake District anhebt und unvoreingenommen schließt
»Schlafe, oh Freundesschar...«

Zurück in Haworth, zu den langen Abenden und den einsamen Wanderungen um den Wohnzimmertisch, sucht
Charlotte ein neues Thema. Zum neunten Mal bietet sie den
Professor an, aber Smith bleibt unverbindlich. Nein, in seinen
»Gewahrsam« will sie das Manuskript dann lieber doch
nicht geben. Die Gefahr bestünde, daß er sich irgendwann
einmal seine Zigarre damit anzündete. Lieber schließt sie
ihn wieder »allein für sich« in seine Schublade ein. Er sollte
erst zwei Jahre nach ihrem Tod erscheinen.

Im April wird sie von James Taylor, »dem kleinen Mann«
aus London, besucht. Die beiden hatten in den zurücklie-

genden Monaten in geschäftlichen und literarischen Angelegenheiten korrespondiert, und es scheint, als habe Taylor ihr
irgendwann einen Heiratsantrag gemacht, den sie halbher-
zig zurückgewiesen hatte. Inzwischen hat sich die Geschäfts-
leitung entschlossen, Taylor zur Gründung eines Verlags-
zweigs nach Bombay zu schicken. In bestem Einvernehmen
scheint dies nicht geschehen zu sein. Möglicherweise nährt
George Smith eine kleine Eifersucht, und auch Taylor ist
nicht gut auf ihn zu sprechen. Als er seinen Abschiedsbesuch
in Haworth macht – offenbar um sein Anliegen unter dem
Druck der Ereignisse zu erneuern –, vermeidet er, seinen
Namen zu nennen und spricht nur von der »Firma«. Charlotte betrachtet den kleinen, rothaarigen Schotten mit den
harten Zügen aus nächster Nähe, »einmal auch durch mein
Augenglas«. Sie stellt eine erschreckende Ähnlichkeit mit
Branwell fest, und obwohl sie seine Klugheit bewundert,
flößt er ihr doch mehr Schrecken als Respekt ein. »Freundschaft, Dankbarkeit, Achtung – die habe ich für ihn. Aber je-
desmal, wenn er mir nahe kam und ich sah, wie er seine Augen auf mich heftete, rann es mir eiskalt durch die Adern.«
Ellen erklärt sie: Er ist kein Gentleman, »er ist zweitklassig,
durch und durch zweitklassig. Wenn ich ihn heiratete, würde
mir das Herz vor Qual und Demütigung bluten. Ich kann
nicht, kann einfach nicht zu ihm aufsehen… Nein, sollte Mr.
Taylor der einzige Ehemann sein, den das Schicksal mir anbietet, dann muß ich allein bleiben.« Und doch, als er abgereist ist, bleibt eine »schmerzhafte Leere«, und sie neigt
dazu, ein wenig sanfter über ihn zu denken. Aber der Schritt
ist nicht rückgängig zu machen. »Nicht, daß ich eine alleinstehende Frau bin und dies wahrscheinlich auch bleiben
werde, sondern daß ich eine einsame Frau bin und das auch
bleiben werde«, ist der Grund für eine Traurigkeit, aus der
sie sich kaum befreien kann. Doch der Sommer rückt heran

und mit ihm eine neue Einladung nach London. Die Korrespondenz mit der Freundin dreht sich nun um Fragen der Garderobe. Ob Ellen ihr in Leeds Leibchen besorgen könne? – »die kleinen; Frauengröße paßt mir nicht«. Die Haube mit der rosa Paspel, die im Geschäft in Keighley zwischen all den Prachthüten so nett und bescheiden aussah, entpuppt sich zu Hause als zu auffallend und frivol. Der schwarze Spitzenüberwurf hingegen wirkt verschossen und wird für einen weißen umgetauscht, der sich neben größerer Kleidsamkeit auch durch einen niedrigeren Preis auszeichnet. Die Tatsache, daß sie Bestsellerautorin ist, macht sie im Umgang mit Geld nicht leichtsinniger. Das *Shirley*-Honorar (500 Pfund) ist fest angelegt. Nun denkt sie dreimal darüber nach, ob sie fünf Schilling pro Yard für einen Kleiderstoff ausgeben soll, und entscheidet dagegen. »Papa hätte mir einen Sovereign geliehen, wenn er davon gewußt hätte«, aber nun hat sie bereits vom billigeren Material abschneiden lassen.

Am 28. Mai reist sie wieder südwärts ins »große Babylon«, und obwohl sich Mrs. Smith wegen ihres Sohnes beunruhigt, wird Charlotte herzlich wie immer aufgenommen. Und doch wandern da beim abendlichen Plaudern und Scherzen zwei aufmerksame Augen zwischen ihrem lieben Jungen und dem Gast hin und her: George wird doch nicht diese Person ohne Charme und Vermögen, kränklich und noch dazu acht Jahr älter als er... wie einträglich ihre Bücher auch für die Firma sein mögen...

Aber George bleibt ritterlich-besonnen. Man erklärt sich nicht. Statt dessen besucht man die Weltausstellung im kürzlich eröffneten Kristallpalast, das Theater, ein Frühstück des Dichters Samuel Rogers und konsultiert in konspirativer Laune als Mister und Miss Frazer einen Phrenologen. Die Vermessung des Schädels und die Deutung seiner Höcker auf das Darunterliegende war eine ganz neue Wissenschaft

– dem viktorianischen Zeitalter, in dem alles so erklärbar und praktikabel erschien, durchaus angemessen. Dr. Brown ertastet unter dem Schädeldach der Dame geistige Kraft und moralische Stärke, Pessimismus und mangelndes Selbstvertrauen, die Fähigkeit zu lieben und Großes zu leisten. Was er nicht ermittelt, ist literarisches Genie.

Sie geht aus Neugier zu einem katholischen Gottesdienst; hört einen französischen Prediger und findet es »angenehm – bittersüß – und irgendwie verführerisch«, die französische Sprache wieder einmal zu hören. Den Kristallpalast – »eine Mischung aus dem Palast der Dschinnen und einem riesigen Bazaar« – besucht Charlotte in Gesellschaft von Sir David Brewster, Amateurgelehrter und Erfinder des Kaleidoskops, der ihr die staunenswerte Technik, diese Eisenbahnen, Spinnmaschinen und Druckpressen näherzubringen versucht. »Es war sehr schön, großartig, anregend und verwirrend, doch ich mochte Thackerays Vortrag lieber.«

Die Begegnung mit Thackeray ist – wie könnte es anders sein – auch diesmal von entzückender Peinlichkeit begleitet, wie sie notwendigerweise aus der Unverträglichkeit dieser beiden Charaktere entspringt. Charlotte verfolgt seinen Vortrag *Englische Humoristen des 18. Jahrhunderts* an der Seite von Mrs. Smith und inmitten eines glänzenden Publikums. Sie ist durchaus geschmeichelt, als sich der Dichterfürst nach der Lesung einen Weg durch die adeligen Ladies bahnt, um sie durch seine Begrüßung auszuzeichnen und nach ihrer Meinung zu fragen; mehr noch, er stellt sie seiner Mutter vor, und selbstverständlich geschieht dies in bemerkenswerter Lautstärke: »Mutter, darf ich dich mit Jane Eyre bekannt machen?« Mrs. Smith fühlt, daß es höchste Zeit ist, sich zu verabschieden, als sich zwischen ihnen und dem Ausgang zwei Reihen lächelnder, neugieriger Gesichter formieren,

durch die sie die zitternde, halb ohnmächtige Charlotte
Brontë wie durch glühende Pflugscharen zieht.

»Thackeray«, so schreibt George Smith in seinen Erinnerungen, »verbrannte sich übel an dem Feuer des Zorns, das
er entfacht hatte.« Als er am Nachmittag darauf im Haus des
Verlegers vorspricht, stellt Charlotte ihn im Salon zur Rede.
Der eintretende Hausherr erlebt sie bereits »in voller Fahrt«:
Thackeray vor dem Kamin, äußerst unbehaglich, und vor
ihm »diese kleine Frau, die ihm kaum bis zum Ellenbogen
reichte, aber stärker und wilder aussah als der große Mann
und die ihm ihre scharfen Worte an den Kopf warf – sie wirk-
ten auf mich wie Bomben, die in eine Festung fallen«. –
»Nein, Sir, wenn Sie nach Yorkshire gekommen wären und
ich hätte Sie vor fremden Menschen meinem Vater als Mr.
Warrington vorgestellt, was hätten Sie davon wohl gehalten?« Thackeray versucht richtigzustellen: »Sie meinen Arthur Pendennis« – »Nein, ich meine nicht Arthur Pendennis, ich meine Mr. Warrington, und Mr. Warrington hätte
sich nicht so benommen wie Sie gestern abend.« Unheilbare
Idealistin! Noch im Streit versucht sie ihren Helden auf seinem Sockel festzubinden. Nicht der autobiographisch inspi-
rierte Snob Pendennis, sondern sein edler Berater Warrington stehen für das Bild, nach dem Charlotte ihren Mr. Thakkeray formt.

XVII

Villette · Eine Werbung · Neue Manuskripte · Ratgeberinnen · Charlotte B. Nicholls · Der Tod · Die Nachwelt

Hier zu sein, allein mit diesem brillanten Mann,
zu einer solchen Stunde,
und ein solches Thema zu diskutieren –
welch eine Ehre, welch ein Glück! Doch war
ihr auch mit tiefer Sorge bewußt, daß man
für einen solchen Moment bezahlen mußte;
das Leben präsentierte seine Rechnungen
stets mit erbarmungsloser Promptheit.
So in der Tat auch bei dieser Gelegenheit.
Denn in der Tür stand Madame Bosschère,
mit unheilverkündend mißbilligendem Gesicht.

Joan Aiken
Das Mädchen aus Paris

Im November 1851 beginnt Charlotte ein neues Buch. Es ist ihre alte Geschichte, durch Zeit und Abstand geklärt, aber noch immer so präsent wie vor sieben Jahren, als sie aus Brüssel – »Choseville«, wie sie es zuerst nennen will – zurück- kehrte: *Villette*. Darin zieht die junge Lucy Snowe auf den Kontinent, landet als Lehrerin in der Schule von Madame Beck und macht die Bekanntschaft zweier sehr unterschied- licher Männer: der liebenswürdige Arzt Dr. John Graham Bretton und der cholerische kleine Finsterling Professor Paul Emanuel. Die unscheinbare, nach außen kühle Miss Snowe verliebt sich in den Doktor, verzichtet aber auf dieses »Goldkind des Schicksals« und erringt die Achtung und das Herz des Professors. In einer Zeit geheimnisvoller, schmerz- hafter Trennung richtet er ihr eine eigene Schule ein. Nach der Schlüsselübergabe und dem Versprechen auf künftige Gemeinsamkeit segelt er in die Welt hinaus. Die Jahre seiner Abwesenheit sind die glücklichsten in Lucys Leben, wie sie dem erstaunten Leser mitteilt: Sie ist erfolgreich, sie weiß sich geliebt und ist doch seinem Herrschaftsbereich entzo- gen. Der Heimkehrer gerät auf See in einen schweren Sturm, und obwohl die Autorin auf Drängen ihres Vaters, der sich ein Happy-End wünscht, den Ausgang offenläßt, dürfen wir annehmen, daß Professor Paul Emanuel darin umkommt. »Ertrinken oder heiraten sind die fürchterlichen Alternativen für den Schluß«, scherzt Charlotte in einem Brief an Smith. Die Beseitigung des Helden scheint ihr die si- cherste Lösung. Vielleicht ist es der Akt, in dem sie endgültig ihre Liebe zu Monsieur Heger begräbt.

Die ersten sechs Kapitel gehen ihr nicht leicht von der Hand. Die »Stimmung«, die sie einmal so glücklich durch *Jane Eyre* getragen hatte, verläßt sie wieder. Sie ist schwach und appetitlos, in der Nacht von einem »teuflischen Tick«, einem nervösen Zucken in der Wange gepeinigt, und wenn sie sich über ihr Pult beugt, wird ihr die Brust eng vor Schmerzen. Der Arzt beruhigt sie über den Zustand ihrer Lunge, stellt aber ein Leberleiden fest. Die Roßkur, die er verschreibt – Quecksilber –, macht Charlotte erst recht krank. Ein entzündeter Mund, lose Zähne, geschwollene Augen sind Anzeichen für eine schwere Vergiftung. Und die Schmerzen in der Brust hören nicht auf. Der alte Keeper, Emilys großer Hund, stirbt im Dezember und wird im Vorgarten begraben. Flossy, dick und wollig, vermißt ihn. Komm mich besuchen, bittet sie Ellen Nussey, ehe die schwarzen Wellen über ihr zusammenschlagen.

Ende Januar fährt sie dann nach Brookroyd zu der Freundin, elend blaß und schmal, auf eine selbstverordnete Diät gesetzt: keine Butter, kein Tee, nur Milch und Zuckerwasser, trockenes Brot und ab und zu ein Lammkotelett. Der März bringt, wie jedes Jahr befürchtet, Papas »Frühjahrs-Bronchitis« mit sich. Charlotte, die noch immer von ihrer Quecksilber-Kur gezeichnet ist, pflegt und bedient ihn aufopferungsvoll. Papa ist nun ihr letzter Anker. Was soll geschehen, wenn er stirbt?

Im Mai kehrt mit dem linden Südwestwind auch die Inspiration zurück. Charlotte packt ihr Manuskript ein und fährt nach Filey an die Ostküste. Das Meer ist eigentlich noch viel zu kalt zum Baden, aber sie steigt doch einmal hinein. »Ich glaube, es hat mir gut getan.« Die Saison hat noch nicht begonnen. Der glatte Strand gehört ihr, den Seevögeln und ein paar Fischerbooten. An stürmischen Tagen steht sie lange auf den Klippen und schaut »dem Stürzen der großen fahlbraunen, trüben Wellen« zu, »die die ganze Küste mit ihrem weißen Schaum bedecken und die Luft mit hohl-dröhnendem Donner erfüllen. Gestern sah ich einen großen Hund ins Wasser springen. Er schwamm und behauptete sich gegen die Wellen wie ein Seehund. Was Flossy wohl dazu gesagt hätte?« – Auf dem Rückweg besucht sie Annes Grab in Scarborough und kehrt »sonnenverbrannt und wettergegerbt wie ein Fischer« nach Hause. In diesem Sommer gestattet sie sich keine Reise nach London, verordnet sich vielmehr »eingeschlossen bei Wasser und Brot« die Arbeit an ihrem Manuskript. Papas Zustand nach einem Schlaganfall erlaubte auch keine weiteren Exkursionen. Er scheint jede Andeutung von Veränderung oder Ausbruch mit einer neuen Krankheit zu beantworten. Wenn sie heirate, werde er irgendwo in Untermiete gehen, läßt er sie wissen. Aber der letzte Kandidat, James Taylor, der ihm wegen der Entfernung Yorkshire – Indien sogar angenehm war (er hatte ihn überaus kordial mit den Worten verabschiedet, er möge »treu zu sich selbst, seinem Land und seinem Gott stehen«), schreibt schon lange nicht mehr aus Bombay.

Patrick wollte selbstverständlich nur das Beste für Charlotte. Aber selbst der beste aller Männer hätte sie ihm nicht widerstandslos entreißen können. Sie war sein Stolz und seine Stütze. Er war alt, traurig und allein. Seine Auflehnung gegen Veränderungen ist verständlich. Unwidersprochen bleiben aber auch Mary Taylors Zornesworte, daß Charlotte diesem alten Egozentriker ihr Leben aufgeopfert habe. Es sollte nicht lange dauern, bis er noch einmal zu großer Form auflief.

Im November schickt Charlotte den letzten Teil von *Villette* an George Smith. Sie hatte ihn drei Wochen vorher schon gewarnt, daß es sich um ein sehr persönliches Buch handele und daß er vergeblich (wie der Leser von *Shirley*) seine Brille aufsetze, um darin nach einer »Moral« zu fahnden. »Sie werden sehen, daß *Villette* keine Angelegenheit von öffentlichem Interesse berührt.« Sie könne nicht wie Martineau, Gaskell oder Beecher-Stowe über ein soziales Thema schreiben oder eine »Lehre« vermitteln. Ihre Heldin sei auch kein strahlendes, siegreiches Geschöpf, sondern schwach, einsam, depressiv, »morbide«. Smith hat in der Tat mit Lucy Snowe seine Schwierigkeiten. Charlotte weiß, »der dritte Band steckt ihm irgendwo quer; die ›weibliche Person‹ sei, so schreibt er kratzig, ›eine eigenartige, faszinierende kleine Mieze‹, aber er sei nicht eben ›in sie verliebt‹. Im übrigen will er keine weiteren Fragen zu *Villette* beantworten.«

Kein Wunder, Charlotte hatte ihm schon alles gesagt. Allzu deutlich ähnelt der hübsche Dr. John mit seiner Glukken-Mutter dem Gespann Mr. und Mrs. Smith. Allzu unverblümt deutet Charlotte an, daß er zwar ein kluger großer Junge sei, aber unempfindlich für die Gefühle einer Frau aus Schnee und Feuer. In einem abschließenden Brief erklärt sie ihm: »Lucy darf Dr. John nicht heiraten. Er ist viel zu jung und zu schön, zu geistreich, temperamentvoll und liebenswürdig; er ist ein Glückskind… und muß einen Preis in der Lotterie des Lebens gewinnen. Seine Frau muß jung, reich und hübsch sein… Wenn Lucy jemanden heiratet, muß es der Professor sein – ein Mann, dem es viel zu vergeben, der viel zu dulden aufgibt.«

Noch einmal nimmt sie für den Winter eine Einladung der Familie Smith an. Ihre Reise gleicht beinahe einer Flucht aus Haworth, wo ihr inzwischen zwei Männer das Leben schwer machen: Papa und Mr. Nicholls. Schon lange war sie von unbestimmten bösen Vorahnungen erfüllt, wenn der Kurat sie unter seinen schwarzen Augenbrauen fixierte und ihr »mit merkwürdig fiebriger Selbstbeherrschung« begegnete. Der alte Brontë hatte ihn längst durchschaut und zog hinter seinem Rücken »mit geringem Mitgefühl und einem Gutteil von leisem Sarkasmus« über ihn her. Was sich am 13. Dezember 1852 in seinem Studierzimmer abspielte, überraschte ihn jedoch nicht weniger als eine Bombe auf dem Tisch. »Montag abend war Mr. Nicholls zum Tee hier…

Nach dem Tee zog ich mich ins Wohnzimmer zurück. Wie gewöhnlich saß Mr. Nicholls mit Papa bis acht oder neun Uhr zusammen. Dann hörte ich ihn die Tür vom Salon schließen, als ob er gehen wolle. Ich wartete auf das Zuklappen der Haustür. Er blieb im Flur stehen, er klopfte. Wie ein Blitzstrahl fuhr mir durch den Sinn, was nun kommen würde. Er trat ein, er stand vor mir. Seine Worte wirst Du erraten, sein Auftreten Dir kaum vorstellen können. Ich werde es nie vergessen. Von Kopf bis Fuß zitternd, mit totenblassem Gesicht, seine Rede leise, heftig und doch stockend, ließ er mich zum erstenmal spüren, was es einen Mann kostet, seine Liebe zu gestehen, an deren Erwiderung er zweifeln muß. Der Anblick eines sonst so statuenähnlichen Mannes, der sich mir zitternd, aufgewühlt und überwältigt zeigte, versetzte mir eine Art von sonderbarem Schock. Er sprach von Leiden, die er monatelang ertragen hätte und nicht mehr aushalten könne, und er flehte um ein Wort, das ihm ein wenig Hoffnung mache. Ich konnte nichts anderes tun, als ihn zu ersuchen, mich für den Augenblick allein zu lassen und ihm für morgen eine Antwort zu versprechen. Ich fragte ihn, ob er mit Papa gesprochen hätte. Er sagte, er habe es nicht gewagt. Ich glaube, halb zog, halb stieß ich ihn aus dem Zimmer.

Als er fort war, ging ich zu Papa hinüber und erzählte ihm, was geschehen war. Daraus ergaben sich Ärger und Aufregung, die in keinem Verhältnis zu dem Vorgefallenen standen. Wenn ich Mr. Nicholls liebte, hätten mich die Namen, mit denen er nun belegt wurde, über alle Grenzen meiner Geduld getrieben. Aber auch so brachte seine Ungerechtigkeit mein Blut zum Sieden. Doch Papa arbeitete sich in einen Zustand hinein, mit dem nicht zu spaßen war. Seine Schläfenadern traten wie Peitschenschnüre hervor, und seine Augen waren blutunterlaufen. Ich beeilte mich ihm zu versprechen, daß Mr. Nicholls am nächsten Tag eine eindeutige Absage erhalten werde.«

Bevor also der Reverend erneut vom Schlag getroffen wird, schickt Charlotte ihren Verehrer in die Wüste. Mr. Nicholls kündigt seine Stelle – der alte Brontë triumphiert –, aber er geht noch nicht. Und er denkt auch nicht daran, den Schein zu wahren und sein armes Herz in Einsamkeit und Entsagung zu verzehren. Sein Gesicht kündet jedem von weitem, daß die Freude aus seinem Leben gewichen ist; der Hauswirtin läßt er das Essen zurückgehen. Was ist mit diesem Mann zu tun? Im Dorf hat er keine Freunde. Von Papa ist »so viel Mitgefühl zu erwarten wie Saft aus Brennholz«. Nun trägt er dem »unmännlichen Faselhans« nach, daß er seine Absichten so lange verborgen habe. Selbst der Küster findet ihn »zum Abschießen«, und Martha Brown spitzt aus der Küchentür, als Mr. Nicholls beim Besuch des Bischofs von Ripon, zu dessen Gesellschaft die Geistlichkeit der Umgebung geladen ist, Charlotte im Flur einen Blick »wie ein geschundenes Aas« hinterherschickt.

Unerwartet und unerwünscht findet sie sich in der Lage, die einzige zu sein, die Mitleid mit diesem unmöglichen Menschen walten läßt, der ihr in der Church Lane hinterherschleicht. Ist er überhaupt ein Gentleman? Was weiß man über seine Familie in Irland? Und dann – 90 Pfund im Jahr (von Papa bezahlt). Sollte das Schicksal ihr diesmal einen armen, engstirnigen, phantasielosen, bigotten Langweiler anbieten, einen Mann, dem jedes künstlerische Verständnis abgeht, dem literarisches Talent suspekt ist – besonders bei Frauen? Sie wäre so dankbar, wenn er endlich aus Haworth verschwinden wollte. Aber die »Gesellschaft zur Verbreitung des Evangeliums«, bei der Mr. Nicholls um einen Posten als Missionar in Australien nachgesucht hat, läßt nichts von sich hören. Er bleibt, und Charlotte reist nach London.

In diesem Winter 1853 hat die große Stadt ein wenig von
ihrem Geprickel und den großen Erwartungen verloren. W.
M. Thackeray sieht sie nur als Portrait im Atelier des Malers
Lawrence. Mit Sicherheit wären sie wieder aneinandergeraten. Der Dichter bewunderte *Villette* – aber diese Heldin,
unleidlich! Für ihre Ménage mit zwei Männern – wäre sie in
seinen Werken aufgetaucht – hätte Charlotte ihn mächtig gescholten, dessen war er gewiß. Hier aber lehnt sein mächtiges Haupt stumm auf der Staffelei, und sie murmelt andäch-
tig: »Der Löwe von Juda.«

Das Getuschel um *Jane Eyre* hat sich gelegt. Im Haus des
Verlegers korrigiert sie die Druckfahnen ihres dritten Buches. Auch George ist häufiger im Verlag als an ihrer Seite zu
finden. Seit kurzem ist er verlobt. Charlotte wird die junge
Dame nicht vorgestellt. Ein Hauch von Snowe hat sich über
die Beziehung gelegt. »Diesmal steht es mir offen, mein Be-
sichtigungsprogramm selbst zu bestimmen, und ich wählte
die wirkliche statt der dekorativen Seite des Lebens.« Sie besucht die Gefängnisse Newgate und Pentonville, das Bethle-
hem und das Foundlings Hospital, die Irrenanstalt Bedlam.
»Mrs. Smith und ihre Töchter sind wohl ein wenig erstaunt
über meinen morbiden Geschmack, aber das ist mir gleich.«
Villette erscheint am 27. Januar. Wollen wir hoffen, daß es
George gelungen ist, rechtzeitig zum Dinner nach Hause zu
kommen, um sein Glas auf das neue Buch und die Erfolgs-
autorin zu erheben. Es sollte das letztemal sein.

»Villette – Villette – haben Sie es gelesen?« schreibt George
Eliot begeistert an eine Freundin. »Es hat etwas Übernatürli-
ches an sich.« Die Kritik spendet reichen Beifall. »Kein
Buch, das man leicht vergißt«, gibt auch Mr. Lewes zu. Eine
Woche nach Erscheinen meldet sich jedoch Harriet Marti-
neau mit schweren Bedenken zu Wort. Mit der Militanz der
Kaltbadenden weist sie die Autorin darauf hin, daß es im Le-

ben vernünftiger Frauen wichtigere Belange gäbe als die (sexuelle) Liebe. Auch sie rügt die Andeutung einer doppelten Beziehung, also die Wendung Lucys von Dr. John zu ihrem Professor. Hat denn diese Person nichts Gescheiteres im Kopf als die Liebe? Martineau übersieht, daß gerade dieses Gefühl das Beste in Lucy zum Vorschein bringt: Nicht süßes Dösen, sondern Ansporn zur Eigenständigkeit. Kate Millet charakterisierte die Heldin später in *Sexus und Herrschaft* als eine »neurotische Revolutionärin voller Konflikte, Rückfälle, Zorn, entsetzlicher Selbstzweifel und der unbesiegbaren Entschlossenheit, es zu schaffen«. Zu ihrer Zeit muß Lucy eine geradezu unheimliche Erscheinung gewesen sein – und in ihrer Direktheit wohl auch ein wenig »vulgär«. Selbst Elizabeth Gaskell wich vor diesem Zug in Charlottes Werken, »die ansonsten so edel sind«, zurück. Matthew Arnold sah nichts als »Hunger, Rebellion und Wut« in *Villette* und Martineau nur das eine. In einem Brief erklärt sie Charlotte: „Ich mag weder die Art noch das Ausmaß der Liebe, noch daß sie das ganze Buch beherrscht.« Charlotte aber, tief getroffen von soviel Beschränktheit, schlägt sich an die Brust und ruft ihr ein »nicht schuldig!« entgegen. »Ich weiß, was Liebe ist, so wie ich sie verstehe, und wenn sich Männer und Frauen schämen sollten, solche Liebe zu empfinden, dann gibt es nichts Rechtes, Edles, kein Vertrauen, nichts Wahres und Selbstloses auf dieser Erde.« Die Potenz zu lieben und geliebt zu werden, waren für Lucy und Charlotte die Voraussetzung für ein erfülltes Leben. Auf die Frage, wie dies zu gewinnen war, ohne daß die Frau dem Geliebten ihre geistige Unabhängigkeit opferte, fanden beide keine befriedigende Antwort. Aber war es deshalb »vulgär«, diese Frage zu stellen? Zurück in Haworth, findet sie Papa und Mr. Nicholls auf Kriegsfuß. Der Reverend hatte ihr bereits nach London über die Lage berichtet, und als würde er auf seine

alten Tage wieder kindisch, oder als sträube sich seine Feder,
die unchristliche Häme zu verspritzen, schrieb er im Namen
von Flossy, der für seine »geliebte Herrin« einen Brief dik-
tierte. In sonderbarer Entrüstung über Nicholls, der es aufgegeben hatte, den Hund seines übelwollenden Herrn auszuführen, meldete »Old Flossy«, »mein einstiger Gefährte
hat seine trügerische Freundlichkeit verloren, schimpft mit
mir und blickt mich finster an«. Unverfälscht in seiner Art
fuhr Patrick dann fort, »sein Mann« sei überaus schweigsam
und scheue »den Meister« wie das Kaninchen die Kobra. Er
wünschte, daß ihm in Zukunft jede Frau aus dem Wege
ginge, es sei denn, sie wollte ihr eigenes Unglück heraufbe-
schwören. Charlotte ist dabei, als Mr. Nicholls auf einer Tee-
gesellschaft der Gemeinde den Reverend, der ihn kalt, aber
höflich grüßt, schneidet; ein Vorgehen, so weiß sie, das Papa
niemals vergeben kann.

Ihre Gesundheit ist stabiler als im vergangenen Winter.
Von ihrem stillen Wohnzimmer richtet sie die Schritte auf
das stille Moor hinaus, wo der Schnee unter ihren Füßen
knirscht und die kalte Luft sie freier atmen läßt. George
Smith schickt einen Stich des Bildes, das sie in London bewundert hatte. Thackeray mit seinem »etwas unchristlichen
Zug« um den Mund erhält im Wohnzimmer einen Ehren-
platz neben dem Bild des Herzogs von Wellington und dem
»eines unwürdigen Individuums« namens Charlotte
Brontë.

Das Frühjahr geht ins Land, und Mr. Nicholls harrt noch
immer aus. Charlotte fährt nach Manchester, ihre Freundin
Gaskell zu besuchen. Sie hat wohl auf eine Wiederholung
der traulichen Gespräche gehofft, sieht sich aber nun mit einem weiteren Gast, einer Dame, konfrontiert. Es hilft nicht,
daß diese still und bescheiden ist; es hilft nicht, daß sie in
London Umgang mit so vielen hatte: Ein fremdes Gesicht

bringt sie noch immer aus der Fassung. Eines Abends sind zwei Schwestern geladen. Man vergnügt sich beim wechselseitigen Singen zum Piano, und diese beiden erwecken die schüchterne Miss Brontë mit einem Repertoire schottischer Balladen. Sie tritt ans Klavier und bittet um mehr. Die beiden jungen Damen laden sie für den kommenden Vormittag ein, an dem sie für sie nach Herzenslust Schottisches singen und spielen wollen. Charlotte aber schafft es am Morgen nur bis zu ihrer Tür. Am Arm von Mrs. Gaskell wandert sie die Straße auf und ab, spricht sich Mut zu, das fremde Haus zu betreten und einer dritten, unbekannten Schwester vorgestellt zu werden. Weder die Erinnerung an den heiteren Abend noch die Vorfreude können ihre Angst besiegen. Mrs. Gaskell muß schließlich hineingehen und eine Entschuldigung erfinden.

»Charlotte beklagte sich, daß der literarische Ruhm, als er endlich kam, nutzlos war«, schrieb Mary an ihre Biographin. »Ihr einsames Dasein hätte sie für das gesellschaftliche Leben untauglich gemacht. Sie war zaudernd, nervös, erregbar und entweder unfähig zu sprechen, oder sie tat es viel zu hastig... Ihr Ruhm schien keinen Unterschied zu machen. Sie war genauso einsam, ihr Leben so uninteressant wie zuvor... Sie besprach niemals ihre Bücher mit mir, sie sagte nur, sie sei ihrer zutiefst müde und was sie für eine Plackerei gewesen seien.«

In trüber Stimmung kehrt sie nach Haworth zurück. Mr. Nicholls hat nun endlich einen neuen Posten gefunden, allerdings nicht in Australien, sondern in Kirk Smeaton bei Pontefract unweit von Leeds. An Pfingsten feiert er seinen letzten Gottesdienst in St. Michael's. Es ist mehr, als er ertragen kann. Als er das Abendmahl austeilt und die Reihe an Charlotte kommt, »kämpfte er mit sich und stotterte, verlor dann die Beherrschung und stand vor mir im Angesicht der ganzen Gemeinde, bleich, zitternd und stumm. Papa war nicht dabei, Gott sei Dank. Joseph Redman sprach ein paar Worte zu ihm. Er riß sich zusammen, aber er konnte nur mit Schwierigkeiten, flüsternd und stammelnd, den Gottesdienst hinter sich bringen.«

Es dauert nicht lange, bis Papa von dem Zwischenfall Kenntnis erlangt, und selbstverständlich münzt er ihn in neue Sarkasmen um. Charlotte möchte weinen vor Zorn und Demütigung. Wieviel leichter wäre alles zu ertragen, wenn Papa fair und freundlich sein wollte, aber Old B. will nur seine Rache genießen. Daß er damit ihren Sinn für Anstand verletzt, ist ihm offenbar gleichgültig; daß er sie pfeilgerade in eine höchst unerwünschte Richtung schickt, nämlich auf die Seite des Geschmähten, bemerkt er nicht, sonst hätte er wohl klüglich den Mund gehalten.

Am Abend nach dem Pfingstgottesdienst kommt Mr. Nicholls, um sich von seinem Pfarrherrn zu verabschieden. Charlotte meidet den Flur. »Er ging in dem Glauben fort, daß er mich nicht sehen werde; tatsächlich hielt ich das bis zum letzten Augenblick für das Beste. Als ich jedoch gewahrte, daß er vor dem Fortgehen lange draußen am Tor verweilte und eingedenk seines langen Kummers, faßte ich mir ein Herz und ging hinaus, zitternd und elend. Ich fand ihn von Schmerz überwältigt an das Gartentor gelehnt, schluchzend, wie Frauen niemals schluchzen. Natürlich ging ich sogleich zu ihm. Wir wechselten nur sehr wenige Worte, und diese waren kaum verständlich. Viele Dinge, nach denen ich ihn gern gefragt hätte, waren mir gänzlich aus dem Gedächtnis entschwunden. Armer Kerl! Doch die Hoffnung und die Ermutigung, die er suchte, konnte ich ihm nicht geben.«

Dennoch, war das nicht die Art von Liebe, mit der Charlotte geliebt werden wollte? So leidenschaftlich, so beständig? Und als dieses Billett aus Kirk Smeaton eintrifft – ist es nicht das gleiche Flehen, das sie einst nach Brüssel schickte? Sie kann ihm die Krumen eines kleinen Trostes nicht versagen; sie schreibt, rät ihm, sein Schicksal, so wie es nun einmal sei, auf sich zu nehmen. Dann taucht Mr. Nicholls plötzlich in der Nachbarschaft auf, besucht einen Kollegen in Oxenhope. Es kommt zu einem Treffen, einem Spaziergang über die Heide. Charlotte findet es vernünftiger, Papa nichts davon zu erzählen, aber die Konspiration belastet ihr Gewissen.

Sie nimmt sich in die Pflicht. Seit einem halben Jahr hat sie nicht mehr ans Schreiben gedacht. Nun experimentiert sie ein wenig mit Personen und Szenen. Es ist die alte Konstellation, die sie interessiert – das feindliche Brüderpaar: Wellesley – Percy – Crimsworth – »the Moores«, ein Versuch, den sie nach *Jane Eyre* begonnen und wieder aus der Hand gelegt hatte. Ihre neue Figur heißt Willie Ellin, auch er ist ein geschundener kleiner Bruder und ein Waisenkind, aber auch sein Schicksal gedeiht nicht über ein erstes Kapitel hinaus. Dieses Unbehaustsein in der Welt klingt wie ein zweites Grundthema durch ihr Werk. Alle ihre Heldinnen haben etwas Schutzloses, Verwaistes, Verlassenes – ein Gefühl, das in Charlottes Kindheit zurückreicht, als sie mit fünf Jahren ihre Mutter verlor und als Neunjährige aufgerufen worden war, die große verantwortungsvolle Schwester zu spielen. Auch *Emma*, das Manuskript, das sie im Spätherbst 1853 beginnt, handelt von einem kleinen Mädchen, das von seinem Vater, der offenbar ein Hochstapler ist, in einer Internatsschule abgegeben wird.

Im Sommer verreist sie mit der Familie Taylor – Joe, seine Frau Amelia und das Baby Emily. (Über Amelia, als sie noch Ringrose hieß, gab es mit Ellen viel zu klatschen. Sie war mit George Nussey verlobt, ehe dieser in eine Irrenanstalt eingewiesen wurde. Charlotte findet an der jungen Frau, die sich nach diesem Desaster Marys Bruder zuwendet, viel auszusetzen. Die Worte, die sie zum Thema Amelia mit Ellen wechselt, zeigen, daß auch die Tochter des alten Brontë einen schönen Vorrat an Sarkasmen gebrauchsfertig bei der Hand hatte.) Sie begleitet die Taylors nach Schottland, aber schon nach wenigen Tagen wird das Baby krank, und die besorgten Eltern kehren um. Charlotte schickt sich in das Unvermeidliche und schmiedet daraus die Lehre, daß manchen Menschen kein Glück zugemessen sei und sie sich nicht wieder zu irgendeiner Vorfreude erkühnen solle.

Wie zum Trost nimmt Elizabeth Gaskell im September eine Einladung nach Haworth ein. Sie solle gewärtig sein, aus der Zivilisation in einen wilden Hinterwald zu geraten, warnt Charlotte. Tatsächlich ist Mrs. Gaskell von dem Kontrast zu dem betriebsamen Manchester und ihrem großen, möglicherweise nicht immer tadellos aufgeräumten Haushalt beeindruckt. Sie kommt in Keighley unter einem bleifarbenen Himmel an. Charlotte hat ihr aus Haworth einen Wagen entgegengeschickt, und die Freundin muß nicht im »Devonshire Arms« vorsprechen, um irgendeine Mitfahrgelegenheit zu heuern. Die Straße durch die Hügel ist von grauen Steinhäuschen und armseligen, hungrigen Feldern gesäumt. »Überall Mauern und nirgendwo Bäume.« Pferd, Wagen, Kutscher und Mrs. Gaskell erklimmen die Hauptstraße, die so steil ist, daß, sollte das Zugtier einmal aus dem Tritt geraten, die ganze Fuhre die vier Meilen bis nach Keighley zurückrollte, mutmaßt sie.

Charlotte hat die Räder sicher schon in der Church Lane vernommen, und auch der alte Brontë tritt aus seiner Studierstube, um sie gravitätisch zu empfangen. »Ich glaube nicht, daß ich jemals ein so ausgezeichnet sauberes Plätzchen sah. Das Leben verläuft mit der Regelmäßigkeit eines Uhrwerks. Niemand kommt vorbei, nichts unterbricht die Stille, kaum eine Stimme ist zu hören. Das Ticken der Uhr in der

Küche, das Summen einer Fliege im Wohnzimmer ist im ganzen Haus zu hören. Miss Brontë sitzt allein in ihrem Wohnzimmer. Um neun Uhr frühstückt sie mit ihrem Vater in dessen Studierstube… Ich begleite sie auf ihren Spaziergängen über das weite Moorland. Die Heideblüte war zwei, drei Tage zuvor von einem Gewitter vernichtet worden, und alles war fahlbraun statt der erwarteten feurig-violetten Herrlichkeit… Das Wohnzimmer ist offenbar im Laufe der letzten Jahre neu möbliert worden, seit Miss Brontës Erfolg sie in den Stand gesetzt hat, ein wenig mehr Geld auszugeben… Die vorherrschende Farbe ist Karmesinrot als warmer Kontrast zu der kalten grauen Landschaft draußen… Zwei Nischen neben dem hohen, schmalen, altmodischen Kaminsims sind mit Büchern gefüllt… Gegen neun Uhr geht der ganze Haushalt schlafen, bis auf uns beide. Wir sitzen zusammen auf bis zehn oder später…« Charlottes Augen sind so schlecht, daß sie nicht viel mehr als Stricken kann, aber sie beobachtet die peinlichste Ordnung. Sollte der Besuch einmal einen Stuhl aus der Reihe gerückt haben, findet sie keine Ruhe, bis das Möbel wieder am rechten Platz steht.

In diesen Abendstunden wird Charlotte nicht müde, von ihren Schwestern, besonders von Emily zu sprechen: »Sie muß eine Enkelin der Titanen gewesen sein.« Für ihren Gast entfaltet sie die steife Leinwand, auf die Branwell vor über zwanzig Jahren das Bild seiner Schwestern gemalt hat. Mrs. Gaskell findet es dilettantisch, aber dem Gesicht, das über den oberen Rand schaut, bewundernswert ähnlich. »Emilys Gesichtsausdruck beeindruckte mich durch seine gesammelte Kraft, Charlottes durch Bekümmertheit und Annes durch Sanftheit.«

Ein anderes Thema beschäftigt die beiden Frauen am Kamin, über das Mrs. Gaskell sich in ihrer Biographie aus Taktgefühl nicht weiter verbreitet: Mr. Nicholls. »Ich bemerkte,

daß sie eine große Last mit sich herumtrug« – ihre heimliche
Korrespondenz – »und da ich um ihre Ursachen wußte,
konnte ich nicht umhin, die geduldige Sanftheit, die sie im
Umgang mit ihrem Vater zeigte, zu bewundern.« Mrs. Gaskell ist offenbar eine vorurteilslosere Beraterin, erfahrener
und weniger besitzergreifend als Ellen, die in dem resisten-
ten Nicholls einen Konkurrenten um Charlottes Gunst gewahrte. In ihrem Briefwechsel, den sie manchmal täglich
führten, klafft eine bemerkenswerte Lücke zwischen Juni
1853 und dem folgenden März. Entweder hat Ellen besonders »heiße« Schreiben vernichtet, oder Charlotte hatte ge-
schwiegen, weil sie das Lamento, sie werfe sich weg an diesen
Mann, herzlich leid war. Ellen jedenfalls teilte, lange ehe
Charlotte sich zu einer Verlobung durchgerungen hatte,
ihre Entrüstung Mary Taylor mit – wiederum die falsche
Adresse. »Du redest wunderbaren Unsinn über Charlotte
Brontë«, versetzte Mary. »Was soll das heißen, ›ihre Lage so
lange ertragen und bis zum Ende erdulden‹, oder besser
noch ›unser Schicksal ertragen, was immer es birgt‹. Wenn es
Charlottes Schicksal sein sollte, zu heiraten, wäre das so
schwer zu ertragen, oder sagt Dir Deine seltsame Moral, daß
sie ihr Los nicht verbessern sollte, wenn das in ihrer Macht
steht? Warum sollte sie sich nicht treu bleiben, wenn sie heiratet? Weil sie einmal an ihre eigenen Freuden denkt? Wenn
das so neu für sie ist, wird es höchste Zeit, daß sie es sich ange-
wöhnt. Es ist scheußlich, von ihr zu erwarten, daß sie ihren
Entschluß in einer so wichtigen Angelegenheit ändert, und
ich glaube, es ist ihre eigene Schuld, bisher so nachgiebig gewesen zu sein, daß ihre Freundinnen glauben, sie könnten so
eine unverschämte Forderung an sie richten.«

Wenn Mrs. Gaskell zu Bett gegangen ist, hört sie Charlotte
wieder ins Wohnzimmer hinuntergehen und dort ruhelos
auf und ab schreiten. So war sie einst mit Emily und Anne

um den Tisch gewandert, und so war Jane Eyre durch die stillen Korridore von Thornfield gelaufen und hatte sich ihren Träumen hingegeben, »…es gab deren viele, die mein Herz erregten; die es ängstigten und es doch belebten, und die meinem inneren Gehör eine nie endende Geschichte erzählten. Eine Geschichte, die meiner Phantasie entsprang, sich stürmisch weiterentwickelte und mir Leben, Feuer, Leidenschaft spendete, nach denen ich mich sehnte, die aber meiner jetzigen Existenz verwehrt waren.«

Doch die Zeiten der Traumgesichte waren lange verflogen. Kein Zamorna und kein Mr. Rochester streckten die Arme nach ihr aus, sondern das personifizierte Realitätsprinzip. War sie dabei, »das reinste Juwel«, das beste, was sie sich vom Leben wünschen konnte, »wahre Zuneigung«, zu verlieren, oder entging sie »dem Joch eines mürrischen Naturells«? Hatte die Freundin ihr geraten, lieber einen Mann zu heiraten, der viel zu dulden aufgab, der ihr vielleicht den Umgang mit Freunden wie den »ketzerischen« Gaskells verbot, als die Jahre einsam und traurig verfließen zu lassen, bis Papa starb, bis sie irgendwo sich eine neue Bleibe suchen mußte? Sie ist jetzt siebenunddreißig Jahre alt. Weiterzuleben wie bisher, hieße auch, jedes Jahr ein neues Buch zu schreiben. Würde sie diese Plackerei durchhalten mit ihren Kopfschmerzen, ihrem Seitenstechen, ihren Depressionen? Irgendwann auf diesen Gängen um den Wohnzimmertisch fällt wohl die Entscheidung, »daß sie ihn glücklich machen konnte, und daß seine Liebe zu gut war, um von einer, die so einsam war wie sie, verworfen zu werden.«

Nun heißt es, Papa zu befrieden. Ihrer Freundin Gaskell berichtet sie über die Unterredung: »Vater, ich bin kein junges Mädchen mehr, nicht einmal mehr eine junge Frau. Ich war nie hübsch; jetzt bin ich häßlich. Glaubst du, es gäbe noch viele Männer, die sieben Jahre für mich dienen wer-

den?« Und als er fragt, ob sie einen Kuraten heiraten wolle,
antwortet sie: »Ja, ich muß einen Kuraten heiraten, wenn
überhaupt, und nicht nur einen Kuraten, sondern deinen
Kuraten – und nicht nur deinen Kuraten, er muß auch im
selben Haus wohnen, denn ich kann dich nicht verlassen.«
Der alte Brontë steht daraufhin auf und erwidert: »Niemals!
Niemals werde ich einen anderen Mann in diesem Haus dulden«, und stolziert hinaus. Eine Woche lang straft er sie mit
Schweigen, bis Tabby ihn fragt, ob er seine Tochter umbringen wolle. Der Reverend ist schließlich bereit, seinen künftigen Schwiegersohn zu empfangen, aber er ist noch immer
»sehr, sehr feindselig, bitter ungerecht«. Und die Braut? –
»Gewiß, ich muß ihn achten, und ich kann ihm auch nicht
versagen, mehr als bloße Achtung zu empfinden. Kurzum,
liebe Ellen, ich bin verlobt… Ich bin noch immer ruhig und
ohne große Erwartungen. Was mir an Glück zu schmecken
vergönnt sein wird, ist von der nüchternsten Sorte. Ich erwarte zuversichtlich, meinen Mann lieben zu können, und
ich bin dankbar für seine zärtliche Zuneigung. Ich schätze
ihn als einen gütigen, gewissenhaften Mann mit festen
Grundsätzen. Und wenn ich darüber hinaus einem Bedauern nachgeben wollte, daß ihm höhere Talente fehlen, sowie
Gedanken und Neigungen, die den meinen gleichen, so
wäre ich höchst anmaßend und undankbar.«

An Miss Wooler schreibt sie am 12. April 1854: »Das
Schicksal, das die Vorsehung mir in ihrer Güte und Weisheit
zu bieten scheint, gilt allgemein sicher nicht als glänzend,
aber ich glaube, ich sehe darin einige Ansätze echten
Glücks.«

Gegen Papas Willen beginnt sie das Haus zu renovieren
und den Raum hinter dem Wohnzimmer, wo bisher der Torf
lagerte, in eine Studierstube für Mr. Nicholls – Arthur – zu
verwandeln. Ein Kamin wird eingebaut. Weiße Tapeten mit

einem grünen Blättermuster und Vorhänge, die genau dazu passen, lassen die dunkle Klause »hübsch und ordentlich« aussehen. An die Friedhofsmauer vor dem Fenster und die dahinter aufragenden Grabsteine wird sich der Gatte erst gewöhnen müssen. Einen Monat vor der Hochzeit schließen die beiden einen ungewöhnlichen Vertrag. Nach geltendem Recht fiele Charlottes gesamtes Vermögen bei der Eheschließung an ihren Mann. Dies wünscht sie zu verhindern; und Nicholls, der, arm, aber stolz, nicht den Erfolg von Currer Bell mitheiraten will, ist einverstanden. Die Buchhonorare waren bisher auf den Rat ihres Verlegers in Wertpapieren angelegt. Georges Meinung ist nun nicht mehr gefragt; Charlotte fordert ziemlich barsch ihr Geld zurück: 500 Pfund für *Shirley*, 500 für *Villette*, dazu noch knapp 200 für Auslandsrechte und eine neue Ausgabe von *Jane Eyre*. Zusammen mit den Eisenbahn-Aktien sind es rund 1600 Pfund, die sie in ein Treuhand-Vermögen überschreibt, das Joe Taylor für sie verwaltet. Im Falle ihres Todes wird nicht ihr Mann, sondern ihr Vater sie beerben – wenn es keine überlebenden Kinder geben sollte. Es spricht für einen bemerkenswerten Wandel der Sinne und der Qualität der Beziehung, daß Charlotte, als sie im Februar darauf ihr Testament macht, ihr gesamtes Vermögen Arthur Bell Nicholls hinterläßt.

Ihre Hochzeit soll im kleinsten Rahmen gefeiert werden; als Gäste sind nur Ellen und Miss Wooler geladen. Am Vorabend, dem 28. Juni, teilt der Reverend – besiegt, aber ungebrochen – seinen letzten Streich aus. Als die Kiste für die Hochzeitsreise gepackt, die Vorbereitungen für das Frühstück getroffen, die guten Sachen für den Kirchgang rausgelegt sind, eben als man gerade dabei ist, sich ins Bett zu begeben, verkündet der Brautvater, daß er am nächsten Morgen nicht mit zur Feier gehen wird. Punktum. (Erst zum Hochzeitsfrühstück ist er wieder präsent.) Wer soll nun die Braut

vor dem Altar »fortgeben«? Miss Wooler zieht das Gebetbuch zu Rate. Auch ein »Freund« ohne geschlechtsspezifi-
sche Einordnung ist dazu autorisiert; und so führt denn die
würdige alte Dame ihre ehemalige Schülerin in St. Michael's
dem Gatten zu. Man hat die Zeremonie auf acht Uhr morgens verlegt, aber die Neuigkeit ist doch schnell nach außen
gedrungen, und ehe die Gesellschaft aus der Kirche tritt, haben sich schon Bekannte und Neugierige vor dem Portal versammelt, »um einen Blick auf sie zu werfen, die, nach ihren
Worten ›wie ein Schneeglöckchen‹ aussah. Ihr Kleid war aus
weiß besticktem Musselin mit einem Spitzenumhang, und
ihre weiße Haube war mit grünen Blättern besetzt, was die
Ähnlichkeit mit der kleinen Winterblume nahelegte.«

Gerührt fährt Mrs. Gaskell fort: »Und nun schließen sich
die geheiligten Türen eines Heims hinter ihrem Ehestand.
Wir, ihre lieben Freunde, stehen draußen und erhaschen
manchmal einen hellen Schein und ein freundliches, fried-
volles Murmeln, die von dem Glück dort drinnen künden.«

Wir, die wir Arthur Bell Nicholls' Unmut nicht mehr zu
fürchten haben, hören wohl auch Gemurmel – allein,
täuscht uns nicht das Ohr? »Während der letzten sechs Wochen hat sich die Farbe meiner Gedanken doch sehr verändert: Ich weiß nun mehr über die Realitäten des Lebens als
früher. Ich glaube, es werden viele falsche Vorstellungen darüber verbreitet, vielleicht ohne Absicht. Ich glaube, jene verheirateten Frauen, welche ihre Bekannten unterschiedslos
zur Heirat drängen, tragen viel Schuld daran. Ich für meinen Teil kann nur mit tieferem Ernst und größerem Nachdruck wiederholen, was ich, in der Theorie, schon immer gesagt habe: Gottes Wille geschehe! Wahrlich, wahrlich, Nell,
es ist eine ernste und seltsame und gefährliche Sache für
eine Frau, Ehefrau zu werden.«

Die Hochzeitsreise nach Irland, zu Arthurs Verwandten,

ist jedoch ein Erfolg. Charlotte, die »schon viel über irische Schlamperei gehört hat«, ist angenehm überrascht von den Gentlemen der Familie und dem stattlichen Besitz in Banagher, auf dem »englische Ordnung und Würde« herrschen. Vor dem Hintergrund des großen Hauses erscheint ihr lieber Mann gleich in einem anderen Licht. Und Arthur enttäuscht sie auch fürderhin nicht. Sie fahren weiter nach Killarney an der Westküste. »Sein Schutz und seine Aufmerksamkeit machen das Reisen zu einer Angelegenheit, wie ich sie bisher nicht erlebt habe.« Da ist nun ein Mann, der die Billette besorgt und die Kiste ins Abteil hebt, der ihr in der Schlucht von Dunloe aufs Pferd hilft und sie, wenn sie auf den Klippen über dem Atlantik sitzen will, in ihr Plaid hüllt. Der Ehestand hat ganz offenbar auch seine Vorzüge.

Doch da ist noch ein Mann, dem sie Aufmerksamkeit schuldet: Papa. Die Sorge um ihn treibt sie bald wieder nach Hause. Arthur, der in Irland beträchtlich an Gewicht (12 englische Pfund) und Selbstbewußtsein gewonnen hat, übernimmt in Haworth die Pflichten des Pfarrers, die ihm der Reverend umgehend und komplett auflädt. Charlotte dankt ein ums andere Mal ihrem Schöpfer für das häusliche Arrangement. Papa darf nicht zu kurz kommen.

Aber auch Arthur sieht darauf, daß nichts sie von ihren neuen Pflichten ablenkt. »Ich schreibe in großer Eile« – an Ellen – »es ist mir fast unerklärlich, daß meine Zeit oft so knapp scheint, aber es ist tatsächlich so, daß ich, wenn Arthur zu Hause ist, mir Beschäftigungen suchen muß, an denen er teilhaben kann, oder die zumindest nicht meine Aufmerksamkeit von ihm abziehen.« Am Schreiben kann er leider keinen Anteil haben – oder doch? Im Oktober teilt sie Ellen mit, Arthur wünsche, daß sie ihre Briefe verbrenne; andernfalls gäbe es keine weitere Korrespondenz mehr. Charlotte lacht über seine kleinliche Tyrannei. (Hatte Mrs.

Gaskell nicht recht, als sie voraussagte, Miss Brontë könne
nur mit einem strikten, Gehorsam fordernden Mann glücklich werden? Nun hat sie ihn.) Ellen aber findet Grund, diesen Eindringling noch gründlicher zu verabscheuen. Zwei
Wochen später läßt er ausrichten, entweder verbrenne sie
die Briefe seiner Frau oder er werde sie in Zukunft zensie-
ren. Ellen, aufsässig wie selten, unterschreibt sein Ultima-
tum und bewahrt dennoch ihre kostbare Korrespondenz
auf.

   »Nicht daß ich müde oder niedergeschlagen wäre«, versichert Charlotte Miss Wooler, »aber meine Zeit gehört mir
nicht mehr. Jemand anderes beansprucht ein gutes Stück davon und sagt: Wir müssen dieses und jenes tun.« Die französischen Zeitungen gehen ungelesen an Ellen zurück. 500 Ge-
meindemitglieder versammeln sich auf ihre Einladung in
der Sonntagsschule zum Tee. Die Kay Shuttleworths kommen zu Besuch und bleiben über Nacht. Und wenn sie sich
zum Schreiben hinsetzt, steht Arthur neben ihr und drängt
auf einen Spaziergang. Dennoch: Seit sie aus Irland zurück
ist, sind alle ihre Malaisen verflogen: keine Kopfschmerzen
mehr, keine Übelkeit, kein nervöser Tick. Ein halbes Jahr
nach der Hochzeit fühlt sie sich schwanger.

   »Mein Leben ist ausgefüllter als zuvor. Ich habe nicht
mehr so viel Zeit zum Nachdenken; ich muß ein bißchen
praktischer sein, denn mein lieber Arthur ist ein sehr praktischer, pünktlicher und systematischer Mann… Natürlich
findet er allerlei kleine Arbeiten für seine Frau, und ich
hoffe, daß es ihr nicht lästig ist, ihm zu helfen. Ich glaube, es
tut mir ganz gut, daß seine Neigungen so ganz zu den praktischen und nützlichen Dingen des Lebens gehen und so wenig zum Literarischen und Kontemplativen.«

   Wie lange Charlotte Nicholls diesem Drang zum Praktischen nachgegeben hätte, ohne die Abwesenheit des Kon-

templativen zu vermissen, steht in einer Zukunft, die sie nicht erlebt. Ist es das Murmeln häuslichen Glücks oder erwachender Ungeduld, das aus den Erinnerungen ihres Gatten klingt? »Eines Abends gegen Ende des Jahres 1854, als wir am Kamin saßen und auf den Wind lauschten, der ums Haus heulte, sagte meine arme Frau plötzlich: ›Wenn du jetzt nicht bei mir wärst, würde ich schreiben.‹ Sie lief dann nach oben und brachte den Anfang ihrer neuen Geschichte – *Emma* –, den sie mir vorlas. Als sie fertig war, sagte ich: ›Die Kritiker werden dir vorwerfen, daß du dich wiederholst, da du wieder über eine Schule schreibst.‹ Sie antwortete: ›Ach, das werde ich ändern – ich fange immer zwei-, dreimal an, ehe ich zufrieden bin…«

Aber Charlotte hatte keine Zeit mehr, etwas zu ändern. Am 28. November spaziert sie mit Arthur über das Moor zu einem der Lieblingsplätze der Schwestern; dem Wasserfall, der von der Schneeschmelze mächtig angeschwollen ist. Sie trägt wohl, wie üblich, die zierlichen Stiefel aus Stoff und Leder, Haube und Umschlagtuch. Auf dem Heimweg werden sie vom Regen überrascht. Vier Meilen geht es zurück gegen den Wind und driftende Schauer. Zu Hause angekommen, trifft Charlotte sogleich Vorsichtsmaßnahmen, aber sie kann die Erkältung nicht mehr abschütteln. Schmerzen in der Brust und dauernde Übelkeit begleiten sie durch den Winter. Im Januar diagnostiziert der Arzt eine »natürliche Ursache« für ihr dauerndes Erbrechen. Das werde sich bald legen. Aber es legt sich nicht. Die Schwindsucht, die Maria, Elizabeth, Branwell, Emily und Anne umgebracht hat, greift auch nach ihr, als sie sich endlich sicher vor ihr wähnt.

Am 17. Februar stirbt Tabitha Aykroyd – Tabby –, die fast dreißig Jahre lang das Haus und »ihre Kinder« versorgt hat. Charlotte ist zu schwach, um mit zur Beerdigung zu gehen. Martha versucht, sie mit dem Gedanken an das Baby aufzu-

heitern. Miß Wooler schickt ein Spitzenhäubchen, so klein
und fein wie für ein Elfenkind, aber für Charlotte ist es
schon zu spät: »Vielleicht werde ich mich eines Tages freuen
– aber ich bin so krank, so müde.« Sie kann nur mit Mühe
sprechen. Das bißchen, das sie zu sich nimmt, würgt sie wieder heraus, bis sie Blut mitspuckt. »Ein Zaunkönig wäre bei
den Portionen verhungert, die sie in den letzten sechs Wochen aß«, sagt Martha Brown. Am 21. Februar schreibt sie
mit dünnem Bleistift ihren letzten Brief an die »liebe Nell:
Ich muß Dir eine Zeile von meinem öden Lager aus schreiben… Ich werde nicht von meinem Kranksein sprechen – es
ist sinnlos und quälend. Ich will Dir von etwas schreiben, von
dem ich weiß, daß es Dich tröstet – nämlich, daß ich in meinem Mann den liebevollsten Pfleger, die freundlichste
Stütze, den besten Trost auf Erden, den je eine Frau hatte, gefunden habe. Seine Geduld ist unerschöpflich, und sie wird
hart geprüft in schlimmen Tagen und schlaflosen Nächten… Möge Gott Dir helfen und Dich trösten. C. B. Nicholls.«

In der dritten Märzwoche fällt sie ins Delirium. In einem
wachen Moment hört sie Arthur an ihrem Bett um ihr Leben beten, und sie flüstert: »Oh, ich werde doch nicht sterben? Er wird uns doch nicht trennen? Wir waren so glücklich zusammen.«

Sie stirbt am 31. März, dem Ostersamstag 1855, drei Wochen vor ihrem 39. Geburtstag. Im Gemeinderegister ist als
Todesursache »Schwindsucht – drei Monate bezeugt« eingetragen. In der Sparte »Stellung oder Beruf« bleibt als
Summe dieses Lebens stehen: »Ehefrau des Arthur Bell Nicholls, Kurat in Haworth.«

Im Juni des Jahres bittet der Reverend Mrs. Gaskell, die
Biographie seiner Tochter zu schreiben. Mr. Nicholls wider-
strebt der Gedanke, seine Frau mit der übrigen Welt zu tei-

len, aber Patrick setzt sich durch. Noch sechs Jahre sollten diese beiden Männer in einer Art explosivem Waffenstillstand unter einem Dach leben – »stets zusammen und immer geschieden« (John Brown). Der Kurat weigert sich, das Baby aus der Familie des Schreibwarenhändlers auf den Namen Brontë Greenwood zu taufen; der Pfarrer erledigt die Zeremonie aus dem Waschkrug in seinem Zimmer. 1857 erscheint Elizabeth Gaskells *Life of Charlotte Brontë*, im selben Jahr *The Professor*. Im April 1860 rückt George Smith das Fragment *Emma* in die Spalten seines neugegründeten *Cornhill Magazine* ein, das von William M. Thackeray herausgegeben wird. Mr. Nicholls hat das Manuskript transkribiert. Er bietet auch weiterhin Gedichte von Charlotte und Emily an, die er in aller Unschuld ein wenig »verbessert«.

Patrick Brontë stirbt am 7. Juni 1861, vierundachtzig Jahre alt, und Mr. Nicholls kehrt nach Irland zurück. Dorthin nimmt er alle Erinnerungsstücke an Charlotte mit. Ein Dreierbildnis Branwells von seinen Schwestern zerstört er bis auf Emilys Profil, das heute in der National Portrait Gallery hängt. Alles übrige wird versteigert, ehe der neue Pfarrer, Mr. Wade, in Haworth einzieht: Geschirr und Matratzen, Vorhänge und Möbel, Bilder (*Die Sintflut*), Bücher und ein »Brausebad«, in das Charlotte einst die Spenderin Ellen Nussey »gründlich einweichen« wollte; Emilys Feldbett, Annes Schaukelstuhl, Kohleneimer, Toastgabeln, zwei seidene Regenschirme, Hegers deutsches Testament, eine Wäschemangel – alles findet Abnehmer unter den Leuten von Haworth. Die ersten Souvenirjäger treffen zu spät ein. Ein junger Amerikaner sichert sich immerhin beim Umbau des Pfarrhauses das halbe Fenster von Charlottes Schlafzimmer und trägt es bis nach Hause.

1863 stirbt Thackeray, zwei Jahre später Elizabeth Gaskell. 1890 beginnt der Sammler T. J. Wise durch seinen Agenten

Clement Shorter Briefe und Manuskripte der Brontës zu kaufen. Er beschwindelt Ellen Nussey, der er verspricht, ihre Briefe Charlottes einem Museum zu übergeben, und kauft Arthur Bell Nicholls für ein Butterbrot das Copyright für ihre Jugendschriften ab. Charlottes Witwer erlebt den ersten Kraftwagen und den ersten Kinematographen. Er erlebt die erste Olympiade der Neuzeit, den Start des ersten Zeppelins und die Gründung der Brontë Society. Er überlebt alle Freunde: Harriet Martineau (1876), Mary Taylor (1893), Ellen Nussey (1897) und George Smith (1901). Er überlebt sogar die Königin Victoria; stirbt 1906 mit neunzig Jahren. Am Ende ist er wieder bei ihr, mit der alles begann, was im Leben zählte: »Charlotte – Charlotte.«

Nachwort

Die Biographie steht feist und angesehen-bürgerlich
im Regal; protzig und gesetzt: Ein Leben
für einen Schilling liefert Ihnen alle Tatsachen;
eines für zehn Pfund noch alle Mutmaßungen dazu.
Aber bedenken Sie mal, was alles durch die Lappen
gegangen, was mit dem letzten Atemzug
des Verbiographierten entwichen ist.

Julian Barnes
Flauberts Papagei

Im Magazin der Frankfurter Allgemeinen Zeitung war der Woody-Allen-Film *Radio Days* besprochen. In diesem Film, man erinnere sich, tritt ein kleiner Junge auf, der Woody Allen als Kind verkörpert. Die FAZ-Rezensentin beschrieb diesen Knaben als rothaarig und bebrillt. Rothaarig ist er – bebrillt keineswegs; das ist nur der erwachsene Woody Allen, der in diesem Film gar nicht mitspielt. Es handelt sich um einen klassischen Fall von Projektion: Der Mensch kann sehen, was er will, wenn er nur eine Vorstellung von dem hat, was er sehen will.

Bei Biographen und dem Gegenstand ihres Interesses oder ihrer Verehrung ist die Sache ähnlich gelagert. Der Biograph sieht, was er zu sehen wünscht, und in der Regel hat das, was er erblickt, erstaunliche Ähnlichkeit mit seinen eigenen Ansichten zu den großen Fragen des Lebens. Der Dichter Julian Barnes verglich den Biographen mit dem Fischer und seinem Schleppnetz: Es »füllt sich, dann holt der Biograph ein, sortiert, wirft zurück, lagert, filetiert und verkauft. Doch bedenken Sie, was er nicht fängt: das überwiegt immer.«

Die erste, die das Leben der Brontës filetiert hat, war Charlotte selbst. In ihrer *Biographical Notice* umgibt sie ihre Schwester Emily mit dem Glorienschein eines romantischen, byronesken Genies, das die schwarzsteinernen Findlinge auf der Heide mit dem Meißel der Kunst bearbeitet. Damit bestimmte sie die Perspektive für die künftige Emily-Betrachtung. Charlotte war es auch, die das Bild ihrer Schwester Anne als dem unzulänglichen Zwilling Emilys prägte. »Die Kritiker folgen einer Spur wie Jagdhunde; und ich bin nicht sicher, ob es nicht Charlotte war, die sie als erste zu Annes Herabsetzung ermutigt hat«, sagte der Schriftsteller George Moore vor fünfzig Jahren.

Doch schließlich war es Mrs. Gaskell (die einzige Mrs. ehrenhalber in der englischen Literatur, auf deren starken Schultern alle künftigen Biographen stehen sollten), die mit ihrer Sicht der Dinge den Grundstein für die Vermengung von Leben, Werk und Legende setzte. »Sie ist Romanschriftstellerin«, keine Wissenschaftlerin, erkannte schon Patrick Brontë, »wir wollen ihr ein wenig Ausschmückung zugestehen«.

Das erklärte Ziel von Mrs. Gaskell war, zu zeigen, welch große, selbstlose und aufopferungsvolle Person Charlotte war. Die Anzeichen von Säure und Kleinlichkeit in ihrem Charakter und ihre unschickliche Liebe zu einem verheirateten Mann beschloß sie zu übersehen. (Für Ellen Nussey kam jede kritische Haltung in Sachen C. Brontë einer Majestätsbeleidigung gleich. Der Biograph/die Biographin war ihrer Ansicht nach dazu bestellt, den guten Ruf des Sujets zu verteidigen – ein Irrglaube, der bis auf den heutigen Tag Bestand hat.) Die Viktorianer mit ihrer Vorliebe für edle Frauengestalten folgten Mrs. Gaskell widerstandslos. William M. Thackeray nahm Charlotte z. B. nur als literarische Figur wahr; für ihn war sie Jane Eyre.

Mit einem Typ wie Emily Brontë konnte das 19. Jahrhundert nicht viel anfangen. Interpreten im 20. Jahrhundert ist diese autarke, unkonventionelle Person verständlicher und sympathischer als die strenge Charlotte oder die fromme Anne, und sie bietet, da sie kaum eine persönliche Zeile hinterlassen hat, der Phantasie eine besonders breite Angriffsfläche. Die verdienstvolle Fannie E. Ratchford, die in den dreißiger Jahren zum erstenmal die Bedeutung der Brontë-Jugendschriften erkannte, wurde von ihrer Entdeckerfreude so weit getragen, daß sie alle losen Schnüre in Emilys Leben mit Gondal verknüpfte. Pikanter noch ist der Fall der Virginia Moore, die eine handschriftliche Zeile Charlottes, *Love's Farewell*, über einem Gedicht ihrer Schwester als

»Louis Parensell« las und ganz Yorkshire nach diesem heim-
lichen Liebhaber Emilys absuchte.

Die Biographie wird dem (Stück)Werk einverleibt. Wie
verhält es sich im umgekehrten Fall? Hilft die Kenntnis der
Lebensumstände beim Erschließen des Werks, oder ist die
einzige wahre Begegnung zwischen Dichter und Leser die
Lektüre selbst? Der Blick durch die Brille des Biographen
Unrecht, Verfälschung, Verrat, Verkitschung?

Im Fall der Familie Brontë ist die Reliquiensicherung als
Zugang zu Leben und Werk besonders heftig ausgeprägt.
Schon Virginia Woolf empfand, daß die Brontës sich durch
Haworth und Haworth durch die Brontës definierten. Ihr
Heim – ein Museum – wird mit fortschreitender Akkura-
tesse in den Zustand zurückverwandelt, in dem sie es sahen;
so weit, daß auf dem Küchentisch Emilys aufgeschlagene
deutsche Grammatik liegt. Befördert ein solcher Schrein die
Nähe zum Werk? Die Nähe zu dem Geist, der in diesem
Haus webte? Der Gedanke, daß ihre Socken und Nachthau-
ben einmal den Blicken gerührter Tanten ausgeliefert sein
sollten, hätte die Schwestern Brontë sicher schon zu Lebzeiten versteinern lassen. Man muß sie nicht gesehen haben,
um ihre Bücher zu lieben. Die *Sturmhöhe* erschließt sich auch
ohne eine Pilgerreise über das Moor. Es handelt sich um Literatur, nicht um Heimatkunde.

Auch ihre Persönlichkeiten werden im Anblick dieser
Nähkästchen und Teetassen diffuser statt deutlicher. Was
war das für ein Geist, der solche Dinge entstehen ließ wie die
Armbänder aus dem Haar der toten Schwestern? Wir werden es wohl nicht verstehen. Wie die Briefe, Zeugnisse, Anekdoten, aus denen Biographen das Leben der Brontës ge-
webt haben, sind auch die Artikel ihres Alltags nicht mehr als
Strandgut im Netz. Wer wollte sich erkühnen, den ganzen
Menschen gefangen zu haben?   E. M.

Literaturverzeichnis

JOAN AIKEN: *Das Mädchen aus Paris.* Deutsch von Nikolaus Stingl. Zürich: Diogenes 1985.

CHRISTINE ALEXANDER: *The Early Writings of Charlotte Brontë.* Oxford: Basil Blackwell 1983.

MIRIAM ALLOTT (HRSG.): *The Brontës – The critical Heritage.* London und Boston: Routledge and Kegan Paul o. J.

MATTHEW ARNOLD: *Haworth Churchyard.* April 1855. In: Brontës Society Transactions, No. 2 of Vol. 15, 1967.

LYNN REID BANKS: *Dark Quartet.* Harmondsworth: Penguin Books 1986.

ROBERT BARNARD: *The Case of The Missing Brontë.* New York: Dell 1983.

JULIAN BARNES: *Flauberts Papagei.* Deutsch von Michael Walter. Zürich: Haffmans 1987.

JULIET R. V. BARKER: *Sixty Treasures – The Brontë Parsonage Museum.* Haworth: The Brontë Society 1988.

PATRICIA BEER: *Reader, I married him.* London and Basingstoke: Macmillan Press 1974.

PHYLLIS BENTLEY: *The Brontës and their World.* London: Thames and Hudson 1969.

ANNE BRONTË: *Agnes Grey.* London: Oxford University Press 1974.

ANNE BRONTË: *Agnes Grey.* Deutsch von Sabine Kipp. Zürich: Manesse 1987.

ANNE BRONTË: *The Poems of Anne Brontë.* ed. by Edward Chitham. London and Basingstoke: Macmillan Press 1979.

ANNE BRONTË: *The Tenant of Wildfell Hall.* Panther Books 1977.

CHARLOTTE BRONTË: *A Leaf from an Unopened Volume.* ed. by Charles Lemon. Haworth: The Brontë Society 1986.

CHARLOTTE BRONTË: *An Edition of the Early Writings of Charlotte Brontë.* ed. by Christine Alexander. Oxford: Basil Blackwell 1987.

CHARLOTTE BRONTË: *Five Novelettes – Passing Events, Julia, Mina Laury, Captain Henry Hastings.* ed. by Winifred Gérin. London: The Folio Press 1971.

CHARLOTTE BRONTË: *Jane Eyre.* London: Penguin 1966.

CHARLOTTE BRONTË: *Jane Eyre.* Deutsch von Helmut Kossodo. Frankfurt: Insel 1986.

CHARLOTTE BRONTË: *Legends of Angria*. ed. by Fannie E. Ratchford. Port Washington, New York, London: Kennikat Press 1973.

CHARLOTTE BRONTË: *Shirley*. London and Glasgow: Collins 1953.

CHARLOTTE BRONTË: *Shirley*. Deutsch von Johannes Reiher und Horst Wolf. Weimar: Gustav Kiepenheuer Verlag 1967.

CHARLOTTE BRONTË: *The complete Poems*. ed. by Clement Shorter and C. W. Hatfield. London: Hodder and Stoughton 1923.

CHARLOTTE BRONTË: *The Professor – Tales from Angria – Emma*. ed. by Phyllis Bentley. London and Glasgow: Collins 1954.

CHARLOTTE BRONTË: *The Twelve Adventurers and other Stories*. ed. by Clement Shorter and C. W. Hatfield. London: Hodder and Stoughton 1925.

CHARLOTTE BRONTË: *The Juvenilia of Jane Austen and Charlotte Brontë*. ed. by Patricia Beer. Harmondsworth: Penguin 1986.

CHARLOTTE BRONTË: *Two Tales – The Secret, Lily Hart*. ed. by William Holtz. Columbia and London: University of Missouri Press 1978.

CHARLOTTE BRONTË: *Über die Liebe*. Hrsg. von Elsemarie Maletzke. Deutsch von Eva Groepler und Hans J. Schütz. Frankfurt: Frankfurter Verlagsanstalt 1988.

CHARLOTTE BRONTË: *Villette*. London: Pan 1953.

CHARLOTTE BRONTË: *Villette*. Deutsch von Chr. Agricola. München: List 1972.

CHARLOTTE, BRANWELL, EMILY, ANNE BRONTË: *Angria & Gondal*. Hrsg. von Elsemarie Maletzke, Deutsch von Hans J. Schütz. Frankfurt: Frankfurter Verlagsanstalt 1987.

CHARLOTTE BRONTË AND PATRICK BRANWELL: *The Miscellaneous and Unpublished Writings*. ed. by Thomas James Wise and John Alexander Symington. Oxford: Basil Blackwell 1936.

EMILY BRONTË: *Gondal Poems*. ed. by Helen Brown and Joan Mott. Oxford: Basil Blackwell 1938.

EMILY BRONTË: *The complete Poems*. ed. by C. W. Hatfield. New York: Columbia University Press 1941.

EMILY BRONTË: *Sturmhöhe*. Deutsch von Ingrid Rein. Stuttgart: Reclam 1986.

EMILY BRONTË: *Wuthering Heights*. New York: The New American Library 1959.

PATRICK BRANWELL BRONTË: *The Poems of Patrick Branwell Brontë*. ed. by Tom Winnifrith. Oxford: Basil Blackwell 1983.

BRONTË SISTERS: *Poems*. Rowman and Littlefield: EP Publishing 1978.

THE BRONTËS: *Selected Poems*. ed. by Juliet R. V. Barker, J. M. Dent, London 1985.

BRONTË SOCIETY: *Transactions* 1950 bis 1987.'

HELEN BROWN AND JOAN MOTT: *The Gondal Saga*. Sonderdruck der Brontë Society, Transactions 1937.

KATE BUSH: *Wuthering Heights*. Auf: The Kick Inside, Emi Electrola, 1978.

RAYMOND CHANDLER: *Das hohe Fenster*. Deutsch von Urs Widmer. Zürich: Diogenes 1975.

EDWARD CHITHAM: *A Life of Emily Brontë*. Oxford: Basil Blackwell 1987.

EDWARD CHITHAM AND TOM WINNIFRITH: *Brontë Facts and Brontë Problems*. London and Basingstoke: Macmillan Press 1983.

PAULINE CLARKE: *Die Zwölf vom Dachboden*. Deutsch von Sybil Gräfin Schönfeld. Hamburg: Oetinger 1975.

REBECCA W. CRUMB: *Charlotte and Emily Brontë 1916–1954. A Reference Guide*. Boston: G. K. Hall 1982.

THOMAS DE QUINCEY: *Bekenntnisse eines englischen Opiumessers*. Deutsch von Walter Schmiele. Stuttgart: Goverts 1962.

E. M. DELAFIELD: *The Brontës, their Lives recorded by their Contemporaries*. Ian Hodgins 1979.

DAPHNE DU MAURIER: *Doch mich verschlang das wild're Meer, Der Lebensroman des dämonischen Branwell Brontë*. Deutsch von N. O. Scarpi. München: Droemer o. J.

DAPHNE DU MAURIER: *The infernal World of Branwell Brontë*. New York: Avon 1960.

ENID L. DUTHIE: *The foreign Vision of Charlotte Brontë*. London and Basingstoke: Macmillan 1974.

INES EGG: *Die Bestimmung des Frauenbildes im viktorianischen Roman durch Charlotte Brontë und George Eliot*. Zürich: Juris 1949.

INGA-STINA EWBANK: *Their proper Sphere*. London: Edward Arnold 1966.

ELIZABETH GASKELL: *The Life of Charlotte Brontë*. London: Penguin 1975.

WINIFRED GÉRIN: *Anne Brontë*. London: Allen Lane 1976.

WINIFRED GÉRIN: *Branwell Brontë*. London: Hutchinson 1961.

WINIFRED GÉRIN: *Charlotte Brontë, the Evolution of Genius*. Oxford University Press 1967.

WINIFRED GÉRIN: *Emily Brontë*. Oxford University Press 1979.

IAN GREGOR (ED.): *The Brontës, a Collection of critical Essays*. Englewood Cliffs, N. J. Prentice Hall 1970.

ELIZABETH HARDWICK: *Verführung und Betrug – Frauen und Literatur*. Frankfurt: S. Fischer 1986.

ELSIE G. HARRISON: *The Clue to the Brontës*. London: Methuen 1948.

JAMES HILTON: *Der verlorene Horizont*. Deutsch von Herberth E. Herlitschka, Frankfurt: Fischer Taschenbuch Verlag 1979.

JAMES KAVANAGH: *Emily Brontë*. Oxford: Basil Blackwell 1985.

RUTH KRAWSCHAK: *Traum und Tagtraum in den Romanen Charlotte und Emily Brontës*. Berlin 1966.

MARGARET LANE: *The Brontë Story*. Glasgow: Fontana/Collins 1979.

BARBARA AND GARETH LLOYD EVANS: *Everyman's Companion to the Brontës*. Melbourne and Toronto: J. M. Dent 1982.

JOHN LOCK AND W. T. DIXON: *A Man of Sorrow*. London: Thomas Nelson and Sons 1965.

ELIZABETH LONGFORD: *Eminent Victorian Women*. London: Weidenfeld and Nicolson 1981.

KLAUS MANN: *Die Schwestern Brontë*. In: Forum, Jahrgang 3, Heft 8, August 1934.

HARRIET MARTINEAU: *Autobiography, Vol. II*. London: Smith, Elder & Co. 1877.

CHARLOTTE MAURAT: *The Brontës Secret*. London: Constable 1969.

JOHN MAYNARD: *Charlotte Brontë and Sexuality*. Cambridge University Press 1984.

KATE MILLET: *Sexus und Herrschaft*. Deutsch von Ernestine Schlant, Köln: Kiepenheuer & Witsch 1982.

HELENE MOGLEN: *Charlotte Brontë the self Conceived*. New York: Norton Library 1978.

GEORGE MOORE: *Conversations in Ebury Street*. London: William Heineman 1937.

PAULINE NESTOR: *Female Friendships and Communities (Charlotte Brontë, George Eliot, Elizabeth Gaskell)*. Oxford: Clarendon Press 1985.

ELLEN NUSSEY: *Reminiscences of Charlotte Brontë*. Scribner's Magazine, May 1871.

FANNIE E. RATCHFORD: *The Brontë's Web of Childhood*. New York: Columbia University Press 1941.

GERLIND REINSHAGEN: *Die Clownin*. Frankfurt: Suhrkamp 1985.

SR. M. CELESTA RUDOLPH: *Annette von Droste-Hülshoff und Emily Brontë*. Freiburg 1967.

DIANNE F. SADOFF: *Monsters of Affection*. Baltimore and London: Johns Hopkins University Press, 1982.

DOROTHY SAYERS: *Hochzeit kommt vor dem Fall*. Deutsch von Otto Bayer. Reinbek: Rowohlt 1985.

ARNO SCHMIDT: *Angria & Gondal. Der Traum der taubengrauen Schwestern*. In: Nachrichten aus dem Leben eines Lords. Frankfurt: Fischer Taschenbuch Verlag 1975.

ARNO SCHMIDT: *Die Gelehrtenrepublik*. Frankfurt: Fischer Taschenbuch Verlag 1965.

PETER JAMES M. SCOTT: *Anne Brontë, a new critical Assessment*. London: Vision and Barnes 1983.

Die Schwestern Brontë. Leben und Werk in Texten und Bildern. Herausgegeben von Elsemarie Maletzke und Christel Schütz. Frankfurt: Insel 1986.

CLEMENT SHORTER: *The Brontës, Life and Letters*. London 1908, Reprint in New York 1969.

CLEMENT SHORTER: *The Brontës and their Circle*. New York: E. P. Dutton, Kraus Reprint 1970.

EDITH SITWELL: *Englische Exzentriker*. Deutsch von Kyra Stromberg. Berlin: Klaus Wagenbach Verlag 1987.

ANNE SMITH: *The Art of Emily Brontë*. London: Vision Press 1976.

MURIEL SPARK (ED.): *The Brontë Letters*. London and Basingstoke: Macmillan 1966.

MURIEL SPARK AND DEREK STANFORD: *Emily Brontë, Her Life and Work*. London: Peter Owen 1960.

M. A. STOCKART: *Female Writers, Thoughts on their proper Sphere and their Power of Usefulness*. In: Ewbank, Inga-Stina: Their proper Sphere. London: Edward Arnold 1966.

WILLIAM MAKEPEACE THACKERAY: *The History of Pendennis*. The Works, Ipswich 1961.

GEORG WEERTH: *Skizzen aus dem sozialen und politischen Leben der Briten*. Berlin: Aufbau 1957.

JEAN WEBSTER: *Daddy Langbein*. Frankfurt: Fischer Taschenbuch Verlag 1978.

JOHN WESLEY: *Ah, dire effect of female pride*. In: Harrison, Elsie G.: The clue to the Brontës. London: Methuen 1948.

BRIAN WILKS: *The Brontës*. London, New York, Sydney, Toronto: Hamlyn 1975.

TOM WINNIFRITH: *The Brontës*. London and Basingstoke: Macmillan 1977.

TOM WINNIFRITH: *The Brontës and their Background*. London and Basingstoke: Macmillan 1937.

THOMAS JAMES WISE AND JOHN ALEXANDER SYMINGTON: *The Brontës, their Lives, Friendships and Correspondence*. Oxford: Basil Blackwell 1932.

KARL HEINZ WOCKER: *Königin Victoria – Die Geschichte eines Zeitalters*. Düsseldorf: Claassen 1978.

VIRGINIA WOOLF: *Haworth, November 1904*. In: Books and Portraits. London: Hogarth Press 1977.

Nachweise

Die Übersetzungen aus *Agnes Grey*, *Jane Eyre*, *Shirley*, *Villette* und *Sturmhöhe*, *Bekenntnisse eines englischen Opiumessers*, *Sexus und Herrschaft* sind im Literaturverzeichnis vermerkt. Astrid Arz übersetzte »Erinnerung« von Anne Brontë, Hans J. Schütz elf Briefe Charlottes, die Passagen aus den Jugendschriften und die Tagebucheintragungen von Emily und Anne sowie die Strophen »Ich komme, wenn die Trauer am tiefsten…«, »König Julius verließ das südliche Land…«, »Er kommt mit westlichen Winden…« und »In kalter Erd'…« von Emily. Eva Groepler übersetzte Charlottes Briefe an Constantin Heger. Alle übrigen Übersetzungen stammen von der Autorin.

Personenverzeichnis

ARNOLD, Matthew (1822–1888)
Dichter und Kritiker, Hochschullehrer in Oxford, Königlicher
Schulinspektor. Seine pessimistische Streitschrift *Kultur und Anarchie*, die ab 1867 in Serie erschien,
gehört zu den großen politischsozialen Grundsatzerklärungen
des 19. Jahrhunderts. Als Arnold
Charlotte Brontë in Ambleside
traf, war er noch ein unbekannter, erfolgloser Dichter, der ihr in
seiner »Affigkeit« stark mißfiel.
Seine spätere Ablehnung der
Morbidität in *Villette* hing mit seiner aktuellen Seelenlage zusammen, in der er die Melancholie
und Innenschau seiner frühen
Gedichte verwarf und mit ihnen
eine Haltung »in der alles erduldet und nichts getan wird.« S. 317,
349, 364, 377.

AYKROYD, Tabitha, Tabby (um
1773–1854), dreißig Jahre lang
guter Geist, Köchin, Haus- und
Kindermädchen der Brontës. Erfreute die Geschwister mit ihrem
Yorkshire-Akzent und schauerlich-schönen Geschichten. S. 82,
119, 126, 150, 159, 168ff., 173,
202, 224, 240, 253f., 277, 279,
339, 342, 386, 391.

BROWN, John (gestorben 1855) Küster von St. Michael's, Steinmetz,
Freimaurer, Vater von sechs Kindern, Freund Branwells. S. 132,
206f., 266, 277, 330, 343, 375,
393.

BROWN, Martha (geboren 1828),
Tochter von John Brown, begann
schon mit zehn Jahren kleine
Dienste im Pfarrhaus zu übernehmen. Später Köchin und
Hausmädchen. Folgte Arthur
Bell Nicholls 1861 nach Irland. S.
33, 169, 224, 277, 279, 339, 342,
375, 391f.

COLERIDGE, Hartley, Sohn des Dichters Samuel Taylor Coleridge; riet
Branwell, die Literatur zu seinem
Leben zu machen. Nab Cottage
war bereits der Alterssitz des
45jährigen. Dort führte er in
Nachbarschaft von Wordsworth
und erhalten von einer Rente, die
sein Vater – der ebenso verträumt
und unpraktisch war – für ihn eingerichtet hatte, das Leben eines
Dichters, Philosophen und ewigen Kindes. S. 208f., 349.

DE QUINCEY, Thomas (1785–1859)
Autor von *Bekenntnisse eines engli-*

schen Opiumessers – Der Mord als schöne Kunst betrachtet, Mitarbeiter von *Blackwood's Magazine*. Seine Auslassungen über Opium könnten Branwell zu Eigenversuchen angeregt haben. 1846 schickte Charlotte ihm ein Exemplar der *Poems by Currer, Ellis and Acton Bell*. S. 79, 188ff., 294, 349.

GARRS, Nancy und Sarah, Kinder- und Hausmädchen bei den Brontës in Thornton ab 1816 (Nancy) und 1818 (Sarah) bis 1824 in Haworth. Nancy heiratete einen Mr. Wainwright und erinnerte sich noch als Neunundachtzigjährige im Armenhaus von Bradford voller Rührung der Kinder und voller Abneigung an Tante Branwell: »Ein Drachen«. S. 40ff., 62, 82.

GASKELL, Elizabeth Cleghorn (1810–1865) Schriftstellerin, Ehefrau eines Geistlichen, der sie ermunterte, nach dem Tod eines kleinen Sohnes Trost im Schreiben zu finden. Ihr erster, anonym erschienener Roman, *Mary Barton* erregte fast ebensoviel Aufsehen wie ein Jahr später *Jane Eyre*. Sie schrieb *Cranford* (1853), *Ruth* (1853), *North and South* (1855), *Sylvia's Lovers* (1863), *Wives and Daughters* und vor allem *The Life of Charlotte Brontë* (1857). S. 17, 20, 24, 37, 41f., 46f., 56f., 63, 65, 67, 98, 100, 127, 132, 142, 214, 216, 229, 242, 260, 293, 303, 306, 327, 331, 344, 351ff., 357, 361, 372, 377, 378f., 382ff., 388, 390, 392f., 396f.

GREENWOOD, John, Schreibwarenhändler in Haworth, der die Autorinnen mit Manuskriptpapier versorgte; führte ein Tagebuch, in dem auch wiederholt von der Familie B. die Rede ist. Ein Ölbild, das Branwell von seinen Schwestern malte, pauste er auf Papier durch. Das Gemälde wurde, bis auf Emilys Silhouette, von Arthur Bell Nicholls zerstört. Die Pausen zeigen in Konstellation und Haltung Ähnlichkeit mit der »Gun Group«, s. Frontispiz. S. 198, 256, 393.

HEGER, Constantin (1809–1896) hatte in seiner Jugend als Rechtsanwaltsgehilfe und Claqueur in Paris gearbeitet, ehe er in seine Heimatstadt Brüssel zurückkehrte. Bei der Septemberrevolution 1830 kämpfte er auf den Barrikaden. Drei Jahre später verlor er seine erste Frau und sein Kind bei einer Cholera-Epidemie. 1836 heiratete er die fünf Jahre ältere Zoë Parent, an deren Seite er zu einem überaus erfolgreichen und geachteten Lehrer aufstieg. Charlotte Brontë vernichtete Hegers Briefe, als sie sich verlobte. Ihre Briefe an H. wanderten in den Papierkorb, aus dem sie von Madame wieder hervorgeholt wurden. 1913 vermachten die Kinder der Hegers die Brontë-Briefe dem British Museum. S. 228, 230ff., 240ff., 246ff., 261f., 270ff., 291, 370, 393.

HOGG, James (1770–1835), schottischer Dichter, genannt »der Schäfer von Ettrick«. In der Nachfolge von Robert Burns schrieb er volkstümliche Balladen und Geschichten. Mitarbeiter bei *Blackwood's Magazine*, in dessen Nachfolge Branwell treten wollte. S. 86, 146f.

KAY SHUTTLEWORTH, Sir James (1840–1877) und Lady Janet (1817–1872) auf Gawthorpe Hall. Sir James war vor seiner Heirat mit der Lady Arzt, ein Mann mit hohen Verdiensten um die Schulpflicht und die öffentliche Hygiene. Er schmückte sich gern mit der Bekanntschaft berühmter Schriftsteller. (Sein hartnäckig-zahnzeigendes Lächeln enervierte Charlotte schon bei seinem ersten Besuch). Als Mrs. Gaskell Material für ihre Biographie sammelte, begleitete Sir James sie nach Haworth. Sie selbst war zu dezent, um etwas mit Nachdruck zu erbitten, aber Sir J., der soviel Delikatesse wie ein Vorschlaghammer besaß, entriß Mr. Nicholls »eine unglaubliche Anzahl von Dingen und duldete buchstäblich keinen Widerstand« (Gaskell). Gerne wäre er auch als Herausgeber von *The Professor* aufgetreten, aber Mrs. Gaskell, die wußte, daß Charlotte dieser Gedanke schrecklich gewesen wäre, übernahm selbst die Aufgabe. An George Smith schrieb sie über Sir James Ambitionen: »Vorsicht vor diesen Zähnen!« S. 357f., 390.

LEWES, George Henry (1817–1878), Journalist, Romancier, Naturforscher, Förderer und Lebensgefährte von George Eliot. Seine Arbeiten sind heute weitgehend vergessen, aber zu seiner Zeit war er ein überaus umstrittener, streitbarer und einflußreicher Geist. Charlotte sah in seinem Gesicht eine Ähnlichkeit mit Emily, aber diese beruhte wohl eher auf der Kurzsichtigkeit der einen Schwester, als auf dem Erscheinungsbild der anderen, denn Lewes, der von Freunden auch »der Affe« genannt wurde, war pockennarbig, mit engen Kinnbacken, großen Nüstern, abgezehrten Wangen und vollen Lippen unter einem wüsten Bart. »Seine Augen«, schrieb ein Zeitgenosse, »waren der beste Zug in seinem Gesicht, groß, dunkel und sehr ausdrucksvoll, mit einer Traurigkeit in Augenblicken der Ruhe, die in merkwürdigem Gegensatz zu seinen munteren

Neckereien stand.« S. 292, 355f., 376.

LEYLAND, Joseph Bentley (1811–1850), Bildhauer aus Halifax, Branwells Freund und Vorbild. Sein Bruder Francis schrieb »*The Brontë Family, with Special Reference to Patrick Branwell Brontë*, London 1855. S. 128, 188, 190, 211, 268, 281f.

MARTINEAU, Harriet (1802–1876) eine dieser erstaunlichen viktorianischen Frauenfiguren; mit fünfzig Jahren schrieb sie in Windeseile (drei Monate) ihre Autobiographie, weil sie jeden Tag den Tod erwartete, lebte dann aber noch zwanzig Jahre rüstig weiter. Die Tochter eines Textilfabrikanten verlor schon als junges Mädchen das Gehör, ihr Vater und ein Bruder starben, ihr Verlobter wurde geisteskrank und starb. Mit dreißig Jahren verdiente H. M. den Unterhalt der Familie. Sie schrieb populäre Zeitschriften-Serien: *Illustrations of Political Economy, Illustrations of Taxation, Forest and Game Law Tales*. 1834 reiste sie durch Nordamerika, und da sie eine entschiedene Gegnerin der Sklaverei war, entkam sie einige Male nur knapp einem Lynchkommando. 1839 erschien ihr Roman *Deerbrook*. Sie plante und baute ein Haus für sich in Ambleside. Be-

graben wurde sie auf eigenen Wunsch ohne christlichen Ritus. S. 18, 312, 346, 348ff., 363f., 372, 376f., 394.

NICHOLLS, Arthur Bell (1818–1906) Der Bauernsohn aus Killead in der irischen Grafschaft Antrim wurde als Siebenjähriger von seinem Onkel Alan Bell aufgenommen, der Direktor einer Schule in Cuba House in Banagher, Grafschaft Offaly, war. Er besuchte das Trinity College in Dublin und trat danach seine erste Kuraten-Stelle in Haworth an. 1854 heiratete er C. B. Nach Patricks Tod zog er zurück nach Banagher, wohin er neben allen Erinnerungsstücken an Charlotte auch Patricks Hund Plato und Martha Brown mitnahm. Er heiratete seine Base Mary Anne Bell und lebte als Gutsherr. S. 56, 68, 190, 295f., 300, 329, 334, 373ff., 377ff., 383ff.

NUSSEY, Ellen (1817–1897), jüngstes von zwölf Kindern eines Textilfabrikanten. Zwei ihrer Brüder wurden Pfarrer, zwei erfolglose Geschäftsleute, einer Hofarzt, und George, der einzige symphatische, wurde geisteskrank. Ellens Freundschaft mit Charlotte dauerte vierundzwanzig Jahre. Es war E. N., die Patrick auf abstruse Zeitungsartikel nach Charlottes Tod aufmerksam machte und vorschlug, er möge Mrs. Gaskell autorisieren, ihre Biographie zu schreiben. Sie gab Mrs. Gaskell Einsicht in rund dreihundert Briefe, die sie jedoch vorher zensierte. E. N. starb unverheiratet. S. 43, 98, 109, 112f., 116ff., 124, 126f., 129f., 135ff., 168, 176ff., 191f., 194ff., 214, 217, 229, 237ff., 247, 253, 255f., 269ff., 273, 284, 291, 295, 298, 300ff., 307, 332, 334, 336ff., 346, 350, 362f., 365, 371, 381f., 384, 387ff., 392ff., 397.

RICHMOND, George (1809–1866), einer der erfolgreichsten Porträtmaler um die Mitte des 19. Jahrhunderts. Er malte die literarische Society, darunter Elizabeth Gaskell und Harriet Martineau. Die Popularität seiner Kunst rührte aus dem feinen Abwägen zwischen Ähnlichkeit und subtiler Schmeichelei. Er zeichnete Charlotte in Kreide, als sie fünfunddreißig Jahre alt war. Richmond erinnerte sich der peinlichen Situation, daß, als sie in seinem Atelier den Hut abnahm, ein Stück Werg auf ihrem Scheitel zurückblieb, in dem sie die Kopfbedeckung festgesteckt hatte. Als der Künstler sie bat, die Hilfskonstruktion zu entfernen, brach sie in Tränen aus. George Smith sandte das Porträt als Geschenk an Patrick. S. 360.

ROBINSON, Familie auf Thorp Green. Anne diente bei dem – nicht praktizierenden – Reverend Edmund Robinson und seiner Frau Lydia (später Lady Scott) von März 1841 bis Juni 1845. Branwell, der ihr im Januar 1843 gefolgt war, wurde im Juli 1845 entlassen. Nach dem Tod von Edmund senior war seine Witwe bemüht, ihre beiden jüngsten Töchter schnell und profitabel unter die Haube zu bringen. Der ältesten, die mit einem Schauspieler durchgebrannt war, wurde von der Mutter nie vergeben. Edmund junior starb unverheiratet bei einem Jagdunfall im Alter von siebenunddreißig Jahren. S. 212ff., 219, 221, 224, 243f., 258ff., 266ff., 282, 284f., 322.

ROBINSON, William, Künstler aus Leeds, gab den Brontë-Kindern Zeichenunterricht und Branwell später Privatstunden. S. 127, 132, 144.

SHORTER, Clement, Journalist und literarischer Agent, Brontë-Biograph und -Herausgeber, ein emsiger, aber oft unberatener und unkorrekter Mann, »der Typ Literaturvertreter, der das Löschblatt eines berühmten Autors abdrucken würde, wenn er es in die Finger bekäme« (George Meredith). In Partnerschaft mit Thomas J. Wise kaufte er Arthur Bell

Nicholls 1895 Briefe, Zeichnungen, Erinnerungsstücke, Manuskripte aus Angria und das Copyright darauf ab, was Wise in beispielloser Weise zum Horten, Fälschen, zu teuren Privatdrucken und dem Versteigern der auseinandergetrennten »little books« nutzte. Shorter machte vergeblich sein Copyright auf alle unveröffentlichten Briefe geltend, als Charlottes Briefe an Heger 1913 in der Times publiziert wurden – von denen Wise umgehend einen Raubdruck herstellte. S. 242, 329, 394.

SMITH, George Murray (1824–1901). Nach dem Tod seines Vaters und des Seniorpartners Elder führte er ab 1846 das Verlagshaus Smith & Elder. Currer Bell war seine erste Bestseller-Autorin; es folgten Thackeray, Gaskell, Matthew Arnold, Ruskin und Browning. Nach *Villette* wurden die herzlichen Beziehungen zwischen ihnen »sehr dünn und rar« (Charlotte). Smith hatte ihr, statt der erhofften 700 Pfund nur wiederum 500 wie für ihre beiden vorhergegangenen Romane gezahlt. Im Februar 1854 heiratete Smith die Tochter eines Londoner Weinhändlers. Der Name des Ehepaars erscheint noch einmal auf der Einladungsliste zu Charlottes Hochzeit, aber der Besuch kam nicht zustande. S. 56, 301, 303, 323ff., 343, 346f., 351, 355, 358ff., 364f., 370, 372f., 376, 378, 387, 393f.

SOUTHEY, Robert (1774–1843) mit Wordsworth und Coleridge ein Vertreter der ersten Romantiker-Generation, dessen Bedeutung jedoch schon zu Lebzeiten von Byron überflügelt wurde. Er schrieb Versdramen, *Wat Tyler* (1794), ein Stück über den Revolutionsführer, von dem sich der konservativ gewordene Dichter später distanzierte, und exotische Epen. Ab 1813 Poet Laureate. Charlotte riet er, sich statt der Literatur ihren Pflichten als Frau zu widmen. S. 94, 147ff., 159, 209, 271, 346, 349.

TAYLOR, James (geboren 1817) Charlottes »little man«, leitender Angestellter bei Smith & Elder mit »vierzig jungen Männern unter dem Kommando seines eisernen Willens« (Charlotte). Ihre Beziehung war nur in der Entfernung ersprießlich, wenn sie angeregt miteinander korrespondierten; sobald Taylor in ihrer Nähe auftauchte, fühlte C. sich abgestoßen. Der Verlagszweig, den er in Bombay gründete, nahm keinen erfolgreichen Verlauf. 1856 kehrte Taylor nach England zurück. S. 342, 347, 364f., 372.

TAYLOR, Mary (1817–1893) eines von fünf Kindern des Joshua Taylor,

eines gebildeten, temperament-
vollen Fabrikanten und einer etwas trübsinnigen, mürrischen
Mutter. Mrs. Taylor urteilte nach
der Lektüre von *Shirley*, in der
ihre Familie als »die Yorkes« mitspielt: »Charlotte Brontë ist eine
Lügnerin und keine Lady.« Miss
Wooler fand Mary »zu hübsch
um zu leben«, Charlotte aber
wußte: »Mary hat mehr Kraft
und Energie als zehn Männer.«
Ihr Vater starb 1840, ihre Schwester Martha 1842 in Brüssel. Danach ging Mary nach Iserlohn,
wo sie Knaben unterrichtete, was
Charlotte unschicklich fand.
1845 emigrierte sie nach Neuseeland und gründete mit ihrer Kusine Ellen ein Geschäft. Sie verfaßte Artikel über *The First Duty of
Women* (ihre Unabhängigkeit)
und einen Roman, *Miss Miles*,
zum gleichen Thema, der 1890
erschien. 1860 kehrte sie nach
England zurück, baute sich ein
Haus, reiste und lebte ihrem
Prinzip, sich keinesfalls aus Sicherheit und Gewinnsucht zu verheiraten. S. 41, 96, 98ff., 130,
141f., 171, 177f., 192, 197f., 214,
218, 224, 226, 235f., 239, 246,
269f., 326f., 344, 350, 372, 379,
381, 384, 394.

THACKERAY, William Makepeace
(1811–1863) neben Charles Dick-
ens der wortmächtigste Schilde-
rer viktorianischen Lebens mit
satirischem Einschlag. T. begann
als Mitarbeiter des *Punch*, veröffentlichte 1837/38 *Yellowplushs
Briefe* als Serie in *Fraser's Magazine*. Es folgten u.a. *Das Snobsbuch,
Jahrmarkt der Eitelkeit* und die autobiographisch gefärbte *Geschichte von Pendennis*. 1836 heiratete er Isabella Shawe, die später
geisteskrank wurde, und bekam
mit ihr zwei Töchter. Seine Vorträge über *Englische Humoristen
des 18. Jahrhunderts*, mit denen er
auch erfolgreich Amerika berei-
ste, faszinierten Charlotte, die –
selbstverständlich – seine leicht-
fertige Art, Fielding zu interpre-
tieren, nicht teilte. S. 302, 346f.,
356, 358ff., 367f.,376, 378, 393,
397.

WEIGHTMAN, William (1814–1842)
Sohn eines Brauers aus Appleby
in Westmorland, besuchte die
Universität in Durham und trat
1839 seine erste Stelle in Haworth
an. Im Juni 1840 erbat er einen
längeren Urlaub um Prüfungen
für seine Ordination abzulegen,
scheint sich stattdessen jedoch einen heiteren Lenz in Appleby gegönnt zu haben. Anne war eine
in der »Heerschar junger Damen« (Charlotte), die ihr Herz an
ihn verlor. Ihre ältere Schwester
sah nach anfänglicher Begeisterung auf etwas mehr Distanz. W.
starb an der Cholera, nach einer,
wie der Reverend in seiner Pre-

digt sagte, »glänzenden aber kurzen Laufbahn«. Anne schrieb noch Jahre später: »... und bist mir immer noch so lieb.« S. 190ff., 197, 235f., 313.

WILLIAMS, William Smith (geboren 1800) Cheflektor des Verlags Smith & Elder, Vater von acht Kindern, »kein praktischer Mann, sondern einer von der nachdenklichen, theoretisierenden Sorte« (Charlotte). Er erkannte als erster das Talent von Currer Bell. Seine unaufdringliche aber zuverlässige Freundschaft stärkte in allen Krisen ihr Selbstvertrauen als Autorin. Nach der Abkühlung ihres Verhältnisses zu Smith, wurde auch die Beziehung zu W. schwierig. Im Dezember 1853 schickte sie ihm die letzten Leihbücher nach Cornhill zurück und bat, keine weiteren mehr zu senden, da sie eine peinliche Pflichtübung darin zu erkennen meinte. S. 301f., 325ff., 331, 346f., 354.

WOOLER, Margaret (geboren 1792) die älteste von vier Fräulein Wooler, die 1831 in Roe Head unterrichteten; Direktorin der Schule. Nach Ellen Nussey wirkte sie wie eine »Äbtissin«, nicht hübsch aber sehr würdig, selbstlos und liebenswert. Charlottes Verhältnis zu ihr – oft getrübt – besserte sich in ihren letzten Lebensjahren. Miss W. führte sie als Braut Mr. Nicholls zu. S. 103f., 129, 133, 141, 153, 166ff., 218, 247, 303, 346, 386f., 390, 392.

WORDSWORTH, William (1770–1850) neben Coleridge und Southey der bedeutendste der »Lake Poets«. Er schrieb Sonette und Verserzählungen, Meditationen über Mensch und Natur, Gedichte der Imagination und zusammen mit Coleridge *Lyrical Ballads*. Ab 1843 Poet Laureate. Seine Kunst beeinflußte Emily, die, wie er, in der »Souveränität« der Imagination sich mit der Natur und durch sie mit einem pantheistischen Gott verbunden fühlte. Branwell, der sich mit der Bitte um literarischen Rat aufdringlich gemacht hatte, würdigte W. keiner Antwort. S. 94, 147, 149f., 209, 294, 349.

Lebenslinien

Zwölf Biographien von Frauen

Edmonde
Charles-Roux
Coco Chanel
Ein Leben
Band 13551

Victoria
Glendinning
Vita Sackville-West
Eine Biographie
Band 13552

Hayden Herrera
Frida Kahlo
Malerin
der Schmerzen,
Rebellin gegen das
Unabänderliche
Band 13553

Irmela von der Lühe
Erika Mann
Eine Biographie
Band 13554

Alma Mahler-Werfel
Mein Leben
Band 13555

Elsemarie Maletzke
**Das Leben
der Brontës**
Eine Biographie
Band 13556

Toril Moi
Simone de Beauvoir
Die Psychographie
einer Intellektuellen
Band 13557

Josyane Savigneau
**Marguerite
Yourcenar**
Die Erfindung
eines Lebens
Band 13558

Edith Sitwell
**Mein exzentrisches
Leben**
Autobiographie
Band 13559

Anne Stevenson
Sylvia Plath
Eine Biographie
Band 13560

Kyra Stromberg
Djuna Barnes
Leben und Werk
einer Extravaganten
Band 13561

Leonard Woolf
**Mein Leben
mit Virginia**
Erinnerungen
Band 13562

Fischer Taschenbuch Verlag

»Die Zinkwanne« von Margaret Mazzantini

Ein aufsehenerregender Debütroman in der Frankfurter Verlagsanstalt

»Versäumen Sie nicht Margaret Mazzantinis italienische Familienchronik *Die Zinkwanne*, die so atemberaubend direkt, lebendig, unsentimental und voll aufrichtiger Liebe ist, daß man sie so schnell nicht vergißt.«   (Bücherjournal)

»*Die Zinkwanne* ist ein wunderbares Buch. Es ist klar, klug, grotesk, es ist poetisch, komisch, liebevoll und unbarmherzig zugleich. Kriegs- und Nachkriegszeit in Italien werden präsent, vor allem gespiegelt am Leben von Frauen, die Töchter, Schwestern, Mütter, Ehefrauen, Großmütter waren. Am Ende steht diese Frau: Margaret Mazzantini, und hat das großartige Talent, ihre Sippschaft aufleben zu lassen und ihre eigenen Ursprünge zu begreifen. Es ist ein außerordentlich sinnlicher, ein bewegender Roman.«   (Elke Heidenreich)

»So stark, alle Wetter, allen Respekt, weht es uns nicht aus vielen Erstlingswerken entgegen. *Die Zinkwanne* ist ein Fest der starken Momente und Geschichten, das Leben in der Essenz, im Duftkonzentrat. Die Autorin dieser Chronik muß so etwas haben wie den absoluten Geruchssinn und so etwas sein wie die olfaktorische Prinzessin auf der Erbse. Sie sieht viel, aber noch mehr wittert sie, ihr Buch verströmt hundert Gerüche … große Literatur.«

(Frankfurter Allgemeine Zeitung)

»*Die Zinkwanne* ist in der Tat das vielleicht aufsehenerregendste literarische Debüt der Saison.«   (Welt am Sonntag)

Margaret Mazzantini. »Die Zinkwanne«. Roman
Deutsche Erstausgabe
Aus dem Italienischen von Viktoria v. Schirach

Neue Literatur in der Frankfurter Verlagsanstalt